Uni-Taschenbücher 1176

S0-AQL-229

UTB

Eine Arbeitsgemeinschaft der Verlage

Birkhäuser Verlag Basel und Stuttgart
Wilhelm Fink Verlag München
Gustav Fischer Verlag Stuttgart
Francke Verlag München
Harper & Row New York
Paul Haupt Verlag Bern und Stuttgart
Dr. Alfred Hüthig Verlag Heidelberg
Leske Verlag + Budrich GmbH Opladen
J. C. B. Mohr (Paul Siebeck) Tübingen
C. F. Müller Juristischer Verlag – R. v. Decker's Verlag Heidelberg
Quelle & Meyer Heidelberg
Ernst Reinhardt Verlag München und Basel
K. G. Saur München · New York · London · Paris
F. K. Schattauer Verlag Stuttgart · New York
Ferdinand Schöningh Verlag Paderborn · München · Wien · Zürich
Eugen Ulmer Verlag Stuttgart
Vandenhoeck & Ruprecht in Göttingen und Zürich

Ulrich Nassen (Hrsg.)

Klassiker der Hermeneutik

Ferdinand Schöningh
Paderborn · München · Wien · Zürich

Dr. ULRICH NASSEN ist Assistent an der Universität Bielefeld, Fakultät für Linguistik und Literaturwissenschaft.

CIP-Kurztitelaufnahme der Deutschen Bibliothek

Klassiker der Hermeneutik / Ulrich Nassen (Hrsg.).
— Paderborn; München; Wien; Zürich: Schöningh, 1982.
  (Uni-Taschenbücher; 1176)
  ISBN 3-506-99358-5
NE: Nassen, Ulrich [Hrsg.]; GT

München · Wien · Zürich

Printed in Germany

Gesamtherstellung: Ferdinand Schöningh, Paderborn

Einbandgestaltung: Alfred Krugmann, Stuttgart

Inhaltsverzeichnis

Vorwort 7

Rainer Piepmeier: Baruch de Spinoza: Vernunftanspruch
und Hermeneutik 9

Christoph Friederich: Johann Martin Chladenius: Die allgemeine Hermeneutik und das Problem der Geschichte 43

Hermann Patsch: Friedrich August Wolf und Friedrich Ast:
Die Hermeneutik als Appendix der Philologie . . . 76

Norbert W. Bolz: Friedrich D. E. Schleiermacher: Der Geist
der Konversation und der Geist des Geldes . . . 108

Jürgen Danz: August Böckh: Die Textinterpretation als
Verstehen des subjectiven Objectiven 131

Erwin Hufnagel: Wilhelm Dilthey: Hermeneutik als
Grundlegung der Geisteswissenschaften 173

Norbert Altenhofer: Sigmund Freud: Lektüre zwischen
Sinndeutung und Funktionsanalyse 207

Rainer Marten: Martin Heidegger: Den Menschen deuten 241

Jörg Villwock: Paul Ricoeur: Symbol und Existenz. Die
Gewissenserfahrung als Sinnquelle des hermeneutischen
Problems 270

Ulrich Nassen: Hans-Georg Gadamer und Jürgen Habermas: Hermeneutik, Ideologiekritik und Diskurs . . 301

Personenregister 322

Vorwort

Die in diesem Band versammelten Beiträge präsentieren „Klassiker der Hermeneutik" unter jeweils spezifischer Perspektive und in chronologischer Ordnung. Die Reihe der Namen ist nicht vollständig, stellt eine Auswahl dar — eine Auswahl gleichwohl, die — wie der Herausgeber hofft — einer gewissen Plausibilität nicht entbehrt.

Zum einen werden zeitgenössische hermeneutische Positionen diskutiert, denen maßgebliche Bedeutung für die neuere Hermeneutik-Debatte seit Ende der sechziger Jahre zukommt (Freud, Ricoeur, Gadamer, Habermas); zum anderen werden historische Konzeptionen vorgestellt, denen in dem Maße, wie die gegenwärtige Hermeneutik sich ihrer überformten Tradition vergewissert, erneute Relevanz und Aktualität zuwächst (Spinoza, Chladenius, Ast, Wolf, Boeckh). Der Beitrag über Heidegger ist der eigentümlichen Hermeneutik seiner Spätphilosophie gewidmet. Schließlich stehen die Namen Schleiermacher und Dilthey für zwei Positionen, auf die im Rahmen eines Bandes mit einem solchen Titel nicht verzichtet werden konnte. Ausgespart wurden Beiträge zur Frühgeschichte der Hermeneutik. Der Band setzt dort ein, wo — im Sinne Marquards — der Übergang von der singularisierenden zur pluralisierenden Hermeneutik signifikant wird: bei Spinoza. Alle nachfolgenden Hermeneutiken suchen in unterschiedlicher Weise auf die sich verschärfenden Probleme zu reagieren, die sich erstmals deutlich bei Spinoza artikulieren: das hermeneutische Geschäft der Auslegung mit den Ansprüchen der wachsenden Naturerkenntnis zu vermitteln und den Zerfall der Autorität der Texte produktiv mit einer Potenzierung der Auslegungsverfahren zu beantworten. Ob — wie Marquard meint — „die nach Art Spinozas begonnene Sanierung der Hermeneutik — in der Konsequenz ihres späteren Wegs in die Exaktheit — (...) letzten Endes die Hermeneutik zu Tode (saniert)"[1], vermag der Leser nach der Lektüre der Beiträge dieses Bandes hoffentlich besser zu beurteilen.

[1] Odo Marquard: *Frage nach der Frage, auf die die Hermeneutik die Antwort ist.* In: Ders.: *Abschied vom Prinzipiellen. Philosophische Studien.* Stuttgart 1981, S. 143, Anm. 35.

Raimar Stephan Zons, ohne den dieser Band in der jetzigen Form nicht zustande gekommen wäre, sei Dank!

Bielefeld, im Dezember 1981

Ulrich Nassen

Rainer Piepmeier

Baruch de Spinoza:
Vernunftanspruch und Hermeneutik

1.

Spinoza ist Begründer einer Hermeneutik in umfassenderer Weise
als das die — richtig bleibende — Kennzeichnung als bedeutender
Vorläufer wissenschaftlicher Bibelexegese deutlich werden ließe.
Den Rahmen philosophischer Begründung und Bedeutung zu erkennen, heißt aber auch, Spinozas Hermeneutik in ihrer Paradoxie
zu erkennen. Die Paradoxie ist: Spinoza gibt einer Hermeneutik
den Raum ihrer Relevanz, indem er ihr den Anspruch auf philosophische Wahrheit abspricht. In der Ausdifferenzierung durch Vernunft und in der Distanzierung von Vernunft konstituiert sich ein
Wirklichkeitsbereich, in dem Verständigung und Selbstverständigung hermeneutisch vermittelt sind. Erst unter dieser Voraussetzung wird der systematische Ort der Bibelexegese Spinozas deutlich und sein — von ihm kaum explizierter — Ansatz einer allgemeinen Texthermeneutik.
Der Geltungsbereich der Hermeneutik ergibt sich im Prozeß der
neuzeitspezifischen Ausdifferenzierung von Vernunftbegriff, Gesellschaftsbegriff und Religionsbegriff[1]. Diese Konstellation bildet sich unter der Dominanz einer Vernunft, die Erkenntnis an das
Kriterium der Klarheit und Deutlichkeit bindet und als Wirklichkeit nur das anerkennt, was die so definierte Erkenntnis erfassen
kann. Hierin folgt Spinoza Descartes, der das neue naturwissenschaftliche Weltbild philosophisch begründete und seinen Anspruch
auf eine alles umfassende neue Weltsicht und ein neu konstituiertes
Wirklichkeitsverständnis philosophisch bestätigte. Voraussetzung ist
der Zweifel am überlieferten Wissen, ist der Verfall der Autorität
der Texte[2]. Grund hierfür ist wesentlich nicht, daß in den überlieferten Texten das alte Weltbild aufgezeichnet ist, sondern daß die
Gewißheit der Erkenntnis sich überhaupt nicht auf Texte berufen
kann, sondern nur auf die unmittelbare, prinzipiell von jedem zu
vollziehende Erkenntnis der Dinge selbst. Damit verliert Tradition
die Bedeutung von Gewißheitsvermittlung, und die lebensweltlich
akkumulierte Erfahrung, die in der jeweiligen Situation zu inter-

pretieren und zu applizieren ist, verliert die Möglichkeit, Beglaubigung von Wahrheit zu sein.

Die Bibelexegese erhält unter diesen Voraussetzungen ihre den theologischen Rahmen sprengende Brisanz, weil nicht nur das in den biblischen Schriften überlieferte Weltbild in Frage steht, sondern das Prinzip der Wahrheitsvermittlung durch Texte und autoritative Tradition selbst nicht mehr akzeptiert werden kann. Diese Sachlage wird in der Diskussion formuliert als die Frage nach dem Verhältnis von scriptura, doctrina und ratio und muß sich in der Entscheidung konkretisieren, ob die Vernunft der Schrift untergeordnet, nebengeordnet oder übergeordnet sein soll[3]. Spinoza ist für den theologischen und philosophischen Zusammenhang von exemplarischer Bedeutung, weil er die theologischen Auseinandersetzungen der katholisch-protestantischen Kontroverstheologie, der Sozianer und ihrer Gegner, der cartesianischen Theologen und der Orthodoxie voraussetzt[4], die jüdische Tradition (bes. Maimonides, Uriel da Costa) kennt und teilweise explizit diskutiert[5], wobei er in dieser Hinsicht von cartesianischen Voraussetzungen ausgeht und unter dem Eindruck der konfessionellen Kriege und konfessioneller Streitigkeiten in den Niederlanden die praktische, sogar im engeren Sinne politische Bedeutung hermeneutischer Auseinandersetzungen grundlegend in seine Überlegungen einbezieht[6].

Das Streben nach Gewißheit und die Diskussion ihrer Bedingungen ist das grundlegende Thema sowohl der theologischen Auseinandersetzungen, denen es um die Gewißheit des Glaubens und seines Anspruchs auf theoretische und praktische Wirklichkeitserschließung geht, wie der philosophischen Bemühungen, die zu einer Gewißheit praktischen Handelns und zu einer Gewißheit philosophischen Erkennens als Wahrheit gelangen wollen, die allen Auseinandersetzungen entzogen und prinzipiell der Anerkennung aller sicher sein könnte.

2.

Spinozas Weg zur Gewißheit philosophischer Wahrheit und die Ausgrenzung des Bereichs der Hermeneutik ist von seiner Unterscheidung dreier Erkenntnisgattungen her zu entwickeln. Sie haben nicht nur erkenntnistheoretische Bedeutung im engeren Sinne, sondern bezeichnen drei Arten der Wirklichkeitserschließung mit den jeweiligen Medien der Erkenntnis und Selbstverständigung. Zudem verbindet Spinoza gegenüber Descartes' Trennung von Verstandesgebrauch und 'provisorischer Moral'[7] die Forderung nach voll-

kommener Erkenntnis mit dem Anspruch auf ethische Vollkom-
menheit. Jede der drei Erkenntnisgattungen bezeichnet so auch
Möglichkeiten ethischer Verwirklichung und Bedingungen und
Möglichkeiten kommunikativer Praxis.

Die Erkenntnis der ersten Gattung nennt Spinoza „Meinung oder
Vorstellung" (TE 9)⁸. Diese unterteilt sich in (1 a) Wissen „durch
Hörensagen oder durch ein sogenanntes beliebiges Zeichen" (TE
9)⁹. Durch Hörensagen wisse man seinen Geburtstag „und daß ich
die und die Eltern hatte und ähnliches, woran ich nie gezweifelt
habe" (TE 10). (1 b) ist die „unbestimmte Erfahrung", die „expe-
rientia vaga". Hierdurch weiß man, daß man sterben wird, einfach
deshalb, weil man andere, seiner selbst ähnliche Wesen sterben sah
und daß Öl die Flammen nährt, Wasser sie löscht, aber auch, „daß
der Hund ein bellendes und der Mensch ein vernunftbegabtes Geschöpf ist" (TE 10). Damit ist ein Wissen bezeichnet, das durch
eigene Erfahrung und lehrende Vermittlung erworben, alltägliche
Lebenspraxis bewältigen läßt und Voraussetzung kommunikativen
Handelns ist. Dieses Wissen ist unumgänglich notwendig, und es
umfaßt den größten Teil allen menschlichen Wissens, wenn auch
nicht darauf reflektiert wird. Das ist gerade Kennzeichen dieses
Wissens. Spinoza hat den Sachverhalt anerkannt: „Und so kenne
ich fast alles, was zum Gebrauche des Lebens gehört." (TE 10) Die
so gewonnene Erfahrung gilt deshalb auch „gleichsam als uner-
schütterlich", „weil wir kein anderes Erfahrungsmoment haben,
das ihr widerstreitet" (TE 9). Es wird durch selbst erworbene und
lehrend vermittelte Erfahrung eine Gewißheit erreicht, die hinreichend die Sicherheit alltäglicher Lebenspraxis garantiert.

Unter dem Aspekt eines weitergehenden Erkenntnisanspruchs, der
sich von der Heteronomie einer durch Vorstellungen vermittelten
Erfahrung freimachen will, stellt sich das Problem der Gewißheit
alltäglichen Lebensvollzugs neu. Die Vorstellungen haben ihren
Ursprung „in gewissen zufälligen (...) und losen Empfindungen,
die nicht aus dem Vermögen des Geistes selbst hervorgegangen
sind, sondern aus äußeren Ursachen, je nach den verschiedenen
Anregungen, die der Körper im Träumen oder Wachen empfängt"
(TE 40). Vorstellungen sind so „gleichsam Schlußsätze ohne Vor-
dersätze", d. h. „verworrene Ideen" (E II Ls 28 Beweis, S. 80).
Zwar enthalten die Vorstellungen „an und für sich betrachtet,
durchaus keinen Irrtum". Die Seele irrt noch nicht deshalb, weil sie
vorstellt (E II Ls 77 Anm., S. 72). Von Irrtum ist aber zu sprechen,
wenn von der Vernunft her geurteilt wird. Die Sicherheit, die im

Bereich der Vorstellungen gründen kann, läßt in vernunftmäßigem Sinne nicht von ‚Gewißheit' sprechen, sondern ist als ‚Falschheit' zu kennzeichnen.

> Gesetzt also, ein Mensch hänge noch so sehr am Falschen, so werden wir doch niemals sagen, daß er dessen gewiß sei. Denn unter Gewißheit verstehen wir etwas Positives ... und nicht den Mangel an Zweifel. Dagegen unter Mangel an Gewißheit verstehen wir Falschheit. (E II Ls 49 Anm., S. 100)

Im Hinblick auf einen möglichen Bereich der Hermeneutik ist es nun eine entscheidende Wendung, daß Spinoza dem Bereich der Vorstellung trotz der Kennzeichnung ‚Falschheit' eine unaufhebbare Geltung zuspricht. Das wird in der Weise akzentuiert, daß der Bereich der Vorstellung auf den Bereich naturwissenschaftlicher Erkenntnis bezogen wird. Dadurch erfaßt Spinoza einen spezifisch neuzeitlichen Erfahrungsgehalt, der sich aus der Trennung des Wissens alltäglicher Lebenspraxis und damit vermittelter sinnlicher Anschauung einerseits und der naturwissenschaftlichen Erkenntnis andererseits ergibt. Die ‚Vorstellung' kann fortbestehen, auch wenn ihre ‚Falschheit', ihr ‚Irrtum' im Sinne vernünftig-naturwissenschaftlicher Erkenntnis gewußt ist. Auch wenn uns die wirkliche Entfernung der Sonne von der Erde bekannt ist, wird die Vorstellung als sinnliche Anschauung, daß sie sehr nahe ist und heute näher als gestern, dadurch nicht aufgehoben (vgl. E IV Ls 1 Anm., S. 193). Und

> obwohl ich z. B. weiß, daß die Erde rund ist, steht nichts im Wege, daß ich zu jemandem sage, die Erde sei eine Halbkugel und wie eine halbe Orange auf einem Teller; oder die Sonne bewege sich um die Erde und ähnliches. Wenn wir unsere Aufmerksamkeit darauf richten, werden wir nichts sehen, was nicht mit dem schon Gesagten zusammenhinge. (TE 25)

Das führt Spinoza dazu, die ‚Vorstellungen' aus dem Anspruchsbereich von ‚Wahrheit' herauszunehmen. „Dem Wahren sind sie nicht entgegengesetzt, noch verschwinden sie bei dessen Gegenwart" (E IV Ls 1 Anm., S. 193). Das bedeutet, daß ein Bereich gekennzeichnet ist, an den der Anspruch der Entscheidbarkeit auf Gewißheit oder Falschheit hin nicht gestellt wird. Insofern ist hier ein Bereich eigener Geltung anerkannt. Das bedeutet aber auch, daß der Bereich der Vorstellungen von dem der Wahrheit getrennt ist und daß ein Übergang von der Wirklichkeitserfassung der 1. Erkenntnisgattung zu der der 2. und 3. Erkenntnisgattung nach der Systematik Spinozas nicht möglich ist.

Die Ideen, die uns klar und deutlich sind oder die zur dritten Erkenntnisgattung gehören (...), können nicht aus verstümmelten und verworrenen Ideen folgen, wie sie ... zur ersten Erkenntnisgattung gehören, sondern nur aus adäquaten Ideen oder ... aus der zweiten und dritten Erkenntnisgattung. Und sonach kann die Begierde, die Dinge in der dritten Erkenntnisgattung zu erkennen, nicht aus der ersten entspringen, wohl aber aus der zweiten. (E V Ls 28 Beweis, S. 284 f.)

Damit ist der gesamte Bereich alltäglicher Lebenspraxis und kommunikativen Handelns, die selbst erworbene und die durch Sprechen und Hören lehrend und aufnehmend vermittelte Erfahrung aus dem Bereich philosophischen Wahrheitsanspruchs ausgegrenzt, allgemeiner gesagt: der gesamte Bereich der Erinnerung, des im weitesten Sinne historischen Wissens, der durch Worte und Geschichten vermittelten Tradition. Da Spinoza aber diesen Bereich als — in seinen Grenzen — weiterbestehend auch philosophisch anerkennt, indem er ihn — und der Immanenz seines Geltungsbereichs — von dem Anspruch auf Entscheidung über ,wahr' oder ,falsch' ausnimmt, läßt er Raum für eine *Hermeneutik alltäglicher Praxis,* deren Voraussetzungen er in grundsätzlichen Bestimmungen selbst kennzeichnet.

Grundlegend ist, daß die Vorstellungen als Medium der Wirklichkeitserfassung und des Selbstverständnisses der in alltäglicher Praxis Handelnden abhängig sind von den Affektionen durch äußere Objekte und daß der Mensch wegen seiner Leiblichkeit aufgrund desselben Objektes verschiedene Vorstellungen bilden kann und daß „verschiedene Menschen ... von einem und dem selben Objekt verschiedenartig affiziert werden (können)." (E III Ls 51, S. 153) Und da „jeder nach seinen Affekten darüber urteilt, was gut, was schlecht, was besser und was schlechter ist ..., so folgt, daß die Menschen in ihren Urteilen ganz ebenso wie in ihren Affekten verschieden sein können" (E III Ls 51 Anm., S. 154). Die Subjektivität menschlicher Wirklichkeitsdeutung, Handlungsweisen und Urteilsbildung wird auf die Leiblichkeit des Menschen zurückgeführt. Das bedeutet, daß die *Bedingungen der Hermeneutik alltäglicher Praxis an die Leiblichkeit des Menschen gebunden* sind. Das ist in verschiedenen Aspekten zu entfalten.

3.

Zum Bereich der durch Leiblichkeit vermittelten Vorstellungen gehört wesentlich die *Sprache* als Medium der Tradierung von

Wissen, der kommunikativen Verständigung und Vergewisserung[10]. Vom Standpunkt der Vernunft ist dies nur in negativer
Weise zu kennzeichnen. „Worte" machen „einen Teil des Vorstel-
lungsvermögens" aus. Das bedeutet, „daß wir die Worte unbe-
stimmt nach irgend einem Zustand des Körpers im Gedächtnis
verbinden". Deshalb konnten „auch Worte, gerade so wie das Vorstellungsvermögen, die Ursache vieler und großer Irrtümer werden". Dazu komme noch, daß die Worte „willkürlich nach der
Fassungskraft des Volkes gebildet sind, so daß sie nichts als
Zeichen für die Dinge, wie sie im Vorstellungsvermögen, aber nicht
wie sie im Verstande sind" (TE 42).
In diesen und anderen Ausführungen werden aber Kennzeichnungen gewonnen, die im positiven Sinne als Ansatz einer Hermeneutik alltäglicher, kommunikativer Praxis zu lesen sind, als Ansatz
einer Hermeneutik der Sprachverwendung und Wortbedeutung
und als Grundlage einer allgemeinen Texthermeneutik.

> Worte erhalten ihre bestimmte Bedeutung bloß aus dem Gebrauch.
> Werden sie entsprechend dem Gebrauch so gesetzt, daß sie den
> Leser zur Verehrung stimmen, so werden diese Worte heilig sein
> und ebenso auch das Buch, das die Worte in solcher Anordnung
> enthält. Wenn aber später der Gebrauch sich soweit verliert, daß
> die Worte keine Bedeutung mehr haben, oder wenn man das Buch
> ganz und gar vernachlässigt, aus böser Absicht oder weil man es
> nicht mehr nötig hat, dann haben auch die Worte und das Buch
> keine Bedeutung und keine Heiligkeit mehr. Wenn endlich die
> Worte anders angeordnet werden oder ein Sprachgebrauch zur
> Herrschaft kommt, der ihnen die entgegengesetzte Bedeutung gibt,
> dann werden Worte und Buch, die vorher heilig waren, unrein
> und gemein. (TTP 197 f.)

Was Spinoza hier am Beispiel der heiligen oder profanen Bedeutung der Worte entwickelt, läßt sich als allgemeine Regel formulieren und sei hier *Wortgebrauch — Bedeutungs-Regel* genannt. Spinoza steht mit diesen Ausführungen und mit dieser Regel in der
Tradition der Rhetorik und der aristotelisch-scholastischen Tradition topischen Denkens[11]. Spinoza muß also nicht — um ein gegenwärtig einflußreiches Paradigma als Beispiel heranzuziehen —
von der Sprachspielkonzeption Wittgensteins[12] her gelesen werden, sondern Wittgensteins Spätphilosophie ist als Wiedergewin-
nung einer verschütteten Tradition topischen Denkens zu erkennen,
dessen Strukturen zur Lösung wissenschaftstheoretischer Aporien
herangezogen werden. Spinoza bewahrt diese Tradition, aber nur
unter der Voraussetzung, unter der sie im Gefüge der philosophi-

schen Wissenschaft seit Aristoteles ihren Platz hatte, nämlich keine philosophische Bedeutung im Sinne der Wahrheitserkenntnis zu haben.

Die in der Tradition topischen Denkens entwickelte Wortgebrauch-Bedeutungs-Regel bezieht Spinoza auf seinen Problemzusammenhang der religiösen Praxis und der Kennzeichnung von Texten als heilig oder profan.

> (...) Aus diesem Grunde also ist auch die Schrift nur so lange heilig und ihre Reden sind nur so lange göttlich, als die Menschen dadurch zur Verehrung gegen Gott gestimmt werden. Wird sie aber von ihnen ganz und gar vernachlässigt wie einst bei den Juden, so ist sie nichts weiter als Papier und Tinte. (TTP 198)

Der Ansatz einer Hermeneutik alltäglicher Praxis geht über in die Kennzeichnung von Elementen einer *allgemeinen Hermeneutik des Textes*. Diese ist in jener begründet und so in ihrer eigenen Gebundenheit an Sprache und ihrer Bezogenheit auf Sprache in ihrer letzten Grundlegung an die Leiblichkeit und Endlichkeit menschlicher Existenz gebunden.

4.

Für die Hermeneutik alltäglicher Praxis und eine allgemeine Hermeneutik des Textes betont Spinoza neben der pragmatisch vermittelten Sprachlichkeit und unter ihrer Voraussetzung die *Perspektivität historischer Aussagen und historischer Erkenntnis*. Wegen seiner grundsätzlichen Bedeutung sei der Textabschnitt wiederum im Zusammenhang zitiert:

> Es geschieht sehr selten, daß die Menschen etwas so einfach erzählen, wie es geschehen ist, ohne dem Bericht etwas von ihrem eignen Urteil beizumischen. Sie werden sogar, wenn sie etwas Neues sehen oder hören, falls sie nicht sehr auf der Hut sind, von ihren vorgefaßten Meinungen meist so stark beherrscht, daß sie etwas ganz anderes auffassen als das, was sie wirklich sehen oder wovon sie hören, namentlich wenn das Ereignis die Fassungskraft des Erzählenden oder Hörenden übersteigt, und am meisten dann, wenn es für ihn selbst von Interesse ist, daß die Sache sich in einer bestimmten Weise zutrage. Daher kommt es, daß die Leute in ihren Chroniken und Geschichtsbüchern mehr ihre eignen Anschauungen als die Ereignisse selbst berichten und daß ein und derselbe Fall von zwei Menschen mit verschiedenen Anschauungen so verschieden berichtet wird, daß man meint, von zwei verschiedenen Fällen sprechen zu hören; darum kann man häufig ja auch leicht aus der

bloßen Geschichtsdarstellung die Anschauungen des Chronisten und Geschichtsschreibers ermitteln. (TTP 106 f.)

Mit einer Deutlichkeit, die auch von Analysen nachfolgender Hermeneutiker und Geschichtstheoretiker nicht übertroffen wird, hat Spinoza die Eigenart historischer Aussagen gekennzeichnet. Der historische Aussagezusammenhang ist zu kennzeichnen als eine jeweils gegenwärtige, interessengeleitete, symbolisch vermittelte Rekonstruktion von Geschehen und Tatbeständen, die sich in der Rekonstruktion als faktisch vergangen erweisen, aber in der interessegeleiteten, sprachlich-symbolischen Vermittlung gegenwärtig und so auf jeweils gegenwärtige Praxis mit ihrem Zukunftsbezug bezogen sind[13].

Denselben Sachverhalt hat Spinoza unter dem Aspekt des Rezipienten einer Geschichte akzentuiert. Ähnliche Geschichten in verschiedenen Büchern werden vom Leser verschieden beurteilt und klassifiziert, „entsprechend den verschiedenen Vorstellungen, die wir vom Verfasser haben" (TTP 128). Spinoza nennt die Geschichten des Ruggiero (Ariosto: *Orlando furioso* X, 66 ff.), der durch die Luft reiste und unglaublich viele Menschen und Riesen tötete, die ähnliche Geschichte des Perseus (Ovid: *Metamorphosen* IV, 614 ff.) und aus dem *Alten Testament* Simsons Taten (Richter 15, 15 f.; 16, 30) und die Entrückung des Elias in den Himmel (2. Könige 2, 11).

> Diese Geschichten, meine ich, sind untereinander ganz ähnlich, und doch ist unser Urteil über sie völlig verschieden: der erste wollte nur ein Märchen schreiben, der zweite politische, der dritte heilige Geschichten. Das nehmen wir nur an wegen der Ansichten, die wir von den Verfassern der Geschichte haben. (TTP 128)

Aus der Tatsache, daß es sich um den Bereich der Vorstellungen handelt, um verworrene Ideen, leitet Spinoza die allgemeine hermeneutische Regel ab, „daß wir zuerst Kenntnis von den Verfassern haben müssen, die dunkle oder unbegreifliche Dinge geschrieben haben, wenn wir ihre Schriften auslegen wollen" (TTP 128 f.). Die mangelnde Evidenz nach dem Kriterium der Klarheit und Deutlichkeit erfordert *Interpretation*. Diese hat zur Voraussetzung die Untersuchung der Wörter in ihrem jeweiligen Text- und Praxiszusammenhang nach der Wortgebrauch-Bedeutungs-Regel; die Untersuchung der Intentionen und Interessen der Verfasser; die Aufmerksamkeit auf den eigenen Horizont der Rezeption in ihrer Bedingtheit durch die Wortgebrauch-Bedeutungs-Regel, durch die Intentionen und Interessen der Rezipienten. Interpretation in diesem Sinne ist ebenso Grundelement der Hermeneutik alltäglicher Lebenspraxis, die im Medium der Sprachlichkeit Verständigung, Selbstverständigung und Sicherheitserfahrung vermitteln muß.

5.

Unter der Voraussetzung der Interpretationsbedürftigkeit der Worte und der Sprache, von der die Handelnden, Geschichten Produzierenden und Rezipierenden umfassenden Perspektivität historischer Aussagen, wird *Möglichkeit* die grundlegende Kategorie dieses Bereichs der Wirklichkeitsdeutung und seines Mediums der Vergewisserung. Da wir „die Ordnung und Verkettung der Dinge selbst, d. h. wie die Dinge in Wirklichkeit geordnet und verkettet sind, gar nicht kennen", ist es „für die Lebenspraxis besser, ja notwendig . . ., die Dinge bloß als möglich zu betrachten" (TTP 66). Den Begriff ‚Möglichkeit' hat Spinoza dem Bereich der Vorstellung als dem Bereich hermeneutischer Verständigung und Gewißheitserfahrung zugeordnet. Er behandelt ihn in seiner imaginatio-Lehre unter „fingierte Idee" unter den Ausführungen zu „Fiktion". Wenn ich z. B. annehme, d. h. die fingierte Idee als Fiktion bilde, „Peter, den ich kenne, gehe nach Hause, besuche mich und ähnliches", dann bezieht sich das „nur auf mögliche Dinge", „aber nicht auf notwendige und auch nicht auf unmögliche" (TE 23). Möglich ist eine Sache zu nennen,

> deren Existenz ihrer Natur nach weder einen Widerspruch gegen ihr Dasein noch ihr Nicht-Dasein enthält, bei der vielmehr die Notwendigkeit oder Unmöglichkeit ihrer Existenz von uns unbekannten Ursachen abhängt, indes wir ihre Existenz nur fingieren (TE 23).

Das Mögliche und die Fiktion auszusagen, hat seine Grenze an den Aussagen der klaren und deutlichen Erkenntnis, die die Kennzeichnungen ‚notwendig' oder ‚unmöglich' implizieren. Wir können nur „so lange fingieren, als wir keine Unmöglichkeit und keine Notwendigkeit sehen" (TE 25). ‚Möglichkeit' ist auf einen begrenzten Aussagebereich eingeschränkt. Es ist der Bereich hermeneutischer Vergewisserung und kommunikativ vermittelter Sicherheit als alltäglicher Lebenspraxis und praktisch vermittelter Textauslegung. ‚Fiktion' bedeutet bei Spinoza also nichts ‚Fiktives' im Sinne eines Unmöglichen, sondern ist auf den Bereich alltäglicher Praxis zu beziehen, die es wegen mangelnder Einsicht in die Prinzipien der Dinge und grundsätzlicher Abhängigkeit von der Interpretationsbedürftigkeit der Sprache mit Möglichkeiten zu tun hat,

weder mit Notwendigkeiten, denn es hätte auch anders sein können, anders interpretiert werden können, noch mit Unmöglichem,
dem die Faktizität des Existierenden entgegensteht.

Die Trennung der ‚Fiktion' vom Bereich der Aussagen nach dem
Kriterium klarer und deutlicher Erkenntnis macht Spinozas Kennzeichnung der ‚Hypothese' deutlich, deren Abgrenzung zur ‚Fiktion' unter dem Aspekt der Durchsetzung des neuen naturwissenschaftlichen Weltbildes Gegenstand der zeitgenössischen wissenschaftstheoretischen und wissenschaftspolitischen Auseinandersetzungen war[14]. Eine Hypothese ist für Spinoza eine „wahre und
klare Behauptung" (TE 26), wenn auch von nur bestimmtem Aus-
sageanspruch. So darf man von der Hypothese, „die man aufstellt,
um gewisse Bewegungen zu erklären, die mit den Erscheinungen
der Himmelskörper übereinstimmen", „wenn man sie auf Bewegungen der Himmelskörper anwendet", nicht „auf die Natur derselben schließen. Denn diese kann doch eine andere sein, zumal da
zur Erklärung dieser Bewegungen viele andere Ursachen angenommen werden können" (TE 26, Anm. 2). Während eine Hypothese
neue Wirklichkeit erschließt, betont Spinoza, daß eine Fiktion
„niemals etwas Neues schafft oder dem Geiste darbietet" (TE 26,
Anm. 1)[15], sondern sie bleibt an die Bedingungen des Bereichs der
Vorstellung gebunden, an Erinnerung und Gedächtnis (TE 26,
Anm. 1).

Wie sehr Spinoza mit seiner Trennung des Bereichs hermeneutischer
Vergewisserung von dem der vernunftmäßig-naturwissenschaft-
lichen Erkenntnis Konsequenzen folgt, die sich aus der naturwis-
senschaftlich-mathematischen Wirklichkeitserkenntnis ergeben, zeigen Ausführungen Galileo Galileis, mit denen er sich in einem offenen Brief an Christine von Lothringen gegen Einwände seiner
Gegner wendet:

> Ich möchte jene überaus weisen und vorsichtigen Väter bitten, mit
> allem Fleiß den Unterschied zu betrachten, der zwischen einer
> beweisbaren Erkenntnis und einer Erkenntnis, die Meinungen
> zuläßt, besteht: Wenn sie im Geiste wohl erwägen, mit welcher
> Gewalt notwendige Schlußfolgerungen ihre Annahme erzwingen,
> so mögen sie sich um so mehr dessen bewußt werden, daß es nicht
> in der Macht derer liegt, die sich zu demonstratiblen Wissenschaf-
> ten bekennen, ihre Meinung nach Belieben zu ändern und sich
> einmal auf diese, ein andermal auf jene Seite zu stellen . . .[16].

Der Bereich der demonstratiblen Wissenschaft ist der Perspektivität entzogen. Dort formulierte Aussagen lassen nicht mehr die

Freiheit, sie zu interpretieren, ihnen zuzustimmen oder sie anders zu deuten. Es geht nicht um Möglichkeiten, sondern um Notwendigkeiten.

6.

In seiner imaginatio-Lehre handelt Spinoza unter dem Begriff der Fiktion, also dem Bereich des Möglichen zugeordnet, auch Tatbestände aus dem engeren Bereich der Dichtung ab, der auch in unserem Sinne fiktionalen Texte. Die Sprachfigur der *Metapher* wird dadurch erklärt, daß man sich das „im Gehirn oder Vorstellungsvermögen schon Vorhandene wieder ins Gedächtnis ruft und daß dabei der Geist auf alles zugleich, aber verworren seine Aufmerksamkeit lenkt". Wenn man sich z. B. das Reden und einen Baum ins Gedächtnis ruft und „sich nun der Geist, ohne zwischen beiden zu unterscheiden, auf beides richtet, dann meint man, der Baum rede" (TE 26, Anm. 1).

Die Möglichkeit *mythisch-dichterischer Rede* nimmt ab, je mehr man die Natur vernunftmäßig erkennt, „obwohl wir ja mit Worten alles sagen können" (TE 27). Je mehr die Natur erkannt wird, desto weniger kann fingiert werden,

> z. B. daß die Menschen im Nu in Steine oder Quellen verwandelt werden, daß Geister in Spiegeln erscheinen, daß aus nichts etwas wird, auch daß sich Götter in Tiere und Menschen verwandeln und unzählige andere Dinge von dieser Art (TE 27).

Die mythisch-dichterische Rede verliert für Spinoza mit zunehmender Naturerkenntnis ihren Bereich, den des Möglichen, der von den Aussagen des Notwendigen und Unmöglichen eingenommen wird. Die Natur als wissenschaftlich erkannte sperrt sich der Möglichkeit des Möglichen, sperrt sich, in der symbolischen Vermittlung der Sprache zum Träger kommunikativer Sinngehalte zu werden. Es ist hier ein systematischer Punkt aufzuweisen, an dem Spinoza nicht den Bereich hermeneutischer Verständigung als selbstbestimmten Anspruchsbereich gelten läßt, sondern die naturwissenschaftlich angeleitete Vernunft über den Bereich der hermeneutischen Verständigung ein Vernunfturteil fällt, das der Unmöglichkeit. Das wird sich in der Beurteilung der biblischen Wunderberichte wiederholen. Das Kriterium seiner Beurteilung und die Grundlage seiner Philosophie hat Spinoza in dem Satz formuliert, daß es in der Natur nichts geben könne, „das ihren Gesetzen widerstreitet, alles geschieht nach ihren bestimmten Gesetzen, derart, daß alles nach bestimmten Gesetzen seine bestimmten Wirkun-

gen in unzerreißbarer Verkettung hervorbringt" (TE 29 f., Anm.
1).
Die Gegenmodelle hierzu werden im 18. Jahrhundert von G. Vico,
J. G. Hamann, F. Ch. Oetinger entworfen. Vico bezieht das to-
pische Prinzip sowohl auf Natur wie auf Gesellschaft und anerkennt Mythen als legitime Form der Naturerkenntnis und -bewäl-
tigung[17]. Hamann formuliert den biblisch begründeten Gedanken, daß Erkenntnis in Bildern geschieht. „Poesie ist die Mutter-
sprache des menschlichen Geschlechts (...) Sinne und Leidenschaften reden und verstehen nichts als Bilder. In Bildern besteht der
ganze Schatz menschlicher Erkenntnis und Glückseeligkeit"[18].
Und F. Ch. Oetinger macht eine theologisch im Buch der Natur
und Buch der Geschichte begründete Emblematik, das Denken in
Sinnbildern und das Wahrnehmen in Denkbildern zur Grundlage
der Wirklichkeitserkenntnis, so daß bei ihm Wirklichkeitserkenntnis und Praxis in Hermeneutik aufgehen[19]. Es handelt sich nicht
um Modelle der Ästhetik, die sich auf Kunst bezögen. Hier wird
der Anspruch erhoben, Wirklichkeit in ihrem ganzen Umfang als
Wahrheit erkennen zu können.
In der Dichtungstheorie des 18. Jahrhunderts hat man sich — unter
Voraussetzung und im Fortwirken rationalistischer Philosophien
— auf die Probleme bezogen, die Spinoza im Bereich der Fiktion
als Probleme dichterischer Sprache erörterte: die Möglichkeit der
Methapher, die Definition des Möglichen, das Kriterium des
Wahrscheinlichen. Von hierher ausgehend haben besonders
J. J. Bodmer und J. J. Breitinger versucht, einen größeren Freiraum für die Aussagemöglichkeiten dichterischer Rede zu gewinnen. In Aufnahme der Philosophie von Leibniz und in Anwendung
auf Probleme der Dichtungstheorie ist für Breitinger die Einbildungskraft Schöpferin neuer möglicher Welten. Er billigt damit
dem Vorstellungsvermögen die Kraft zu, die Spinoza ihm absprach
und allein dem theoretischen Erkennen zusprach, das ‚Neue‘ zu
schaffen, dessen höchste Steigerung für Breitinger das Wunderbare
ist, das an das Kriterium der Wahrscheinlichkeit gebunden bleibt
und dem die Kennzeichnung ‚wahr‘ zugesprochen wird[20].
Was Bodmer und Breitinger für die Literaturtheorie leisteten, haben A. G. Baumgarten und G. F. Meier für die Philosophie begründet. Sie entwickeln Ästhetik als philosophische Disziplin von der
philosophischen Aufwertung des Gebietes her, das bei Spinoza, von
der Wahrheit philosophischer Erkenntnis getrennt, der hermeneutischen Wirklichkeitserschließung zugeordnet ist[21]. Ästhetik ent-

steht als Antwort der Philosophie auf die Herausbildung der schönen Künste, die sich von der Geltung der Regeln und der Tradition der Topoi zu lösen beginnen und in neuer Weise zum Ausdruck der Subjektivität des neuzeitlich erkennenden und empfindenden Menschen werden und damit Anspruch auf eine Wahrheit erheben, die von der Wahrheit klarer und deutlicher Erkenntnis getrennt ist. Baumgarten hat die Ästhetik noch der rationalistischen Form der Philosophie untergeordnet und als ,gnosiologia inferior' bestimmt. Er hat aber schon anerkannt, daß es neben der logischen Wahrheit (veritas logica) eine ästhetische Wahrheit (veritas aesthetica) gibt, die aussagen kann, was mittels der logischen Wahrheit ungesagt bleiben muß.

Schon die bisherigen Ausführungen zu Spinoza und die wenigen Hinweise auf die Aufnahme der Probleme mögen deutlich gemacht haben, daß Spinozas Hermeneutik in ihrer Paradoxie der Ausgrenzung und Anerkennung historisch und systematisch den Ort bezeichnet, von dem aus sich Grundprobleme neuzeitlicher Hermeneutik kennzeichnen lassen. Vom Kriterium der klaren und deutlichen Erkenntnis her wird ein Bereich definiert, der auf Gewißheit als philosophische Wahrheit nicht Anspruch erheben kann. In den Bestimmungen dieses Bereichs erscheint aber im Grundriß eine Hermeneutik der alltäglichen Praxis (Abschnitt 2), eine Hermeneutik historischer Aussagen (Abschnitt 4) und fiktionaler Texte (Abschnitt 5, 6). Ihre Grundlage haben diese miteinander vermittelten Hermeneutiken in der Wortgebrauch-Bedeutungs-Regel (Abschnitt 3), in der Perspektivität aller sprachlich vermittelten Verständigung (Abschnitt 4), letztlich in der Leiblichkeit und Endlichkeit menschlicher Existenz (vgl. S. 3). Ihre Kategorie der Wirklichkeitserkenntnis ist die der ,Möglichkeit' (Abschnitt 5).

7.

Spinoza akzentuiert für den Bereich hermeneutischer Verständigung den Mangel konsensbildender philosophischer Gewißheit. Hier entstehen die „meisten Streitigkeiten", weil Gedanken nicht richtig erklärt und andererseits falsch gedeutet werden können (E II Ls 47 Anm. S. 97). Eine friedliche Konsensbildung ist hier für ihn ausgeschlossen. Wer vom Bereich der Vorstellung her Übereinstimmung stiften will, kann bei der prinzipiellen Subjektivität, an der alle festhalten, „bloß gewalttätig" handeln und macht sich „verhaßt". Wer aber „die anderen nach der Vernunft zu leiten strebt", geht vom Prinzip der Gemeinsamkeit und Verallgemeinerungsfähigkeit aus und handelt deshalb „liebenswürdig und freundlich" (E IV Ls 37 Anm 1, S. 220). Spinoza begründet die philosophische Gewißheit als Friedensmöglichkeit vom Standpunkt der Vernunft her, indem er die 2. und 3. Erkenntnisgattung entwickelt.

Die zweite Gattung, „Vernunft", entsteht aus „Gemeinbegriffen und adäquaten Ideen von den Eigenschaften der Dinge" (E II Ls 40 Anm 2, S. 29 f.), was sich aus der Übereinstimmung des allen Menschen Gemeinsamen ergibt (E II Ls 38 Beweis, Folgesatz, S. 85 f. u. Ls 39 Beweis, Folgesatz, S. 86 f.). Sie schließt den Irrtum aus, ist aber „an sich kein Mittel", „Vollkommenheit" zu erreichen (TE 13).

Die dritte Erkenntnisgattung ist die des anschauenden Wissens. Von der „adäquaten Idee der formalen Wesenheit einiger Attribute Gottes" (2. Gattung) schreitet sie fort „zu der adäquaten Erkenntnis der Wesenheit der Dinge" (E II Ls 40 Anm 2, S. 90). Je mehr auf diese Weise die Dinge erkannt werden, „um so mehr erkennen wir ... Gott" (E V Ls 24, S. 283). Das über die zweite Gattung Hinausgehende ist, daß nicht nur die Abhängigkeit von Gott in ihrer Allgemeinheit in die Erkenntnis eingeht, sondern in der Konkretheit jedes Einzeldings die systematische Begründung aller Wirklichkeit und ihrer Erkenntnis sichtbar wird (E V Ls 36 Anm S. 290). Aus diesem Zusammenhang ergibt sich die Selbstbezüglichkeit der Erkenntnis. Wer etwas wahrheitsgemäß erkennt, hat eine „wahre Erkenntnis seiner Erkenntnis" und ist ihrer deshalb gewiß (E II Ls 42 Beweis, S. 91). Die „höchste menschliche Vollkommenheit", in der dritten Gattung zu erreichen, bedeutet „höchste Freude", „begleitet von der Idee seiner selbst und seiner Tugend" (E V Ls 27 Beweis, S. 284), und insofern Gott als die Ursache immer mitgedacht werden muß, führt dies in der Erkenntnis der Ewigkeit Gottes zur „geistige(n) Liebe zu Gott" (E V Ls 32, Folgesatz, S. 287).

Die außenbestimmten Affekte, besonders die Leidenschaften, vermag die in der Erkenntnis des ewigen Gottes selbstkonstitutive Vernunft zurückzudrängen (E V Ls 20 Anm, bes. S. 280 f.). Tugendhaft handeln heißt so, „nach der Leitung der Vernunft handeln, und was wir nach der Vernunft zu tun streben, ist ... Erkennen; und daher ist (...) das höchste Gut derer, die den Weg der Tugend gehen, Gott erkennen" (E IV Ls 36 Beweis, S. 218). Hierin gründet die prinzipielle Möglichkeit von Gemeinsamkeit und Frieden, denn Gott erkennen ist ein allen Menschen gemeinsames Gut, das „alle Menschen, sofern sie der selben Natur sind, in gleicher Weise besitzen können" (E IV Ls 36 Anm, S. 218). Wer in diesem Sinne „nach der Leitung der Vernunft lebt", wird „nicht von der Furcht vor dem Tode geleitet" und ist ein „freier Mensch" (E IV Ls 67 Beweis, S. 247). Spinoza gewinnt so ein umfassendes Heilsversprechen, begründet in der Kraft einer selbstkonstitutiven, sich ihrer selbst gewissen Vernunft, die in der adäquaten Wesenserkenntnis der Dinge als selbst schon tugendhaftem Handeln Gott als letzten Horizont aller dinghaften Erkenntnis setzt und in der Realisierung des Zusammenhangs von tugendhafter Erkenntnis und erkennender Tugend Glückseligkeit erlangt.

Es entspricht der bisher entwickelten Systematik mit ihrer Zuordnung der vernunftmäßigen Gotteserkenntnis zur 3. Erkenntnisgattung, daß für Spinoza Gott sich „durch Worte keinesfalls" den Menschen mitteilen kann, „denn dann müßte der Mensch vorher die Bedeutung der Worte gewußt haben, ehe sie zu ihm gesprochen wurden" (KV 119 f.). Das bedeutet nichts anderes als daß Wahrheit nicht durch Worte zu vermitteln ist und daß im besonderen Gott sich nicht durch Worte oder „irgendein äußeres Zeichen" kundtun kann (KV 120). Das gilt entsprechend von den durch Worte vermittelten Geschichten.

> Auch kann der Glaube an Geschichten, so gewiß er auch sein mag, uns dennoch nicht die Erkenntnis Gottes und folglich auch nicht die Liebe Gottes geben. Denn die Liebe Gottes geht aus seiner Erkenntnis hervor, seine Erkenntnis aber ist aus an sich gewissen und bekannten Grundbegriffen zu schöpfen; gar nicht zu denken, daß der Glaube an Geschichten ein notwendiges Erfordernis sein sollte, um zu unserm höchsten Gut zu gelangen (TTP 70).

Das eben zeichnete Christus aus, daß Gott sich ihm „unmittelbar offenbart hat und nicht durch Worte und Bilder". Das ist Beweis dafür, daß er „die offenbarten Dinge in Wahrheit begriffen und erkannt hat. Denn dann wird eine Sache erkannt, wenn sie rein durch den Geist, ohne Worte und Bilder begriffen wird" (TTP 73). Damit setzt sich der philosophische Anspruch auf vernünftige Gotteserkenntnis prinzipiell Christus gleich. Für die Religion stellt sich das Problem, daß sie in ihrer traditionellen Form auf dem ‚Wort' beruht und ihre Botschaft in großen Teilen in ‚Geschichten' tradiert ist.

Spinoza hat dieses Problem aufnehmen müssen, um seinen philosophischen Anspruch auf Gotteserkenntnis mit seinem umfassenden Heilsversprechen begründen zu können. Deshalb entwickelt Spinoza, vermittelt mit der Hermeneutik alltäglicher Praxis, der Hermeneutik historischer Aussagen und fiktionaler Texte, eine *spezielle Texthermeneutik als Hermeneutik biblischer Texte*. Als spezielle Hermeneutik ist sie auf die allgemeine Hermeneutik zu beziehen und insofern nur ein Anwendungsfall, wie umgekehrt die spezielle Hermeneutik biblischer Texte die allgemeine Hermeneutik an einem Beispiel expliziert und weitere inhaltliche Kennzeichnungen hinzufügt. Es geht nach der Wortgebrauch-Bedeutungs-Regel (TTP 197 f., vgl. oben S. 14) um Texte, die Bestandteil der Kommunikation einer Praxis sind, von der her ihnen die Kennzeichnung zugesprochen wird, heilige Texte zu sein (TTP 198, vgl. oben S. 15). Daß Spinoza diese spezielle Texthermeneutik als einzige expliziert, hat seinen Grund in diesem Anspruch, der mit dem damit verbundenen Anspruch auf Geltung des in den Texten überlieferten Weltbildes und Prinzips der Wirklichkeitserfassung dem philosophischen Vernunftprinzip Spinozas entgegengesetzt ist. Die Hermeneutik des biblischen Textes setzt Spinozas Theorie der Religion voraus, so wie diese die Bibelhermeneutik bereits impliziert.

8.

Traditionelle Religion[22] ist vom Bereich der zweiten und dritten Erkenntnisgattung als dem Bereich adäquater Erkenntnis und vollkommener Tugend ausgeschlossen. Die sie begründende biblische Überlieferung ist der ersten Erkenntnisgattung zugeordnet und so dem systematischen Ort von Hermeneutik prinzipiell verbunden. Das bedeutet Ausschluß vom Wahrheitsanspruch, aber Respektierung eines eigenen Bereichs, den Vernunft nicht in das eigene Medium der Selbstvergewisserung auflösen kann. Es bedeutet aber auch, daß Religion wegen mangelnder vernunftgemäßer Entscheidungsmöglichkeiten zu dem Bereich gehört, in dem Streitigkeiten, Uneinigkeit prinzipiell nicht auszuschließen sind.

Von den durchgängigen Aussagen über die Zuordnung von Religion und biblischer Überlieferung zum Bereich der Vorstellungen sind die über das Prophetentum besonders signifikant. Hier wird sowohl der Empfang der Offenbarungen als auch die Tradierung und Rezeption vom Vorstellungsvermögen her erklärt. Die Propheten empfangen die Offenbarungen Gottes „durch Vermittlung von Worten und Bildern, sei es von wirklichen oder imaginären" (TTP 29). Die Propheten besaßen also nicht einen „vollkommeneren Geist, sondern nur eine lebhaftere Vorstellungskraft" (TTP

31). Da die Prophetie nach der Systematik der Erkenntnisgattungen Gewißheit nicht in sich schließen kann, mußte bei ihnen ein
„Zeichen" hinzukommen (TTP 32) und die Annahme, daß „ihr
Sinn allein dem Rechten und Guten zugewandt war". Unter dieser
Voraussetzung kann Spinoza von „prophetischer Gewißheit"
sprechen (TTP 33). Die Art der Gewißheit ist aber abhängig von
der in der ersten Erkenntnisgattung gegebenen Perspektivität der
Rezeption und der Urteile. Die Offenbarungen richten sich so nach
der Verschiedenheit des „Temperaments" der Propheten; der „Stil
der Prophezeiung" ist „je nach der Redeweise der einzelnen Propheten verschieden" (TTP 36), und die Propheten hatten „verschiedene, ja geradezu entgegengesetzte Anschauungen und verschiedene Vorurteile" (TTP 38). Daraus folgt, daß die Prophetie
den Propheten keine Erkenntnis im Sinne der zweiten oder dritten
Erkenntnisgattung offenbarte (TTP 38). Das bedeutet, daß sie
auch keine „Erkenntnis der natürlichen und geistlichen Dinge"
vermitteln können und daß man nur das zu glauben verpflichtet
ist, „was den Zweck und den Kern der Offenbarung ausmacht, in
allem übrigen steht uns frei zu glauben, was einem jeden beliebt"
(TTP 46).
Der Anspruch der ‚Religion' geht nicht auf Wahrheit, sondern auf
Gehorsam. Gehorsam ist spezifisches Definitionselement von Glauben: „Glauben heißt nichts anderes als dasjenige von Gott denken,
mit dessen Unkenntnis der Gehorsam gegen Gott aufgehoben wird
und was mit diesem Gehorsam notwendig gegeben ist" (TTP 214,
vgl. TTP 215). Daß damit ein Anspruch auf Wahrheit nicht erhoben wird, wird ausdrücklich gesagt. Der Glaube erfordere „nicht
sowohl wahre als fromme Dogmen (...), d. h. solche, die den Sinn
zum Gehorsam anhalten" (TTP 216). Das gilt sowohl für das Alte
wie das Neue Testament (TTP 213).
Das Gebot des Gehorsams impliziert Gerechtigkeit und Nächstenliebe (TTP 218). Mit dieser Implikation ist die Nächstenliebe die
„einzige Norm des ganzen allgemeinen Glaubens, und danach allein sind alle Glaubenssätze zu bestimmen, die jeder anzunehmen
verpflichtet ist" (TTP 214). Die Anerkennung dieser Norm macht
den Glaubenden aus, aber darüberhinaus ist auch nichts gefordert
(TTP 214). Jeder kann im übrigen so denken, „wie es ihm zu seiner eigenen Bestärkung der Gerechtigkeitsliebe am besten scheint;
denn jeder kennt sich selbst am besten" (TTP 217). ‚Gehorsam'
erhält seine systematische Bedeutung, weil er von allen Gläubigen
erfüllt werden kann, während vernunftmäßige Erkenntnis Gottes

nur wenigen möglich ist (TTP 207). Gehorsam soll das Grunddogma sein, auf das alle konfessionellen Gruppen sich sollen einigen können. Die Einigung auf diesen Grundsatz lasse „kein(en)
Raum für kirchliche Streitigkeiten" (TTP 217). Das ist um so wichtiger, als ‚Religion' ja zu dem Bereich der Wirklichkeitserfassung
gehört, in dem es prinzipiell keine vernunftmäßige Entscheidungs-
möglichkeit gibt. Das Äquivalent der Entscheidungsfähigkeit der
Vernunft auf Gewißheit hin ist im Bereich der vom Wahrheitsanspruch nicht betroffenen ‚Religion' der ‚Gehorsam'. Religion
wird reduktiv ein Anspruchsbereich zugewiesen, der nicht aus der
Immanenz ihres eigenen Selbstverständnisses sich ergibt, sondern
aus der Dominanz einer Vernunft, die Umfang und Reichweite der
Ausdifferenzierung bestimmt. Daß dies über ein Vernunftinteresse
als nur theoretischem Interesse hinausgeht, zeigt schon der Zusammenhang mit einer Hermeneutik der alltäglichen Praxis und werden die Hinweise auf den Zusammenhang mit Spinozas Gesellschaftsbegriff deutlich machen.
Beide Bereiche werden getrennt, aber Vernunft erkennt auch den
Bereich der Religion in der zugesprochenen Begrenzung an. Der
Bereich der Offenbarung ist von dem der Erkenntnis „sowohl im
Gegenstand als auch in den Grundlagen und Mitteln völlig verschieden" (TTP 10). Jeder behauptet, sein „eigenes Reich", die
Vernunft „das Reich der Wahrheit und der Weisheit", die Religion
und Theologie „das Reich der Frömmigkeit und des Gehorsams"
(TTP 226 vgl. 223, 10). Daß diese Trennung von der Vernunft her
gedacht ist, zeigt die Folgerung: „Der Glaube läßt daher jedem die
volle Freiheit zu philosophieren" (TTP 220). „Ketzer und Schis-
matiker" sind nur die, die zu „Ungehorsam, Haß, Streit und Zorn
auffordern" (TTP 220), also die, die den Grundsatz des Gehorsams nicht anerkennen. Das ist die systematische Stelle, von der aus
sich der Impetus des gesamten Werkes Spinozas entfaltet, nicht nur
der des *Tractatus Theologico — Politicus,* wie es Spinoza ausdrücklich sagt: „... den Glauben von der Philosophie zu trennen,
welches der Hauptzweck des ganzen Werkes ist" (TTP 213, vgl.
48). Vernunft grenzt Religion aus, um den eigenen Bereich zu konstituieren und vor fremden Ansprüchen zu sichern. ‚Religion'
bleibt relationär an Vernunft gebunden. Unter Voraussetzung
dieser Relation konstituiert sich ein neuer Religionsbegriff, dessen
Geltungsanspruch von der Geltungszuweisung der Vernunft abhängt.

Es macht die Ambivalenz des Religionsbegriffs von Spinoza aus, daß er den immanenten Bereich der Relation von der diesem Bereich externen Vernunft her konstituiert, ohne Reflexion der Vernunft auf diesen Anspruch. Es ist die ihrer selbst gewisse, aber nicht-reflexive Vernunft, die aus dem Postulat ihrer vollkommenen Selbstkonstitution in der Erkenntnis der Dinge als Erkenntnis Gottes einen Heilsanspruch ableitet, der den der Religion nicht ergänzt, sondern dem Anspruch nach ersetzt.

Daraus ergibt sich die Behauptung der inhaltlichen Übereinstimmung von Religionsbereich und Vernunftbereich, bei Unterschied des formalen Mediums. Der Inhalt der Religion, der im wesentlichen aus „moralischen Lehren" bestehe, könne von jedermann „vermöge des natürlichen Lichts angenommen werden" (TTP 191, vgl. 229, Br Nr. 43, S. 197). Daß diese Übereinstimmung auf das „Wort Gottes" zurückgeführt wird, das in den Propheten sprach und „das in unserem Innern spricht" (TTP 229), ist — nach seinen Ausführungen zur Diskrepanz von ‚Wort' und vernünftiger Gotteserkenntnis — eine Erschleichung durch metaphorische Redeweise, die nach seiner eigenen Systematik auf Vernunftgeltung nicht Anspruch erheben darf.

Die Behauptung der Identität des Inhalts wird von der Vernunft her formuliert. Das führt dazu, daß der Vernunft die größere Kraft zugesprochen wird, den an sich als identisch angenommenen Inhalt reiner und angemessener zu erfassen.

> Alles, was wir klar und deutlich erkennen, gibt die Idee Gottes (...) und die Natur uns ein, allerdings nicht mit Worten, sondern auf eine weit vollkommenere Art, die mit der Natur des Geistes völlig harmoniert (TTP 16, vgl. 70).

Und wie die Dogmen, die die Religion nur in ihrem Gehorsam fordernden Charakter rezipieren, „in Ansehung der Wahrheit genauer zu verstehen sind", das hat die Vernunft zu bestimmen, „die das wahre Licht des Geistes ist, ohne daß der Geist nur Traumgestalten und Trugbilder sieht" (TTP 226).

Daß bei Spinoza die Ambivalenz von Vernunft ausgegrenzter Religion des Gehorsams und von Vernunft konstituierter Religion der Wahrheit nicht zur Aporie wird, hat darin seinen Grund, daß Religion mit ihrer Gehorsamsforderung und Vernunft mit ihrer Erkenntnisforderung jeweils einen anderen Adressaten haben. ‚Religion' als Bereich der subjektiven Vorstellungskraft wendet sich an das „gewöhnliche Volk" (TTP 89, 205, 105 u. ö.), weil dessen Fassungskraft vernunftmäßige Erkenntnis nicht möglich macht.

Insofern die Dogmen für alle nicht mehr fordern als den dem Vorstellungsvermögen entsprechenden Gehorsam, erfüllen alle die Anforderungen des Glaubens und müssen als vor Gott gleichgestellt
gelten. Wenn Spinoza aber betont, daß der Glaube an „irgend-
welche Geschichten", d. h. das, was der Vorstellungskraft zugänglich ist, die Menschen „an sich nicht glückselig macht" (TTP 91),
sondern nur die vernunftmäßige Erkenntnis Gottes und die daraus
resultierende Liebe zu ihm, dann zeigt sich, daß die drohende Aporie nur an eine andere systematische Stelle verschoben ist. Von
Spinozas Vernunftanspruch her ist Glückseligkeit nur für die wenigen möglich, die ihn erfüllen können. Spinoza hat das immer betont und nie den Anspruch erhoben, daß es viele oder alle sein
sollten. „Ich weiß auch, daß es ebenso unmöglich ist, dem Volk den
Aberglauben zu nehmen wie die Furcht ... Das Volk also und alle,
die mit ihm die gleichen Affekte teilen, lade ich nicht ein, dies zu
lesen" (TTP 12). Das ist keine (oder: nicht nur eine) Schutzklausel
gegenüber drohender Verfolgung, sondern gehört zu den systematisch begründeten Sätzen seiner Philosophie.

2.

Bei der Komplementarität von Religionsbegriff und Hermeneutik
der biblischen Texte hätte auch die Darlegung der Hermeneutik
zum Ausgangspunkt gewählt werden können, um den Religionsbegriff zu entwickeln. Da es hier um Spinozas Hermeneutik geht,
wurde — nach den Ausführungen zur allgemeinen Hermeneutik —
in der Darstellung der Religionsbegriff als Voraussetzung der speziellen Hermeneutik der biblischen Texte aufgefaßt. Weder das
eine noch das andere führt zu systematischen Verzerrungen, weil
Religionsbegriff und die Hermeneutik der biblischen Schriften
zwei Seiten derselben Medaille sind, die von der Dominanz der
Vernunft geprägt ist.
Die Erkenntnis der Vernunft, die Prinzipien der Religion nicht
einsehen zu können, hat für die *spezielle Texthermeneutik des
biblischen Textes* zur Folge, daß die biblischen Schriften eine Gegenständlichkeit bekommen, die der von Naturgegenständen gleich
ist. Spinoza sagt, daß ihm „unbekannt" sei, „nach welchen Naturgesetzen" die Propheten ihre Offenbarungen empfingen (TTP 29).
Das sei aber auch nicht nötig, denn er wolle „bloß die Urkunden
der Schrift untersuchen und aus ihnen meine Schlüsse ziehen wie
aus gegebenen Tatsachen der Natur; um die Ursachen dieser Urkunden kümmere ich mich nicht" (TTP 29).

Um es kurz zusammenzufassen, sage ich, daß die Methode der
Schrifterklärung sich in nichts von der Methode der Naturerklärung unterscheidet, sondern völlig mit ihr übereinstimmt. Denn
ebenso, wie die Methode der Naturerklärung in der Hauptsache
darin besteht, eine Naturgeschichte zusammenzustellen, aus der
man dann als aus sicheren Daten die Definitionen der Naturdinge
ableitet, ebenso ist es zur Schrifterklärung nötig, eine getreue
Geschichte der Schrift auszuarbeiten, um daraus als aus den sicheren Daten und Prinzipien den Sinn der Verfasser der Schrift in
richtiger Folgerung abzuleiten. Auf diese Weise wird jeder ...
ohne die Gefahr eines Irrtums immer fortschreiten und das, was
unsere Fassungskraft übersteigt, gerade so sicher besprechen können wie das, was wir durch das natürliche Licht erkennen (TTP
114 f.).

Die Methode der Schrifterklärung, die Spinoza entwickelt, hat also
weder Einsicht in die Ursachen der Offenbarung zur Voraussetzung noch führt sie zu einer Erkenntnis der Grundlagen des Bin-
nenbereiches Religion und der biblischen Texte. Vom Standpunkt
der Vernunft her hat Spinoza deshalb sagen müssen, daß er „frei
und ohne Umschweife" bekenne, daß er „die Heilige Schrift nicht
verstehe", obwohl er sich „eine Reihe von Jahren mit ihr beschäftigt habe" (Br Nr. 21, S. 105).
Die *Objektivierung der biblischen Texte* ist begründet in der „Geschichte der Schrift". Es liegt hier noch kein Geschichtsbegriff vor,
der den Begriff der Entwicklung implizierte oder sogar in der Entwicklung (geschichts-) philosophische Prinzipien voraussetzte. Sowohl „Geschichte der Natur" wie „Geschichte der Schrift" setzt
den vorgeschichtsphilosophischen Geschichtsbegriff voraus. In der
Antike bezeichnet ,Historia' die Sammlung und Prüfung von Tatsachen, die aufgrund eigenen Augenscheins oder durch Berichte
über die Aussagen anderer bekannt sind. So kommt ίστορία als
Terminus zuerst im juristischen Bereich der Forschung nach Tatsachen vor[23]. Auch in der mittelalten Theologie und Wissenschaft
bleibt ,Historia', bei allen Differenzierungen, „stets nur ein Bei-
spielfall für jene Vorstufe der Wissenschaft, die (...) der intellek-
tuellen Prinzipieneinsicht als Fundament zugrundeliegt"[24]. Die
entsprechende Wissenschaftssystematik findet sich noch bei F. Bacon, der sein enzyklopädisches System auf der Unterscheidung von
historia, poësis und philosophia aufbaut[25] und von dem Spinoza
hier, wie in anderen wissenschaftstheoretischen Grundsätzen, abhängig sein dürfte. Es ist der alte Historia-Begriff, „der sich auf
besondere Geschehnisse, Tatsachenaufnahme beschränkt und damit

auf systematische und begründende Zusammenhänge verzichtet"[26]. Dieser Geschichtsbegriff ist es, der bei Spinoza in der Distanzierung der Aussagen biblischer Texte von allem Prinzipienanspruch und Wahrheitsanspruch seine systematische Stelle bekommt. Das schließt nicht aus, daß der Historia-Begriff und der Geschichtsbegriff Spinozas sich auch auf entwicklungsgeschichtliche Tatbestände beziehen kann. Das Wesentliche ist, daß sie in keiner Weise als systematische Begründung aus Prinzipien gelten können. Oft wird Geschichte bei Spinoza als Entwicklungsgeschichte verstanden. Dann wird Historisierung Hauptkennzeichen der Bibelhermeneutik Spinozas. Es ist dies aber nur ein Aspekt, der unter der Dominanz einer Objektivierung und Rationalisierung steht.

Es ist die — im philosophischen Sinne — Prinzipienlosigkeit der biblischen Äußerungen und die daraus resultierende Fremdheit des Nichtverstehens, die Spinoza zu dem Grundsatz führt, daß *die Schrift aus sich selbst heraus auszulegen* ist. Spinoza will „die Schrift von neuem mit unbefangenem und freiem Geist (. . .) prüfen und nichts von ihr an . . . nehmen oder als Lehre gelten (. . .) lassen", was er „nicht mit voller Klarheit ihr selbst entnehmen könnte" (TTP 9, vgl. TTP 16, 21 f. u. ö.). Spinozas Prinzip hat bei formaler Gleichheit eine völlig andere Bedeutung als Luthers ‚scriptura sui ipsius interpres'[27]. Luthers Grundsatz ist nicht historisch-kritisch begründet, sondern theologisch. Luther setzt die Einsicht theologisch voraus, die Spinoza philosophisch für nicht möglich hält. Für Spinoza muß alles der Schrift entnommen werden, weil „wir selbst . . . von diesen Dingen kein sicheres Wesen (haben) und sie nicht durch ihre ersten Ursachen erklären (können)" (TTP 30). Das allerdings macht unter Voraussetzung der Objektivierung in einer „Geschichte der Schrift" die biblischen Texte der Vernunft verfügbar. Man kann mit „Sicherheit darüber reden", insofern nur solche Grundsätze zugelassen sind, „die aus der Schrift selbst zu entnehmen sind" (TTP 191).

Die Forderung nach einer *Geschichte der Schrift* entfaltet sich als Programm einer speziellen Hermeneutik des biblischen Textes.

a) Es muß die Sprache der biblischen Schriften erforscht werden, um die Wortgebrauch-Bedeutungs-Regel anwenden zu können, d. h. „um den verschiedenen Sinn, den eine Rede nach dem gewöhnlichen Sprachgebrauch haben kann, ausfindig zu machen" (TTP 116). Das erfordert Kenntnis der hebräischen Sprache (TTP 116, 108 f., 123 f.).

b) Der Grundsatz der Perspektivität erfordert, „das Leben, die Sitten und die Interessen" der Verfasser der biblischen Texte zu erforschen (TTP 118), die Zeitsituation, den ‚Sitz im Leben', d. h. „bei welcher Gelegenheit, zu welcher Zeit und für welches Volk oder welches Jahrhundert all die Lehren geschrieben worden sind" (TTP 119).

c) Die Überlieferungsgeschichte des einzelnen Buches ist wichtig, um unter den Gesichtspunkten von a) und b) die Authentizität des Textes beurteilen zu können. Eine weitere Ebene der Perspektivität wird gesehen, wenn Spinoza die Entstehung des Kanons untersuchen will, d. h. von wem, in welcher Zeit und Situation überlieferte Texte als ‚heilig' anerkannt wurden (vgl. TTP 118).

Ein Wahrheitsgehalt im philosophischen Sinne bleibt für die biblischen Texte ausgeschlossen. Die ‚Geschichte der Schrift' hebt das nicht auf, sondern erst dies läßt Spinoza ja zu einer objektivierenden Tatsachenerhebung kommen, die unter der Voraussetzung philosophischer Prinzipien und bei der Möglichkeit ihrer Einsicht nicht nötig wäre. Daß dabei der Bereich biblischer Texte ebenso anerkannt ist wie der Bereich der Religion, führt Spinoza auch terminologisch konsequent durch. Die Verbindlichkeit biblischer Aussagen, die nicht ‚Wahrheit' genannt werden kann, wird als *Sinn* bezeichnet.

> Dunkel oder klar nenne ich Aussprüche, je nachdem ihr Sinn aus dem Zusammenhang leicht oder schwer zu ermitteln ist, aber nicht insofern ihre Wahrheit leicht oder schwer mit der Vernunft zu erfassen ist; denn bloß um den Sinn der Rede, nicht um ihre Wahrheit handelt es sich (TTP 116 f.; vgl. 118, 122, 128, 130, 182, 203).

Das ist der systematische Ort, von dem aus der Begriff ‚Sinn' neuzeitlich seine Karriere beginnt. ‚Sinn' bezeichnet einen Geltungsanspruch auf Verbindlichkeit, der unterschieden ist von dem der Rationalität neuzeitlicher Vernunft. ‚Sinn' benennt die Verbindlichkeit einer Erfahrung von Wirklichkeit, die einer Vernunft nicht zugänglich ist, die Wahrheit nach dem Kriterium adäquater Erkenntnis definiert[28].

Spinoza hat den biblischen Schriften unterstellt, daß sie selbst die Reichweite ihrer Aussagen auf den von Spinoza gekennzeichneten Bereich des ‚Sinnes' beschränkten[29]. Das lasse sich aus der Selbstbezeichnung der Verkünder der Offenbarung als ‚Propheten' schließen. Die Bezeichnung als „Redner und Dolmetscher" (TTP 14) impliziert, daß das Medium der Verständigung nicht vernunftmäßige Erkenntnis ist, die jedem ohne Vermittlung fremder Instanzen einsichtig ist. Ebenso weise auf die Selbstbeschränkung der biblischen Texte, daß sie sich an ein ganzes Volk wenden, ja an die Menschheit überhaupt. Da nicht alle Menschen der vernünftigen Erkenntnis fähig sind, beschränkt die Bibel sich auf die Vermittlung eines ,Sinnes' nach Maßgabe der „Fasssungskraft des gewöhnlichen Volkes" (TTP 89; vgl. z. B. 49, 50, 74). „Nach dem Geheiß der Schrift" ist man deswegen nur zu glauben verpflichtet, was als ,Sinn' daraus zu erheben ist, das mit dem Gebot des Gehorsams vermittelte Gebot der Liebe gegen den Nächsten (TTP 214). Die Struktur der Argumentation ist deutlich: Was reduktiv dem Mitteilungsbereich biblischer Texte zugeschrieben wird, wird dann als Selbstbeschränkung auf die Vermittlung eines ,Sinnes' wieder daraus erhoben.

Mit diesen Festlegungen hat Spinoza Stellung bezogen in dem Streit seines Jahrhunderts um das Verhältnis von Theologie und Philosophie, Heiliger Schrift und Vernunft, in der Frage nach Unterordnung, Nebenordnung oder Überordnung der Vernunft. Daß Spinozas Lösung sich nicht ohne Differenzierung auf eine dieser Positionen beziehen läßt, zeigt die Auseinandersetzung mit Vertretern dieser Positionen. Daß er eine Unterordnung der Vernunft ablehnen muß, versteht sich nach allen bisherigen Darlegungen von selbst (vgl. TTP 222, in Auseinandersetzung mit R. Jehuda Alfacher[30]). Die als ,Geschichte der Schrift' objektivierte Auslegung des Sinns der Schrift erlaubt es Spinoza auch, sich gegen die Contraremonstranten[31] zu wenden, „die behaupten, das natürliche Licht besitze nicht die Fähigkeit, die Schrift auszulegen, dazu sei vielmehr übernatürliche Erleuchtung erforderlich" (TTP 131). Durch die Objektivierung des Sinns *kann* die Vernunft den Sinn der Schrift auslegen, kann sie „mit Sicherheit darüber reden" (TTP 191). Das bedeutet nun aber nicht, daß Spinoza eine Position, wie sie Maimonides[32] vertritt, einnimmt, daß die Vernunft über verschiedene mögliche Deutungen entscheiden könne, und „wir erst dann Gewißheit haben, wenn wir wüßten, daß die Stelle nach unserer Auslegung nichts enthalte, was mit der Vernunft nicht übereinstimme oder was ihr widerstreite" (TTP 132). Das hieße, erstens, anzunehmen, daß der Sinn der Schrift nicht in ihr selbst liege und ihr nicht entnommen werden könne (TTP 132), zweitens, daß der Schriftsinn aus Prinzipien abzuleiten sei, die der Vernunft zugänglich sind (TTP 133). Das erste ist grundlegende Annahme Spinozas, unter dem zweiten Aspekt bekennt Spinoza, daß er mit

Hilfe der Vernunft die Heilige Schrift „nicht verstehe" (Br Nr. 21, S. 105).

Die Lösung Spinozas scheint widersprüchlich, zumindest paradox: Die Sicherheit von Aussagen über die biblischen Texte geht einher mit ihrem Nichtverstehen. Der Intention Spinozas nach ist die Lösung nicht paradox, weil der Anspruchsbereich hermeneutischer Sinnauslegung und vernunftgemäßer Wahrheitserkenntnis streng getrennt sind. Kein Bereich kann auf den anderen Anspruch erheben und mit seiner Wirklichkeitsdeutung den anderen erfassen. Insofern ist es nicht möglich, von einer Dominanz der Vernunft zu sprechen oder von einer Unterordnung der Hlg. Schrift. Spinoza hat so das Problem der doppelten Wahrheit gelöst, das eines der Grundprobleme der Auseinandersetzungen seiner Zeit war[33]. Er löst es deshalb — und darin liegt die entscheidende Wendung —, weil er dem Bereich hermeneutischer Sinnauslegung einen Anspruch auf Wahrheit nicht zuerkennt. Erst durch diese Wendung ergibt sich eine Dominanz der Vernunft. Erst von hierher löst sich die Paradoxie in einer stringenten Lösung. Es ist dieselbe Instanz, Vernunft, die dem Bereich der hermeneutischen Auslegung den Anspruch auf ,Sinn', nicht auf ,Wahrheit' zuweist; die durch Objektivierung des Sinnbereichs zur Sicherheit von Aussagen über ihn kommt; die für den eigenen Bereich des Erkennens den Anspruch auf Wahrheit erhebt und die Bedingung seiner Erfüllung definiert.

10.

Spinozas *Auslegung der biblischen Texte im einzelnen* weist eben diese Struktur auf. Den Sachbereich der Prophetie interpretiert er von dem zugesprochenen Sinnanspruch her, der der Vernunft in seinen Prinzipien nicht zugänglich ist, der sich aber in der Objektivierung identifizieren und aussagen läßt.

Ein zweites Auslegungsprinzip sind Rationalisierungen aufgrund selbst entwickelter philosophischer Begriffe. So wird der Begriff der „wahren Glückseligkeit", daß man am Guten, prinzipiell mit Einschluß aller Menschen teilhabe, zum Kriterium, um die Auserwählungsüberzeugung des Volkes Israel — negativ — zu beurteilen (TTP, 3. Kap., S. 49—64). Vom Begriff des göttlichen Gesetzes her, dessen Hauptinhalt es ist, „Gott zu lieben als das höchste Gut" (TTP 69) und das allen Menschen gemeinsam ist, werden die Zeremonien beurteilt, die nur für die Hebräer galten, deshalb „nicht zum göttlichen Gesetz gehören und also auch nicht zur Glückseligkeit und Tugend beitragen" (TTP 79). In einem zweiten Schritt

will Spinoza dies Ergebnis für Theologen, denen die „sicherste
Begründung" nicht viel gelte, „auch durch die Autorität der Schrift
bestätigen" (TTP 79). Das führt dazu, daß zu einer bestätigten
Aussage der Vernunft die entsprechenden Schriftstellen gesucht
werden, die nach der Struktur der Argumentation nur sekundäre
Belege sein können.

Eine weitere Form der Rationalisierung legt den naturwissenschaftlichen Naturbegriff zugrunde. Hiermit legt Spinoza die
biblischen Wundererzählungen aus. Alles, was je in der Natur
geschah und was davon berichtet wird, hat sich „notwendig nach
den Naturgesetzen zugetragen" (TTP 106). Wenn sich etwas in der
Schrift findet, was sich nicht darauf reduzieren läßt, habe man es
mit einem verderbten Text zu tun. „Denn was gegen die Natur ist,
ist auch gegen die Vernunft, und was gegen die Vernunft ist, ist
widersinnig und darum zu verwerfen" (TTP 106). Durch Wunder
ist „Gott, sein Dasein und seine Vorsehung" allenfalls auf dem
Umweg der Reduktion zu erkennen, direkter und sicherer ist all
dies „aus der festen und unveränderlichen Ordnung der Natur" zu
folgern (TTP 99 f.). Die Definition des Wunders lautet demnach:
„Ein Werk der Natur, das ... die menschliche Fassungskraft übersteigt oder von dem man glaubt, daß es sie übersteigt" (TTP 100).
In diesem Zusammenhang läßt sich deutlich machen, daß der
Grundsatz der Perspektivität und die Wortgebrauch-Bedeutungs-
Regel nicht als Auslegungsprinzipien anerkannt sind, die in positi-
ver Weise ihren Bereich begründen. Die durch diese Grundsätze
strukturierten Texte, hier biblische Texte, sind auf eine Wahrheit
hin zu durchdringen, die durch ihre Perspektivität verstellt ist.
Man müsse die Anschauungen derer kennen, die die Wunder-
geschichten zuerst berichtet haben, um — soweit das noch möglich
ist — die „Dinge, die sich wirklich zugetragen haben" von „einge-
bildeten Dingen" unterscheiden zu können (TTP 107).

Spinoza geht selbst auf die Unterschiedlichkeit seiner Auslegungsgrundsätze für die Prophetie und die Wundererzählungen ein. Da
für den Bereich der Prophetie die Einsicht der Vernunft fehlte, war
ein Sinnbereich zu objektivieren und daraus waren Folgerungen
über die Kennzeichen der Prophetie zu ziehen. Bei den Wundererzählungen könne die Vernunft nach Prinzipien urteilen, die für sie
einsehbar sind. Sie kann beurteilen, ob sich etwas zugetragen hat,
was den Gesetzen der Natur widerstreitet (TTP 110). Diese Reflexion auf die Methode ist Reflexion innerhalb des Vernunftbereichs
über von der Vernunft konstituierte Sachbereiche. Die Autorität

der sich selbst behauptenden Vernunft ist an die Stelle der Autorität der Hlg. Schrift getreten.

11.

Obwohl Spinoza die Bedeutung des Bereichs alltäglicher Lebenspraxis und die ihm spezifische Form hermeneutischer Verständigung und Selbstverständigung kennzeichnet, verkennt er die Bedeutung dieses Bereichs für das Ziel der Sittlichkeit. Dieses Ziel hat er exklusiv der Vernunft zugeordnet und in Analogie zur adäquaten Vernunfterkenntnis unter einen Anspruch gestellt, der dem Bereich des moralischen Handelns nicht angemessen ist. Es wäre Aufgabe, unter einer reformulierten Norm moralischen Handelns den Bereich hermeneutischer Verständigung und Selbstverständigung als Hermeneutik der Praxis wie der Texte auf diese Norm zu beziehen.

Eine Interpretation der Hermeneutik Spinozas darf aber nicht außer acht lassen, was er selbst als Grundsätze — wenn auch mit negativer Akzentuierung — für eine Hermeneutik formuliert hat: die Intentionen des Verfassers zu beachten und die Perspektivität, die sich in Hinsicht auf wissenschaftliche Theorie und gesellschaftliche Praxis aus der Zeitsituation ergibt, deren Probleme auch Ausgangspunkt der Philosophie Spinozas waren. Wenn man diese historische Situation einbezieht, wird deutlich, daß die hermeneutischen Prinzipien in ihrer herkömmlichen inhaltlichen Bestimmung nicht mehr die theorie- und praxisvermittelte Lösungskraft für die Probleme hatten, die sich aus ihren eigenen Prinzipien angesichts eines sich wandelnden Wirklichkeitsverständnisses und einer sich neu bildenden gesellschaftlichen Wirklichkeit ergaben.

Das Prinzip der Autorität der Schrift und das Traditionsprinzip konnten in ihrer Bindung an wissenschaftstheoretische, wissenschaftspolitische und machtpolitische Positionen nicht das neue Wirklichkeitsverständnis und die neue Wirklichkeit in einen Zusammenhang übersetzen, der im Medium hermeneutischer Verständigung das Neue adaptierte und auch neutralisierte. Das ist seither das Problem, wie die ‚zwei Kulturen‘, die empirisch-wissenschaftlichen Erfahrungswissenschaften und die Lebenswelt mit ihrem kommunikativen Verständigungsanspruch, sich zueinander verhalten. In der Dichotomie seiner philosophischen Lösung artikuliert Spinoza die Dichotomie von Wirklichkeitsdeutungen und Wirklichkeitsbewältigungen, die in ihrer Entzweiung das Selbstverständnis der Handelnden und das Verhalten der naturhaften und gesellschaftlichen Wirklichkeit gegenüber bestimmen. Die von Spinoza artikulierte Dichotomie bestimmt seither bis in die Gegenwart die Auseinandersetzung auch über den Bereich der Hermeneutik, in der grundsätzlichen Art, daß es erst die Herausbildung der Dichotomie ist, die Hermeneutik in dieser neuzeitlichen Konstellation sich ausdifferenzieren läßt.

Für Spinoza stellt sich das Problem der Hermeneutik in der direkten Weise, daß das Traditionsprinzip und das Prinzip der Autorität der Schrift nicht die Kraft gehabt hatten, die Religionsstreitigkeiten zu lösen, ja, daß es — so mußte es dem selbst noch in religiösen Kategorien denkenden Zeitgenossen erscheinen — der Streit über diese Prinzipien gewesen war, der zum Krieg und Bürgerkrieg führte und die Unterdrückung Andersdenkender legitimierte. In der historischen Projektion in die Zeit der Propheten wird die Beurteilung des Sachverhalts in der Gegenwart deutlich. Die Propheten hätten „durch ihre Freiheit zu ermahnen, zu tadeln und Vorhaltungen zu machen, die Menschen mehr aufgereizt als gebessert" (TTP 278), die Religion hätte mehr Schaden als Nutzen gehabt, vor allem aber seien aus dem von der Prophetie in Anspruch genommenen Recht „schwere Bürgerkriege entstanden" (TTP 278).

Von hierher erst bekommt Spinozas Begrenzung des Anspruchsbereichs der hermeneutischen Verständigung ihren letzten Bezugspunkt. Der Bereich hermeneutischer Sinnauslegung und Verständigung vermag nicht Frieden und Selbsterhaltung zu sichern, der Zweck, um dessentwillen die Menschen in den Vertragszustand eintraten[43]. Der Begriff des Handelns selbst ist vom Begriff vernunftmäßiger Erkenntnis her entwickelt. Handeln im eigentlichen Sinne ist unter der Voraussetzung nur hermeneutisch regulierter Verständigung nicht möglich. Es ist die nichthermeneutische, vernunftmäßige Erkenntnis, die dem Streben nach Nutzen und Selbsterhaltung die Möglichkeit ihrer Verwirklichung gibt. Es ergibt sich ein unlösbarer Zusammenhang von Nutzen, Selbsterhaltung, Tugend, Handeln und adäquater Erkenntnis, der sich im Gegensatz zum Bereich hermeneutischer Verständigung begründet.

> Unbedingt aus Tugend handeln ist (...) nichts anderes als nach den Gesetzen der eigenen Natur handeln. Nun handeln wir aber (...) nur insofern, als wir erkennen. Folglich ist aus Tugend handeln nichts anderes in uns, als nach der Leitung der Vernunft handeln, leben, sein Sein erhalten, und zwar (...) auf der Grundlage des Suchens nach dem eigenen Nutzen (E IV Ls 24, Beweis S. 209).

Im Bereich der Vernunft ist die Sicherheit des Einverständnisses aller gegeben, die individuelles Glück, Selbsterhaltung und allgemeinen Frieden ohne Zwang möglich macht. Da die meisten aber nicht zur Vernunft fähig sind, muß für sie an die Stelle der Autonomie der Vernunft die Heteronomie des Gehorsams treten, damit auch bei überwiegender subjektiver Unvernunft ein institutionalisierter Vernunftzustand als Friedenszustand gesichert ist. Religion mit ihrem Grunddogma des Gehorsams und die Geschichten der biblischen Texte haben hierbei die Aufgabe, Massenloyalität zu sichern und die friedensstiftende Funktion des Staates zu stützen. Diese Aufgabenzuweisung an die Religion und den Bereich sinnvermittelter Verständigung hat zur Voraussetzung, daß Religion und der Bereich der Vorstellungen als Bereich prinzipiell nicht entscheidbarer Auseinandersetzungen von der Möglichkeit hierzu geschützt wird. Die Stärkung allgemeinen Gehorsams durch Religion und des ihr zugeordneten Mediums der Verständigung muß begleitet sein von der Neutralisierung ihres prinzipiellen Unfriedenspotentials. Das wird erreicht, indem Religion auf das allgemein zustimmungsfähige Dogma des Gehorsams festgelegt wird und indem allgemein die staatliche Gesetzgebung und Weisungsbefugnis den Ansprüchen der Religion übergeordnet wird. So muß der äußere Kult „dem Frieden und der Erhaltung des Staates entsprechen" (TTP 289). Als allgemeine Beurteilungsregel hat zu gelten: „Das Wohl des Volkes (muß) höchstes Gesetz sein und alle menschlichen wie göttlichen Gesetze müssen sich nach ihm richten" (TTP 290). Und da sowohl „Erfahrung" wie auch „Vernunft" bestätigen, daß das „göttliche Recht allein von dem Beschluß der höchsten Gewalten abhängt", so müssen „diese auch seine Ausleger" sein (TTP 289), erhalten also auch die hermeneutische Weisungsbefugnis.

Der Wirkungsbereich biblischer Texte, deren Adressat die nicht zur Vernunft fähigen meisten sind, ist an die gesellschaftliche Praxis gebunden, die zum Ziel Friedenssicherung und Selbsterhaltung hat. Spinozas Hermeneutik ist so die Theorie des kommunikativ-sinnvermittelten Verständigungsbereichs, der eine Funktion für die gesellschaftliche Praxis hat, aber sie ist keine Hermeneutik der Praxis der Friedenssicherung und Selbsterhaltung selbst. Von dieser Praxis kann es für Spinoza keine Hermeneutik geben, denn sie gehört in ihrer objektiven Vernunftbestimmtheit dem philosophischen Anspruch nach allein zum Bereich des erkennenden Handelns und handelnden Erkennens.

Die Überordnung der staatlichen Gewalt über die Religion soll sich
aber nur auf den äußeren Kult beziehen, nicht auf die inneren
Überzeugungen (TTP 285 f.). In derselben systematischen Operation, die den Anspruch der Religion, mit dem hermeneutisch er-
schließbaren der Sinnverständigung, auf ,Gehorsam' reduziert,
diesen für die Massenloyalität funktionalisiert und das friedensge-
fährdende Potential der Religion durch die Unterwerfung unter
die Befehlsgewalt des Staates neutralisiert, wird ein Freiraum für
die innere Überzeugung der vernunftgemäßen Religion und die
Freiheit des Philosophierens gewonnen. „Der Geist, sofern er die
Vernunft gebraucht, ist nicht unter dem Recht der höchsten Gewalten, sondern unter eigenem Recht" (TP 76). Systemkonsequent
heißt das, daß der Bereich der Hermeneutik, die durch Vorstellung
vermittelte Wirklichkeitsdeutung, die alltägliche Lebenspraxis der
Erfahrung und Sinnfälligkeit, der Bereich der Geschichten, seien es
die heilig, poetisch oder profan genannten, von der Möglichkeit
ausgeschlossen sind, Selbstverständigung zu erreichen, die mit dem
Bewußtsein von ,Freiheit' verbunden ist.
Diese Systemkonsequenz ist erst dann zu überwinden, wenn die
hermeneutische Vermittlung der sich selbst als absolut behauptenden Vernunft, ihre Perspektivität und Interessengebundenheit
erkannt ist. Das geschieht am wirksamsten, wenn vom Anspruch
der Vernunft selbst die Aufklärung einsetzt, als Selbstenttäuschung
über ihre Möglichkeiten der Garantie der Selbsterhaltung, der
Friedens- und Freiheitssicherung. Dann wird für Theorie und Praxis Aufgabe, was für Spinoza Aporie war: eine Vernunft, als
Wirklichkeitserschließung, die in Vermittlung mit dem Bereich
hermeneutisch formulierbarer Bedingungen und Möglichkeiten sich
als absolute selbstenttäuscht aufgibt und als aufgeklärte zu sich
kommt: hermeneutische Vernunft.

Anmerkungen

[1] Diesen Zusammenhang habe ich zu entwickeln versucht in: Piepmeier,
Rainer: *Vernunftbegriff — Religionsbegriff — Gesellschaftsbegriff. Zu
einer neuzeitlichen Konstellation,* in: H. G. Kippenberg, B. Gladigow
[Hrsg.]: *Religionswissenschaft auf neuen Wegen* (Forum Religionswissenschaft 5). München 1981.
[2] Vgl. Descartes, René: *Discours de la méthode,* Kapitel 2. Bacon,
Francis: *Novum Organum scientiarum.* 1, 26; 1, 38—68.

[3] Die philosophischen und theologischen Auseinandersetzungen in ihrer Bedeutung für die Bibelkritik im 17. Jahrhundert hat dargestellt: Scholder, Klaus: *Ursprünge und Probleme der Bibelkritik im 17. Jahrhundert. Ein Beitrag zur Entstehung der historisch-kritischen Theologie.* München 1966.

[4] Vgl. Scholder, Klaus: *Ursprünge und Probleme der Bibelkritik*, a. a. O. Strauss, Leo: *Die Religionskritik Spinozas als Grundlage seiner Bibelwissenschaft. Untersuchungen zu Spinozas theologisch-politischem Traktat.* Berlin 1930. Erweiterte englische Übersetzung: Strauss, Leo: *Spinoza's Critique of Religion.* New York 1965. Strauss, Leo: *Zur Bibelwissenschaft Spinozas und seiner Vorläufer,* in: Wilhelm, Kurt [Hrsg.]: *Wissenschaft des Judentums im deutschen Sprachbereich. Ein Querschnitt.* Tübingen 1967, Bd. 1, S. 115—137.

[5] Vgl. die Titel von Strauss, Leo in Anm. 4. Joel, Manuel: *Spinozas Tractatus Theologico — Politicus auf seine Quellen geprüft.* Breslau 1870. Zac, Sylvain: *Spinoza et l'interprétation de l'écriture.* Paris 1965, S. 64—90. Husik, Isaac: *Maimonides and Spinoza on the Interpretation of the Bible,* in: Supplement to the Journal of the American Oriental Society 1 (1935), S. 22—40. Pines, Shlomo: *Spinoza's Tractatus theologico-politicus, Maimonides and Kant,* in: Segal, Ora [Hrsg.]: *Further Studies in Philosophy* (Scripta Hierosolymitana 20). Jerusalem 1968, S. 3—54.

[6] Zur gesellschaftlichen und theologischen Situation der Niederlande zur Zeit Spinozas vgl. Hecker, Konrad: *Gesellschaftliche Wirklichkeit und Vernunft in der Philosophie Spinozas. Untersuchungen über die immanente Systematik der Gesellschaftsphilosophie Spinozas im Zusammenhang seines philosophischen Gesamtwerks und zum Problem ihres ideologischen Sinngehalts.* Regensburg 1975, bes. S. 59—146; Kolakowski, Leszek: *Chrétiens sans Eglise. La conscience religieuse et le lien confessionel au XVIIe siècle.* Paris 1969 (bes. zu den niederländischen Sekten); Meinsma, K. O.: *Spinoza und sein Kreis. Historisch-kritische Studien über holländische Freigeister.* Berlin 1909; Price, J. L.: *Culture and Society in the Dutch Republic During the 17 th Century.* London 1974.

[7] Vgl. Descartes, René: *Discours de la méthode,* Kapitel 3.

[8] Ich zitierte folgende Werke Spinozas mit den folgenden Siglen: *Ethica,* dt. *Die Ethik nach geometrischer Methode dargestellt,* Übers. O. Baensch, Einl. R. Schottlaender. Hamburg 1976 (Phil. Bibl. 92) = E. *Tractatus Theologico — Politicus,* dt. *Theologisch-Politischer Traktat,* neu bearb., eing. u. hrg. von G. Gawlick. Hamburg 1976 (Phil. Bibl. 93) = TTP. *Tractatus de Intellectus Emendatione,* dt. *Abhandlung über die Verbesserung des Verstandes,* Übers. C. Gebhardt, Einl. K. Hammacher. Hamburg 1977 (Phil. Bibl. 95) = TE. *Tractatus Politicus,* dt. *Abhandlung vom Staate,* a. a. O. = TP. *Korte Verhandeling von God, de Mensch en deszelfs Welstand,* dt. *Kurze Ab-*

handlung von Gott, dem Menschen und seinem Glück, hrsg. v. C. Gebhardt. Hamburg 1965 (Phil. Bibl. 91) = KV.
Briefwechsel, Übers. C. Gebhardt, Einl. M. Walther, Hamburg 1977 = Br.
Wenn nur mit Seitenzahl zitiert wird, ist die Sigle der vorangehenden Zitierung heranzuziehen.

[9] TE zählt vier Erkenntnisgattungen, weil die erste Gattung unterteilt und als 1. und 2. durchgezählt wird. Dieselbe Unterteilung macht auch E, ohne durchzuzählen. Ich gehe von E (S. 89 f.) aus, mit drei Erkenntnisgattungen, folge in der Reihenfolge der Behandlung aber TE, die ihre 1. und 2. Gattung in umgekehrter Reihenfolge wie E behandelt, so daß die hier gegebene Reihenfolge 1 a und 1 b = TE 1 und 2 ist, was Ethik 1 b und 1 a entspricht. Hier ist Genauigkeit vonnöten, um zu erkennen, daß unterschiedliche Zählung und Reihenfolge nicht auf sachlichen Differenzen beruht.

[10] Zum Problem der Sprache bei Spinoza vgl. Savan, David: *Spinoza and Language,* in: The Philosophical Review 67 (1958) S. 212—225, wiederabgedruckt in: Grene, Marjorie [Hrsg.]: *Spinoza. A Collection of Critical Essays.* Notre Dame, Indiana 1973, ²1979, S. 60—72; Parkinson, G. H. R.: *Language and Knowledge in Spinoza,* in: Inquiry 12 (1969) S. 15-40, wiederabgedruckt in: Grene, Marjorie [Hrsg.], a. a. O., S. 73—100; Fløistad, Guttorm: *Spinoza's Theory of Knowledge in the Ethics,* in: Inquiry 12 (1969) S. 41—65; wiederabgedruckt in: Grene, Marjorie [Hrsg.], a. a. O., S. 101—127.

[11] Vgl. Hammacher, Klaus: *Einleitung* zu TE und TP, a. a. O., S. XXIII.

[12] Wittgenstein, Ludwig: *Philosophische Untersuchungen.* Frankfurt a. M. 1967.

[13] Zu dem hier am Beispiel Spinozas rekonstruierten geschichtstheoretischen Ansatz vgl. Piepmeier, Rainer: *Geschichte und Geschichten. Systematisch-historische Hinweise zu einem Diskurs: Geschichte,* in: Oelmüller, Willi, Dölle, Ruth, Piepmeier, Rainer: *Diskurs Geschichte* (Philosophische Arbeitsbücher 4) Paderborn 1980 (UTB 1007) S. 9—50, bes. 10—20.

[14] Vgl. hierzu den begriffsgeschichtlichen Befund: Lötsch, Frieder: *Fiktion,* in: Hist. Wb. Philos. Bd. 3, Sp. 951—953; Rescher, Nicolas: *Hypothese, Hypothesis,* in: Hist. Wb. Philos. Bd. 3, Sp. 1260—1266, bes. 1262 f.

[15] Zum Begriff des ,Neuen' in seiner wissenschaftstheoretischen und ästhetischen Bedeutung vgl. Rath, Norbert: *Neu, das Neue,* in: Hist. Wb. Philos. Bd. 6.

[16] Galilei, Galileo: *Lettera die Madama Christina di Lorena, Granduchessa di Toscana* [1615], in: Opere die Galileo, Edizione nazionale. Bd. V 1895, S. 307—348, hier: S. 326, zitiert nach Scholder, Klaus: *Ursprung und Probleme der Bibelkritik,* a. a. O., S. 75.

[17] Vgl. Fellmann, Ferdinand: *Das Vico-Axiom: Der Mensch macht die Geschichte*. Freiburg, München 1976; zur Diskussion vgl. Piepmeier, Rainer: *Situierung und Distanzierung Giambattista Vicos. Erörterungen zu F. Fellmann, Das Vico-Aciom: Der Mensch macht die Geschichte*, in: Studia Leibnitiana XII/2 (1980) S. 253—264.

[18] Hamann, Johann Georg: *Aesthetica in nuce*, in: Ders.: Sämtliche Werke, hrsg. v. Josef Nadler, Wien 1950, Bd. 2, S. 195—217, hier: S. 197; vgl. Hoffmann, Volker: *J. G. Hamanns Philologie. Hamanns Philologie zwischen enzyklopädischer Mikrologie und Hermeneutik.* Stuttgart 1972; Baudler, Georg: *,Im Worte sehen'. Das Sprachdenken J. G. Hamanns.* Bonn 1970; zum jungen Hamann vgl. bes. Gajek, Bernhard: *Sprache beim jungen Hamann*, Bern 1967.

[19] Vgl. Piepmeier, Rainer: *Aporien des Lebensbegriffs seit Oetinger.* Freiburg, München 1978, S. 9—206; zu Vico: S. 248—259; zu Hamann: S. 273—295; Piepmeier, Rainer: *Theologie des Lebens und Neuzeitprozesse: Fr. Chr. Oetinger*, in: Pietismus und Neuzeit 5 (1979) S. 184—217.

[20] Breitinger, Johann Jacob: *Critische Dichtkunst*, 2 Bde. Zürich 1740, Faksimilidruck hrsg. v. Wolfgang Bender, Stuttgart 1966, Bd. I, 3: *Von der Nachahmung der Natur;* I, 5: *Von dem Neuen;* I, 6: *Von dem Wunderbaren und dem Wahrscheinlichen.* Vlg. Bodmer, Johann Jacob: *Critische Abhandlung von dem Wunderbaren in der Poesie und dessen Verbindung mit dem Wahrscheinlichen.* Zürich 1740. Faksimilidruck, hrsg. v. Wolfgang Bender. Stuttgart 1966.

[21] Baumgarten, Alexander Gottlieb: *Meditationes philosophicae de nonnullis ad poema pertinentibus* (1735), hrsg. v. K. Aschenbrenner u. W. B. Holther, lat. Text mit engl. Übersetzung als *,Reflections on poetry'.* Berkeley, Los Angeles 1954; Ders.: *Aesthetica.* Frankfurt 1750 bis 1758, Nachdruck Hildesheim 1961; Meier, Georg Friedrich: *Anfangsgründe aller schönen Wissenschaften*, 3 Bde. Halle ²1754—1759, Nachdruck Hildesheim 1976; vgl. Ritter, Joachim: *Ästhetik, ästhetisch*, in: Hist. Wb. Philos. Bd. 1, Sp. 555—580, bes. Sp. 555 ff.; Franke, Ursula: *Kunst als Erkenntnis. Die Rolle der Sinnlichkeit in der Ästhetik des Alexander Gottlieb Baumgarten.* Wiesbaden 1972.

[22] Vgl. Prümers, Walther: *Spinozas Religionsbegriff.* Halle a. d. S. 1906; Bohrmann, Georg: *Spinozas Stellung zur Religion. Eine Untersuchung auf der Grundlage des theologisch-politischen Traktats.* Gießen 1914; Strauss, Leo: *Die Religionskritik Spinozas als Grundlage seiner Bibelwissenschaft*, a. a. O.; Ders.: *Anleitung zum Studium von Spinozas theologisch-politischem Traktat*, in: Altwicker, Norbert [Hrsg.]: *Texte zur Geschichte des Spinozismus.* Darmstadt 1971, S. 300—361; Powell, Elmer Elsworth: *Spinoza and Religion.* Boston ²1941; Hecker, Konrad: *Gesellschaftliche Wirklichkeit und Vernunft in der Philosophie Spinozas*, a. a. O., S. 686—906; Walther, Manfred: *Metaphysik als Anti-Theologie. Die Philosophie Spinozas im Zusammenhang der religionsphilosophischen Problematik.* Hamburg 1971.

[23] Snell, Bruno: *Die Ausdrücke des Wissens in der vorplatonischen Philosophie.* Berlin 1924, S. 55 ff.; vgl. auch v. Fritz, Kurt: *Der gemeinsame Ursprung der Geschichtsschreibung und der exakten Wissenschaften bei den Griechen,* in: Ders.: *Schriften zur griechischen Logik,* Bd. 1, *Logik und Erkenntnistheorie.* Stuttgart-Bad Cannstatt 1978, S. 23—49, bes. S. 24 ff.; Zoepffel, Renate: *Historia und Geschichte bei Aristoteles.* Heidelberg 1975 (Abh. d. Heidelb. Ak. d. Wiss., Phil.-hist. Klasse, Jg. 1975, 2. Abh.), S. 29 ff.; Kambartel, Friedrich: *Erfahrung und Struktur.* Frankfurt a. M. 1968, S. 68 ff.; Piepmeier, Rainer: *Philosophie und Geschichte bei Aristoteles,* in: Paderborner Studien 1979, Heft 1/2, S. 40—49.

[24] Seifert, Arno: *Historia im Mittelalter,* in: Archiv für Begriffsgeschichte 12 (1977) S. 226—284, hier S. 284.

[25] Kambartel, Friedrich: *Erfahrung und Struktur,* a. a. O., S. 62 f.

[26] Kambartel, Friedrich, a. a. O., S. 72.

[27] Vgl. Holl, Karl: *Luthers Bedeutung für den Fortschritt der Auslegungskunst,* in: *Gesammelte Aufsätze zur Kirchengeschichte,* Bd. 1. Tübingen ⁷1948, S. 544—582; Ebeling, Gerhard: *Evangelische Evangelienauslegung. Eine Untersuchung zu Luthers Hermeneutik.* München 1942, Nachdruck Darmstadt 1962; Ders.: *Wort Gottes und Hermeneutik,* in: ZThK 56 (1959) S. 224—251; Hahn, Friedrich: *Luthers Auslegungsgrundsätze und ihre theologischen Voraussetzungen,* in: ZSTh 12 (1934/35) S. 165—218.

[28] Zur Geschichte des Begriffs ‚Sinn‘ vgl. demnächst Piepmeier, Rainer: *Sinn,* in: Hist. Wb. Philos.

[29] Vgl. Hecker, Konrad: *Gesellschaftliche Wirklichkeit und Vernunft in der Philosophie Spinozas,* a. a. O., S. 705 f.

[30] Vgl. Kommentar TTP, S. 335 f. zu S. 222, 1.

[31] Vgl. Kommentar TTP, S. 326, zu S. 131, 18 ff.

[32] Lit. zu Maimonides vgl. Anm. 5.

[33] Vgl. Scholder, Klaus: *Ursprünge und Probleme der Bibelkritik im 17. Jahrhundert,* a. a. O., Kap. 5: *Theologie, Philosophie und das Problem der doppelten Wahrheit,* S. 105—130.

[34] Vgl. TP 59 ff.; TTP 16. Kap., S. 232—247; McShea, Robert J.: *The Political Philosophy of Spinoza.* New York 1968, bes. S. 78 ff.; Eckstein, Walter: *Zur Lehre vom Staatsvertrag bei Spinoza,* in: Altwicker, Norbert [Hrsg.]: *Texte zur Geschichte des Spinozismus,* a. a. O., S. 362—376.

Christoph Friederich

Johann Martin Chladenius:
Die allgemeine Hermeneutik und das Problem der Geschichte

Das Werk von Johann Martin Chladenius[1] ist bisher im wesentlichen unter drei Aspekten rezipiert worden. Erstens unter dem
Aspekt der Geschichte der Hermeneutik: Hier ist etwa von Dilthey
der im Blick auf Schleiermacher aktuelle Psychologismus, von
Wach die geschichtstheoretische Bedeutung und von Gadamer die
sachhermeneutische Orientierung der chladnischen Hermeneutik
hervorgehoben worden[2]; zweitens unter dem Aspekt der Geschichte der Geschichtstheorie und der historischen Methode, unter
dem die Lehre vom „Sehepunkt" als eine frühe Theorie der Standortbindung des Historikers in den Vordergrund gestellt worden
ist[3]. Und schließlich drittens seit kurzem unter dem Aspekt einer
literarischen Hermeneutik, die besonders an den originellen Be-
schreibungen poetischer Sprachleistungen, an dem von Chladenius
sogenannten Phänomen des „Sinnreichen" interessiert ist[4]. Grundsätzlich bezieht sich das gegenwärtige Interesse an Chladenius auf
seine Theorie des „Sehepunktes" und ihre Bedeutung für die Hu-
manwissenschaften[5]. Die Tatsache, daß Chladenius diese Theorie
zuerst im Rahmen seiner allgemeinen Auslegekunst entwickelt hat,
verweist auf ihre hermeneutische Relevanz. Wenn daher Chladenius im folgenden als ein Klassiker der Hermeneutik dargestellt
werden soll, scheint es notwendig, die Lehre vom „Sehepunkt" auf
dem Hintergrund der allgemeinen Hermeneutik zu entwickeln,
weil nur so falschen Aktualisierungen vorgebeugt werden kann.
Der systematische Ort des „Sehepunktes" in der Theorie der historischen Erkenntnis und die durchgängige historische Intention
Chladenius' legen es nahe, dabei auf seinen Beitrag zur historischen Hermeneutik besonderes Gewicht zu legen.

1.

Chladenius' Denken ist gekennzeichnet durch eine Verbindung von
rhetorisch-humanistischer Philosophie und orthodox-lutherischer
Theologie, überformt von einem schulphilosophischen Rationalis-

mus, — eine Kombination, die für einen bestimmten Gelehrtenty-
pus des frühen 18. Jahrhunderts charakteristisch ist. Dies läßt sich
genauer in bio-bibliographischer Perspektive erkennen. Die Mehr-
zahl seiner Veröffentlichungen[6] sind kurze Gelegenheitsschriften
theologischen, philosophischen oder rhetorisch-erbaulichen Charakters, wie es einerseits seiner Tätigkeit als Direktor des Gymnasiums
Illustre zu Coburg (1744—47), andererseits seiner Stellung als
Professor für Philosophie, Beredsamkeit und Theologie (ab 1748)
an der neugegründeten Universität Erlangen entsprach. Zu Beginn
seiner Laufbahn während seiner a. o. Professur für Kirchenaltertü-
mer Wittenberg scheint sein Interesse eher auf kirchenhistorischen,
althistorischen und philologischen Themen zu liegen. Aus dieser
Zeit stammt seine *Einleitung zur richtigen Auslegung vernünftiger
Reden und Schriften,* in der bereits der Grund für die spätere geschichtstheoretische Konzeption gelegt wird. In seiner Coburger
Zeit vertieft Chladenius diesen Ansatz in mehreren kurzen propädeutischen Arbeiten, besonders in seinen Reden zum Wahrschein-
lichkeitsproblem[7]. Von Anfang an erweist er sich als ein Gegner
des wahrscheinlichkeitstheoretischen Skeptizismus und historischen
Pyrrhonismus. In der Gegnerschaft zu dieser zeitspezifischen philosophischen Denkrichtung ist ein Hauptmotiv für seinen Begrün-
dungsversuch des Wahrheitsanspruchs und damit des Wissenschafts-
charakters der schönen und der historischen Wissenschaften zu
sehen. Dieser Absicht entsprach auch seine *Nova Philosophia Definitiva,* die als wissenschaftstheoretisches Lexikon die wichtigsten
Definitionen „in usum sanctioris omnisque humanioris doctrinae"
enthielt[8], und seine *Allgemeine Geschichtswissenschaft,* in der das
Problem der historischen Erkenntnis systematisch entwickelt wird.
Chladenius ist stark durch die Wolffsche Schulphilosophie geprägt.
Dies zeigt sich unter anderem in seiner steten Bemühung um allgemeine Grundlegung, am deutlichsten in der *Einleitung,* der *Logica
sacra* und der *Allgemeinen Geschichtswissenschaft.* Was die *Einleitung* betrifft und die mit ihr angestrebte Begründung einer allgemeinen Hermeneutik, so bezieht sich Chladenius auf eine alte
logische Tradition, nach der seit Clauberg die Hermeneutik den
praktischen, mit den Problemen der Verständigung befaßten Teil
der Logik bildete[9]. Über Thomasius und Wolff setzt sich diese
Tradition fort. So kann Chladenius besonders an der Wolffschen
Logik anknüpfen, für die es charakteristisch ist, daß sie als Lehre
von der Leitung des Verstandes in den Bereich der rationalen
Psychologie gehört. Dies wirkt sich in einem Psychologismus der

Begriffslehre aus, die ihrerseits die didaktische Funktion der Philosophie befestigt[10].

Im Sinne dieser didaktischen Aufgabenstellung hatte bereits Thomasius die „Kunst und Wissenschaft auszulegen" das „rechte Auge der Gelehrtheit" genannt, — allerdings sehe — um im Bilde zu bleiben — das andere Auge schärfer[11]. In Absetzung von Thomasius und Wolff versucht Chladenius mit einem ähnlichen Argument, nämlich mit der Unterscheidung der Regeln des richtigen Denkens von denen des richtigen Auslegens die Hermeneutik als eine selbständige Wissenschaft zu begründen und aus der Logik zu lösen[12]. Der systematische Grund für diese Möglichkeit liegt nach Chladenius' Auffassung in der Unzulänglichkeit der mit der allgemeinen Erkenntnis befaßten Vernunftlehre zur „Betrachtung der Geschichte, Gedichte, Gedichte und anderer sinnreicher Schriften (. . .), wobey doch auch die Auslegung, und zwar hauptsächlich, stattfindet (. . .)" (§ 177, S. 97). Diese Emanzipation aus der Logik ist auf der anderen Seite deshalb notwendig, weil aus der in ihr beheimateten Lehre von der Wahrscheinlichkeit der Hauptangriff gegen die Gewißheit der historischen Erkenntnis kommt. In den *Vernünftigen Gedanken von dem Wahrscheinlichen,* wo in der zweiten Betrachtung „die Hermeneutik vor der Wahrscheinlichkeit gerettet wird", warnt Chladenius davor, die Hermeneutik zur „Sclavin der Wahrscheinlichkeit" zu machen[13]. Seine prinzipielle Argumentation gegen den Relativismus der Wahrscheinlichkeitslehre besteht im wesentlichen darin, daß zunächst von der Gewißheit einer Erkenntnis ausgegangen und diese überprüft, nicht deren Wahrscheinlichkeitsgrad als Maß für die Einschränkung der Gewißheit bzw. für die Annäherung an die Wahrheit bestimmt werden müsse.

Um die allgemeine Hermeneutik Chladenius' richtig einschätzen zu können, ist es notwendig, die einzelnen Argumente und Grundunterscheidungen zu rekonstruieren, auf denen die *Auslege-Kunst* aufbaut. Zunächst versucht er sie gegenüber den anderen Disziplinen abzugrenzen. Zwar hat sie es mit allen vernünftigen Schriften zu tun, dennoch werden als Sonderfälle die Spezialhermeneutiken für die theologische, juristische und poetische Auslegung sowie die propädeutischen Disziplinen Kritik und Philologie ausgeschlossen (Vorrede und §§ 176 ff., S. 96 ff.). Der Integrationsgesichtspunkt liegt also quer zu den Disziplinengrenzen in der Unterscheidung von „*dogmatischen*" und „historischen" Reden und Schriften, also in Texten, die Vernunftwahrheiten und Texte, die Tatsachenfeststellungen enthalten. Zwar betont Chladenius, wenn er von „Geschichte" spricht, das Moment der Menschengeschichte und der „moralischen" Dinge, aber die allgemeine Bedeutung von „historisch" im Sinne der unterschiedlos auf alle Gegenstandsbereiche bezogenen empirischen Tatbestandsermittlung, bleibt noch erhalten. Der Allgemeinheitscharakter der Hermeneutik hängt also auch von diesem weiteren Geschichtsbegriff ab. Es deutet sich bereits hier an, daß das Auseinanderbrechen des Geschichtsbegriffs die Grundlage der allgemeinen Hermeneutik in Mitleidenschaft zieht, weil der Begriff „historisch" nicht mehr als eine logisch, sondern nur noch als eine inhaltlich bestimmte Klasse von Sätzen festgehalten werden kann. Die beiden Kapitel über die Auslegung historischer Bücher und die Auslegung allgemeiner Wahrheiten und Lehrbücher bilden den eigentlichen Gegenstand der Auslege-Kunst. Eine weitere Einschränkung des Allgemeinheitsprinzips der Hermeneutik bringt der Begriff der *Stelle* mit sich, die für die „Auslege-Kunst" die kleinste hermeneutische Einheit darstellt. Diese aus texthermeneutischer Sicht modern anmutende Unterscheidung, den Gegenstand der Hermeneutik gewissermaßen von innen her, d. h. vom Text aus zu bestimmen, wird jedoch nicht durchgehalten. Ausdrücklich parallelisiert Chladenius in der Vorrede der Stelle die logische Einheit des Satzes. Die Hermeneutik verfährt nach dem Muster der Logik: dem Aufstieg von den Begriffen über die Sätze zu den Schlüssen und Theorien entspricht in der Hermeneutik der von den Stellen über die Bücher zu den Gattungen (Vorrede). Das Verhältnis von Teil und Ganzem ist nicht, wie in der späteren Hermeneutik ein Verhältnis der Wechselbeziehung, sondern einer vorgegebenen hierarchischen Ordnung.

Weitere wichtige Begriffe zur Fundierung der allgemeinen Hermeneutik sind die analytisch aufeinander bezogenen Begriffe der *„Dunkelheit"*, „Auslegung" bzw. des „Auslegers" und des „Verstandes". Bei der „Dunkelheit" bzw. der „dunklen Stelle" handelt es sich jedoch ausdrücklich um eine sachliche Dunkelheit, „... weil die bloßen Worte und Sätze nicht allemal vermögend sind, den Begriff, den der Verfasser damit verknüpfft gehabt hat, bey dem Leser hervorzubringen" (Vorrede)[14]. Der Trennung von Sprach- und Sachkenntnis, die sich in diesem Passus andeutet, entspricht auf der Ebene des Auslegungsverfahrens der Ausschluß der Philologie und der Textkritik, die in ein propädeutisches und hilfswissenschaftliches Verhältnis zur Hermeneutik geraten. Auslegen bzw. Verstehen ist hier also kein Wort- oder Bedeutungsverstehen, sondern eine Form der Vermittlung und Beschaffung von Wissen über

Wort- und Textumstände. Es ist daher mit Recht darauf hingewiesen worden, daß die elliptische Rede der eigentliche Gegenstand des Verstehens bei Chladenius sei. Damit wird gleichzeitig der traditionelle Begriff der Dunkelheit vom Text auf den Leser übertragen[15].

Analog zu dieser Auffassung der „Dunkelheit" einer Stelle wird nun der Begriff der „Auslegung" als Beschaffung der zum vollkommenen Verständnis einer Stelle notwendigen Begriffe bestimmt (§ 169, S. 92 f.). Für Chladenius steht jedoch nicht der Begriff der *„Auslegung"*, sondern des „Auslegers" an erster Stelle der allgemeinen Hermeneutik (§ 648, S. 497 f.). Dessen besondere Aufgaben und Fähigkeiten bestehen grob gesprochen in der Erkenntnis der Regeln der allgemeinen Auslegekunst, genauer im Anzeigen des wahren Verstandes, im Wissen über die Arten der Dunkelheiten und die entsprechenden Methoden ihrer Beseitigung, sowie in der Rechtfertigung der Auslegung, d. h. in der Begründung der Notwendigkeit einer angeführten Auslegung, solange diese dem Auslegungsbedürftigen nicht einleuchtet. Diese Leistungen sind also ausdrücklich auf einen Schüler bezogen:

> Es wird auch dadurch das Ansehen der Auslege-Kunst nicht wenig verstellt, daß man gemeiniglich gleich anfangs hat weisen wollen, wie derjenige, der ein Buch oder eine Stelle nicht verstehet, dieselbige selbst auslegen solle, welches die Auslege-Kunst gantz bey dem unrechten Ende vorstellet. Ein Ausleger soll den, der das Buch nicht verstehet, und den wir seinen *Schüler* nennen wollen, zum wahren Verstande des Buches anführen, (. . .) und also den Verstand selbst wissen. Nach dem gemeinen Begriff aber soll man auslegen, ehe man den Verstand selbst weiß, welches unmöglich ist. (§ 181, S. 100 f.).

Zum Zwecke der Auslegung wird also eine *Lehrer-Schüler-Situation* gestiftet, weil die Dunkelheit nicht schlechthin besteht, sondern von dem zufälligen Wissen und der Einsicht des Schülers abhängt. Unter dem Druck der Allgemeinheit seiner Auslege-Kunst schlägt Chladenius sogar vor, die Schüler relativ zu ihrer Einsicht zu klassifizieren. Das Verfahren der Auslegung ist nicht nur einlinig, nämlich von der Auslegung, d. h. dem Sachwissen des Lehrers, zum „Verstand" im Sinne seiner doppelten Bedeutung als „sensus" und „Verständnis", sondern auch in gewisser Hinsicht statisch und begrenzt, insofern es beendet ist, sobald der Schüler mit dem Ausleger in dessen kompetenter Auslegung übereinstimmt (§ 171, S. 93 u. § 655, S. 502 f.). Gadamer hat vor dem Hintergrund des roman-

tischen Verstehensbegriffs hier von der „pädagogischen Okkasiona-
lität der Auslegungspraxis" gesprochen, der bei Schleiermacher die
„strengere Praxis" der Hermeneutik und die Universalität der
Verstehensaufgabe, orientiert am prinzipiellen Mißverstand, gegenüber gestellt wird[16].

Nach dem Gesagten scheint die Richtigkeit einer Auslegung allein
von der Sachkompetenz und didaktischen Fähigkeit des Auslegers
abzuhängen. Die Auslegung muß sich jedoch gemäß ihrer Definition an der auszulegenden Sache orientieren. Sie ist nur das —
gelegentlich erforderliche — Mittel zum *vollkommenen Verstand*: *„Man verstehet eine Rede oder Schrifft vollkommen, wenn
man alles dasjenige dabey gedenckt, was die Worte nach der Vernunfft und denen Regeln unserer Seele in uns vor Gedancken erwecken können"* (§ 155, S. 84)[17].

Die Definition ist allgemein genug, um die Probleme, die mit ihr
verbunden sind, zu verbergen. Die Identität zwischen den Worten
eines Auslegers und ihrem Verständnis bei einem Leser erscheint
hier als völlig unproblematisch, weil sie durch die logischen und
psychologischen Regeln garantiert wird. Streng genommen hat die
Auslegekunst an dieser Stelle ihre Aufgabe erfüllt. Chladenius
sieht jedoch selbst, daß diese Definition der Praxis nicht genügt:

> Allein weil die Menschen nicht alles übersehen können, so können
> ihre Worte, Reden und Schrifften etwas bedeuten, was sie selbst
> nicht willens gewesen zu reden oder zu schreiben: und folglich kan
> man, indem man ihre Schrifften zu verstehen sucht, Dinge, und
> zwar mit Grund dabey gedencken, die denen Verfassern nicht in
> Sinn kommen sind. (...) Daher ist bey allen Reden und Schrifften
> der Menschen zweyerley, den Sinn des Verfassers oder den Verfas-
> ser vollkommen verstehen, und die Rede oder Schrifft an sich
> betrachtet, vollkommen verstehen. (§ 156, S. 87).

Diese Stelle ist deshalb zentral für Chladenius und seine Herme-
neutikkonzeption, weil hier in einer charakteristischen Weise der
„historische" Sinn, d. h. hier der Sinn für das Nicht-Logische, mit
den rationalistischen Forderungen der Schulphilosophie in Konflikt
gerät. Es ist Chladenius nicht gelungen, diesen Konflikt in seiner
Einleitung aufzulösen. Er sucht ihn zwar durch die Aufteilung der
„vollkommenen" in den „unmittelbaren" (die unmittelbare Einsicht) und in den „mittelbaren" Verstand (die „Anwendungen") zu
entschärfen, insofern für letztere eine unterschiedliche Fruchtbar-
keit der Stellen beim jeweiligen Leser eingeräumt werden muß.
Jedoch wird dieses Prinzip nicht streng durchgeführt[18].

Für Chladenius stimmen offensichtlich im Idealfalle der Sinn des
Autors und die Bedeutung des Textes überein, da sich dessen Produktion und seine verstehende Reproduktion nach identischen logischen und psychologischen Regeln vollziehen. Im Normalfall tritt
jedoch beides häufig auseinander, was die Auslegung zusätzlich
erschwert. Die Worte können mehr bedeuten als es der Absicht des
Verfasssers entsprach. Der Rekurs auf das Prinzip der „Absicht"
an dieser Stelle impliziert zweierlei: zum einen die Möglichkeit
einer Kontrolle des Textverständnisses gemäß einer allgemeinver-
bindlichen überhistorischen Gattungslehre des Schreibens und Re-
dens, zum anderen den Ausschluß des Besserverstehens, das hier
erst in seiner negativen Form des Andersverstehens erscheint[19].
Die Schuld für das Andersverstehen ist dem Autor als Unverständ-
lichkeit seines Textes anzulasten (§ 153, S. 85). Das Ziel der Auslegung ist das Einverständnis über die im Texte angesprochene
Sache. Weder geht es darum, den Autor besser zu verstehen, als er
sich selbst verstanden hat, ihn und seinen Text also systematisch
oder historisch zu interpretieren, noch darum, über die Wahrheit
des Textes zu befinden (§ 153, S. 87 f.).
Das *Absichtsprinzip,* bei Chladenius aufgefaßt als „die Einschränkung der Vorstellung, die er (sc. der Verfasser) von der
Sache, oder bey der Stelle gehabt hat (. . .)" (§ 695, S. 540), spielt
für das Verständnis die Rolle einer Kontroll- und Vermittlungs-
instanz. Chladenius folgt hier den traditionellen Vorstellungen
besonders der Lehre vom Skopus aus der theologischen Hermeneutik. Ihre wesentlichen Bestandteile, das Kontext- und das Gat-
tungsprinzip, die wiederum aufeinander bezogen sind, finden sich
auch in der *Auslege-Kunst* wieder[20]. Jedoch scheint Chladenius
das Problem des Zirkels zwischen Teil und Ganzem, das auf beiden
Ebenen besteht, nicht gesehen zu haben. Es wird von vornherein
vermieden, einerseits durch die Forderung nach einer allgemeinen
Gattungslehre und durch das additive Auslegungsverfahren von
den Stellen über die Bücher zu den Arten der Bücher (§ 705,
S. 551 ff.), andererseits durch eine psychologisch begründete Kon-
textlehre, nach welcher der Sinn einer Stelle durch einen indirekten
Zusammenhang von Vorstellungen festgelegt ist (§ 352, S. 235 f.
und §§ 382 ff., S. 267 ff.). Zusätzlich gilt die allgemeine Regel,
daß die Bedeutung einer Stelle nicht durch ihr Verhältnis zum
Ganzen und umgekehrt bestimmt wird, sondern durch das vorgängig bereitliegende Sachwissen des Autors. Der analoge Zirkel zwi-

schen Absicht und historischem Kontext eines Autors wird auf diese
Weise durchbrochen (§ 707, S. 554 ff.).
Die Kontrollfunktion des Absichtsprinzips gilt auch für den mittelbaren Verstand; also die notwendigen *Anwendungen* einer Stelle.
Sie werden definiert als „(...) die Würckungen, welche unsere
Seele thun kan, weil wir ein gewisses Buch gelesen, und verstanden
haben (...)" (§ 425, S. 308 f.). Die Anwendungen unterteilen sich
bei Chladenius unter dem Aspekt des vollkommmenen Verstandes
in notwendige und zufällige. Diese nennt er die „Ausschweiffun-
gen". Da ihre Verbindung zum unmittelbaren Verstand nicht mehr
nachgewiesen werden kann, gehören sie zwar nicht mehr zur Auslegung, sind ihm aber ebenso „lieb und wichtig" (§ 674 f.,
S. 519 f.). Die notwendigen Anwendungen sind einerseits Anwendungen für den Verstand, etwa im Falle der historischen Bücher
das Kennenlernen, das Beweisen einer Geschichte, die Absonderung
allgemeiner Begriffe aus einzelnen Fällen und das „Moralisieren",
das in „sorgfältiger Bemerckung derer in denen Geschichten verborgenen moralischen Lehren bestehet" (§ 464, S. 336 u. § 683,
S. 528), sie sind andererseits Anwendungen für den Willen. Chladenius nennt diese die „lebendige Erkäntniß" (§ 475, S. 342). Auch
im Hinblick auf seine Anwendungslehre steht Chladenius unter
dem Einfluß verschiedener Traditionen: einerseits unter dem Einfluß der rhetorischen Affektenlehre („docere" und „movere") mit
dem dazugehörigen Praecepta-exempla-imitatio-Konzept[21], andererseits der Wirkungspsychologie der Aufklärung[22] und der
pietistischen Hermeneutik mit ihrer Dreiteilung von subtilitas intelligendi, explicandi und applicandi[23]. Das Charakteristikum
für die Anwendungshermeneutik, das auch für Chladenius gilt,
liegt darin, daß die Anwendung nachträglich zur Auslegung des
Verstandes hinzutritt.

2.

Bereits aus dieser kurzen Darstellung der *Auslege-Kunst* ergibt sich
ihre Sachorientierung, d. h. ihre Ausrichtung am Sachwissen des
Auslegers als hervorstechendes Merkmal. Die Gründe für diese
Sachorientierung lassen sich durch eine kurze sprach- und erkenntnistheoretische Analyse des Auslegungs- und Verstehensbegriffs
aufzeigen. Chladenius definiert „Verstehen" folgendermaßen:

> Es ist ferner bekannt, daß wir einen, der redet, alsdenn *verstehen*,
> wenn wir aus seinen Worten erkennen, was er gedacht hat. Hierzu
> aber wird allemal erfordert, daß der Zuhörer theils die Bedeutung

der einzeln Wörter, die in der Rede vorkommen, wisse; theils daß ihm auch die Art, die Wörter zu verbinden, die in der Rede gebraucht worden, bekannt sey (§ 2, S. 2).

Im Verstehen werden also durch die Vermittlung der Worte die Gedanken eines Autors reproduziert. Nach schullogischer Auffassung entstehen die Gedanken oder Vorstellungen im menschlichen Geist durch die Vermittlung der Sinne als Abbild der Sachen. Indem der Verstand auf das Verhältnis verschiedener Vorstellungen zueinander reflektiert, bilden sich die Begriffe als Ausdruck der Gemeinsamkeiten und Verschiedenheiten der Dinge. Die Begriffe sind also die dem menschlichen Verstand gemäßen Entsprechungen der Welt. Sie werden durch Wörter verlautbart[25]. Die umgekehrte Verbindung von den Wörtern über die Begriffe zu den Dingen ist die „Bedeutung" eines Wortes. Sie ist „die Gedancke, die wir mit einem Worte zu verknüpffen pflegen", auf der Basis eines psychologischen Mechanismus, nach dem zwei gleichzeitig entstehende Vorstellungen — der Begriff des Wortes und der Begriff der Sache — sich auch bei wiederholtem Auftreten stets gegenseitig hervorrufen werden (§ 80, S. 39 ff.).

Im Zentrum dieser Argumentation steht deutlich der Begriff und mit ihm die Sache. Sie wird durch den Begriff abgebildet, andererseits bezeichnet ein Wort die mit ihm vorgestellten Dinge. Das Wort tritt nachträglich als gleichgültige Bezeichnung zu den Begriffen hinzu. So gesehen vollzieht sich das Denken ausschließlich im Reich der Begriffe und damit bezogen allein auf die Sachen, also sprachfrei und sprachlos, wobei die Bezeichnungsleistung des Wortes durch den erwähnten psychologischen Mechanismus festgeschrieben ist[26]. Dieser sachbestimmten Begriffslehre entspricht eine Bedeutungslehre, welche die Konstanz und Identität der Bedeutungen festzuhalten versucht. Dies geschieht durch den als bekannt vorausgesetzten Sprachgebrauch, d. h. durch „die Gewohnheit und Art zu reden, das ist eine undeutliche, aber meistentheils dunckele, und durch öfftere Übung in Reden erlernete Erkäntniß derjenigen Regeln, wodurch die Bedeutung eines Wortes in jedem Falle bestimmt wird" (§ 747, S. 593).

Sprachkenntnis, also Kenntnis der Wortbedeutungen ist Voraussetzung der Auslegung und nicht ihr Problem. Chladenius beschreibt diesen Sachverhalt mit den verschiedensten Wendungen: daß an sich zweideutige Wörter nicht ausgelegt werden könnten (§ 179, S. 98 f.), „daß die Erkentnis der Sprache allein uns nicht in Stand setze, alle in derselben abgefaßte Bücher und Stellen zu verstehen"

(Vorrede), daß der Ausleger im Unterschied zum Philologen nicht
bei der reinen Wortbedeutung stehenbleibe, sondern noch weiter
gehe auf das, „was der Verfasser der Schrifft im Sinne" hatte. Es
scheint so, als ob der Philologe ohne Sachwissen auskommen könne
und der Ausleger das Sprachwissen nicht problematisieren müsse.
So wie die Sprache nur nachträglich die Begriffe bezeichnet, so geht
im Prozeß des Verstehens die Bestimmung der „bloßen" Wortbedeutung voraus (§ 367, S. 253). Zwischen beiden besteht kein
direkter Zusammenhang.
Dieser Sachverhalt wird durch Chladenius' Auffassung des Bedeu-
tungswandels bestätigt. Dieser findet nur dann statt, wenn sich die
Sachen, die durch ein Wort bezeichnet werden, unmerklich ändern,
so daß sich mit dem Wort entsprechend dem gegenwärtigen
Sprachgebrauch eine andere Vorstellung verbindet (§ 85, S. 42 f.).
Da die Veränderungen der Sachen aber sprachfrei zugänglich sind,
stellt eine solche Bedeutungsveränderung einen typischen Auslegungsfall dar: die falschen Vorstellungen von einer Sache werden
ausgeräumt durch Angabe der richtigen Begriffe. Gleichzeitig ver-
schwindet das Problem des Zeitenabstands zwischen ehemaligem
Sprecher und Hörer.
Mit dieser Begriffs- und Bedeutungslehre werden die Abbildungs-
und Bezeichnungsfunktionen des menschlichen Sprechens und Denkens in den Vordergrund geschoben. Dies zeigt sich an der Definition des Begriffs der „Erklärung":

> Eine Rede, oder Schrifft, die man deswegen vorbringt, damit
> andere unsere Meinung erkennen mögen, heisset man eine *Erklä-*
> *rung* ... Es sind demnach alle unsere Reden, wenn wir auf Aus-
> nahmen nicht sehen, Erklärungen. Denn allemal, wenn wir reden,
> so erzählen wir entweder was, oder bringen Vorstellungen von
> Dingen vor, die wir haben, oder wir geben unseren Willen zu
> erkennen (...) (§ 262 f., S. 150 f.).

Sowohl die Texte selbst als auch die Auslegung stehen als Erklä-
rungen im Dienste der überwiegend informierenden und beschrei-
benden Redeintention. Deshalb gilt für Chladenius der von philologischer und textkritischer Arbeit befreite Kommentar als der
Modellfall der Auslegung. Denn in ihm werden „... solche Stellen
erläutert seyn, wovon man vermuthet hat, es möchten Leser darüber kommen, welche nicht mit genugsamer Einsicht versehen seyn,
sie zu verstehen, und man giebt ihnen diejenigen Begriffe und Erkäntniß an die Hand, welche ihnen ermangeln dürfften (...)"
(Vorrede). Die durch den unmittelbaren Verstand vermittelte Ein-

sicht bei einer Stelle kann mit der Erkenntnis einer Sache gleichgesetzt werden[28]. Auslegung und Sachverständnis bedingen sich
gegenseitig. Diese Sachorientierung wird verständlicher vor dem
Hintergrund der schullogischen Praxis, die Hermeneutik als „eine
Art Erkenntnistheorie der durch Bücher vermittelten Erkenntnis"
im Rahmen der Logik abzuhandeln[29]. Es geht jedoch dort wie bei
Chladenius nicht um die Frage nach der Entstehung dieser Erkenntnis, sondern um das Problem der Möglichkeit deren identischer Reproduktion bei einem Leser mit Hilfe eines sich im Besitze
eines Auslegers befindlichen Sachwissens. Dies bestätigt noch einmal die didaktische Konzeption der *Auslegungs-Kunst*[30].
Verglichen mit der gegenwärtigen Hermeneutik, die von der historischen und sachlichen Fremdheit eines Textes ausgeht, kann die
chladnische Sachhermeneutik alles das als bekannt voraussetzen,
was jener problematisch erscheint und den unvermeidlichen Durchgang durch die hermeneutische Spirale aufzwingt. Während sich
nach ihrer Auffassung die Kategorien des Verstehens und ihre stel-
lenbezogene Konkretion erst innerhalb des Verstehensprozesses
selber bestimmen, kann die Sachhermeneutik von einem vorgängi-
gen Wissen über Art oder Gattungszugehörigkeit, über Absicht,
Kontext, Anwendung und semantischen Inhalt einer Stelle oder
eines Textes ausgehen[31]. Auch Art und Beschaffenheit einer
„Dunkelheit" lassen sich von da aus vorgängig festlegen.
Insofern es der Sachhermeneutik in Absehung von der Wahrheits-
frage vordringlich um die Tradierung bekannter und bewährter
Erkenntnisse geht, und auf Grund ihrer notwendigen Voraussetzung eines vorgängig geordneten Reichs von Sachen, scheint es auch
möglich, die *Auslege-Kunst* dem Typus einer „dogmatischen Hermeneutik" zuzuordnen, als „Anwendungshermeneutik" im Gegensatz zu einer „Forschungshermeneutik" („zetetische Hermeneutik"). Lutz Geldsetzer hat die Anwendungshermeneutik bestimmt
als „Technologie für die Aktualisierung institutionell gestützter
und insofern wohlbekannter Texte zur Gewinnung von Antworten
und Entscheidungen für Fragen und Probleme aus einem ihr affi-
nen Bereich", wobei der Textsinn bekannt und in einem gemeinsamen Bewußtsein lebendig ist[32].
Obwohl diese Beschreibung letztlich auf eine theologische oder
juristische Hermeneutik zugeschnitten ist, dürfte der normative
Aspekt auch im Hinblick auf „geisteswissenschftliche" Texte, die
Chladenius im Auge hat, Geltung beanspruchen. Obschon bei ihm
die Anwendungen für den Verstand im Vordergrund stehen, so

kennt er doch auch die „lebendige Erkenntnis". Deren dogmatische Voraussetzungen unbewußter, aber tragender Weltauffassungen und Lebensnormen lassen sich auch bei Chladenius identifizieren: die Auffassung von der Statik menschlicher und sozialer Handlungs- und Lebensbedingungen, das Festhalten an stabilen moralischen und religiösen Normen im Rahmen einer orthodox-lutherischen und gemäßigt aufgeklärten Grundhaltung und die rhetorisch-humanistische Tradition.

Ob dieser bisher an der allgemeinen Hermeneutik Chladenius' gewonnene Befund, daß die *Auslege-Kunst* unter Absehung von den Problemen des historischen Abstandes zwischen Autor und Leser lediglich das Verfahren pädagogisch-okkasioneller Wissensvermittlung beschreibt, muß im folgenden noch genauer geprüft werden.

3.

Die bisherige Darstellung hatte sich sehr auf die allgemeine Hermeneutik Chladenius' konzentriert. Man wird jedoch seiner hermeneutischen Intention insgesamt nur dann gerecht, wenn man seine geschichtstheoretischen Überlegungen mit heranzieht. Für Chladenius war das hermeneutische mit dem historischen Erkenntnis- und Methodenproblem noch enger verbunden, als das in der gegenwärtigen Geschichtstheorie der Fall zu sein scheint. In ihr ist die hermeneutische Fragestellung nicht beliebt. Diese muß sich hindurchbewegen zwischen den bekannten Oppositionen von Text- und Handlungshermeneutik, also von geistesgeschichtlichem Selbstverständnis und sozialwissenschaftlichem Erklären, von Rekonstruktion und Konstitution, repräsentiert etwa durch die Lehre von der historischen Narration oder in der Frage nach der Einsatzmöglichkeit materialer historischer Theorien, und schließlich zwischen den Gegensätzen von Objektivität und Parteilichkeit, sichtbar etwa in der Frage nach dem Verhältnis von unvermeidlicher Gegenstandkonstitution, wirkungsgeschichtlicher Bedingtheit oder politischer Parteinahme[33].

Der Sache, wenn auch nicht dem Namen nach ist das Problem des nach Droysen sogenannten „forschenden Verstehens" in der gegenwärtigen Geschichtswissenschaft nicht überholt. Es stellt sich angesichts der Notwendigkeit der Überbrückung von Zeitabständen, welcher der Historiker durch die für ihn spezifische methodische Leistung der historischen Interpretation gerecht zu werden versucht. Dabei ist das kritische Potential des historischen Verfahrens, das den Historiker befähigt, die Stufe des bloßen Fürwahrhaltens in Richtung einer intersubjektiv vertretbaren und kontrollierbaren Auffassung von Geschichte zu überwinden, in der methodologischen Grundunterscheidung von „Tradition" und „Überrest" enthalten, die sich auf das Materialobjekt des Historikers, die Quellen, bezieht[34]. Gerade aber im Interesse einer solchen methodisch-kritischen Aneignung von Geschichte muß sich der Historiker immer wieder die Frage nach den Einflüssen seiner Subjektivität auf die wissenschaftliche Erkenntnis stellen. Unter diesen beiden Aspekten, nämlich der kritischen Methodizität und dem Konstitutionscharakter des historischen Verstehens, soll im folgenden Chladenius' Beitrag zur historischen Hermeneutik betrachtet werden.

Die Analyse der allgemeinen Hermeneutik hatte den Ausleger als ihren wesentlichen Bezugspunkt herausgestellt. Denn in ihm vereinigte sich das gesamte, zur Auslegung erforderliche Wissen in einer Art und Weise, die das Problem der Herkunft dieses Wissens nahezu zum Verschwinden brachte. Es wäre jedoch falsch oder zumindest einseitig, wollte man behaupten, Chladenius habe den Fall übersehen, daß sich ein Leser „selber in gewissem Maße als Ausleger dienen" müsse. Zwar hat er wiederholt darauf hingewiesen, daß die „Selbstauslegung" nicht zum Aufgabenbereich der *Auslege-Kunst* gehöre[35]. Er hat sich jedoch faktisch nicht daran gehalten. Vielmehr widmet gerade das Kapitel über die historische Auslegung der „*Selbstauslegung*" besondere Aufmerksamkeit[36]. Dies wirft ein bezeichnendes Licht auf die Affinität der „Selbstauslegung" zur historischen Hermeneutik.

Bereits in der *Vorrede* deutet Chladenius an, daß es sich für den Ausleger als notwendig erweisen könnte, die Rolle eines Autodidakten einzunehmen; denn ihm sei es bei der Abfassung der *Auslege-Kunst* vor allem darum gegangen, „(...) mich selbst zu unterrichten, und mich mit Regeln zu versehen, die ich brauchen könte, wenn ich entweder von anderer Auslegungen urtheilen, oder selbst die Auslegung gewisser Schrifften unternehmen solte"[37]. Das Verfahren der „Selbstauslegung" nennt er das „Verstehen-Lernen":

> Nun gehet es allerdings an, daß wir eine Geschichte, die wir anfangs nicht vollkommen verstehen, und eben deswegen vor unglaublich halten, nach und nach verstehen lernen, (...) welches in diesem Fall darinn bestehet, daß wir unter dessen theils die Umstände der Geschichte erfahren, die wir vorher nicht wusten; (...) theils uns auf die schon bekannten Umstände besinnen lernen ...

Nur können wir nicht voraus sehen, was uns vor Umstände fehlen,
welche uns, wenn sie bekannt wären, die Geschichte begreiflich
machen würden. (§ 324, S. 201).

Hier zeigt sich, daß sich die exegetische Situation in einen Fin-
dungsprozeß verwandelt hat. Das Unerwartete, Paradoxe und
Unglaubliche einer Stelle bildet den Ausgangspunkt. Es ist nicht so,
daß der Leser gar nichts weiß, sondern er besitzt ein durch eine
besondere Perspektive geprägtes Vorwissen, dessen Anwendung
zunächst am Widerspruch mit der Sache selbst scheitert. Insofern
darüber hinaus unklar ist, wodurch, d. h. durch welche Informatio-
nen diesem Widerspruch abgeholfen werden könnte, handelt es sich
um „schwere Stellen" (§ 672, S. 516). Es bleibt daher nichts anderes
übrig — und dies entspricht der sachhermeneutischen Konzeption
—, sich um genaueres Kontextwissen über die fragliche Geschichte
zu bemühen, „(...) denn so wird man, vielleicht von ohngefähr,
auf diejenigen Umstände kommen, deren Erkänntniß die gantze
Sache begreiflich, und glaublich macht". Die Situation ist offen,
und die versuchsweise Selbstauslegung muß beginnen, bevor der
vollkommene Verstand erreicht ist[38].

Der Terminus „Verstehen lernen" impliziert den Prozeßcharakter
der Selbstauslegung. Chladenius kommt dem Problem der Zirkelhaftigkeit des Verstehens hier sehr nahe: „denn gemeiniglich, je
öfterer wir ein Buch lesen, desto mehr verstehen wir es". (§§ 161
bis 168, S. 89 ff.) Es handelt sich bei der Auslegung schwerer Stellen darum, daß wir „(...) aus dem, was wir wissen, das was wir
noch nicht wissen, gleichsam heraus wickeln" (§ 673, S. 517). Jedoch läßt es Chladenius bei dieser Feststellung nicht bewenden,
sondern macht am Beispiel der Auslegung „sinnreicher" Schriften
den methodischen Vorschlag, hermeneutische Hypothesen einzusetzen:

> Sie bestehen aber überhaupt darinne, daß man eine unerwiesene
> Eigenschafft des Buches und Verfassers, oder einen Verstand der
> Worte, oder anderer Theile, als den wahren annimmt, ohngeachtet
> man von der Richtigkeit desselben noch nicht versichert ist, um den
> wahren Verstand der Schrifft, oder einer Stelle heraus zu bringen.
> (§ 379, S. 263).

Nun folgt jedoch aus dem Umstand der Vorläufigkeit und Prozeß-
haftigkeit der Selbstauslegung keine Einschränkung der hermeneutischen Gewißheit, ganz abgesehen davon, daß es sich für Chladenius bei den Anwendungen der hermeneutischen Hypothesen um
einen Sonderfall handeln dürfte. Dies liegt ganz auf der Linie

seiner pyrrhonistischen Opposition. Hermeneutische Hypothesen sind Hilfssätze, Durchgangsstationen hermeneutischer Wahrheit, ihr Beweischarakter ist strittig. Daher muß häufig „durch eine Art der innerlichen Empfindung, daß sich der angenommene Verstand zu der Stelle wohl schicke", das „Einleuchten", genügen (§ 381, S. 265 f.). Hier ist implizit, wenn auch nicht für jeden Auslegungsfall zugestanden, daß es ein von der Auslegung einer bestimmten Stelle unabhängiges hermeneutisches Wahrheitskriterium nicht gibt. Die Zustimmung zu einer Auslegung ist jeweils vorläufig und pragmatisch.

Nun hat zwar Chladenius mit diesen Beobachtungen die Versuchsstruktur der Auslegungspraxis, besonders der historischen „Interpretation", sehr gut beschrieben, ohne dabei seine Feststellungen begründen zu können. Für ihn geht es auch bei der Selbstauslegung zunächst grundsätzlich um dunkle oder schwere Stellen, d. h. um einen Mangel an Kontextwissen, um ein Verfahren das gelegentlich, aber nicht prinzipiell bei historischen Stellen anzuwenden ist. Dies hängt mit seiner Auffassung von „historisch" zusammen, die nicht notwendig das Element der Fremdheit und des Abstandes impliziert. In der *Auslege-Kunst* ist das Allgemeine immer schon bekannt und bleibt in Geltung: das Verhältnis von Gattung und Absicht eines Buches, von Sprachgebrauch und „zufälliger" Bedeutung einer Stelle, ja sogar das von historischem Kontext und jeweiligem Text. Chladenius sieht nicht, daß in der historischen Interpretation Teil und Ganzes jeweils wechselseitig aufeinander bezogen sind und deshalb den hermeneutischen Zirkel herausfordern. Dennoch dürfte die Analyse der Selbstauslegung geeignet sein, den Eindruck des rationalistischen Schematismus der allgemeinen Hermeneutik zu modifizieren. Es sind hier, wie auch an anderer Stelle die konkreten Auslegungsregeln, die den formalen Rahmen sprengen. Chladenius hat, allerdings eingebettet in seine allgemeine Hermeneutik, mit den Kategorien der „Hypothesität", des „Kohärenz-Kriteriums" hermeneutischer Wahrheit („Einleuchten") und des „Vorverständnisses" bereits die wichtigsten Elemente einer Forschungshermeneutik („zetetische" Hermeneutik) angegeben[39].

Neben dieser Beschreibung der wichtigsten formalen Bedingungen der historischen Methode widmet sich Chladenius auch der methodologischen Analyse quellenkritischer Probleme. In diesem Zusammenhang ist auffallend, daß er den Beweis einer Geschichte nicht mit ihrem „unmittelbaren Verstand" zusammenfallen läßt, sondern als die erste Form der Anwendung historischer Schriften auf-

faßt, selbstredend im Rahmen der Anwendungen für den Verstand. Denn aus der Stelle selbst enthält man zunächst nur ein
„Zeugnis" oder eine Aussage darüber, daß ihr Autor die Geschichte
als wahr angesehen hat. Dieses Zeugnis und mit ihm die Glaub-
würdigkeit des Verfassers müssen überprüft werden. (§§ 426 ff.,
S. 309 ff.). Hiermit ist das Problem des „Ansehens" eines Autors
gestellt, das Chladenius in seiner *Allgemeinen Geschichtswissenschaft* ausführlich in Form einer „Zeugentheorie" behandelt
hat[40]. Aber die quellenkritische Kontrollinstanz wird schon in der
Einleitung genannt: „Die Überbleibsel und natürlichen Folgen
einer Geschichte sind ein sicherer Beweis, daß dieselbe wirklich
geschehen." (§ 430, S. 311 f.) Chladenius übersieht dabei nicht, daß
der Überrest- oder Traditionscharakter einer Quelle gar nicht vorgängig gegeben ist, sondern jeweils von Fragestellung und Er-
kenntnisziel abhängt. Er demonstriert dies an Beispielen aus dem
Geschäftsschriftgut („Document", „Instrument"): sie haben „(...)
eine doppelte Krafft zu beweisen, theils als ein Zeugniß, (...)
theils aber ein Stück, das selber zur Sache, die erwiesen werden
soll, gehöret". (§ 432, S. 313).
Im Zusammenhang mit der Reflexion über Quellensuche und
-bearbeitung ist der Begriff der „Spur" von Bedeutung. Mit ihm
kennzeichnet Chladenius, wenn auch eher indirekt, in treffender
Weise einerseits die historische Arbeit als ein Suchen nach Quellen
auf der Basis bereits bekannter Quellen, andererseits die logische
Form des historischen Schlußverfahrens als vorläufigen Indizienbe-
weis. Eingeführt hatte er diesen hermeneutischen Terminus anläßlich der Auslegung „verjüngter Bilder". Diese bestehen aus absichtlich undeutlich gemachten Vorstellungen, in denen nur noch Spuren
auf den ehemals in der Anschauung ganz gegebenen Beschreibungs-
gegenstand verweisen: „Eine historische Vorstellung, in so ferne sie
ein Zeichen und Beweis ist, daß man eine andere Historie gewust
habe, (...) nennen wir *Historische Spuhren*." (§ 348, S. 232 f.).
Durch die mit ihnen gegebenen Hinweise auf andere Geschichten
erhält die Auslegung eine Hilfestellung. Aber nicht nur auf der
Ebene der Vorstellungen, sondern auch auf der Ebene der Geschichte selbst wird der Terminus angewendet. In der *Geschichtswissenschaft* erscheint der Begriff der „Spur" einerseits im Zusammenhang mit dem „Entdecken" einer Geschichte aus ihren Folgen
(VII, § 39, S. 199 .f), andererseits als Ausgangspunkt der Erforschung einer Geschichte, wo es die vorliegenden Indizien mit Aussagen zu konfrontieren gilt[41]. Hier zeigt sich ganz deutlich, daß

Chladenius ein ausgeprägtes Bewußtsein von der Vorläufigkeit und Offenheit der historischen Methode und von der prinzipiellen Überprüfungsbedürftigkeit historischer Quellen besessen hat.

4.

Nun ist jedoch die von Chladenius vorgenommene Analyse der historischen Methode, für die hier nur zwei Beispiele angeführt werden konnten, auch zu seiner Zeit nur zum Teil neu. Originell ist besonders die Art und Weise ihrer theoretischen Fassung, die sehr deutlich sein Verhältnis zur Geschichte hervortreten läßt. Denn die dargestellten methodischen Elemente sind nicht notwendig auf im heutigen Sinne historische, d. h. zeitlich entfernte und fremde Gegenstände bezogen. Sie sind für das historische Verfahren im engeren Sinne zwar charakteristisch aber nicht spezifisch. Dieser Tatbestand gilt in ähnlicher Weise auch für Chladenius' Modell der historischen Erkenntnis.

Dieses hatte Chladenius in den Grundzügen bereits in der *Einleitung* entwickelt: „In historischen Büchern werden vergangene und geschehene Dinge der Nachwelt zur Nachricht aufgeschrieben. (...) Die Dinge, welche in der Welt geschehen, sind theils Physicalisch, theils Moralisch" (§ 306, S. 181 f.). Der in der *Einleitung* aus „Ämtern, Würden, Gerechtigkeiten und Privilegien" bestehende historisch-moralische Gegenstand wird in der *Geschichtswissenschaft* als „moralisches Wesen" beschrieben. Dieser Begriff bezieht sich auf die synchron sozialen Zusammenhänge der Menschen, auf ihre Institutionen, Rollen und sozialen Positionen[42] und repräsentiert gewissermaßen die sozialstrukturellen Merkmale der Geschichte, während das diachrone Element des Geschichtsbegriffs durch die „Begebenheiten der Menschen und die eintzeln Weltgeschichten" vertreten wird. Es sind dies einerseits die „Thaten", Glücks- und Unglücksfälle der Individuen, andererseits größere ereignisgeschichtliche Zusammenhänge von einzelnen „Weltgeschichten", also bedeutender Unternehmungen, Kriege, Händel und Geschäfte, der sogenannten Haupt- und Staatsaktionen meist in dynastischer Perspektive[43]. Schließlich wird der historische Gegenstand drittens beschrieben durch eine Art Handlungstheorie, die auf anthropologischen, also transhistorischen Annahmen über das Verhältnis von Absicht und Folgen einer Handlung basiert. Insofern gehören auch die zukünftigen Dinge zur historischen Erkenntnis. Diese Handlungstheorie hat vor allem den Zweck, die Eigenart der anschauenden historischen Erkenntnis von den individuellen

Zusammenhängen der „verwirrten Händel" im Bereich des menschlichen Lebens gegenüber der auf Gesetzesannahmen gegründeten Kausalerklärung besonders der Physik abzugrenzen[44]. Insgesamt ist Chladenius' Geschichtsbegriff durch eine synchrone Zeitauffassung gekennzeichnet. Der strukturale Zusammenhang des „moralischen Wesens" einerseits — deutlich sichtbar in dem formalen Kategoriensystem, mit dem es beschrieben wird: Ursprung, Ausbreitung, Wachstum, Abnahme, Verbesserung, das Innerliche, Äußerliche, die Teilnehmer, Freunde, Feinde, Fremde usw. —, und der anthropologisch fundierten Handlungstheorie andererseits wird durch die ereignisgeschichtlichen Weltbegebenheiten noch nicht gestört, weil diese nicht als diachroner, in sich geschlossener und historischer Prozeß aufgefaßt werden können.

Die hier aufgezeigte Statik und Partikularität des historischen Gegenstandes ist nicht nur auf den relativ weiten, auf „physikalische" und „moralische" Dinge gleichermaßen bezogenen Begriff von „Geschichte", sondern auch auf das ihm zugrundeliegende Modell der historischen Erkenntnis als empirischer Erkenntnis des Zustands und der Veränderung von Körpern zurückzuführen. Körper werden durch den Tatsinn erkannt, meistens jedoch, besonders im Fall entfernter Körper, durch den optischen Sinn. Dieser ist daher die wichtigste Form der Wahrnehmung; aber er vermittelt nicht die Wirklichkeit, die nur fühlbar ist, sondern allein den Schein eines Körpers. Der Schein ist das Resultat der eingeschränkten Wahrnehmungsfähigkeit des Menschen, die immer nur auf eine Seite des Körpers gerichtet ist, von einem „Sehepunckt" ausgehen muß: „Der Ort, den unser Auge bey Beschauung eines Cörpers einnimmt, heisset der *Gesichtspunckt:* oder der *Sehepunckt*" (AG § 16 f., S. 36 ff.). Er ist allgemein gekennzeichnet durch die Entfernung von der Sache, durch den Stand des Auges und der zwischen dem Auge und dem Objekt befindlichen Materie.

Dieses Modell wird nun auf die historische Erkenntnis übertragen. Der Wirklichkeit des Körpers entspricht hier die Wirklichkeit der Begebenheiten, die in einer bestimmten Verbindung („Reihe") eine Geschichte ausmachen. Die Geschichte als Begebenheit muß streng von ihrer Vorstellung durch einen Zuschauer unterschieden werden. Denn, und dies ist der hermeneutische Grund für die Theorie des Sehepunktes, unterschiedliche und widersprüchliche Auffassungen von einer Geschichte haben ihre Ursache nicht in der Beschaffenheit der Geschichte selbst, sondern in dem jeweiligen Sehepunkt des Zuschauers:

Der *Sehepunckt* ist der innerliche und äußerliche Zustand eines
Zuschauers, in so ferne daraus eine gewisse und besondere Art, die
vorkommenden Dinge anzuschauen und zu betrachten, flüsset (...)
Da nun die moralischen Dinge, Händel, Geschäffte und Thaten
von denen Zuschauern auf verschiedene Weise angesehen werden,
nachdem diese sich in verschiedenen Ständen (...), Stellen (...),
und Gemüthsverfassungen befinden (...), so ist dieses zusammen
genommen, der *Sehepunckt* in Ansehung solcher Dinge, die von
Cörpern unterschieden sind[45].

In dieser Erweiterung des Sehepunkts auf den Zuschauer eines
„moralischen Wesens", der selbst dessen Strukturmerkmale teilt,
liegt der entscheidende Fortschritt innerhalb der geschichtstheoretischen Tradition. Einerseits erhält der sich auf den Bereich des
menschlichen Handelns verlagernde Geschichtsbegriff sein erkenntnistheoretisches Komplement, andererseits entwickelt sich — damit
zusammenhängend — die Wissenschaft von der Geschichte zu einer
eigenständigen Disziplin. Obwohl Chladenius selbst seine Lehre
vom Sehepunkt durchaus objektivistisch aufgefaßt hat, insofern
sich die Frage nach den Sehepunkten noch nicht mit einem praktischen Interesse des Historikers verknüpfen konnte, hat er den
entscheidenden Schritt in Richtung auf den archimedischen Punkt
der historischen Erkenntnis mit der Einsicht in ihre Abhängigkeit
von einem Standort getan. In der Feststellung der wechselseitigen
Beziehung von „Sehepunckt" und „moralischen Wesen" liegt in
gewisser Hinsicht der Ansatz zu einer Neuauflage des Vico'schen
„verum et factum convertuntur".

Der Katalog der verschiedenen möglichen Sehepunkte — der des
Interessenten, Fremden, Neuen, Freundes, Feindes, Gelehrten,
Traurigen, Fröhlichen usw. — zeigt andererseits deutlich, daß die
Theorie des Sehepunkts weniger eine historische, als eine erkennt-
niskritische Funktion hat. Diese Theorie zeitigt keineswegs einen
erkenntnistheoretischen Relativismus, der möglicherweise auch
historisch interpretiert werden könnte, sondern sie soll die Gewißheit der historischen Erkenntnis auf dem Wege ihrer angemessenen
Einschränkung begründen. Die Sehepunkte sind synchron und parallel zu den Koordinaten des „moralischen Wesens" angeordnet
und besitzen unter sich keinen historischen Zusammenhang, sondern teilen weithin die Partikularität von im Raume zufällig ange-
ordneten Körpern. Die historische Erkenntnis ist eine auf den
Raum, also die Gegenwart einer strukturell gleichbleibenden Geschichte bezogene, unmittelbar anschauende Erkenntnis. Denn die

moralischen Dinge können durch die „gemeine Vernunfft" und durch die „blosse Aufmercksamkeit" eines Zuschauers erkannt werden. Gerade deshalb, d. h. weil keine weiteren logischen Operationen notwendig sind, ist die Gewißheit der historischen Erkenntnis gesichert. Diese Erkenntnis vollzieht sich wesentlich in „Anschauungsurtheilen"[46].

Bevor jedoch das Anschauungsurteil als der die Begebenheit in der Vorstellung abbildende Wahrnehmungsinhalt zu einer kommunizierbaren historischen Erkenntnis werden kann, sind weitere begriffliche Operationen notwendig. Chladenius nennt diesen Vorgang die „Verwandelung der Geschichte im Erzehlen". Die Lehre vom Sehepunkt in ihrer auf die Erkenntnis der moralischen Dinge erweiterten Form entfaltet hier ihre eigentliche Wirksamkeit. Dem Dreierschritt Sache — Begriff — Wort tritt jetzt unter dem Einfluß des Sehepunkts die analoge Stufung von „Urbild der Geschichte" — „Erzeugung der Erzählung" — „Erzählung" gegenüber. Neben der Theorie vom Sehepunkt gehört die Lehre von der „Erzeugung der Erzehlung" bzw. der „Verwandelung der Geschichte im Erzehlen" zu Chladenius' originellsten Leistungen. Letztere stellt gegenüber der in der *Einleitung* ausgearbeiteten Theorie des „verjüngten Bildes" eine Verbesserung dar, weil hier die „Verjüngungen" namhaft gemacht werden. Das in der Auslegung akute Problem, daß ein Autor seine Vorstellungen von einer Sache im Interesse einer verkürzten oder sinnreichen Darstellung mit Absicht undeutlich gemacht hatte, wird nun auf der Ebene der Erzählung einer Geschichte genauer analysiert. Unter der Einwirkung eines Sehepunktes entsteht bei der Beobachtung einer Begebenheit als ihre Abbildung das „Urbild" der Geschichte, das im übrigen auch schon die Zusammenfassung mehrerer Begebenheiten zu einer einzigen enthält[47]. Es folgt die „Erzeugung der Erzehlung", in der das Urbild in eine erzählfähige Form gebracht wird. Mehrere Umwandlungen finden hier — ebenfalls unter der Einwirkung des Sehepunkts — statt: die sukzessive Anordnung gleichzeitiger Begebenheiten, die Weglassung vieler Einzelumstände, die unvermeidliche Vergrößerung oder Verkleinerung der Sachen, die Zusammenfassung mehrerer Geschichten zu einer einzigen und anderes. Schließlich kommt es zu einer letzten Veränderung während der Komposition und Formulierung der Erzählung selbst. Gemäß der Bezeichnungstheorie sind Worte häufig nicht in der Lage, die Vorstellungen angemessen auszudrücken. Deshalb nimmt der Erzähler Zuflucht zu Vergleichen, Metaphern und sinnreichen Ausdrücken.

Das mit dieser Veränderung des Urbildes verknüpfte Problem liegt weniger auf der Seite des Zuschauers und Erzählers, als des Hörers, und es ist deshalb hermeneutischer Natur: Denn der Erzähler „. . . weiß die Begebenheit an und vor sich, und hält sie gegen den Ausdruck: der andere aber soll die Begebenheit aus der Beschreibung erst lernen. Wie leicht geschieht es, daß er den Ausdruck *stärcker* annimmt, als es der Sinn des Erzählers mit sich bringet" (AG VI, § 13, S. 128). Die oben über die Begriffslehre sowie über die psychologistische Konzeption der Erkenntnis als eines Denkprozesses getroffenen Feststellungen können sinngemäß auf Chladenius' historische Erzähltheorie bezogen werden.

In den Zusammenhang dieser Verwandlungsstufe gehören die „gelehrten" und die „politischen" Erzählungen. Diese Erzählungsformen sind deshalb wichtig, weil möglicherweise durch die Gegenüberstellung beider eine Antwort auf die naheliegende Frage nach den Grenzen des Sehepunktprinzips erwartet werden darf. Die „gelehrte" Erzählung beabsichtigt einzig und allein die möglichst vollständige Unterrichtung des Lesers. Um dies zu erreichen, müssen die aus verschiedenen Sehepunkten entstandenen Geschichten miteinander verglichen und gegenseitig ergänzt werden. Die Aufgabe des „Geschichtsschreibers ex instituto" besteht darin, „daß er die ihm ermangelnden Nachrichten von den übrigen Zuschauern der Geschichte herbeyschaffe, und diese dadurch ergäntze." (AG VI, § 16, S. 132). Offensichtlich ist Chladenius der Auffassung, daß mit einer solchen unterrichtenden Erzählung und ihren kritischen Vorarbeiten eine objektive Darstellung der Geschichte verwirklicht werden könne. Die Gegenüberstellung von Sehepunkten bewirkt ihre wechselseitige Kontrolle (AG VI, § 36, S. 154). Das Prinzip der Vollständigkeit scheint in der „gelehrten" Erzählung realisierbar, eine Absicht jenseits der Unterrichtung, die hier auch als eine Abschrift der Geschichte aufgefaßt werden könnte, ist nicht im Spiele, „wissenschaftliche Geschichte" ist von Interessen befreit.

Demgegenüber definiert Chladenius „politische" Erzählungen als solche, die in einer gewissen Absicht abgefaßt werden (AG VI, § 19, S. 136), die im „gesellschaftlichen und bürgerlichen Wandel und Wesen" eine handlungsbegründende, — rechtfertigende und — beurteilende Funktion haben. Gerade weil solche Geschichten in einen lebenspraktischen Zusammenhang eingebunden sind, sind sie in besonderem Maße der Verdunkelung, Verstümmelung und Verdrehung ausgesetzt. Um diesen Gefahren zu begegnen, entwirft Chladenius das Konzept der „Gestalt" einer Geschichte (AG VI,

§§ 25 ff., S. 142 ff.) als Idee eines Beurteilungsmaßstabes für die „Gerechtigkeit" oder „Ungerechtigkeit" einer Darstellung relativ zu ihrem Gegenstand. Wer die „Gestalt" der Geschichte verfehlt, der Sache also nicht gerecht wird, verdreht absichtlich oder unabsichtlich die Geschichte. Die Idee der „Gestalt" einer Geschichte ist ein origineller Versuch, das Problem der Sachangemessenheit einer standortbedingten Darstellung eines Sachverhalts auf den Begriff zu bringen.

Vor diesem Hintergrund muß nun der von Chladenius vorgeschlagene Begriff der *„Parteilichkeit"* gesehen werden. „Parteilichkeit" darf nicht mit der Abhängigkeit von einem Sehepunkt verwechselt werden, die unvermeidlich im Sinne einer Voraussetzung jeder anschauenden historischen Erkenntnis ist:

> *Unpartheyisch* erzehlen kan daher nichts anders heissen, als die Sache erzehlen, ohne daß man das geringste darin vorsetzlich verdrehet oder verdunckelt: oder sie nach seinem besten Wissen und Gewissen erzehlen: so wie hingegen eine *partheyische* Erzehlung nichts anders als eine Verdrehung der Geschichte ist. Ob aber in der Erzehlung eine solche Verdunckelung oder Verdrehung etwa vorgefallen, das kan man am besten aus Zusammenhaltung zweyer Erzehlungen aus *entgegen gesetzten Sehepunckten* abnehmen (...) Dergleichen abstrackte Einsicht aber niemand als einem Richter nöthig ist, oder dem der eine gelehrte Erzehlung machen will, die vor die gantze Welt ist. (AG VI, § 31, S. 152 f.).

Die Folgen aus dieser Bestimmung des Sehepunktes und der Parteilichkeit sind durchaus ambivalent. Einerseits wird eine Erzählung durch den Einfluß des Sehepunktes konstituiert, wenn auch das Verhältnis von Begebenheit und Erzählung revisionsbedürftig und -fähig bleibt durch den kritischen Vergleich unterschiedlicher Sehepunkte. In der „gelehrten" Erzählung scheint der Rekurs auf die Sache selbst dadurch möglich, daß die Konstitutionsleistung des Sehepunktes rückgängig gemacht wird. Andererseits kann für die alltäglichen Geschichten unter der Voraussetzung der Unvermeidlichkeit des Sehepunktes „Parteilichkeit" als willkürliche Verdrehung bestimmt werden und die historische Gewißheit durch die sinnvolle Begrenzung auf ihre erfüllbaren Ansprüche gerettet werden. Die Frage nach dem Relativismus der Sehepunkte, d. h. die Frage, ob zu einer Sache der gleiche Sehepunkt eingenommen werden könne, hatte Chladenius noch in der *Einleitung* negativ beantwortet, — „quot capita, tot sensus" (§ 310, S. 189). In der *Geschichtswissenschaft* dagegen ist die Gemeinsamkeit gewisser Sehepunkte eine praktische Notwendigkeit.

So wird man die Lehre vom Sehepunkt und der Verwandlung der Geschichte in der Erzählung der Intention Chladenius' nach nur bedingt als Vorläufer eines historischen Perspektivismus und Relativismus auffassen dürfen, wenn auch in wirkungsgeschichtlicher Sicht dieser Zusammenhang hergestellt werden kann. Die Lehre vom Sehepunkt steht in Analogie zu einem partikularistischen Geschichtsbegriff. Parteilichkeit ist eine negative Haltung in lebenspraktischen Zusammenhängen, denen der Historiker als Gelehrter nicht anzugehören scheint. Die fiktionale Kraft der Verwandlung einer Geschichte zu einer Erzählung dient weiterhin der Abbildung der Begebenheit[48].

Der Widerspruch zwischen dem Eigengewicht der Sache und ihrer subjektiven Aneignung in der historischen Erkenntnis, der sich in der *Auslege-Kunst* bereits angedeutet hatte und dort lediglich durch die Sachbezogenheit der Auslegung zurückgedrängt worden war, ist auch in der *Geschichtswissenschaft* nicht überwunden. In dem Begriff des „Anschauungsurteils" als grundlegendem Element der historischen Erkenntnis versucht Chladenius beide Positionen miteinander zu vermitteln. Der Bezug auf die Optik impliziert einerseits die unmittelbare Gegenwart des angeschauten Gegenstandes. Dies gilt auch dann noch, wenn Chladenius den traditionellen Augenzeugen durch den Zuschauer ersetzt. Denn der erste Zuschauer und mit ihm die Gegenwartsgeschichte erhalten auch bei Chladenius besondere Dignität zugesprochen[49]. Andererseits ist dieser Gegenstand in Analogie zu einer Welt statischer Körper konzipiert, zu der auch der Zuschauer eine feste Position einnimmt (AG II, § 12, S. 35). Geschichte verselbständigt sich auf diese Weise zu einem festgefügten und bereits vorhandenen Gegenstandsbereich[50], der aufgrund dieser seiner Stabilität und Eigenständigkeit auch als unabhängige Kontrollinstanz der Erkenntnis zur Verfügung zu stehen scheint. Hier bestätigt sich der sachhermeneutische Befund:

> Aber alle diese Zuschauer sind zur Existentz der Begebenheiten selbst gar nicht nöthig. Allein bei der *Erkenntniß der Begebenheiten,* und denen daraus flüssenden *Erzehlungen,* ist es ebenso nöthig, auf den Zuschauer und dessen Beschaffenheit achtung zu geben, als auf die Sache selbst. Von beyden hanget die Erkenntniß der Begebenheiten, und mithin auch die *Wahrheit* der Erzehlungen selbst ab. (AGV, § 1, S. 92).

Auf der anderen Seite ist das Anschauen auch von Chladenius als eine Form indirekter und gebrochener Wahrnehmung beschrieben worden, in der die Geschichte an sich durch die allgemeinen und jeweils besonderen Erkenntnisbedingungen eines Zuschauers notwendig verändert wird. Abgesehen von der erkenntnistheoretischen Aporie, das Ding an sich und die Subjektivität der Erkenntnis gleichzeitig festhalten zu wollen[51], bergen diese Überlegungen viel Wertvolles, weil die Art der Veränderung bis hin zur Formulierung in der Erzählung analysiert wird. Obwohl dieser Prozeß einseitig von der Sache her als Abbildungs- und Bezeichnungsvorgang aufgefaßt wird[52], kann sich Chladenius der Notwendigkeit und Unvermeidlichkeit fiktionaler Einflüsse auf den Entstehungsprozeß historischer Erkenntnis nicht entziehen. Das Anschauen enthält eine produktive Komponente. Insofern ist die Theorie Chladenius' durchaus sowohl ein tragendes, als auch ein treibendes Moment in jenem historischen Prozeß, in dem von der zweiten Hälfte des 18. Jahrhunderts an Poetik und Ästhetik auf der einen und Geschichtsschreibung auf der anderen Seite enger zusammenrücken[53].

Der Beitrag Chladenius' zur historischen Hermeneutik, hier aufgefaßt als Teil einer geschichtswissenschaftlichen Erkenntnistheorie, ist eher indirekter Natur, insofern die Definitionen des Sehepunkts und der Parteilichkeit sowie die Analyse der Verwandlungen einer Geschichte in der Erzählung Kategorien bereitstellen, die sich als hinreichend offen und elastisch erwiesen haben, um auch noch heute von den historischen Wissenschaften mit Gewinn herangezogen zu werden. Man kann darüberhinaus sagen, daß diese Kategorien ihre eigentliche Wirkung erst entfalteten, als sie auf den sich herausbildenden, neuen Geschichtsbegriff angewendet werden konnten, der durch die Fusion von Geschichten an sich, ihrer Darstellung und ihrer kritischen Bearbeitung zu einem neuen Erfahrungsraum, durch die Zusammenfassung von „Geschichte" als „Wirklichkeits- und als Reflexionsbegriff" gekennzeichnet war[54]. Erst unter diesen Voraussetzungen war es möglich, die Partikularität quasi-räumlich angeordneter Sehepunkte in ihrer zeitlichen Tiefendimension aufeinander zu beziehen und mit dieser historischen Verortung den eigenen Sehepunkt in einem wirkungsgeschichtlichen Zusammenhang zu reflektieren. Das Identitätspostulat der Sachhermeneutik und die Verdoppelungsintention der historischen Erkenntnistheorie konnten nun überwunden werden durch die Einsicht in die unvermeidlichen und der methodischen Kontrolle stets bedürftigen Konstitutionsleistungen der historischen Erkenntnis, der jetzt in ihrer Form als historisches Verstehen die

Aufgabe der Überwindung von Zeitabständen gestellt war. Hier hatte Chladenius, obwohl unter transhistorischen Voraussetzungen, wertvolle methodische Hinweise gegeben, die heute noch Geltung beanspruchen dürfen: die Insistenz auf dem Eigengewicht der Sache, der Sehepunkt als quellenkritisches- und -analytisches Erkenntnismittel, der experimentelle Charakter der historischen Erkenntnis und anderes. Weil durch die Erfahrung der Geschichtlichkeit der Identität die Handlungs- und Sprachstrukturen fraglich geworden war, mußten sich im historischen Verstehen Text- und Handlungsverstehen wechelseitig ergänzen und kritisch aufeinander bezogen werden, jedoch nicht im Interesse der Vernichtung des historischen Abstandes, sondern im Interesse seiner produktiven Aneignung innerhalb der historischen Interpretation. Der historische Abstand kann nicht mehr nur als Differenz im Sachwissen, sondern muß auch als Bedeutungs- und Sinndifferenz aufgefaßt werden, was eine bloße Identifizierung oder Abbildung ausschließt. Das Chladenius diese Folgerungen nicht selber gezogen hat, ja nicht ziehen konnte, ist ihm nicht anzulasten. Dazu war er zu sehr einer historischen Situation verhaftet, in der die den Historismus vorbereitende Auseinandersetzung zwischen aufgeklärtem Rationalismus und dem Sinn für das Individuelle noch nicht entschieden war.

Anmerkungen

[1] Die folgende Analyse bezieht sich im wesentlichen auf die „*Einleitung zur richtigen Auslegung vernünfftiger Reden und Schrifften*" (Leipzig 1742) — im ff. zitiert mit „*Einleitung*" — und auf die „*Allgemeine Geschichtswissenschaft*" (Leipzig 1752). In diesen beiden Schriften ist das hermeneutische Werk Chladenius' hauptsächlich enthalten. — Zu Chladenius gibt es bisher zwei Monographien: Müller, Hans: *Johann Martin Chladenius (1710—1759)* Berlin 1917. Das Buch beschäftigt sich vor allem mit der „*Allgemeinen Geschichtswissenschaft*" und enthält eine gute Kurzbiographie sowie eine Bibliographie der wichtigsten Werke von Chladenius. Friederich, Christoph: *Sprache und Geschichte. Untersuchungen zur Hermeneutik von Johann Martin Chladenius.* Meisenheim am Glan 1978.

[2] Dilthey, Wilhelm: *Die Hermeneutik vor Schleiermacher.* In: *Leben Schleiermachers.* 2. Band: *Schleiermachers System als Philosophie und Theologie.* Hrsg. von Martin Redeker. Berlin 1966, S. 597—606; Wach, Joachim: *Das Verstehen.* Bd. 3: *Das Verstehen in der Historik von Ranke*

bis zum Positivismus, Tübingen 1933, S. 22—32: Gadamer, Hans-Georg: *Wahrheit und Methode*. 3. Aufl. Tübingen 1965.

[3] Vgl. Friederich, *Sprache und Geschichte*, S. 31 ff., — zuletzt Koselleck, Reinhart: *Standortbindung und Zeitlichkeit*. In: Koselleck, Reinhart: *Vergangene Zukunft. Zur Semantik geschichtlicher Zeiten*. Frankfurt/M. 1979, S. 186—207, besonders S. 183—188.

[4] Szondi, Peter: *Einführung in die literarische Hermeneutik*. Hrsg. von Bollack, Jean und Stierlin, Helen, Frankf./M. 1975 S. 27—96 und Henn, Claudia: *„Sinnreiche Gedancken"*. *Zur Hermeneutik des Chladenius*. In: Archiv für Geschichte der Philosophie 58 (1976), S. 240—264.

[5] Zur Aktualität des Perspektivegedankens vgl. Gadamer, Hans-Georg, Boehm, Gottfried (Hrsg.): *Seminar: Die Hermeneutik und die Wissenschaften*. Frankfurt/M. 1978, wo in vielen Beiträgen das Problem der Perspektive aufgeworfen wird, z. B. bei Whitehead, Polanyi, Plessner, Mead, Taylor, Esser, Koselleck und Madison.

[6] Nach Fikenscher, Georg Wolfgang Augustin: *Vollständige Akademische Gelehrtengeschichte der Königlich preußischen Friedrich-Alexander Universität zu Erlangen von ihrer Stiftung bis auf die gegenwärtige Zeit*. 1. Abt.: *Von den ordentlichen Professoren der Gottesgelahrtheit und der Rechte*. Nürnberg 1806, S. 37 ff. Die Veröffentlichungsliste bei Fikenscher enthält 159 Titel.

[7] Vgl. die Programme *„Tabulae, documenta, instrumenta" (1745)*, *„Instrumenta"* (1745), *„Praxis"* (1745), *„Autor, Testis, Nubes Testium"* (1746), *„Antiquitates generis humani"* (1748). *Vernünftige Gedanken von dem Wahrscheinlichen und desselben gefährlichen Mißbrauche*. Hrsg., übersetzt und mit Anmerkungen versehen von M. Urban Gottlob Thorschmid. Stralsund, Greifswald und Leipzig 1748: außerdem *Logica sacra sive Introductio Theologiam systematicam*, Coburg 1745.

[8] *Nova Philosophia Definitiva*. Leipzig 1750. Sie enthält unter anderem die für diesen Zusammenhang wichtigen definitiones philosophiae in genere, definitiones logicae, hermeneuticae, artis Historicae und definitiones ad elegantiores literas.

[9] Zur Geschichte der allgemeinen Hermeneutik vgl. Geldsetzer, Lutz: *Einleitung*, in: ders. (Hrsg.): *„Einleitung"*, S. VIII—XIX, der besonders auf die „außerlogische" Tradition bei Johann Konrad Dannhauer hinweist. Zu Dannhauers Hermeneutik vgl. Jaeger, H. E. Hasso: *Studien zur Frühgeschichte der Hermeneutik*. In: Archiv für Begriffsgeschichte 18 (1974). S. 35—84, besonders S. 76 ff., der von den „langweiligen" und „platten Tractaten" über allgemeine Hermeneutik in der Folge Christian Wolffs spricht im Vergleich zur aristotelisch fundierten Hermeneutik Dannhauers.

[10] Vgl. Risse, Wilhelm: *Logik der Neuzeit*. Bd. II. Stuttgart 1970, S. 587 ff., 600 f. und S. 615; zu Clauberg ebd., S. 59 ff.

[11] Thomasius, Christian: *Ausübung der Vernunftlehre*. (Repr. Nachdruck der Ausgabe Halle 1691). Hildesheim 1968, besonders § 6, S. 8:

„Wie soll ich aber anderen (sc. mit meinem Verstand — C. F.) dienen, wenn ich mir selbst damit nicht helffen kan?"

[12] Vorrede zur „Einleitung". Diese Vorrede besitzt keine Seitenzählung. Wenn im ff. auf die „Einleitung" verwiesen wird, geschieht dies durch Angabe von Paragraph und Seitenzahl jeweils in Klammern.

[13] Vernünftige Gedanken von dem Wahrscheinlichen II, § 2, S. 21 f. — Vgl. dgg. Thomasius: Ausübung IV, § 58, S. 175 f.

[14] Vgl. „Einleitung" § 164, S. 90: Eine Stelle, „... deren Verstand ungewiß oder unbekannt ist, heisset eine dunckele Stelle." — Zur „Dunkelheit" bei Dannhauer vgl. Jaeger: Studien, S. 53 ff.

[15] Vgl. Henn: „Sinnreiche Gedancken", S. 251 f. und zur rhetorischen Tradition der „Dunkelheit" Friederich: Sprache und Geschichte, S. 174 ff. Bei Thomasius: Ausübung IV § 37, S. 167 ist die Trennung von Sprach- und Sachwissen übrigens noch nicht so deutlich vollzogen: „So rühret demnach die Dunckelheit des Verstandes einer Rede entweder aus der äußerlichen Gestalt / oder aus der innerlichen Bedeutung der Worte her." Vgl. auch ebd., § 57, S. 174 f. und Szondi: Einführung, S. 39 ff.

[16] Gadamer: Wahrheit und Methode, S. 173. — Diese pädagogische Konzeption ist selbstredend sowohl in die rhetorische Tradition der Hermeneutik als auch in den zeitgenössischen Kontext der Aufklärung einzuordnen. Nach Risse: Logik der Neuzeit I, S. 87 f. kann man die Melanchthonsche Logik als eine „Theorie sowohl der begrifflichen Sachverhaltsordnung wie der didaktischen Lehrdarstellung" auffassen. Noch deutlicher wird die pädagogische Ausrichtung Melanchthons durch seinen Versuch der Etablierung eines eigenständigen „genus didascalicum" im Rahmen der Rhetorik, — vgl. dazu Friederich, Sprache und Geschichte, S. 171 ff. Zur Bedeutung des pädagogischen Interesses Intention der Aufklärung besonders für die Konzeption von „Geschichte" vgl. Reill, Peter-Hans: The German Enlightenment and the Rise of Historicism, Berkeley, Los Angeles, London 1975, S. 46 f.

[17] Vgl. „Einleitung", § 2, S. 2: „Es ist ferner bekannt, daß wir einen, der redet, alsdenn verstehen, wenn wir aus seinen Worten erkennen, was er gedacht hat." In der Vorrede bemerkt Chladenius, daß der Begriff der „Auslegung" normalerweise im Sinne von „den wahren Verstand einer Stelle anzeigen" gebraucht werde. Er zieht jedoch den Begriff „Auslegung" für die „Philosophische Auslege-Kunst" vor.

[18] Vgl. „Einleitung", § 677, S. 522 f., § 694, S. 539 f. und § 454, S. 328: „Solte aber auch gleich der Verfasser, die durch seine historische Schrifft veranlassete Begriffe nicht voraus gesehen haben, so gehören sie doch, weil wir sie natürlicher Weise daraus machen können, zum vollkommnen Verstande der Schrifft ...". — Ähnlich stellt Szondi: Einführung, S. 51 f. heraus, daß die Trennung von unmittelbarem und mittelbarem Verstand die Funktion habe, die Einsicht in den subjektiven und historischen Charakter des Verstehens von einer unter dem Zwang des Rationalismus stehenden allgemeinen Hermeneutik fernzuhalten.

[19] Das Problem des „vollkommenen Verstandes" ist in der Literatur ausführlich diskutiert worden. Vgl. Gadamer: *Wahrheit und Methode,* S. 172, Szondi: *Einführung,* S. 44 ff. und Henn: „*Sinnreiche Gedancken",* S. 252 stimmen offensichtlich in der Auffassung überein, daß Chladenius die Dichotomie von Verstand des Textes und Sinn des Autors im Interesse der gemeinten Sache überwinden möchte. Die hier gegebene Interpretation stimmt weitgehend mit der von Henn überein, weil sie das Absichtsprinzip, das die Meinung des Autors an die Regeln einer Gattungslehre bindet, als Ort der Vermittlung zwischen beiden hervorhebt.

[20] „*Einleitung",* §§ 695 ff., S. 540 ff. — Diese Tradition ist besonders gut bei Flacius sichtbar. Vgl. Matthias Flacius Illyricus: *De ratione cognoscendi sacras literas.* Lat.-Deutsche Parallelausgabe, übers., eingel. u. mit Anmerkungen versehen von Lutz Geldsetzer. Düsseldorf 1968 (= Instrumenta Philosophica. Series Hermeneutica III), S. 40 f. und 92—97 und Gadamer: Wahrheit und Methode, S. 164.

[21] Vgl. Jens, Walter: *Art.* „*Rhetorik".* In: Reallexikon der deutschen Literaturgeschichte. Bd. 3. 2. Auflage Berlin 1977, S. 441 f. und 446 und aus der zeitgenössischen Rhetorik von Fabricius, Johann Andreas: *Philosophische Oratorie. Das ist: Vernünftige Anleitung zu einer gelehrten und galanten Beredsamkeit.* Leipzig 1724 (Neudruck Kronberg/Ts. 1974) I, 4 § 12, S. 109 f. mit dem Beispiel: „Falsche Leute soll man meiden: Illustrat. ab exemplo: Hätte sich Simson nicht mit der Delila eingelassen, wäre er nicht um seine krausen haare, um seine augen, freyheit und endlich gar um das leben kommen." Außerdem Reill: *The German Enlightenment,* S. 108 f.

[22] Szondi: *Einführung,* S. 55 und öfter. — Hierzu wären besonders Chladenius' Ausführungen über den „Geschmack" (§§ 481 ff., S. 346 ff.) und über „die Absicht des Verfassers in Ansehung der Regungen und Triebe" (§§ 709 ff, S. 556 ff.) wichtig.

[23] Zum Zusammenhang der „Anwendung" mit der Lehre vom vierfachen Schriftsinn vgl. Szondi: *Einführung,* S. 53 f., — außerdem Kimmerle, Heinz: *Metahermeneutik, Applikation und hermeneutische Sprachbildung.* In: ZThK 61 (1964), S. 227 ff., ders.: *Typologie und Grundformen des Verstehens,* In: ZThK 67 (1970), S. 179 f., Gadamer: *Wahrheit und Methode,* S. 290 f. und Gadamer, Hans-Georg, Boehm, Gottfried (Hrsg.): *Seminar: Philosophische Hermeneutik.* 2. Auflage Frankfurt/M. 1979, S. 21 f.

[24] Die logischen Grundlagen entstammen der Schulphilosophie. Chladenius hat sie ausgeführt in den ersten beiden Kapiteln der „*Nova Philosophia Definitiva".* Zur Begriffslehre Wolffs vgl. Risse: *Logik der Neuzeit* II, S. 587 ff. und zum Verhältnis von Chladenius zu Wolff Friederich: *Sprache und Geschichte* S. 48 ff.

[25] Ich folge hier Weimar, Klaus: *Historische Einleitung zur literaturwissenschaftlichen Hermeneutik,* Tübingen 1975, S. 14 f., der auch eine präzise Beschreibung der Begriffstheorie gibt. Der Primat der Sache vor

dem Wort wird beispielsweise deutlich in der Beschreibung des „Nachdrucks", „*Einleitung*" § 116, S. 63: „Weil man in gemeinem Leben gewisse Grade von einigen Dingen bemerckt, ... so hat das Wort, welches den wahren Grad der Sache anzeigt, nicht aber einen geringeren, seinen Nachdruck." Vgl. hierzu die verschiedenen Bedeutungsdefinitionen, besonders die des „verblümten Verstandes" (§ 92, S. 46 f.) und der Metapher (§ 121, S. 66 f.—, die Szondi: *Einführung*, S. 86 ff. genauer analysiert hat. Eine problembewußtere Auffassung der Sprache findet sich bei Flacius: *De ratione*, S. 7.

26 Wie sehr sich die Auslegung im Bereich der sprachunabhängigen Sachen und Begriffe vollzieht, kann noch einmal deutlich werden am Fall des „verjüngten Bildes", dem wichtigsten Begriffselement „sinnreicher Historien": „Wenn wir aus einer oder mehreren Geschichten, die wir deutlich erkannt haben, mit Fleiß eine undeutliche Vorstellung machen, so heisset diese ein *verjüngtes Bild*. In diesen verjüngten Bildern braucht man, weil die individuellen Umstände ausgelassen werden, mehr allgemeine Wörter, ... als geschehen würde, wenn man die Geschichte deutlich, oder mit ihren besonderen Umständen dargestellt hätte ..." (§ 337, S. 213 f.).

27 Zum Bedeutungswandel vgl. Szondi: *Einführung*, S. 74 ff.

28 Vgl. „*Einleitung*" § 680, S. 525, § 697, S. 542 f. u. § 700, S. 544 f.

29 Geldsetzer: *Einleitung zur „Einleitung"*, S. IX f. Vgl. aus den Wolffschen Logiken die einschlägigen Kapitel über das Beurteilen und Lesen von Büchern und zu dieser von Clauberg inaugurierten Tradition Risse: *Logik der Neuzeit* II, S. 59 ff.

30 Ein wichtiger Aspekt dieser Sachbezogenheit ist die „Inhaltsbezogenheit", die genauer als „Gattungsbezogenheit" bezeichnet werden kann, da sich an der inhaltlichen Beschaffenheit einer Stelle, d. h. an ihrer Zugehörigkeit zu dogmatischen oder historischen Texten und deren entsprechenden Gattungsklassifikationen die Auslegungen zu orientieren haben. Vgl. dazu „*Einleitung*" Vorrede, § 704, S. 549 und § 707, S. 554 ff. — Diese Problematik ist ausführlich analysiert worden von Szondi: *Einführung*, S. 34 ff.

1 Vgl. Geldsetzer (Hrsg.): *De ratione, Einleitung* (ohne Seitenzählung), der darauf hinweist, daß doch „dieser angebliche objektive Sinngehalt ... gerade in der Auslegung konstituiert und fixiert" wird, — jedenfalls vom Standpunkt einer das Bewußtsein vom historischen Abstand implizierenden hermeneutischen Konzeption aus. Zur Sachhermeneutik bei Chladenius vgl. Gadamer: *Wahrheit und Methode*, S. 171.

2 Geldsetzer, Lutz: *Artikel „Hermeneutik"*. In: Rombach, Heinrich Hrsg.): *Wissenschaftstheorie 1. Positionen und Probleme der Wissenschaftstheorie*. Freiburg 1974, S. 76.

3 Als Überblick über den gegenwärtigen Stand der geschichtstheoretischen Diskussion vgl. Faber, Karl-Georg: *Zum Stand der Geschichtstheorie in der Bundesrepublik Deutschland*. In: Jahrbuch der historischen

Forschung 1976/77, Stuttgart 1978, S. 13—28 sowie Bergmann, Klaus,
Kuhn, Anette, Rüsen, Jörn, Schneider, Gerhard (Hrsg.): *Handbuch der
Geschichtsdidaktik.* Band 1. Düsseldorf 1979 und die Beiträge der
Studiengruppe „Theorie der Geschichte". Werner-Reimers-Stiftung, Bad
Homburg. Bisher sind erschienen: Band 1: *Objektivität und Partei-
lichkeit.* Hrsg. von Koselleck, Reinhart, Mommsen, Wolfgang J. und
Rüsen, Jörn. München 1977. Band 2: *Historische Prozesse.* Hrsg. von
Faber, Karl-Georg und Meier, Christian. München 1978 und Band 3:
Theorie und Erzählung in der Geschichte. Hrsg. von Kocka, Jürgen und
Nipperdey, Thomas. München 1979. — Außerdem Berding, Helmut:
Bibliographie zur Geschichtstheorie, Göttingen 1977 (= Arbeitsbücher zur
modernen Geschichte, Band 4).

[34] Vgl. Faber, Karl-Georg: *Objektivität in der Geschichtswissenschaft?*
In: Rüsen, Jörn (Hrsg.): *Historische Objektivität. Aufsätze zur Geschichtstheorie.* Göttingen 1975, S. 9—32. Zur historischen Hermeneutik
in Auseinandersetzung mit der „normativen" Hermeneutik (Gadamer,
Habermas) vgl. ders: *Das Verstehen in der Geschichtswissenschaft.* In:
Ders.: *Theorie der Geschichtswissenschaft.* 3., erweiterte Aufl.. München
1974, S. 109—164 sowie die sich daran anschließende Kontroverse mit
Ulrich Muhlack in der Zeitschrift für Historische Forschung 3—5 (1976
bis 1978).

[35] Vgl. *„Einleitung",* § 170, S. 93: Der Weg, von selber zu den für eine
Stelle notwendigen Begriffen zu gelangen sei „weitläuftig und mißlich",
und es komme dabei „aufs Glücke" an. Und ebd. § 181, S. 100 f. kritisiert
er den falschen Ansatzpunkt einer Hermeneutik, die auslegen wolle, „ehe
man den Verstand selbst weiß".

[36] Von § 366 dieses Kapitels an („Wie man ein historisches Buch ohne
Ausleger zu lesen habe") tritt der Ausleger kaum noch in Erscheinung, im
Gegensatz zu den häufigen Hinweisen auf das Problem der Selbstauslegung. Vgl. auch § 490, S. 357 f. die Zusammenfassung des Kapitels, die
ganz auf die Selbstauslegung durch einen Leser zugeschnitten ist.

[37] *Vorrede.* Vgl. Geldsetzer: *Vorwort zur „Einleitung"* S. VI.

[38] *„Einleitung",* § 325, S. 202. — Im Anschluß an diese Stelle, besonder
aber §§ 393 ff., S. 278 ff. erläutert Chladenius den Gebrauch von „Paral-
lel-Historien" und gibt dazu einige quellenkritische Hinweise. Unter dem
Aspekt der Selbstauslegung rücken auch Philologie, Textkritik und Auslegung enger zusammen. Vgl. dazu §§ 368 ff., S. 253 ff., § 252, S. 143 und
§ 749, S. 594 f. Zur Problematik des Vorwissens vgl. §§ 173—175
S. 94 ff. Eine interessante Parallelstelle findet sich auch bei Crusius, Christian August: *Weg zur Gewißheit und Zuverlässigkeit der menschlicher
Erkenntnis,* Leipzig 1747 (Nachdruck Hildesheim 1965) IX, § 651
S. 1121 ff.

[39] Zur „Hypothesität" und dem „Kohärenzkriterium" sowie zur Charakterisierung der von ihm sogenannten „zetetischen" Hermeneutik überhaupt vgl. Geldsetzer: *De ratione.* Einleitung (o. S.), und ders.: *Art*

„*Hermeneutik*", S. 77. Zur „Vorurteilsstruktur" des Verstehens selbstredend Gadamer: *Wahrheit und Methode*, S. 250 ff. und schließlich Riedel,
Manfred: *Verstehen oder Erklären?* Stuttgart 1978, S. 36.

[40] „*Allgemeine Geschichtswissenschaft*" IX, §§ 26 ff., S. 301 ff.: „Von
der Gewißheit der Geschichte, oder der historischen Erkäntniß". In der
„*Nova Philosophia Definitiva*" definiert Chladenius „autoritas" (Anse-
hen) als „ea narrantis qualitas, ob quam ipsi fidem habemus" (XXIII,
S. 74). — Im folgenden wird in den Anmerkungen und im Text für die
Allgemeine Geschichtswissenschaft die Abkürzung „AG" verwendet.

[41] AG VII, § 40, S. 201 f., vgl. auch ebd., I, § 36, S. 23 f. Wie wichtig
diese Frage für Chladenius gewesen ist, geht auch aus der Tatsache hervor, daß er sie ausführlich diskutiert hat in einer Dissertation „*De Vesti-
giis*". Erlangen 1749.

[42] Vgl. AG III, § 3 f., S. 60 f.: „Wenn Menschen einen beständigen
Willen haben . . ., und zwar der bekannt ist, so daß sich auch andere
darnach richten können, so heisset dieses ein *moralisches Wesen*." Als
Beispiele nennt Chladenius „Lehrstuhl", „Gasthof", „Fabrique". Zum
„moralischen Wesen" als aufklärungsspezifischen Terminus vgl. Reill: *The
German Enlightenment*, S. 106 f. und 132 f. — Reills Chladenius-Inter-
pretation scheint mir prinzipiell zu teleologisch, von den Kategorien des
Historismus aus gesehen vorgenommen worden zu sein.

[43] Vgl. zum Geschichtsbegriff bei Chladenius Friederich: *Sprache und
Geschichte*, S. 191 ff. und 204 ff. Zum Geschichtsbegriff allgemein vgl.
Koselleck, Reinhart: *Die Herausbildung des modernen Geschichtsbegriffs.*
Aus: *Art. „Geschichte, Historie".* In: *Geschichtliche Grundbegriffe. Histo-
risches Lexikon zur politisch-sozialen Sprache in Deutschland.* Hrsg. von
Brunner, Otto, Conze, Werner und Koselleck, Reinhart. Band 2. Stuttgart
1975, S. 647 ff. und Seiffert, Arno: *Cognitio historica. Die Geschichte als
Namengeberin der frühneuzeitlichen Empirie.* Berlin 1976 (= Historische
Forschungen, Band 11). Zum Begriff der „Weltgeschichten" bei Chladenius vgl. AG IV, § 20, S. 89: „Unsere haupthistorische Erkentniß ist
daher die Erkentniß *eintzelner Weltbegebenheiten*." — In bezug auf die
Vorrede zur AG hat Koselleck: *Geschichtsbegriff*, S. 687 herausgehoben,
daß mit dem Begriff der „Weltgeschichten" eine Abgrenzung zur heils-
und naturgeschichtlich belasteten Universalhistorie beabsichtigt gewesen
sei. Es ist allerdings darauf hinzuweisen, daß auch bei Chladenius eine
Diskrepanz zwischen methodologischem Entwurf und historiographischer
Praxis besteht, wie er ja überhaupt als Historiker kaum in Erscheinung
getreten ist. Als Beleg dafür, daß sich Chladenius nur schwer von traditionellen Geschichtsauffassungen lösen konnte, kann ein Aufsatz angeführt werden: „*Von der gegenwärtigen Glückseligkeit der christlichen
Potentaten.*" In: Erlangische Gelehrte Anzeigen, Jg. 1752, S. 257—264.
Dieser Aufsatz ist eine eigenartige Mischung lutherischer Geschichtsauf-
fassung (die Reformation als Geschichtswende), dynastisch-politischer
Geschichtskonzeption und aufgeklärtem Fortschrittsbewußtsein.

[44] Das „Zukünftige" ist also bei Chladenius Teil der Handlungstheorie, d. h. ebenfalls in der Horizontale der Einzelbegebenheiten angeordnet. Vgl. dazu Koselleck: *Geschichtsbegriff*, S. 649 ff. und ders.: *Standortbindung*, S. 188 f.

[45] AG V, § 11 f., S. 100, § 3, S. 93 f. und allgemein II, § 17, S. 37 f. — Henn: *„Sinnreiche Gedancken"* stellt einen wichtigen Zusammenhang her zwischen der von Chladenius in der *„Nova Philosophia Definitiva"* entwickelten ästhetischen Theorie des „Sinnreichen" und der Lehre vom Sehepunkt.

[46] AG V, § 27, S. 115, — Vgl. *„Einleitung"*, § 306 f., S. 182 ff. und *Vernünftige Gedanken von dem Wahrscheinlichen* III, § 10, S. 50—53.

[47] Dies ist im übrigen ein Argument von Chladenius, das dem Abbildungspostulat in gewisser Hinsicht entgegenläuft: AG V, § 24, S. 110 f.: Auch die Wahrnehmung arbeitet bereits mit Begriffen, so daß nicht alle Empfindungen durch ein Urteil ausgedrückt werden, sondern der Zuschauer „... bemerckt nur die verschiedenen Abwechselungen und Veränderungen, die nach denen ihm beywohnenden allgemeinen Begriffen zusammen als *eine* Veränderung und Begebenheit pflegen angesehen zu werden". Diese Bemerkung bezieht sich auf eine Passage im 1. Kapitel der AG *„Von der historischen Erkenntniß überhaupt"*, wo verschiedene Arten, mehrere Begebenheiten als eine einzige anzusehen aufgeführt wurden. Die Möglichkeit, eine Reihe von Begebenheiten auf die Begriffe einer Geschichte zu bringen, ergibt sich aus der Fähigkeit und Gewohnheit des Verstandes, daß man die Begebenheiten „... entweder nicht *so gleich* unterscheiden *kan*, oder auch in einer gewissen Absicht (als der Kürtze halber), nicht unterscheiden *will*" (AG I, § 12, S. 7).

[48] Vgl. Koselleck: *Standortbindung*, S. 186 f. und ders.: *Geschichtsbegriff*, S. 696 f. — Ich neige demgegenüber zu einer „objektivistischeren" Interpretation Chladenius'. Einerseits erscheint die „uneinholbare Relativität aller Anschauungsurteile" als kontrollierbar und als nicht-historisch, andererseits gelten die „sinnhaltigen und sinnstiftenden Perspektiven" für den lebensweltlichen Bereich jenseits der gelehrten Bemühung um Geschichte. Ähnliches gilt für die Verwandtschaft der Theorie des Sehepunktes mit der modernen Ideologienlehre, die Geldsetzer: *Vorwort zur „Einleitung"*, S. VI festgestellt hat. Unter den Voraussetzungen einer weiterführenden systematischen Interpretation und der in heutiger Sicht unvermeidlichen Historisierung der Sehepunkte ist diese Verwandtschaft unabweisbar, geht jedoch auch über Chladenius' Absichten hinaus. Die gesellschaftlichen Implikationen einer perspektivischen Erkenntnis werden zwar erkannt, aber ihre Berechtigung nicht kritisch befragt. „Ideologie" hätte Chladenius mit „Parteilichkeit" bezeichnet, die identifizierbar und vermeidbar ist.

[49] Chladenius behandelt dieses Problem ausführlich im 7. Kapitel der AG *„Von der Ausbreitung und Fortpflanzung einer Geschichte"*. Er verwirft dort den Begriff des „Augenzeugen", denn an einer angeschauten

Wahrheit muß im allgemeinen nicht gezweifelt werden, so daß auch keine Zeugen erforderlich sind. Obwohl hier wieder im Begriff des „Zuschauers" von der Unmittelbarkeit und Gegenwärtigkeit der Sache ausgegangen wird, macht Chladenius im gleichen Kapitel deutlich, daß Modifizierungen der Geschichte durch einen Zuschauer und dessen Sehepunkt auch für die einzelnen Überlieferungsstationen in Betracht gezogen werden müssen, — für Chladenius eine ebenso bedauerliche wie unvermeidliche Tatsache. Das hermeneutische Problem stellt sich besonders in diesem Bereich; es kann jedoch der Sehepunkt die Rolle einer kritischen Instanz gegenüber der Überlieferung spielen.

[50] Vgl. Koselleck: *Geschichtsbegriff*, S. 697.

[51] Vgl. Szondi: *Einführung*, S. 83: „Keineswegs folgt für Chladenius aus der Einsicht, daß der Sehe-Punckt die Erkenntnis der Sache mitbedingt, daß diese selbst, wie sie wirklich ist, nicht erkannt werden kann."

[52] Zur Abbildungsproblematik aus geschichtstheoretischer Sicht vgl. AG VIII, § 43, S. 263: „Die Geschichte muß aber erst zur menschlichen Erkenntniß werden: aber sie wird, wegen unserer so sehr eingeschränckten Erkenntniß, niemals zu einer solchen Erkenntniß, darinnen alles *ausgedrückt* und wie *abgedruckt* wäre, was in der Geschichte an und vor sich selbst enthalten ist." — Zur Bezeichnungsproblematik vgl. AG VI, § 13, S. 128: der sprachliche Ausdruck muß der Begebenheit angemessen werden.

[53] Vgl. Koselleck: *Standortbindung*, S. 182 und 187 f.; zum Verhältnis von Ästhetik, Poetik und Geschichtsschreibung vgl. Reill: *The German Enlightenment*, S. 98 und 110 f. und Koselleck: *Geschichtsbegriff*, S. 659 ff. — Die Lehre von der „Verwandelung der Geschichte im Erzehlen", aufgefaßt als der Prozeß der Verarbeitung historischer Anschauungen, besitzt auf Grund ihrer Verwandtschaft zur Theorie der historischen „Narration" ein hohes Maß an Aktualität.

[54] Ebd., S. 657 ff.

Hermann Patsch

Friedrich August Wolf und Friedrich Ast:
Die Hermeneutik als Appendix der Philologie

Für Rudolf Lennert

Seit Friedrich Schleiermachers Zusammenstellung der beiden Philologen in seinen Reden vor der Preußischen Akademie der Wissenschaften *Ueber den Begriff der Hermeneutik, mit Bezug auf
F. A. Wolfs Andeutungen und Asts Lehrbuch* von 1829 gelten
Friedrich August Wolf (1759—1824) und Georg Anton Friedrich
Ast (1778—1841) als das „Dioskurenpaar"[1] der Hermeneutik,
das den Umbruch der wissenschaftlichen Diskussion um Verstehen
und Auslegen zum Beginn des 19. Jahrhunderts beispielhaft wider-
spiegelt und wirkungsgeschichtlich dokumentiert. Aber dieser Eindruck erwuchs aus der angeblich aus heuristischen, tatsächlich aber
eher aus Zweckmäßigkeitsgründen erfolgten Kombination der
beiden Autoren durch Schleiermacher, der an der Folie dieser
„Führer" seine „eignen Gedanken" aufleuchten lassen wollte[2], die
doch in ihrer Genese weder mit Wolf noch mit Ast etwas zu tun
haben. Weder Wolf noch gar Ast standen beim Erscheinen ihrer
von Schleiermacher angeführten Schriften im Brennpunkt der Diskussion um eine Grundlegung der Hermeneutik; ein Tatbestand,
der noch eindeutiger für das Jahr der Akademie-Reden gilt. Wolf
hat auf die hermeneutische Diskussion nicht durch seine „Andeutungen" im *Museum der Alterthums-Wissenschaft* von 1807, sondern durch seine Kollegien und das heißt über seine Schüler ge-
wirkt (die freilich sofort über ihn hinausgingen); Asts *Grundlinien
der Grammatik, Hermeneutik und Kritik* von 1808 sind in ihrem
Jahrhundert so gut wie ohne Folgen geblieben.
Ist der falsche Eindruck einer zentralen Stellung der beiden klassischen Philologen für die Grundlagendiskussion der Hermeneutik
zu ihrer Zeit zerstört, so mag ihre Zusammenstellung doch einen
Sinn gewinnen: Begegnen wir in Wolf dem aller philosophischen
Spekulation abholden Denker, der das Problem der Hermeneutik
als traditionelles lediglich mitschleppt und seinem neuen Entwurf
einer Altertumskunde als systematischer Wissenschaft einverleibt,
so in Ast dem genialischen Neuerer, der die Theoreme der Transzendentalphilosophie auf seine Wissenschaft anwendet und der

dabei die Hermeneutik sich unter den Händen aus seiner Wissenschaft ausgliedern sieht. Beides zu betrachten, ist lehrreich, ist es doch symptomatisch für das Oszillieren der Hermeneutik zwischen Philosophie und angewandter Wissenschaft.

1.

In der Geschichte der Entwicklung der Hermeneutik in der ersten Hälfte des 19. Jahrhunderts, die im Fache der (Alt-)Philologie so viele bedeutende Namen hat (Fr. Schlegel, Gottfr. Hermann, Gottfr. Bernhardy, G. L. Dissen, Aug. Boeckh, Friedr. Haase) repräsentiert *Friedrich August Wolf* die auf vorgegebene Texte bezogene, historisch-philologische Gelehrsamkeit des 18. Jahrhunderts, die er, als einer der Begründer der modernen klassischen Philologie, mit dem aus dem Kreis um Goethe und Wilhelm von Humboldt erwachsenen Neuhumanismus verband und so seinen Schülern vermittelte[3]. In seinen Äußerungen zur Hermeneutik bezog er sich auf die Hermeneutiker der Theologie, Jurisprudenz, Philologie, die zu ihren Fachgebieten Auslegungsregeln erstellt und dabei wichtige Ansätze zu einer allgemeinen Hermeneutik entwickelt hatten (Chladenius, G. F. Meier, Rambach, Joh. Aug. Ernesti, Sam. F. N. Morus, Semler)[4]. Von einer solchen versprach sich Wolf freilich nicht viel; Hermeneutik war für ihn lediglich ein praktisches Problem. Nicht in der Originalität seiner eigenen Darlegungen zur Hermeneutik liegt Wolfs Bedeutung, sondern darin, daß er seine Wissenschaft zu einer „philosophisch-historischen" zu erheben gedachte, und, in immer neuen Anläufen, eine „Enzyklopädie der Philologie" entwarf. Diese Enzyklopädie setzte ein Maß[5], und innerhalb dieses Systementwurfs vererbte Wolf seinen Nachfolgern im philologischen Fach auch das Problem der Hermeneutik.

Der Versuch einer *Encyklopädie und Methodologie der Studien des Alterthums* war, wie etwa auch Friedrich Schlegels Fragmente zur *Philosophie der Philologie* von 1797 zeigen[6], ein Bedürfnis der Zeit. Achtzehnmal hat Wolf in Halle (ab 1785) und Berlin (ab 1811) über Philologische Enzyklopädie gelesen[7]; Boeckh, Friedr. Lücke, Bernhardy — um nur die späteren Hermeneutiker von Bedeutung zu nennen — haben diese Vorlesung nachweislich gehört[8], Koch und Fülleborn haben schon zu Wolfs Lebzeiten das „Collegien-Geheimnis ausgeplaudert"[9], Stockmann und Gürtler haben posthum Vorlesungsnachschriften ediert[10].

Diese Vorlesungsskizzen bzw. -nachschriften lassen Wolfs Kollegien rekonstruieren. Koch stellte für Abiturienten als „gedrängte Übersicht der nothwendigsten, noch nicht schriftlich bearbeiteten, propädeutischen Vorlesungen auf der Universität Halle" „nach den neuesten und zuverlässigsten Heften" einfach die *Philologische Encyklopädie des Herrn Prof. Wolf im* Abriß zusammen[11]. Aus dieser Skizze erfahren wir, daß Wolf den philologischen Hauptwissenschaften (Geographie, Politische Geschichte, Antiquitäten, Literatur-Geschichte, Mythologie, Archäologie, Geschichte der Altertumswissenschaften) Erläuterungen über Grammatik, Hermeneutik und Kritik als den philologischen Hilfswissenschaften vorausstellte[12].

Kochs punktuelle Wiedergabe der Bemerkungen Wolfs über Hermeneutik aus den Jahren 1789 oder 1791 hat folgenden Wortlaut[13]:

II. Hermeneutik

1. Theoretischer Theil.

a) Was heißt verstehen? was erklären? Vortheile der Erklärungsübungen — kurze Geschichte der Erklärungskunst — Regeln des Erklärens.

b) Ueber den Sinn der Rede und die Bedeutungen der Worte — Einheit des Sinnes — buchstäbl. Sinn — allegor. Sinn. — Erste Bedeut. — Abgeleitete Bed. — Eigentl. Bedeut. — Uneigentl. Bedeut. — Emphatische Bedeutung.

c) Ueber die Synonymen. Giebt es Synonymen, den Begrif streng genommen?

2. Praktischer Theil.

a) Praktische Regeln. Von der Erklärung einzelner Wörter.

b) Von der Erklärung der Wortverbindung.

c) Von der Erklärung des ganzen Zusammenhangs und ganzer Bücher.

d) Von der verschiedenen Interpretationsart bey Dichtern und Prosaisten und bey den verschiedenen Untergattungen des Styls.

An dieser Zusammenstellung ist nichts aufregend. Hermeneutik ist Hilfswissenschaft, und so liegt das Bemühen keineswegs — wie dann zunehmend in der romantischen Hermeneutik bis Dilthey — auf der Klärung des Verstehensvorganges, also der Sonderung von Verstehen und Erklären, sondern auf der Regelgebung für das Erklären (explicare/interpretari). Das entspricht der Schultradition. Nichts weist auf die Hermeneutik des 19. Jahrhunderts voraus.

Stockmanns Nachschrift der Enzyklopädie aus dem Wintersemester 1798/99[14] bzw. Gürtlers Nachschrift aus dem gleichen Zeitraum[15] lassen den entsprechenden Aufbau erkennen. Wolf beginnt mit allgemeinen Erwägungen zum Begriff und Umfang der Altertumswissenschaft, schließt Betrachtungen zur Grammatik des Griechischen und Lateinischen an und handelt dann über Hermeneutik und Kritik. Den Schluß des Kollegs bilden Überblicke über die einzelnen materialen Gebiete, von der politischen Geschichte über Antiquitäten, Mythologie, Numismatik, Epigraphik usw. bis zur Kunst des Mosaiks.

„Hermeneutik und Kritik (...) sind Künste, die durch einen praktischen Vortrag mehr gewonnen werden, als durch eine Theorie. Sie sollen blos entwickelt werden, im Einzelnen zu leiten"[16]. In diesen Sätzen, die in das (20 Druckseiten starke) Kapitel zur Hermeneutik einführen, beweist sich die starke pädagogische Absicht, die Wolf in seiner Vorlesung bewegt. Hermeneutik ist Erklärungskunst, und die lernt man nur durch Praxis[17]. So erhält der Hörer nacheinander 1. eine Erklärung des Begriffs der Hermeneutik, 2. eine Literaturliste von Schriften über die Hermeneutik, 3. die vorzüglichsten Regeln der Hermeneutik, 4. Anweisungen über die praktische Art und Weise, sich zu einem guten Erklärer zu bilden, 5. Büchervorschläge zur eigenen Praxis und 6. Hilfsbücher zur Erleichterung der praktischen Erklärung[18]. Innerhalb dieser praxisbezogenen Darlegungen und eher abwehrend äußert sich Wolf theoretisch zur Hermeneutik, wobei er nirgends den Eindruck erwecken will, er sage etwas Neues.

> Die *Hermeneutik* oder die *Erklärungskunst* wird als die Kunst genommen, Schriftsteller, folglich geschriebene oder auch blos mündlich vorgetragene Gedanken eines Andern eben so zu fassen, wie er sie gefasst haben will. Aber da ist Hermeneutik schon etwas Eingeschränktes, denn im weitläuftigen Sinne ist es die Kunst, alle Arten von Zeichen zu erklären, d. h. die Kunst, unter Zeichen das Bezeichnete zu verstehen, d. i. die Ideen dabei zu fassen, die ein Anderer mit den Zeichen verbunden hat (S. 271).

Schon in der Begriffserklärung ist die Eilfertigkeit deutlich, mit der Wolf die „spezielle Hermeneutik", die sich mit den manifesten Gedanken eines Autors befaßt, von der „philosophischen Hermeneutik" scheidet, die er durch die traditionelle Zeichentheorie kennzeichnet[19]. Den Nutzen einer solchen allgemeinen Hermeneutik als philosophischer Disziplin hält er für „nicht gross, besonders dann, wenn man sich nicht in praxi mit der Erklärung beschäftigt"

(S. 271). Was aber soll erklärt werden? Die Gedanken eines Autors, sofern sich diese aus ihren Zeichen verstehen und also erklären lassen. Verstehen und Erklären werden in eins gesehen, sie sind die verschiedenen Seiten desselben Prozesses.

> Man versteht Jemanden, der uns Zeichen giebt, dann, wenn diese Zeichen in uns eben dieselben Gedanken und Vorstellungen und Empfindungen, und in eben der Ordnung und Verbindung hervorbringen, wie sie der Urheber selbst in der Seele gegenwärtig hatte (S. 272).

Das ist, auch wenn man die Mannigfaltikeit der Zeichen auf die „Wortsprache" beschränkt, eine ungeheure Forderung, die zu erfüllen sich Wolf nicht anders als durch eine „Anlage" gegeben denken kann. „Wehe dem, der dazu keine Anlage hat" (S. 273). „Man muss gewandt seyn, d. i. diejenige Leichtigkeit der Seele haben, sich schnell in fremde Gedanken hineinzustimmen" (ebd)[20]. Gewiß ist hier das bei Schleiermacher und den Nachfolgern dominierende psychologisierende Verfahren präludiert, indem von der Seele des Urhebers und den Vorstellungen und Empfindungen des Interpreten die Rede ist. Aber man muß sogleich sehen, in welchem Sinne: diese „Gewandtheit" läßt sich lehren und lernen, sie erwächst durch Anhören praktischer Erklärer und schließlich durch eigene Versuche in der „Erklärungskunst".

Dabei ergibt sich, daß die Interpretation antiker Texte durch den höheren Schwierigkeitsgrad der vorausgesetzten Kenntnisse, z. B. sprachlicher Art, reizvoller und darum letztlich belehrender ist als der moderner Schriften:

> Es ist aber viel interessanter, einen alten Autor zu erklären, als einen neuern Schriftsteller. Was von gelehrten Kenntnissen nothwendig ist, ist die Kenntniss der Sprache, in der der Schriftsteller geschrieben. Hiezu gehören allerlei Untersuchungen von grammatischer Art, so dass diese vorausgehen muss. Mit der blossen Sprache kommt man aber auch nicht aus. Wir müssen Kenntnisse haben von den Sitten der Zeiten, aus denen wir lesen, wir müssen Geschichts- und Literaturkenntnisse haben und müssen den Geist der Zeiten kennen. Will man ganz allgemein von der Sache sprechen, so gehören noch mehrere Kenntnisse dazu: die Analogie aller Sprachen, mathematische Kenntnisse, kurz es gehört zu jedem Autor der Umfang der Kenntnisse, die er selber hatte. Daher kommt's, dass man sagt: ihr Sinn (der alten Schriftsteller) ist fruchtbar (S. 274).

Die maßlose Forderung: zu wissen, was der Autor weiß, ist für Wolf lediglich ein pädagogisches und d. h. ein lösbares Problem[21].

Wenn das Erklären der Zeichen so viel ist, als die Ideen und Empfindungen eines Andern aufzustellen, so kann es im Gemüthe
selbst geschehen, oder durch eine wirkliche mündliche oder schriftliche Erklärung. Im ersten Falle *versteht man,* im zweiten Falle
erklärt man. Jenes muss zum Grunde liegen; wir müssen vorher
die Ideen deutlich fassen. Niemand kann interpretari, nisi subtiliter intellexerit (S. 274).

Verstehen, so wird hier deutlich, ist Erklären im Gemüte, inneres
Reden — eine konventionelle Vorstellung[22], die noch nicht pro-
blematisiert, wie es überhaupt zum Verstehen kommen kann. Man
kann, meint Wolf gar, verstanden haben, ohne sich durch Erklärung deutlich machen zu können; das geht dann auf einen Mangel
an Beredsamkeit zurück, kann aber auch zeigen, daß man die Idee
noch nicht deutlich genug gefaßt hat. Hier hilft nochmaliges
Durchdenken ab, woraus sich ableitet, „wie die Erklärung am be-
lehrendsten eingerichtet werden kann" (ebd.). Praktisch also und
nicht grundsätzlich ist gemeint, wenn Wolf fortfährt: „So hätte
nun die Hermeneutik zwei Theile: die richtige Art zu verstehen
und die richtige Art zu erklären" (ebd.). Intelligere und interpretari sind unterschieden, nicht geschieden; die beiden Teile der Hermeneutik sind unterschiedliche Perspektiven desselben Vorgangs.
„Bei einem guten Erklärer muss Beides: subtilitas intelligendi und
explicatio, zusammen statt finden" (S. 293)[23]. Das entspricht
noch gänzlich der traditionellen Aufklärungshermeneutik[24].

An dieser Stelle unterscheidet Wolf drei Auslegungsarten:

1. die interpretatio grammatica
2. die interpretatio historica
3. die interpretatio philosophica

Diese Trias — die merkwürdigerweise auch Ast kennt, die von den
Schülern aber nur Bernhardy übernommen hat[25] — leitet Wolf
aus den „verschiedenen Absichten und dem Umfange (sc. der Hermeneutik)" (ebd.) her.

Die Grundlage der historischen und philosophischen Auslegungsart
bildet die *grammatische Interpretation,* die die Bedeutung der
Wörter in ihrem Satzzusammenhang (den sensus grammaticus)
feststellt. Dieser grammatische Sinn gründet sich auf den usus lo-
quendi, bei dem Wolf zwischen allgemeinem (= Sprache insgesamt), besonderem (= Sprachperiode, Fachsprache, Gattung) und
speziellem (= Autorsprache) unterscheidet. Als wichtigste Regel
gilt: „Der Autor, den wir lesen, ist der vorzüglichste interpres des
Sprachgebrauchs" (S. 296). Die großen Schwierigkeiten, die dabei

auftreten können, wenn das Vergleichsmaterial gering oder die
Verfasserschaft umstritten ist, sind von Wolf außerordentlich pra-
xisbezogen dargestellt (was uns hier nicht weiter interessieren
kann).

Die *historische Interpretation* erwächst aus der Beobachtung, daß
es zum Verständnis besonders der älteren, aber auch neuerer
Schriften mit dem Wortsinne nicht getan ist, sondern daß es dabei
der Kenntnis der „Umstände" bedarf, „unter denen Etwas geschehen ist" (S. 274, vgl. S. 282 f.). Hier sieht Wolf das eigentliche
Tätigkeitsfeld des Gelehrten, denn zur Erkenntnis des sensus historicus gelangt nur, wer umfangreiche Geschichtskenntnisse hat. Dabei ist die Hauptregel: „Versetze dich in den Zustand und in die
Ideenfolge dessen, der da schrieb" (S. 295). Daß man dazu wün-
schen müßte, „das ganze Alterthum mit seinen kleinsten Umständen (zu) verstehen" (S. 297 f.), weiß Wolf, ohne diese ideale Bedingung zu problematisieren. Es kommt, wie stets, auch hier alles
auf die Praxis an.

Wichtig ist die resümierende Bemerkung, daß sensus grammaticus
und sensus historicus zusammen den „wahren hermeneutischen
Sinn" ausmachen und dabei „uebrigens (. . .) nothwendig (ist), dass
jede Stelle nur *einen* Sinn hat" (S. 295). Eher beiläufig richtet sich
Wolf hier, wie auch der Kontext erkennen läßt, gegen die theologische Bibelexegese, die von einem mehrfachen Schriftsinn ausgeht.
Die Forderung des *einen* Sinnes ist die Hauptregel der sog. grammatisch-historischen Schule der Bibelauslegung[26] seit Semler und
Ernesti, der Wolf hier zustimmt. Doch gilt natürlich die Forderung, daß „der zu suchende (sc. Sinn) nur ein einziger" sein dürfe,
auch für die Homer-Auslegung (S. 282).

> Man kann freilich oft sagen, dass man bei einer Stelle den wahren
> Sinn nicht finden kann, weil man nicht alle historischen facta und
> Umstände kennt. Da kann ich denn den muthmasslichen Sinn
> angeben. Das sogenannte: aus dem Context erklären, ist gewöhn-
> lich nichts weiter als ein Rathen. Rathen aber ist nicht Erklären.
> Dieses ist die Darstellung des einzig wahren Sinnes eines Satzes
> mit seinen Gründen und Beweisen (S. 295).

Die *philosophische Interpretation* schließlich setzt die grammatische
und historische Auslegungsart voraus; sie fragt nach der „Richtigkeit des Gedankens" (veritas sensus) aller — nicht nur etwa philosophischer — Schriften. Sie „zeigt auf eine den Denker befriedigende Weise, die Vorzüge und Mängel des Schriftstellers in Rücksicht auf seine eigenen Vorstellungen" (S. 275). Das ist nötig,

weil die grammatische und historische Interpretation eine Unrichtigkeit enthalten können, die auf „schiefe Gedanken" des Autors zurückzuführen ist. Diese Vorstellungen müssen, so fordert Wolf, auf jeden Fall zunächst einmal wiedergegeben werden, ehe sie auf ihren Wahrheitsgehalt geprüft werden. Dabei setzt Wolf voraus, daß der philosophische Interpret „vorher den Sinn richtig entwickelt" hat (ebd.) und von daher die Darlegungen des Autors beurteilen kann. Überraschend wirkt Wolfs Auskunft über die Herkunft dieser Kompetenz: „Die philosophische Einsicht sollen wir nicht durch die alten Bücher, sondern durch die Uebung unsers Verstandes erlangen" (ebd.). Der Verstand aber „bildet" sich in der Beschäftigung mit eben jenen alten Büchern, die Übung in der Erklärungskunst ist „ein vorzügliches subsidium zur Bildung des Kopfes" (S. 284). Auch hier bricht sich schließlich Wolfs praktischer Sinn die Bahn: letztlich geht es ihm weniger um logische Wertung — deren Notwendigkeit er nicht bestreitet — als um ästhetische, wobei die „ästhetische Erklärungsart" — „sie umfasst das, was zur Poetik und Rhetorik gehört" — dann doch ihre „Grundsätze" aus der Antike bezieht (S. 286).

Die Fülle praktischer Regeln und Winke in bezug auf Semantik, Textlinguistik, Literaturklassifikation kann hier nicht dargestellt werden; dieses „Aggregat von Observationen" (Schleiermacher) haben die Schüler geerbt und in eine höhere Ordnung einbringen wollen. Aber gerade hier lag Wolfs Stärke, und er hat ja auch deutlich genug ausgesprochen, daß ihm an einer hermeneutica generalis nichts liegt. „Auf Praxis muß . . . Alles ankommen" (S. 299). Als Wolf Enzyklopädie-Vorlesung 1831 posthum (gleich doppelt) erschien, hatten seine Schüler deren Grundriß zwar übernommen (Bernhardy), waren in ihrer wissenschaftstheoretischen Grundlegung aber längst über ihn hinausgegangen (Boeckh). Eine eigene Wirkung ist von den Darlegungen nicht mehr ausgegangen[27]. Die Kontroverse zwischen Sach- und Wortphilologie (Boeckh — Hermann) und vor allem die philosophische Wirkung Schleiermachers hatten die Diskussion, was das Problem der Hermeneutik betrifft, über Wolf hinausgetrieben. Ohne Schleiermachers Bezugnahme auf Wolfs wenige „Andeutungen" im *Museum der Alterthums-Wissenschaft* von 1807 hätte kaum jemand Wolf unter die Theoretiker der Hermeneutik gezählt.

Wie der Titel des programmatischen Aufsatzes im „Museum" verrät — *Darstellung der Alterthums-Wissenschaft nach Begriff, Umfang, Zweck und Werth*[28] —, ging es Wolf um eine wissenschaftliche Begründung seiner Disziplin. Er war — wie er im Vorwort schreibt — bestrebt,

> die höchsten Gesichtspunkte der alterthümlichen Philologie möglichst genau zu erfassen, und einen Versuch zu machen, wie sich die einzelnen, theils auf deutschen Universitäten seit beinahe hundert Jahren erläuterten, theils noch in der Folge zu bearbeitenden, Doctrinen zu einem organischen Ganzen vereinigen ließen, um alles, was zu vollständiger Kenntniß des gelehrten Alterthums gehört, zu der Würde einer wohlgeordneten *philosophisch-historischen Wissenschaft* emporzuheben (S. 5).

Dieser Versuch, mit dem Wolf das Erstlingsrecht gegenüber den nachdruckenden Schülern geltend machen konnte, leitete die von ihm begründete Zeitschrift ein — die, ebenso programmatisch, Goethe gewidmet war[29]. Die Anregung, die seit langem geplante Schrift nach der Schließung der Universität Halle im Gefolge der Napoleonischen Kriege[30] wenigstens als „compendiarischen Entwurf" auszuarbeiten, verdankt Wolf dem an diesen Fragen sehr interessierten Goethe[31]. Goethe und — anonym und verschlüsselt zitiert — Wilhelm von Humboldt[32], aber unüberlesbar auch Schelling[33], sind die geistigen Gesprächspartner in der Darstellung der Umrisse einer Wissenschaft, deren „Zweck und Werth" das humanistische Bildungsziel abgeben. Goethe, „der Kenner und Darsteller des griechischen Geistes" (S. III, VIII), ist das lebende Beispiel der übernatürlichen Verwandtschaft zwischen dem deutschen und dem hellenischen Geist („wir Deutschen nach so manchen Verbildungen stimmen am willigsten unter den Neuern in die Weisen des griechischen Gesanges und Vortrages" S. VI), so daß unter seiner Schirmherrschaft der deutsche Altertumsforscher dem Wunsche leben kann, „überall der tiefere Forscher und Ausleger des aus dem Alterthume fließenden Großen und Schönen" (S. VIII) zu sein.

Mit dieser tieferen Erforschung und Auslegung der Antike, zumal der griechischen Kultur, als dem unüberbietbaren Ideal ist freilich eine hermeneutische Aufgabe gestellt, die als unendliche und zugleich unüberbietbare erscheint:

> Denn um das Leben und Wesen einer vorzüglich organisirten und vielseitig gebildeten Nation mit Wahrheit zu ergreifen, um die längst verschwundenen Gestalten in die Anschauung der Gegenwart zurückzuziehen, dazu müssen wir unsere Kräfte und Fähigkeiten zu vereinter Thätigkeit aufbieten; um eine als unendlich erscheinende Menge fremder Formen in uns aufzunehmen, dazu wird es nothwendig, unsere eigenen nach Möglichkeit zu vertilgen

und gleichsam aus dem ganzen gewohnten Wesen herauszugehen. Hieraus entspringt aber eine Vielseitigkeit des Denkens und Empfindens, die in wissenschaftlicher Hinsicht für uns Moderne eine schönere Stufe der Geistes-Cultur wird, als es für den Weltmann die Fertigkeit ist, ungewohnte Formen sich anzueignen, die er eben seinen Absichten angemessen glaubt (S. 130).

Der Aufbau und Gehalt der *Darstellung* entspricht den Vorlesungen. Die Disziplinen Grammatik, Hermeneutik und Kritik — Wolf fügt hier (woran Schleiermacher sich stoßen wird[34]) noch die „Fertigkeit des Stils" hinzu, d. h. die Fertigkeit, selbst in den alten Sprachen zu schreiben — bereiten lediglich „den Eintritt in den Kreis der Gegenstände vor . . ., welche das Historische und Reale der Wissenschaft und die nähere Anschauung der alten Welt gewähren" (S. 45). Damit ist in Wolfs System von vorneherein über den untergeordneten Stellenwert der Verstehensproblematik entschieden:

> Die (. . .) *Hermeneutik* war unter den Händen mehrerer guten Ausleger bisher schon sehr vollkommen, doch als Theorie ist sie es noch keinesweges. Noch sucht sie für die Kunst, die Gedanken eines Schriftstellers aus dessen Vortrage mit nothwendiger Einsicht aufzufinden, mancherlei Begründung in Untersuchungen über die Natur der Wort-Bedeutungen, über Sinn eines Satzes, über Zusammenhang einer Rede, über viele andere Punkte der *grammatischen, rhetorischen* und *historischen Interpretation.* Jedoch zum Glück für die Ausübung wird durch dergleichen Analysen das Geniale des Auslegungs-Künstlers nicht eben geweckt, auch nicht vermehrt die Gewandtheit des Geistes, um in mehrere Sprachen und in die verschiedenen Alter einer jeden, in die von der heutigen so abweichende Denkart früherer Jahrhunderte, in die Eigenheiten jeder Gattung der Rede, in die persönlichen Individualitäten eines Autors einzugehen, und so mit jedem Autor übereinstimmend zu denken, ja indem man die Erscheinungen der Litteratur vor und nach ihm vergleicht, noch beurtheilend über ihn zu denken. Denn dies, dies ist erst das Verstehen in höherer Bedeutung, dasjenige, wodurch der Ausleger, allenthalben einheimisch, bald in diesem, bald in jenem Zeitalter mit ganzer Seele wohnt, und hier einen treflichen Schriftsteller der Bewunderung, dort einen unvollkommenen dem Tadel des Lesers mit Beweisen seiner Urtheile ausstellt. (S. 37 f.).

Die Abwehr aller Hermeneutik als bloßer Theorie ist hier noch einmal knapp und deutlich ausgesprochen, wenn der „Auslegungs-Künstler" ihrer „zum Glück für die Ausübung" nicht bedarf. Geändert gegenüber der Vorlesung ist die Unterscheidung in grammatische, rhetorische und historische Interpretation — auch dies eine traditionelle Trias —, wobei aber die philosophische Interpretation in dem abschließenden Urteilen aufgehoben ist. Die Rede von den persönlichen Individualitäten des Autors ist nur scheinbar psychologisierender, denn auch hier sind sprachliche Eigenheiten gemeint. Der Eindruck einer „psychologischen Interpretation" im Sinne der romantischen Hermeneutik entsteht durch den Verzicht auf die Zeichentheorie[35]. Wolfs Meinung hat sich im ganzen nicht gewandelt.

Waren beim Erscheinen der *Darstellung der Alterthums-Wissenschaft* die Stimmen auch geteilt[36] — Boeckh war Wolfs Auffassung der Philologie zu „äußerlich" vorgekommen, ihr Wesen „nur hoch und breit gestellt, tief gemacht aber gar nicht"[37] —, so hat der Aufsatz als ganzer der Auffassung der Altertumswissenschaft als einer selbständigen, in sich geschlossenen Wissenschaft zur allgemeinen Anerkennung verholfen. Man hat darum in ihm die Summe der wissenschaftlichen Tätigkeit Wolfs gesehen[38]. Die wenigen „Andeutungen" zur Hermeneutik haben durch Schleiermachers Auseinandersetzung mit ihnen Geschichte gemacht. Im Vergleich mit dieser Auseinandersetzung kann Wolfs Stellung in der Geschichte der Hermeneutik abschließend präzisiert werden.

Wolf führt die Aufklärungshermeneutik weiter, d. h. die auf vorgegebene „klassische" Texte bezogene, historisch-philologische Gelehrsamkeit des 18. Jahrhunderts. Hermeneutik ist Erklärungskunst, das Ziel aller verstehenden Operationen ist das Erklären. Daraus folgt die skeptische Zurückdrängung einer allgemeinen Hermeneutik, sofern ihr unmittelbare Regeln nicht abzugewinnen sind. Hermeneutik ist eine praktische Kunst, ihr Anwendungsgebiet sind die — als vorbildlich vorausgesetzten — Texte der Antike.

Wolfs Hermeneutik ist — trotz nicht immer eindeutiger Formulierung — nicht eine Hermeneutik des Autors[39], sondern des Werkes. (Schon diese Unterscheidung wäre Wolf wohl unsinnig vorgekommen.) Das Werk als sprachliches Produkt ist zu interpretieren, wozu alle Einzelregeln der grammatischen, (rhetorischen), historischen und philosophischen Auslegungsverfahren ihren Teil beitragen sollen. Über den Wert der einzelnen Verfahren entscheidet die Praktikabilität.

In diesem bewußt und ausschließlich praktischen Ansatz liegt gewiß die Stärke dieses Entwurfs, der nicht angekränkelt ist von den Verunsicherungen, die aus einer philosophischen Hermeneutik fol-

gen. Interpretation geschieht immer, Erklären kann man lernen —
wer es nicht beherrscht, soll sich einen Lehrer suchen . . .
Wolf hat ganz entschieden die transzendentalphilosophische Wende
nicht zur Kenntnis genommen, die — wie neben ihm F. Schlegel,
Ast und Schleiermacher — die Hermeneutiker zwang, auf die Subjektivität des Autors, dessen produktive Individualität zu rekur-
rieren und d. h. (zumindest auch) sie „psychologisch" zu interpretieren. Kann man freilich beim „Errathen der individuellen Combinationsweise eines Autors" nur mehr zu divinatorischer Gewißheit gelangen, ist dabei — wie Schleiermacher Schlegel zustimmend
zitiert — „Behaupten weit mehr (. . .) als Beweisen"[40], dann
kommt auch die bei Wolf noch unbezweifelte Autorität des poten-
tiell allwissenden Interpreten ins Wanken. So kennt die Hermeneutik seit der Romantik das Oszillieren zwischen Autor, Werk
(samt Wirkungsgeschichte) und Interpreten, das für Wolf noch gar
kein Problem darstellte. Daraus erwächst auch der Zwang zur
allgemeinen Hermeneutik, d. h. die Aufhebung der Beschränkung
auf einen abgeschlossenen Kulturkreis und dessen Schriftwerke —
„alles Verstehen fremder Rede" ist nach Schleiermacher die Aufgabe der Auslegung[41] — und die Zurückführung der speziellen
Hermeneutiken auf „etwas höheres gemeinsames"[42]. Während
Wolf meint: „Es giebt im Ganzen aber so viele besondere Hermeneutiken, als es besondere Sprachen giebt" (S. 292) und gar für das
„Erklären von Dichtern" (er meint: Dichtwerken) eine „ganz spe-
cielle Hermeneutik" fordert (ebd.), sucht Schleiermacher „etwas
größeres", woraus jene Spezialhermeneutiken „nur Ausflüsse"
sind[43]. Wolf lehnt eine solche allgemeine Hermeneutik als „etwas
Philosophisches" (S. 271) ab, da sie dem Auslegungskünstler nichts
mitteilen kann, was dieser nicht schon weiß; *seine* „philosophische
Auslegung" — in seinem System eigentlich unnötig und wohl aus
der Schultradition mitgeschleppt[44] — beurteilt die logische Richtigkeit des Gedankens und wertet ästhetisch[45], nachdem die
grammatische und historische Interpretation geleistet sind und
damit das hermeneutische Geschäft recht eigentlich bereits beendet
war. Kein Hermeneutiker nach ihm hätte die ästhetische Wertung,
die den Schriftsteller der Bewunderung oder dem Tadel des Lesers
ausliefert, für „das Verstehen in höherer Bedeutung" (*Darstellung*
S. 38) angesehen.
Nicht als „Vorläufer" Schleiermachers (Wach) ist Wolf von historischem Interesse, sondern als der letzte bedeutende Vertreter einer
Auslegungskunst, für die Verstehen und Auslegung — Fleiß vor-

ausgesetzt — kein wirkliches Problem darstellen, weil Harmonie
herrscht zwischen Autor, Werk und Interpreten, zwischen Vergangenheit und Gegenwart, zwischen Buchstabe und Geist. Erst wo
nach dem Grund dieser Harmonie gefragt wird, ist die Aufklärungshermeneutik überwunden.

2.

Am Epigonen zeigt sich der Wandel der Zeiten am schnellsten und
deutlichsten. Repräsentiert F. A. Wolf — mit Schleiermacher zu
sprechen — die aus historisch-philologischem Wissen gesättigte
„freieste Genialität der Philologie", die dann freilich entschieden
konservativ war und bleiben wollte, so zeigt sich *Friedrich Ast* als
„philosophisch combinirender Philologe"[46], der in seinen Jenaer
Lern- und Lehrjahren in unersättlicher Begierde wie ein Schwamm
die Keime des neuen Denkens eines neuen Jahrhunderts in sich
aufsog und in universalwissenschaftlicher Manier — zumeist
schneller als seine Anreger — in Lehrbücher umsetzte[47]. Kaum
ein Thema des romantischen „Symphilosophierens", zu dem Ast
sich nicht geäußert hätte, und immer eine Nasenlänge vor den Großen seiner Zeit: er arbeitete über Platons *Phaidros,* ehe Schleiermacher diesen Dialog als ersten des großen Platon-Projektes übersetzen konnte[48], er kam Schlegel mit einer Übersetzung des *Euthyphron* zuvor[49], er publizierte die erste metrisch-getreue So-
phokles-Übersetzung[50], er ließ die erste romantische Ästhetik
drucken[51], er entwarf sehr früh eine Geschichtsphilosophie auf
der Grundlage eines durchaus eigenständig empfundenen Idealismus[52], er formulierte ein Programm des Neuhumanismus[53], er
gründete eine romantische Zeitschrift[54], er traute sich — gänzlich
unbeeinflußt von Wolf — eine Enzyklopädie der philologischen
Wissenschaften zu[55], aus der sich ihm (um ein vorläufiges Ende in
der Kette der Ersttaten zu nennen) mit den *Grundlinien der
Grammatik, Hermeneutik und Kritik*[56] die erste ausgeführte
romantische Verstehenslehre in Deutschland herausgliederte. Als er
mit den beiden zuletzt genannten Werken vor die wissenschaftliche
Öffentlichkeit trat, 1808, war er 30 Jahre alt. Wer war dieser —
heute vergessene — Mann?
Nach Gymnasialjahren in seiner Heimatstadt Gotha, wo u. a. die
bekannten Altphilologen F. Schlichtegroll und F. Jacobs seine Lehrer waren, bezog Ast 1798 die Universität Jena, die sich in diesem
Jahrzehnt auf dem Gipfelpunkt ihrer Bedeutung für das deutsche
Geistesleben befand. Neben philologischen Studien bei C. G. Schütz

und H. K. A. Eichstädt (der ihn besonders förderte) beschäftigten ihn Philosophie und Ästhetik. Er hörte Vorlesungen bei Fichte, Schelling, August Wilhelm Schlegel und Friedrich Schlegel. Mit einer Abhandlung ,De primis artis Pulchri lineamentis' erwarb er 1802 den philosophischen Doktorgrad und hielt als Privatdozent Vorlesungen über Ästhetik und Geschichte der Philosophie, wobei er mit niemand geringerem als Schelling, Hegel, Fries und K. Ch. F. Krause konkurrieren mußte. 1805 wurde er als Professor nach Landshut berufen, wo er klassische Philologie, Philosophie, Ästhetik und Universalgeschichte las. 1826 siedelte er mit der Universität nach München über und wurde dort 1827 ordentliches Mitglied der philosophisch-philologischen Klasse der Akademie der Wissenschaften.

Das Hauptverdienst Asts liegt auf dem Gebiet der klassischen Philologie, besonders der Erforschung Platons, dem sein Lebenswerk galt[57]. Sein *Lexicon Platonicum* wird als Standardwerk angesehen[58].

Die entscheidenden Anstöße seines Lebens und Denkens hat Ast in Jena empfangen, wo er — wenn auch nur als Randfigur — zu dem Kreis der Romantiker um Friedrich Schlegel gerechnet werden muß. Hier wuchs ihm die Lebensthematik zu, die vor allem in der ersten Landshuter Epoche zu den die Radien seines Interesses absteckenden Büchern führte. Fichte, dann die Brüder Schlegel, schließlich Schelling: damit sind die Männer genannt, die ihn prägten. Dem „deutschen Genie" und „Heros" Friedrich Schlegel[59] hat er sein Leben lang die Treue gehalten.

Asts *Grundlinien der Grammatik, Hermeneutik und Kritik* von 1808[60] waren ursprünglich dazu bestimmt, dem (im gleichen Jahr erschienenen) *Grundriß der Philologie* angehängt zu werden; aus drucktechnischen Gründen erschien das Werk separat. Der gemeinsame Arbeitstitel war „Enzyklopädie der philologischen Wissenschaften"[61]. Diese Werke Asts sind, wie die anderen seiner frühen Landshuter Epoche, im Bannkreis Friedrich Schlegels entstanden. Ob man dabei annehmen muß, er habe Schlegels eigene Aufzeichnungen zur *Philosophie der Philologie* gekannt[62], kann dabei offenbleiben. Der allgemeine Einfluß blieb den Zeitgenossen nicht verborgen. Als Ast Friedrich Creuzer seine Enzyklopädie (also die noch vereint gedachten obigen Werke) „aus höheren Prinzipien" ankündigte, hielt ihn dieser durch die „schlechte neue Philosophirmethode" der Brüder Schlegel für „verdorben"[63]. Doch das war ein Urteil in Erinnerung an die *Kunstlehre* von 1805, die in der

Tat der Schlegelschen Kunstauffassung huldigt; für die philosophische Terminologie des *Grundrisses der Philologie* und der
Grundlinien der Grammatik, Hermeneutik und Kritik wie für die
im gleichen Arbeitszusammenhang stehenden *Grundlinien der Philosophie* und des *Grundrisses einer Geschichte der Philosophie*
(beide 1807) gibt Friedrich Schlegels Jenaer Transzendentalphilosophie[64] — die Ast sehr wahrscheinlich gehört hat — außer der
in jeder Transzendentalphilosophie gängigen Terminologie nichts
her. Der für Asts System zentrale Begriff des *Geistes* fehlt dort.

Das gilt übrigens — wie sogleich angemerkt werden soll — auch
für Schellings Philosophie während dieser Epoche, so daß Asts
Hermeneutik auch nicht einfach mit Dilthey (und Szondi) als die
„Hermeneutik der Schellingschen Philosophie" klassifiziert werden
kann[65]. Der „Geist" als philosophischer Fundamentalbegriff hat
auf dem Wege zu den „Geisteswissenschaften" manche Wandlun-
gen durchgemacht[66]; Asts Anteil an dieser Entwicklung ist noch
zu würdigen. Sicher ist, daß seine Hermeneutik mit seiner spezifischen Identitätsphilosophie verknüpft ist, deren tragendes Prinzip der alles fundierende Geist ist, dem darum das letzte, höchste
Ziel des Verstehens gilt. Aber ein so zeittypischer Satz wie der
folgende: „Alle Systeme, Ideen und Meinungen sind Offenbarungen Eines Geistes, und durch diesen in sich selbst verbunden. Ihre
Einheit ist daher keine von außen durch irgend einen Begriff ihnen
aufgedrungene, sondern ihnen unmittelbar eingebohrne"[67] ist nicht
durch einfache Filiation erklärbar.

Mit dieser Einschränkung soll aber der Eindruck nicht beseitigt
werden, den der zeitgenössische Leser hatte. An einer anderen
Stelle hat Creuzer den allgemeinen Hintergrund angesprochen, auf
dem die Astsche Hermeneutik gelesen sein will und zu dem dann
auch Schlegel und Schelling ihren Beitrag geleistet haben. Anläßlich
seines Aufsatzes „Das Studium des Alterthums, als Vorbereitung
zur Philosophie" polemisiert Creuzer gegen eine offenbar modisch
gewordene Geist-Philologie:

> Man will, neben den Vorhöfen der Grammatik, der Hermeneutik,
> der Kritik vorbeischlüpfend, unmittelbar in das Heiligthum ein-
> dringen. Das nennen sie denn wohl die Alten in ihrem Geiste
> lesen; und je leichtsinniger sich Jemand von den ernsten Forderun-
> gen dieses Studiums lossaget, desto eher gilt er in ihrem Urtheile
> für einen philosophischen Philologen[68].

Mit dem Stichwort der „philosophischen Philologie" ist nun in der
Tat eine Forderung angesprochen, die Fr. Schlegel in seiner *Philo-*

sophie der Philologie grundsätzlich aufgestellt hat und die auch Schelling vertrat[70]. Sie erwuchs aus der (ursprünglich theologischen) Lehre von Buchstabe und Geist, die es den jüngeren Transzendentalphilosophen erlaubte, Kant besser zu verstehen, als dieser sich selbst verstand, indem er „nach dem Geiste" interpretiert wurde[71]. „Nach dem *Geiste* zu erklären ist man wohl genöthigt, wenn es mit der Erklärung nach dem *Buchstaben* nicht recht fort will" (Fichte)[72]. Schlegel, der in seinem Athenäumsfragment 93 die Lehre von Geist und Buchstaben darum so interessant fand, „weil sie die Philosophie mit der Philologie in Berührung setzen kann"[73], forderte denn auch: „Auf *Geist,* gegen den Buchstaben"[74]. Aus einer solchen hermeneutischen Position wird die von Creuzer kritisierte „leichtsinnige" Geist-Philologie entsprungen sein, die aber natürlich weder im Sinne von Schlegel noch von Ast war. Zugleich wird sich zeigen, daß Ast durch die Weiterentwicklung des Gegensatzes von Geist und Buchstabe zu der Trias Buchstabe-Sinn-Geist[75] eine durchaus eigenständige transzendentalphilosophische Geist-Hermeneutik begründet hat.

Der Anschluß an die sich philosophisch verstehende Philologie spricht sich in den einleitenden Bemerkungen der beiden Teile der Enzyklopädie deutlich darin aus, daß Ast die Wissenschaftlichkeit seines Faches in der Überwindung des Neben- und Gegeneinander von historisch-antiquarischer und sprachbezogener Gelehrsamkeit, von — wie er sagt — „Materialismus" und „Formalismus" gegründet sieht[76]. (Es gehört zu den antizipierenden Fähigkeiten Asts, daß er den für die Philologie der ersten Hälfte des 19. Jahrhunderts so kennzeichnenden Streit zwischen „Real-" und „Sprachphilologie" vor seinem definitiven Ausbruch — August Boeckh versus Gottfried Hermann — zu heilen trachtet.) Diese Überwindung leistet der Philologe, insofern er auch Philosoph und Ästhetiker ist und „den ihm gegebenen Buchstaben nicht bloß in seine Bestandtheile zerlegen [kann], sondern auch den Geist erforschen, welcher den Buchstaben bildete, um die höhere Bedeutung des Buchstaben zu ergründen; und die Form zu würdigen wissen, in welcher der Buchstabe zur Offenbarung des Geistes sich dargestellt hat"[77]. Die transzendentale Ermöglichung dieser Operation liegt darin, daß „*der Geist,* das ewige Bildungsprincip alles Lebens", den Stoff (die materielle Seite) und die Form (die sprachliche Seite) — „über beiden schwebend, beide beherrschend" — „zur lebendigen Einheit verbindet"[78]. Nur durch den steten Bezug auf den Geist als das „letzte und höchste Princip" wird Philologie sich des Namens einer Wissenschaft würdig erweisen[79].

Aber Philologie ist selbst nicht Philosophie, die innerhalb einer „Philosophie des Geistes" als eines Teilgebietes der Ontologie den Geist als „Offenbarung der Vernunft in ihrem freien Leben" begreift[80], sondern sie hat die „Offenbarung" des Geistes in Poesie, Philosophie und Geschichte zum Gegenstand. Auch dies nicht allgemein: Philologie ist — und hier steht Ast Humboldt und Wolf näher als Schlegel und Schleiermacher — das Studium der „classischen Welt in ihrem gesamten, künstlerischen und wissenschaftlichen, öffentlichen und besonderen Leben"[81]. Diese neuhumanistische Bevorzugung der Antike begründet Ast geschichtsphilosophisch mit der Annahme einer Quadruplizität als allgemeinem Bildungsgesetz der Menschheitsgeschichte: wie im individuellen Leben die Abfolge von vier Altersstufen (Kindheit, Jugend, Reife, Greisenalter) zu beobachten ist, verläuft auch die Geschichte der Menschheit in vier Perioden (orientalische Welt, griechisch-römische Periode, christliche Epoche, kommende Welt)[82]. Dabei sind die verschiedenen Zeitalter selbst nur „verschiedene Umwandlungen und Gestaltungen Eines Geistes"[83], so daß der Blick in die Vergangenheit den Geist des eigenen Zeitalters erkennen und beurteilen lehrt. Die klassische Welt der griechisch-römischen Antike wird so zum „Muster" der menschlichen Bildung[84], mit der Folge, daß die überhöhende Vereinigung der das Altertum auszeichnenden lebendigen, harmonisch entfalteten Schönheit mit der die Gegenwart prägenden Wissenschaft zur *vollendeten* Bildung führt. Die dialektische „Wechseldurchdringung"[85] von Vergangenheit und Gegenwart wird die ursprüngliche Einheit der äußeren, „plastischen" Bildung (Altertum) und des idealen, „musikalischen" Lebens (christliche Welt), wie sie in der orientalischen „Urbildung" der Menschheit gegeben war, zu einer durch Einheit und Harmonie gekennzeichneten, kommenden „Periode der einträchtigen Bildung des Aeußeren und Inneren zu Einem frei erschaffenen Leben" erzeugen, zu einer — wie Ast mit Schlegelschen Begriffen sagt — „Versöhnung in Poesie"[86].

Am Beispiel dieser Dialektik ist eine weitere Denkfigur Asts zutage getreten, die uns näher an seine hermeneutische Theorie führt, das Gesetz der Triplizität: einem dualistischen Gegensatz stiftet ein Drittes, Höheres die Eintracht, die Harmonie[87]. Die Anwendung dieses „Gesetzes" auf die Sprache stellt die philosophische Leistung Asts für die Geschichte der Hermeneutik dar.

Wie jede Enzyklopädie, muß auch der Astsche Entwurf den systematischen Ort der Hermeneutik bestimmen. In seiner Architekto-
nik der philologischen Disziplinen, wobei er zwischen höherer Philologie „zum Behufe der freien Bildung des Menschen" und der
Altertumswissenschaft als Philologie in engerer Bedeutung unterscheidet, rechnet Ast die Hermeneutik zur „höheren Philologie"[88]. Es bedarf ihrer — neben Grammatik und Kritik —, weil
die Lektüre der alten Schriftsteller die „richtigen Grundsätze (...)
über die Art, die Classiker zu verstehen und zu erklären", bereits
voraussetzt[89]. Ast sieht sehr deutlich das Wechselverhältnis, das
zwischen Grammatik, Hermeneutik und Kritik herrscht[90], vermeidet aber an dieser Stelle noch den Begriff des Zirkels, den er an
späterer Stelle als Grundbegriff der Verstehenslehre einführt.
Gemeinsamer Bezugspunkt der genannten Disziplinen ist die
Sprache, und so schaltet Ast seiner Darstellung eine Philosophie
der Sprache voraus, die zugleich auch die Hermeneutik fundieren
soll. „Sprache ist Ausdruck und Offenbarung des Geistes" (§ 1
S. 1)[91], und zwar in der Weise, als sie die höhere Einheit des Gegensatzes von äußerem Anschauen (Bildersprache) und innerem
Empfinden (Tonsprache) darstellt. Dem Gesetz der Triplizität
entsprechend ist es der Geist, der die Einheit der Objektivität und
Subjektivität der Sprache (also Wortbedeutung und Lautgestalt)
als ursprünglich setzt. Dies geschieht „in der reinen Thätigkeit des
Geistes, im *Denken* (...); denn das Denken ist eben die sich selbst
setzende Kraft des Geistes, das sich selbst bewußte Bilden, also
subjektiv und objektiv zugleich" (§ 3 S. 10).
Es ist auffällig, aber nicht überraschend, daß Ast in der eigentlichen Darstellung der Hermeneutik (§§ 69—94) das Problem der
Sprachlichkeit alles zu Verstehenden ausblendet, hat er doch mit
dem einheitsstiftenden Geist bereits den Hebel gefunden, der das
Verstehen soz. jenseits der Sprache ermöglicht. Er ermöglicht aber
zugleich die Generalisierung des Verstehens: zu verstehen ist nicht
nur das fremde sprachliche Produkt, sondern ganz allgemein das
fremde Handeln, das fremde Leben, die fremde Welt:

> Für den Geist giebt es schlechthin nichts *an sich* fremdes, weil er
> die höhere, unendliche Einheit, das durch keine Peripherie be-
> gränzte Centrum alles Lebens ist (§ 69 S. 166).
> Alles Verstehen und Auffassen nicht nur einer fremden Welt,
> sondern überhaupt eines Anderen ist schlechthin unmöglich ohne
> die ursprüngliche Einheit und Gleichheit alles Geistigen und ohne
> die ursprüngliche Einheit aller Dinge im Geiste (§ 70 S. 167 f.).

Wir würden, meint Ast, weder das Altertum im Allgemeinen, noch ein Kunstwerk oder eine Schrift verstehen, wäre nicht unser Geist eins mit dem Geist des Altertums, dieser nur „zeitlich und relativ" fremd:

> Denn nur das Zeitliche und Aeussere (Erziehung, Bildung, Lage u. s. w.) ist es, was eine Verschiedenheit des Geistes setzt; wird von dem Zeitlichen und Aeusseren, als der in Beziehung auf den reinen Geist zufälligen Verschiedenheit, abgesehen, so sind sich alle Geister gleich. Und dies eben ist das Ziel der *philologischen* Bildung, den Geist vom Zeitlichen, Zufälligen und Subjektiven zu reinigen, und ihm diejenige Ursprünglichkeit und Allseitigkeit zu ertheilen, die dem höheren und reinen Menschen nothwendig ist, die *Humanität:* auf daß er das Wahre, Gute und Schöne in allen, wenn auch noch so fremden, Formen und Darstellungen auffasse, in sein eigenes Wesen es verwandelnd, und so mit dem ursprünglichen, rein menschlichen Geiste, aus dem er durch die Beschränktheit seiner Zeit, seiner Bildung und Lage getreten ist, wiederum Eins werde. (§ 70 S. 168 f.).

Das neuhumanistische Bestreben Asts wird an dieser Stelle besonders deutlich. Aber das Postulat der Identität zwischen dem Geist des Erkennenden und des Erkannten[92] scheidet das historische Element des Verstehens aus und damit ein gut Teil der Schwierigkeiten, die hermeneutische Erwägungen zuallererst haben notwendig erscheinen lassen. Weder ist erklärt, wie es zu der Empfindung des „Fremden" kommen kann, noch wie diese methodisch zu überwinden sei. Die identitätsphilosophische Grundvoraussetzung garantiert das Verstehen, ehe es problematisch geworden ist.

Hier verknüpften sich Asts zyklische Geschichtsphilosophie und triadische Ontologie zu einer grandiosen Harmonie: indem der Geist der Gegenwart sich als eins mit dem Geist der Vergangenheit erfährt, wird die in der Urperiode der Menschheitsbildung (der orientalischen Welt) vorhandene Einheit nach ihrer Aufspaltung in die polare antike und christlich-mittelalterliche Welt zu ihrer freien, nun bewußten Eintracht zurückgeführt.

> So ist alles aus Einem Geist hervorgegangen und strebt in Einen Geist wieder zurück. Ohne Erkenntniß dieser ursprünglichen, sich selbst fliehenden (zeitlich sich trennenden) und sich selbst wieder suchenden Einheit sind wir nicht nur unfähig, das Alterthum zu verstehen, sondern überhaupt von Geschichte und Menschenbildung etwas zu wissen. (§ 70 S. 171).

Auf der Grundlage dieser zyklisch-identitätsphilosophischen Voraussetzung formuliert Ast — und hier in der Geschichte der Hermeneutik expressis verbis zum ersten Mal[93] — den hermeneutischen Zirkel:

> Alle Deutung und Erklärung eines fremden und in einer fremden Form (Sprache) verfaßten Werkes setzt Verständniß nicht nur des Einzelnen, sondern auch des Ganzen dieser fremden Welt voraus, dieser aber wieder die ursprüngliche Einheit des Geistes (§ 71 S. 171 f.).
>
> Das Grundgesetz alles Verstehens und Erkennens ist, aus dem Einzelnen den Geist des Ganzen zu finden, und durch das Ganze das Einzelne zu begreifen; jenes die analytische, dieses die synthetische Methode der Erkenntniß. Beide aber sind nur mit und durch einander gesetzt. (§ 75 S. 178 f.; vgl. noch §§ 78, 81 u. ö.)

Ast löst dieses logische Problem nicht mit der Denkfigur des (unabschließbaren) Prozesses, der Wechselwirkung, sondern des pars pro toto: das Ganze besteht nicht aus der leblosen Aggregation atomistischer Einzelheiten, sondern jedes Einzelne enthält das Ganze, ist Erscheinungsform des Ganzen. So enthält also jedes Werk des einzelnen Schriftstellers den Geist des Altertums insgesamt, weil es ja dessen Emanation ist, verschieden nur in Inhalt und Form.

Die Bestimmung des individuellen Inhalts und der individuellen Form des Werkes erfordert historische und grammatische Forschung, die aber nicht isoliert antiquarisch oder sprachbezogen bleiben darf, will sie nicht geist-los werden. Aus dem Gesetz der Triplizität, demgemäß der Geist die ursprüngliche Einheit von Inhalt (Stoff) und Form bildete und in diese zurückgeführt werden muß (§ 72 S. 174 f.), folgert die Dreiteilung des Verstehens:

1. historisch (auf den Inhalt bezüglich)
2. grammatisch (auf Form und Sprache)
3. geistig (in Beziehung auf den Geist des einzelnen Schriftstellers und des gesamten Altertums)

> Das dritte, *geistige* Verständniß ist das wahre und höhere, in welchem sich das historische und grammatische zu Einem Leben durchdringen. Das historische Verständniß erkennt, *was* der Geist gebildet, das grammatische, *wie* er es gebildet, und das geistige führt das *was* und *wie*, den Stoff und die Form, auf ihr ursprüngliches, einträchtiges Leben im Geiste zurück (§ 74 S. 177).

Letztlich ist der eigentliche Produzent der universelle Geist des Altertums, der Schriftsteller „reproducirt" lediglich „in sich selbst das schon Producirte, indem er es mit seinem Geiste, nach seiner Ansicht und Tendenz auffaßt" (§ 74 S. 178)[94]. Und so weist Ast nur scheinbar auf Schleiermacher und Boeckh voraus, wenn er schreibt:

> So ist das Verstehen und Erklären eines Werkes ein wahrhaftes Reproduciren oder Nachbilden des schon Gebildeten (§ 80 S. 187).

Denn nicht der „Keimentschluß" (Schleiermacher) wird rekonstruiert, nicht der schöpferische Akt des Autors wird reproduziert, sondern der „Kreis der Erklärung" ist dann geschlossen, wenn der Geist in sein ursprüngliches Wesen zurückgeflossen ist (§ 82 S. 190). An dieser Stelle wird ein Bruch, zumindest eine Spannung in der Darlegung Asts erkennbar[95]. Die Geist-Theorie erklärt noch nicht, wie es konkret zugehen muß im Verstehen des Einzelnen, wie es — mit Heidegger zu sprechen — gelingen soll, in den Zirkel des Verstehens hineinzukommen[96]. Es kann ja nicht bei dem Hinweis verbleiben, daß Hermeneutik eine Sache der Übung sei und der Interpret sich nicht bloß theoretisch bilden lasse (§ 101 S. 225) — so realistisch das auch gesehen ist. Wenn das Verstehen zwei Elemente in sich faßt: „das Auffassen des Einzelnen, und das Zusammenfassen des Besonderen zum Ganzen einer Anschauung, Empfindung oder Idee" (§ 77 S. 184 f.), so fragt sich immer noch, wie es dazu kommen soll. Asts Auskunft ist, daß man

> mit der ersten Besonderheit auch den Geist und die Idee des Ganzen ahndend erfaßt; dann die einzelnen Glieder und Elemente darlegt, um eine Einsicht in das individuelle Wesen des Ganzen zu erlangen, und nach der Erkenntniß aller Einzelnheiten das Ganze zur Einheit zusammenfaßt (§ 81 S. 188 f.).

Die „Ahndung" als die „noch unbestimmte und unentwickelte Vorerkenntniß des Geistes" führt zu einer „fortschreitende(n) Auffassung des Einzelnen", an deren Ende die „Idee" — gemeint ist wohl: des Werkes — „als klare und bewußte Einheit des in der Einzelnheit gegebenen Mannichfaltigen" hervortritt (§ 79 S. 186 f.). Das zirkuläre Verfahren wird hier also durch ein linear-progressives abgelöst.

Daß hierbei der neue Begriff der „Idee" eingeführt wird, ohne daß dessen systematische Funktion bereits deutlich wird, sei angemerkt. Noch aber muß das individuelle Werk — die „Besonderheit", die den Geist auf individuelle Weise offenbart — für das heuristische Verfahren näher charakterisiert werden, und das gelingt Ast ein weiteres Mal mit Hilfe des Gesetzes der Triplizität: er erweitert das klassische hermeneutische Paar Buchstabe-Geist zur Trias Buchstabe-Sinn-Geist:

Die Hermeneutik des Buchstaben ist die Wort- und Sacherklärung des Einzelnen, die Hermeneutik des Sinnes die Erklärung seiner Bedeutung in dem Zusammenhange der gegebenen Stelle, und die Hermeneutik des Geistes die Erklärung seiner höheren Beziehung auf die Idee des Ganzen, in welcher das Einzelne in die Einheit des Ganzen sich auflößt (§ 82 S. 192, vgl. S. 191).

Die systematischen Konsequenzen dieser Untergliederung in die drei Elemente der Erklärung — Erklärung ist mitgeteiltes Verständnis (§ 77), also vom Verstehen nicht grundsätzlich zu trennen — sind groß. Ast rettet sein System, denn nun kann er die in der Hermeneutik üblichen und notwendigen Überlegungen zur Wort- und Sacherklärung (§ 83), zur Werkanalyse unter Berücksichtigung des Verfassers, der Geschichte der Literatur und der Zeit (§ 84) anstellen, ohne doch seine Geist-Theorie im konkreten Verlauf der Verstehensoperation zu verleugnen:

Erklärung des *Geistes* einer Schrift oder einer einzelnen Stelle ist Darlegung der Idee, die dem Verfasser vorschwebte, oder auch unbewußt ihn leitete (§ 85 S. 197).

An dieser Stelle geht die Analyse in die Wertung hinüber. Leitbegriff der Ästhetik ist die „Idee" (als überhöhend-vereinigende Einheit von Anschauung und Begriff), der letztlich nur die wahrhaft künstlerischen und philosophischen Schriftsteller genügen können (§ 85)[97]. Den Schranken der bloß relativen und nationalen Beurteilung sind sogar noch Homer und Pindar unterworfen (§ 91)[98], lediglich Platon erlangt die höchste Stufe der „unbedingten Würdigung" (§ 92), die die relative (subjektive) Würdigung in bezug auf den Bereich der Sphäre des Schriftstellers (§ 87) und die nationale (objektive) in bezug auf die „Grundidee" der sämtlichen Werke in ihrem Verhältnis zum Geist des Altertums (§ 88 f.), beide vereinigend und überhöhend, hinter sich läßt.

Zu dieser unbedingten Wertung aber ist nur fähig, wer sich „durch die Idee des Wahren, Schönen und Guten an sich über den Schriftsteller selbst zu erheben vermag", nämlich: der „philosophisch gebildete Philolog" (§ 93 S. 212)! Nur er kann — und damit schließt Ast seine Darstellung — „von dem irdischen Boden der grammatischen und historischen Interpretation zur ätherischen Höhe der geistigen, unbedingten Deutung und Würdigung auf (...) steigen" (ebd.).

Gründlicher kann man die Aufklärungshermeneutik nicht hinter sich lassen, als Ast es tat — und nicht fragwürdiger. Er weiß um die Problematik einer Harmonie zwischen Autor, Werk und Inter-

preten, zwischen Vergangenheit und Gegenwart, zwischen Buchstabe und Geist — aber ehe diese Problematik zum Tragen kommt,
hebt er sie in seinem philosophischen System auf. Mit diesem
System aber steht und fällt Asts Hermeneutik, mögen einzelne
Winke und Beobachtungen — z. B. zur Zirkelstruktur des Verstehens — auch immer noch bedenkenswert sein.

Es mag die gewaltsame Geschlossenheit des philosophischen Systems gewesen sein und die dieser Philosophie eigene Sprache[99],
die Asts hermeneutischen Entwurf de facto ohne Echo ließen, obgleich er der erste transzendentalphilosophisch durchgebildete und
also „moderne" Entwurf war. Daß Ast ein „Vorläufer" Schleiermachers gewesen sei (Wach), ist eine optische Täuschung. Schleiermacher, der nur Asts Zirkel-Theorie ernst nahm und die eigentliche
Geist-Hermeneutik fast durchweg mit Schweigen überging[100],
fertigte ihn ab, desgleichen Boeckh[101]. Erst Heymann Steinthal
hat sich bemüht, Ast Gerechtigkeit widerfahren zu lassen[102]. In
unserem Jahrhundert hat Wach ihn ausführlich dargestellt und ihn
so wieder ins wissenschaftliche Blickfeld gerückt.

Hier kann er — als unverstandener, folgenloser Theoretiker, der
keiner der geschichtlich bedeutsam gewordenen Hermeneutik-Kon-
zeptionen zugeordnet werden kann — stehen als ein weiterer Beleg
für die Erfahrung, daß die Textwissenschaft dann, wenn sie ihre
eigenen Grundlagen reflektiert, ihr Handlungsfeld verlassen und
Philosophie werden muß. Dabei freilich verliert sie ihren Bezugs-
gegenstand, sofern die Rückbindung in eine Enzyklopädie nicht
mehr gelingt. Ast hatte den konsequenten Mut, die Erhebung über
den Schriftsteller und seine Werke und damit den Verlust des
Textbezugs als den eigentlichen Sinn der höheren, „philosophischen" Philologie anzusehen.

Anmerkungen

[1] Dieser Begriff bei Pflug (Diskussionsbeitrag). In: Flashar, H., Gründer, K., Horbtmann, A. (Hrsg.): *Philologie und Hermeneutik im 19. Jahrhundert. Zur Geschichte und Methodologie der Geisteswissenschaften.*
Göttingen 1979, S. 336.
[2] Fr. D. E. Schleiermacher: *Hermeneutik.* Nach den Handschriften neu
herausgegeben und eingeleitet von H. Kimmerle (AHAW phil. hist. Kl.
1959/2), Heidelberg 1959, S. 125.

³ Vgl. Fuhrmann, M.: *Friedrich August Wolf*. In: DVfLG 33 (1959)
S. 187—236; Hentschke, A. — Muhlack, U.: *Einführung in die Geschichte
der klassischen Philologie*. Darmstadt 1972, S. 80—88; Horstmann, A.:
*Die „klassische Philologie" zwischen Humanismus und Historismus:
Friedrich August Wolf und die Begründung der modernen Altertums-
wissenschaft*. In: Berichte zur Wissenschaftsgeschichte 1 (1978) S. 51—70;
ders.: *Die Forschung in der Klassischen Philologie des 19. Jahrhunderts*.
In: Diemer, A. (Hrsg.): *Konzeption und Begriff der Forschung in den
Wissenschaften des 19. Jahrhunderts*. Stud. z. Wissenschaftstheorie XII.
Meisenheim 1978, S. 27—57, hier S. 32—40; Pfeiffer, R.: *Die Klassische
Philologie von Petrarca bis Mommsen* (Beck'sche Elementarbücher).
München 1982, S. 214—218. Zu Wolfs Hermeneutik siehe Wach, J.: *Das
Verstehen*, Bd. I. Tübingen 1926, S. 62—82; Flashar, H.: *Die metho-
disch-hermeneutischen Ansätze von Friedrich August Wolf und Friedrich
Ast — Traditionelle und neue Begründungen*. In: *Philologie und Herme-
neutik im 19. Jahrhundert*, a. a. O., S. 21—31 sowie S. 333—340 (wichtige
Diskussion).
⁴ Siehe die Literaturliste der Gürtler-Nachschrift (*Fr. Aug. Wolf's
Vorlesungen über die Alterthumswissenschaft*, hrsg. v. J. D. Gürtler. Erster Band: *Fr. Aug. Wolf's Vorlesung über die Encyklopädie der Alterthumswissenschaft*. Leipzig 1831).
⁵ Vgl. Dierse, U.: *Enzyklopädie. Zur Geschichte eines philosophischen
und wissenschaftstheoretischen Begriffs*. In: Arch. f. Begriffsgeschichte,
Suppl. 2, Bonn 1977, S. 207 ff.
⁶ *Friedrich Schlegels „Philosophie der Philologie"*. Mit einer Einleitung
hrsg. v. J. Körner. In: Logos 17 (1928) S. 1—72.
⁷ Körte, W.: *Leben und Studien Friedr. Aug. Wolf's, des Philologen*.
Essen 1833. Bd. II, S. 215; vgl. Bd. I, S. 178—199; Arnoldt, J. F. J.: *Fr.
Aug. Wolf in seinem Verhältnisse zum Schulwesen und zur Pädagogik*.
Bd. I. Braunschweig 1861, S. 79—88, 118—123.
⁸ Schleiermacher als Student den jugendlichen Wolf in Halle gehört
(*Aus Schleiermacher's Leben. In Briefen*. Hrsg. v. L. Jonas, W. Dilthey.
Bd. III, Berlin 1861, S. 20); aber als Wolf im SS 1789 Enzyklopädie las,
hatte Schleiermacher Halle bereits verlassen. Ob man Wolfs Einfluß so
stark ansetzen darf wie Dilthey (*Leben Schleiermachers*. I. Bd. Auf
Grund des Textes der 1. Aufl. von 1870 und der Zusätze aus dem Nach-
laß hrsg. v. M. Redeker. *Ges. Schr. XIII/1*, Göttingen 1970, S. 41;
XIII/2, S. 53), ist fraglich.
⁹ Wolf an Friedr. Wilh. Riemer, Br. v. 22. 11. 1807, bei Übersendung
eines Exemplars des „Museums" an Goethe (Reiter, S. [Hrsg.]: *Friedrich
August Wolf. Ein Leben in Briefen*. Stuttgart 1935, Bd II, S. 18); s. dazu
weiter oben. Vgl. auch Wolfs Hinweis im Vorwort der *Darstellung* S. 7
Anm. Gemeint sind Koch, E. J.: *Hodegetik für das Universitäts-Studium
in allen Facultäten*, Berlin 1792; ders.: *Encyklopädie aller philologischen
Wissenschaften*, Berlin 1793; Fülleborn, G. G.: *Encyclopaedia philologica*

sive primae linea Isagoges in antiquarium litterarum studia, Breslau 1798
(1805 neu hrsg. von J. S. Kaulfuß).

[10] Gürtler s. a. a. O.; *Friedr. Aug. Wolf's Encyclopädie der Philologie.*
Nach dessen Vorlesungen im Winterhalbjahre von 1798—1799 hrsg. und
mit einigen literar. Zusätzen versehen v. S. M. Stockmann, Leipzig 1831
(2. Aufl. 1845).

[11] *Hodegetik* S. X. 64—98. Die „Hefte" stammten wohl aus den Vorlesungen von 1789 oder 1791 (vgl. Körte, a. a. O., Bd II, S. 215).

[12] Vgl. auch Fülleborn, a. a. O., der aber die Reihenfolge Grammatik —
Kritik — Hermeneutik hat (S. 10—61).

[13] a. a. O., S. 70 f.

[14] Stockmann, a. a. O., S. VII.

[15] Gürtlers Nachschrift ist undatiert, geht aber in den Hinweisen über
Sekundärliteratur wie die Stockmanns über 1797 nicht hinaus und dürfte
deshalb aus dem gleichen Zeitraum stammen. Siehe auch die Rezension
der Hallischen A. L. Z. Jg. 1831, Nr. 38, Sp. 57. (Die „Zusätze"
S. 291—299 scheinen aus einer weiteren, inhaltlich identischen Vorlesung
zu stammen.) Der Wortlaut ist, wie der gesamte Aufbau, mit der Stockmann-Nachschrift nicht wörtlich, aber sachlich identisch. Die Gürtler-
Nachschrift ist übersichtlicher, ausführlicher und macht eher den Eindruck
einer wörtlichen Mitschrift, während die verknappende Stockmann-Nachschrift ohne einen philologischen Apparat nur schwer verständlich ist.

[16] Gürtler-Nachschrift S. 271 (nach der im Folgenden im Text zitiert
wird).

[17] Die „Zusätze" beginnen entsprechend: „Kunst lässt sich nur absehen.
Die Hermeneutik oder Auslegungskunst kann uns kein System von Regeln verschaffen. Hier ist, wie bei allen Künsten, das Nachahmen, was
zur Erlangung eigner Fertigkeit nothwendig ist ... Das, was über Hermeneutik gesagt werden kann, muss so eingerichtet werden, dass es auf Ausübung der Fertigkeit geht" (S. 291 f.).

[18] Die Überschriften der Gürtler-Nachschrift fehlen bei Stockmann, sind
also vielleicht vom Hrsg. eingefügt.

[19] „Hermeneutica generalis est disciplina signorum explicandorum"
(S. 292 — das Zitat kann ich nicht verifizieren). Die Zeichentheorie vertritt z. B. Meier, G. F.: *Versuch einer allgemeinen Auslegungskunst.* Halle
1757 (s. die Einleitung von L. Geldsetzer zur Neuherausgabe, Instrumenta Philosophica Series Hermeneutica I. Düsseldorf 1965, S. XVI ff.).
Wolf hielt dieses Buch für „wenig befriedigend" (S. 271).

[20] Wach, a. a. O., S. 72 f. weist an dieser Stelle auf Herder, Humboldt
und das „Einfühlungsvermögen" der Romantiker. Wichtig ist aber doch,
daß Wolf das hermeneutische Problem nicht merkte, das hier steckt.

[21] Erstaunlich ist an dieser Stelle der Mangel einer tieferen Begründung
für die Bevorzugung der antiken Texte.

[22] Noch Schleiermacher, der doch von der ersten Bemerkung an die
subtilitas explicandi (s. folg. Anm.) nicht zur Hermeneutik rechnet (*Her-*

meneutik, a. a. O., S. 31 — Manuskript von 1805), schreibt noch 1829 in Auseinandersetzung mit Ast: „Das Auslegen unterscheidet sich von dem Verstehen durchaus nur wie das laute Reden von dem innern Reden" (ebd. S. 154).

[23] Hier wird der Bezug auf Ernesti deutlich, der in seiner hermeneutica sacra („die einzige, die man mit Ehren erwähnen kann" S. 292) zwischen subtilitas intelligendi und subtilitas explicandi unterscheidet (Ernesti, J. A.: *Institutio Interpretis Novi Testamenti* ed. tert. Leipzig 1775). S. auch Stockmann-Nachschrift S. 165.

[24] Vgl. Riedel, M.: *Verstehen oder Erklären? Zur Theorie und Geschichte der hermeneutischen Wissenschaften.* Stuttgart 1978, S. 13; auch Gadamer, H.-G.: *Art. Hermeneutik.* In: *Historisches Wörterbuch der Philosophie.* Hrsg. v. J. Ritter, Darmstadt 1974, Bd. III, Sp. 1061—1073, hier Sp. 1064.

[25] Bernhardy, G.: *Grundlinien zur Encyklopädie der Philologie.* Halle 1832 unterscheidet zwischen formaler (= grammatischer), objektiver (= sacherklärender) und synthetischer (= ästhetisch wertender) Hermeneutik. Bernhardy — der sich einleitend auf Wolfs Vorlesungen beruft — hat diese 1817/18 gehört (Volkmann, R.: *Gottfried Bernhardy.* Halle 1887, S. 4); er rezensierte Gürtlers Edition (Hallische A. L. Z. 1831, Sp. 49—62). Boeckh unterscheidet grammatische, historische, individuelle und generische Interpretation (Boeckh, A.: *Encyklopädie und Methodologie der philologischen Wissenschaften.* Hrsg. v. E. Bratuscheck. Leipzig 1877, § 17, wobei er nicht auf Wolf, sondern auf Schleiermacher fußt.

[26] Vgl. Keil, K. A. G.: *Lehrbuch der Hermeneutik des neuen Testamentes nach Grundsätzen der grammatisch-historischen Interpretation.* Leipzig 1810. Als „abschließende Theorie" kam dieses Lehrbuch, wie Dilthey treffend feststellt, angesichts von Schleiermacher und Ast „zu spät" (Dilthey, W.: *Leben Schleiermachers* II/2, *Ges. Schr. XIV/2.* Hrsg. v. M. Redeker, Berlin 1966, S. 648). Vgl. zur Sache noch Ebeling, G.: *Art. Hermeneutik.* In: RGG³ III, 1959, Sp. 254 f.

[27] Vgl. etwa G. Bernhardys Sammelrezension in: Philologus 2. Jg., 1847, S. 362—378; Theile, K. G. W.: *Art. Interpres, Interpretation, Interpretiren.* In: Allg. Encyclopädie der Wissenschaften und Künste. Hrsg. v. J. S. Ersch, J. G. Gruber, II/19. Leipzig 1841, S. 365—374.

[28] *Museum der Alterthums-Wissenschaft.* Hrsg. v. F. A. Wolf und Ph. Buttmann. Erster Band. Berlin 1807, S. 1—145 (= *Kleine Schriften in lat. und deutscher Sprache.* Hrsg. durch G. Bernhardy. Bd. II, Halle 1869).

[29] *Museum* S. III—IX.

[30] Schrader, W.: *Geschichte der Friedrichs-Universität zu Halle.* Erster Teil. Berlin 1894, zu Wolf s. S. 434—462, 467—470.

[31] Siehe dessen Brief v. 28. 11. 1806 (WA IV, 19, S. 235 ff.; Bernays, M.: *Goethes Briefe an Friedr. Aug. Wolf.* Berlin 1868, S. 69 f., 110 f.). S.

auch Schmidt, F.: *Goethe über die ,historische Kritik' Fr. A. Wolfs*. In: DVfLG 44 (1970) S. 475—488.

[32] S. 126—129. 133—137 Anm., dort anonym aus einem angeblichen Briefwechsel des Jahres 1788. In Wahrheit handelte es sich um Auszüge aus Humboldts — erst 1896 gedrucktem — Manuskript *Über das Studium des Alterthums, und des Griechischen insbesondere* von 1793 (Vgl. Humboldts Briefe an Wolf vom 23. 1. 1793 und 31. 3. 1793: *W. v. Humboldt's gesammelte Werke*, Bd. V, Leipzig 1846, S. 16 ff. 37 ff.; der Text in *W. v. Humboldts Ges. Schr.* Werke Bd. I. Hrsg. v. A. Leitzmann. Berlin 1903, S. 255—281; s. S. 255 und 433 f. zu Wolfs Abschrift). Unter den Zeitgenossen war Humboldts Mitautorschaft bekannt (s. Schleiermachers Brief an Boeckh vom 8. 3. 1808. *Briefwechsel Schleiermachers mit Boeckh und Bekker*. Mitteilungen aus dem Litteraturarchive in Berlin. N. F. 11. Berlin 1916, S. 20), während überraschenderweise der (freilich in Rom weilende) H. selbst nichts von ihr ahnte (s. seinen Brief an Schleiermacher vom 12. 3. 1808: *Im neuen Reich* 5, 1875/II, S. 891 f.).

[33] Wolf bezieht sich zustimmend und zitierend auf Schelling, F. W. J.: *Vorlesungen über die Methode des academischen Studium*. Tübingen 1803 (S. 52, 97 f.), dessen Mittlerrolle auch in der Geschichte der Hermeneutik nicht unterschätzt werden darf.

[34] *Hermeneutik*, a. a. O., S. 133 f., 137.

[35] Zustimmend zitiert Wolf Humboldt: „Die Betrachtung der Werke des Alterthums ist gewiß dann am fruchtbarsten, wenn man nicht sowohl auf *sie selbst* sieht, als auf *ihre Urheber* und die *Perioden,* aus denen jedes herstammt. Nur diese Betrachtungsart kann zu wahrer philosophischer Kenntniss des Menschen führen, in sofern sie uns nöthigt, den Zustand und die gänzliche Lage einer Nation zu erforschen und alle Seiten davon in ihrem großen Zusammenhang aufzufassen" (S. 127 Anm., Sperrung dort). Also auch hier liegt kein Umschlag von der Werk- in eine Autor-Hermeneutik vor, wie es zunächst den Anschein haben könnte, sondern von einer ästhetischen oder moralischen Betrachtungsweise in eine historische.

[36] Bernhardy gibt im ,Vorbericht' der *Kl. Schriften* Wolfs (a. a. O.) Bd. I, S. XVII positive Urteile von Niebuhr und Humboldt wieder. Vgl. Fuhrmann, a. a. O., Anm. 3, S. 229. Zu Schleiermacher s. dessen Brief an Boeckh vom 8. 3. 1808 (a. a. O., S. 17 f.). Das schärfste — und ungerechteste — Wort stammt von Fr. Schlegel: „Philistergeschreibe" (Körner, J.: *Krisenjahre der Frühromantik* I. Bern 1935, S. 538).

[37] Brief an Schleiermacher v. 9. 2. 1808 (a. a. O., S. .13); vgl. auch *Encyklopädie*, a. a. O., S. 39 ff., 64.

[38] So Bursian, C.: *Geschichte der classischen Philologie in Deutschland von den Anfängen bis zur Gegenwart*. Erste Hälfte. München, Leipzig 1883, S. 521, vgl. S. 540.

[39] Mit Recht macht aber Flashar, der als Objekt der Hermeneutik bei Wolf den Autor ansieht, darauf aufmerksam, daß nicht die Sache (eines

theologischen oder juristischen Kanons) Gegenstand des Verstehens ist
(a. a. O., S. 22 f.).

[40] *Hermeneutik*, a. a. O., S. 132. Vgl. *Athenaeum. Eine Zeitschrift* von
A. W. Schlegel und F. Schlegel, Bd. I/2. Berlin 1798, S. 197 f.

[41] ebd. S. 124.

[42] S. 127.

[43] S. 126.

[44] Zur traditionellen Ansiedlung der Hermeneutik in der Logik s. Geldsetzer, a. a. O., S. X ff. und Jäger, H. E. H.: *Studien zur Frühgeschichte
der Hermeneutik*. In: Arch. f. Begriffsgeschichte 18 (1974) S. 35—84. Der
Vorschlag, der grammatischen und historischen Interpretation noch eine
philosophische hinzuzufügen, findet sich auch bei H. C. A. Eichstädt in
der Edition von Morus, S. F. N.: *Super Hermeneutica Novi Testamenti.
Acroases Academicae*. Leipzig 1797, S. 7 (Hinweis bei Dilthey: *Leben
Schleiermachers* II/2, a. a. O., S. 704). Wolf führt dieses Werk des Morus,
den er sehr schätzt (Gürtler-Nachschrift S. 272), nicht an.

[45] Meier, a. a. O., S. 6 (§ 9) unterscheidet „vernünftige Auslegung" (interpretatio logica erudita, philosophica) von der sinnlichen, d. h. ästhetischen Auslegung. Das spiegelt sich bei Wolf in dem nachklappenden
„Die philosophische (sc. Erklärung) begreift auch die ästhetische unter
sich" (S. 276, unverbunden nebeneinander S. 285). In der Stockmann-
Nachschrift S. 166 heißt es freilich lapidar: „Der Philosoph wird nach
logischen und ästhetischen Grundsätzen die Schriftsteller prüfen".

[46] *Hermeneutik* ed. Kimmerle, a. a. O., S. 125.

[47] Vgl. Herrmann, J.: *Friedrich Ast als Neuhumanist. Ein Beitrag zur
Geschichte des Neuhumanismus in Bayern*. Diss. phil. München 1912;
Willimczik, K.: *Friedrich Asts Geschichtsphilosophie. Im Rahmen seiner
Gesamtphilosophie*. Mon. z. phil. Forschung 48, Meisenheim 1967. Weitere Lit. bei Patsch, H.: *Friedrich Asts ,Krösus' — ein vergessenes Trau-
erspiel aus dem Kreis der Jenaer Romantik*. In: *Geist und Zeichen*. FS
für Arthur Henkel, hrsg. v. Anton, H., Gajek, B., Pfaff, P., Heidelberg
1977, S. 305—319.

[48] De *Platonis Phaedro. Inclutae Societatis Latinae Jenensis auctoritate.
Accessit epistola H. C. A. Eichstadii*. Jenae 1801 (mir nicht zugänglich).
Siehe Schleiermachers Rezension, in: Jonas, L., Dilthey, W. (Hrsg.): *Aus
Schleiermacher's Leben. In Briefen*. Bd. IV, Berlin 1863, S. 573—579.
Vgl. — auch zum Folgenden — meinen in Anm. 47 genannten Aufsatz
S. 307 ff.

[49] In: *Philologie. Eine Zeitschrift*, hrsg. v. C. V. Hauff, 2. St., Stuttgart
1803, S. 219—264. (Es existiert eine — noch ungedruckte — Übersetzung
des *Euthyphron* von Fr. Schlegel, die in der Krit. Ausg. erscheinen soll.)
Vielleicht wollte Ast sich mit dieser Übersetzung dem Schlegel-Schleier-
macherschen Platon-Projekt andienen. Beratungen Schlegels mit Ast sind
bezeugt (s. *Aus Schleiermacher's Leben*. Bd. III, a. a. O., Anm. 8, S. 270,
295).

[50] *Sophokles Trauerspiele. Uebersetzt.* Leipzig 1804.

[51] *System der Kunstlehre oder Lehr- und Handbuch der Aesthetik zu Vorlesungen und zum Privatgebrauche entworfen.* Leipzig 1805. Man muß dabei beachten, daß A. W. Schlegels, Schellings wie Schleiermachers, Hegels, Solgers Vorlesungen über Ästhetik zunächst ungedruckt blieben!

[52] *Epochen der griechischen Philosophie.* In: *Europa. Eine Zeitschrift.* Hrsg. v. F. Schlegel II/2, Frankfurt/M. 1805, S. 63—81; *Grundlinien der Philosophie,* Landshut 1807, ²1809 (künftig zit.: *Gesch. d. Phils.*); Entwurf der Universisalgeschichte. Landshut 1808. Vgl. dazu die Monographie von Willimczik (Anm. 47).

[53] *Ueber den Geist des Alterthums, und dessen Bedeutung für unser Zeitalter.* Landshut 1805 (Asts Antrittsrede in Landshut)

[54] *Zeitschrift für Wissenschaft und Kunst* I—III, Landshut, München 1808—1810.

[55] *Grundriß der Philologie.* Landshut 1808. 592 S. [künftig zit.: *Philologie*].

[56] Landshut 1808. 228 S. [künftig zit.: *Grundlinien*].

[57] *Platon's Leben und Schriften.* Leipzig 1816. *Platonis quae extant opera.* 9 Bände und 2 Bde. Kommentar. Leipzig 1819—32.

[58] Leipzig 1835—1838 (Nachdrucke 1908 und 1956). Vgl. Sandys, J. E.: *A History of Classical Scholarship.* Vol. III. N. York ²1964, S. 112.

[59] *Zeitschrift für Wissenschaft und Kunst* I, 3, 1808, S. 76 (anläßlich der Rezension von Schlegels *Ueber die Sprache und Weisheit der Indier* von 1808).

[60] Lit.: Wach, J.: *Das Verstehen* I, a. a. O., S. 31—62; Weimar, K.: *Historische Einleitung zur literaturwissenschaftlichen Hermeneutik.* Tübingen 1975, S. 111—116; Szondi, P.: *Einführung in die literatische Hermeneutik* (Studienausgabe der Vorlesungen Bd. 5), Frankfurt/M. 1975, S. 137—158; Flashar, a. a. O., (Anm. 3).

[61] S. Asts Brief vom 3. 8. 1806 (an Creuzer?) (Euphorion, 1. Ergänzungsheft 1895, S. 189 f.).

[62] Darauf hat Körner, a. a. O. (Anm. 6), S. 12 ff. besonderen Wert gelegt.

[63] Dahlmann, H. (Hrsg.): *Briefe Friedrich Creuzers an Savigny (1799—1850).* Berlin 1972, S. 213 (Br. v. 9. 5. 1807). Siehe auch Creuzers Urteil über Ast anläßlich des *Systems der Kunstlehre:* „Er hat mehr Tiefen, als die meisten Leute unseres Fachs. Desto mehr wünschte ich aber, daß er sich selbst einen Weg suchte, statt zu treu auf der *Schlegelschen* Bahn zu wandern. Durch diese Richtung verliert er oft das Lob der Originalität, die er haben könnte" (*Die Liebe der Günderode. Friedrich Creuzers Briefe an Caroline von Günderode.* Hrsg. u. eingeleitet v. K. Preisendanz. München 1912, S. 226 — Br. v. 6. 2. 1806).

[64] *Kritische Friedrich Schlegel Ausgabe,* II. Abt., Bd. XII: *Philosophische Vorlesungen* (1800—1807), 1. Teil. Hrsg. v. J.-J. Anstett. Mün-

chen 1964, S. 1—105. Vgl. Körner, J.: *Friedrich Schlegel. Neue philosophische Schriften.* Frankfurt/M 1935.

⁵⁵ Dilthey, W.: *Leben Schleiermachers* II/2, a. a. O. (Anm. 26), S. 657 ff., 700 f. sowie neuerdings Szondi in seiner instruktiven Darstellung (a. a. O. Anm. 60). Ehe man Ast einen Schellingianer nennt, wie in der Philosophiegeschichtsschreibung üblich (aber auch schon unter den Zeitgenossen: siehe den Rezensenten der *Philologie,* Oberdeutsche Allgem. Literatur-Zeitung LXXVIII, 14. July 1808, Sp. 94), sollte man ernst nehmen, daß Ast Schellings Philosophie ablehnte und in seinem eigenen Entwurf zu überbieten dachte (*Geschichte der Philosophie* S. 477—491). Ast nannte die Tendenz und den Geist seiner Philosophie „platonisch, ohne daß das Ganze, in seiner Ausführung gedacht, dem Platon nachgebildet wäre" (Vorrede 1809 der 2. Aufl. der *Grundlinien der Philosophie*).

⁶⁶ Vgl. Marquard, O.: *Art. Geist.* In: *Histor. Wörterbuch d. Philosophie* Bd. III, a. a. O., Sp. 182—191.

⁶⁷ *Gesch. d. Phils.* S. 2.

⁶⁸ In: *Studien.* Hrsg. v. C. Daub und F. Creuzer. Erster Bd. Frankfurt und Heidelberg 1805, S. 1—22, hier S. 14. Nach der Lektüre des Astschen Werkes weiß Cr. ganz entsprechend nur zu vermelden, daß Ast immer auf den *Geist* in der Philologie dringe, „da die jungen Leute heut zu Tag doch leider nichts als eben den Geist haben wollen, ohne sich um den Buchstaben zu bekümmern" (an Savigny, Br. v. 31. 5. 1808, a. a. O., S. 246).

⁶⁹ s. Körner, a. a. O.

⁷⁰ Schelling, F. W. J.: *Vorlesungen über die Methode des akademischen Studiums,* a. a. O. (Anm. 33), Ende der dritten Vorlesung.

⁷¹ Vgl. Fichte, J. G.: *Grundlage der gesammten Wissenschaftslehre* (1794) (Ges. Ausg. d. Bayer. Akad. d. Wiss., hrsg. v. R. Lauth, H. Jacob, Bd. I/2, Stuttgart 1965, S. 335, 396 u. ö.); ders.: *Versuch einer neuen Darstellung der Wissenschaftslehre* (1797/98) (Ges. Ausg. I/4, 1970, S. 175, 183 f., 230); Fichtes Brief an K. A. Böttiger v. 2. 4. 1794 (III/2, 1970, S. 93); Hegel, G. W. F.: *Differenz des Fichteschen und Schellingschen Systems der Philosophie* (1801) (Jub.-Ausb., hrsg. v. H. Glockner, Bd. I, Stuttgart 1927, S. 33); vorsichtig F. Schlegel in seiner Rezension von Fichtes Auseinandersetzung mit K. Chr. E. Schmid (1796; Ges. Ausg. I/3, S. 235—266), wo er fordert, daß die Auslegung Kants nach dem Geist „nicht gesetzlos und willkürlich werde" (KSFA I/8: *Studien zur Philosophie und Theologie.* Hrsg. v. E. Behler, U. Struc-Oppenberg. München 1975, S. 26 — Rez. v. 1797). Kant wollte natürlich, daß „die Critik (sc. der reinen Vernunft) allerdings nach dem Buchstaben zu verstehen ... ist" (A. L. Z. Intell. Bl. v. 28. 8. 1799, Sp. 877; ohne Fundort b. Cassirer, E. (Hrsg.): *Imm. Kants Werke,* Bd. VIII, Berlin 1922, S. 515 f.).

[72] Ges. Ausg. I/4, S. 231 Anm.

[73] *Athenaeum. Eine Zeitschrift* v. A. W. Schlegel und F. Schlegel, I/1, Berlin 1798, S. 200.

[74] Körner, a. a. O., S. 17. Zur Lehre von Geist und Buchstaben bei Schlegel s. Patsch, H.: *Friedrich Schlegels „Philosophie der Philologie"* *und Schleiermachers frühe Entwürfe zur Hermeneutik.* In: Zs. f. Theol. u. Kirche 63 (1966) S. 434—472, hier S. 454 ff.

[75] *Grundlinien* S. 191 f.

[76] *Philologie* S. 1—3; *Grundlinien* Vorrede.

[77] *Grundlinien* S. IV.

[78] Ebd. S. V.

[79] S. VI f.

[80] *Grundlinien der Philosophie* S. 106.

[81] *Philologie* S. 1.

[82] *Gesch. d. Phils.* S. 10 ff., vgl. S. IV f. (Vorwort von 1809); *Philologie* S. 40; *Grundlinien* S. 170 f. Dieses Gesetz gilt auch innerhalb der einzelnen Perioden, wie Ast zuerst in der *Europa* (s. Anm. 52) und dann immer wieder darzulegen sich bemüht hat. In der programmatischen Landshuter Antrittsrede stuft Ast Orient — griechische Welt — römische Welt — christliche Welt ab, verzichtet also noch auf den Blick in die Zukunft (*Ueber den Geist des Alterthums,* a. a. O., S. 8 f.).

[83] *Ueber den Geist des Alterthums* S. 4 f.

[84] *Philologie* S. 6; *Geist d. Alterthums* S. 28 f.

[85] *Philologie* S. 8.

[86] Ich fasse hier *Philologie* S. 8 f. und *Gesch. d. Phils.* S. 11 f. zusammen.

[87] Vgl. etwa *Grundlinien* S. 5 f.; *Gesch. d. Phils.* S. 3; *Philologie* S. 39 f.; *Zs. f. Wissenschaft u. Kunst* I/1, 1808, S. 16 f.

[88] *Philologie* S. 33 f.

[89] Ebd. S. 33.

[90] *Grundlinien* S. 216 f.

[91] Die Paragraphen- und Seitenangaben im Text beziehen sich immer auf die *Grundlinien.* (Die §§ 69—93 S. 165—212 sind nachgedruckt bei Gadamer, H.-G., Boehm, G. (Hrsg.): *Seminar: Philosophische Hermeneutik.* Frankfurt/M 1976, S. 111—130).

[92] Flashar, a. a. O. (Anm. 3), S. 26 weist auf die vorplatonische, dann von Platon ausgestaltete und über den Neuplatonismus in den deutschen Idealismus gelangte Auffassung „Gleiches zu Gleichem".

[93] Vgl. Maraldo, J. C.: *Der hermeneutische Zirkel* (Symposion 48). Freiburg, München 1974.

[94] Daß der Schriftsteller unbewußt, wenngleich in Freiheit, produziere, ist ein alter Gedanke Asts. Vgl. *Allgemeine Betrachtungen über das Wesen der schönen Kunst.* In: Neue Bibliothek der schönen Wissenschaften und der freyen Künste, Bd. 63/2, Leipzig 1800, S. 179—233, hier S. 203 f., 210 ff.

[95] Daß Ast zwei Verstehenstheorien miteinander kombiniert, hat Weimar — der das für einen Denkfehler hält — überzeugend herausgearbeitet (a. a. O. Anm. 60, S. 113 ff.).

[96] Heidegger, M.: *Sein und Zeit*. 9. Aufl. Tübingen 1960, S. 153.

[97] Als Beispiel für einen „empirischen" Schriftsteller, der auf der Stufe der „Anschauung" stehen geblieben ist, führt Ast Herodot an (§ 86, vgl. *Philologie* S. 184 ff.), bei den „logischen" Schriftstellern, die auf der Stufe des „Begriffs" beharrten, gibt er keine Beispiele.

[98] Außerordentlich kennzeichnend ist Asts gewundene Argumentation, wenn er Homers Gesänge „dem Geiste und der Dichtung nach von Einem Dichtergeiste" abstammen lassen will, aber — Wolfs Homer-Kritik nachgebend — die „Form und Darstellung im Einzelnen" späteren Rhapsoden konzidiert (*Philologie* S. 67).

[99] „Verderbliche Nebelei und Schwebelei", sagt Schleiermacher (*Hermeneutik* ed. Kimmerle, S. 153).

[100] Ebd. S. 141—156. Lediglich anläßlich der dreifachen Auslegung sagt Schleiermacher, daß diese eigentlich nur eine sei, die Hermeneutik des Sinnes, „indem die des Buchstaben keine ist und die des Geistes so fern sie nicht in der des Sinnes aufgehn kann, auch über das hermeneutische Gebiet hinausgeht" (S. 155).

[101] Boeckh lehnt den Astschen Entwurf, obgleich darin „unverkennbar viel Gutes" sei, wegen „zu viel Schwärmerei und Künstelei" ab (*Encyklopädie*, a. a. O., Anm. 25, S. 38). Vgl. ders.: *Von dem Uebergange der Buchstaben in einander. Ein Beitrag zur Philosophie der Sprache*. In: *Studien*. Hrsg. v. C. Daub, Fr. Creuzer. Bd. IV, Heidelberg 1808, S. 358—396, wo B. sich mit Asts Grammatik auseinandersetzt. — Positiv ist die Besprechung in der Oberdeutsche(n) Allgem. Literatur-Zeitung CXIII v. 11. Okt. 1808 Sp. 629—634, ablehnend die Rez. in der N. Leipz. Lit. Ztg. 1810 Sp. 66—80.

[102] Anläßlich der Rez. von Boeckhs *Encyklopädie* führt Steinthal 1878 den Gedanken des hermeneutischen Zirkels gegen B. auf Ast zurück (*Kleine sprachtheoretische Schriften*, neu zusammengestellt v. W. Bumann. Hildesheim, N. York 1970, S. 550 Anm.) In *Die Arten und Formen der Interpretation* (ebd. S. 532—542) läßt er seine eigene Ansicht aus der Prüfung von Ast, Schleiermacher und Boeckh erwachsen sein.

Norbert W. Bolz

Friedrich D. E. Schleiermacher:
Der Geist der Konversation und der Geist des Geldes

> „Was ist herrlicher als Gold?" fragte
> der König. „Das Licht," antwortete
> die Schlange. „Was ist erquicklicher als
> Licht?" fragte jener. „Das Gespräch,"
> antwortete diese.
>
> Goethe, Das Märchen

In einem eigentümlichen Aphorismus versichert sich Schleiermacher
der Vereinbarkeit von „hermeneutischer Beschränkung" des Lesers
und unermeßlicher „Bedeutsamkeit" des Heiligen in den kanoni-
schen Schriften. Ihre Bedeutsamkeit erschließt sich einer exegetischen Arbeit, die, wie es der große Hermeneut des Römerbriefs an
Calvin bewunderte, die Mauer der Geschichte auf jenes redende
Subjekt transparent macht, das noch den heutigen Leser als Gesprächspartner anzureden vermag, sofern dieser die innere Spannung der dargebotenen Begriffe aktualisiert[1]. Nun haben die
Texte des Paulus, in denen das Christentum erstmals die Signatur
allgemeinen Verkehrs und *absoluter Gemeinschaft* annahm, seit je
den Interpreten vor Probleme gestellt, die auf eine Selbstverständigung der hermeneutischen Arbeit drängen. In Paulus erweist sich
das Christentum als „ein potenzierender Sprachgeist", der eine
Bruchlinie in den Diskurs der hellenischen Wahrheit legt, Sprachen
mischt und neue Begriffe prägt[2]. Kraft eines dialektischen, pole-
mischen Gebrauchs wendet Paulus die vorgegebene Terminologie
neu und verschiebt die Bedeutung der Begriffe in einem subtilen
Spiel ihrer *Nebenbedeutungen* — das heißt Schleiermacher eine
Sprache potenzieren. „So findet sich also gerade in der Darstellung
der Hauptwahrheiten der uneigentliche Gebrauch." Überdies
schreibt Paulus in *epistolarischer* Form, das heißt die Gedankenrei-
hen werden allein vom Selbstbewußtsein des Subjekts kontinuiert;
weshalb ihr Verständnis vom heutigen Leser fordert, den Autor zu
vergegenwärtigen[3]. Vielleicht liegt in dieser Problemkonstellation
der neutestamentlichen Spezialhermeneutik schon das zentrale
Postulat des Schleiermacherschen Verstehensbegriffs beschlossen.

Die epistolarische Form des Paulus korrespondiert einer historischen Seelenzeit, die den Brief als Form der entfalteten Innerlichkeit kultiviert. Dem Empfindsamen ist der Brief das phanta-
stische Medium einer reinen Menschlichkeit gewesen: weiches Material des Seelenabdrucks, Raum eines *Seelenbesuchs*, eines Spiels von
Neugier und Selbstbeobachtung. Die hier zur Lebensform erhobene, in fortschreitender Wechselwirkung operierende sokratische
Seelenforschung bildet in Schleiermachers System eine präzise Entsprechung zum auratischen „Beseelenwollen"[4], in dem das Subjekt
seine Welt mit dem hermeneutischen Vermögen belehnt. Wenn die
Welt nicht von sich aus den Blick aufschlägt, erscheint es sinnvoll,
im Mißverständnis nicht die Ausnahme und im Verstehen etwas zu
sehen, das „gewollt und gesucht" werden muß. Diesen strengen
hermeneutischen Willen charakterisiert das asketische Postulat,
umwillen eines vollen Verstehens von anderem, sich von sich selbst
loszumachen[5]. Gerade auch die Intention des Interpreten unterliegt dem hermeneutischen Verdacht. So paart sich in für Schleiermacher charakteristischer Weise der hermeneutische Wille, alles
ausdrücklich zu verstehen und als verstehbar wahrzunehmen, mit
einem gleichsam apriorischen Verdacht. Daß Hermeneutik „sich
auf den Verdacht versteht", nennt ihren kritischen Index. So regt
sich Verdacht stets in dem, der ausdrücklich verstehen will. Hermeneutik entwickelt seine Technik[6]. Schon der Zwölfjährige weiß
sich von „einem wunderbaren Skeptizismus" gegen die Echtheit
antiker Texte getrieben. Und bedeutsamer als die bekannte biographische Tatsache, daß sich Schleiermacher aus den Stürmen des
Skeptizismus in die Mystik des Herrnhuters höherer Ordnung
salviert hat, scheint der philologische Weg dieser Rettung: „den
väterlichen Glauben zu sichten und Gedanken und Gefühle zu
reinigen von dem Schutte der Vorwelt". So setzt er dem agonalen
Studium „das geduldige Abhören aller Zeugen" entgegen[7]. Er
nimmt Rede und Schrift ins Kreuzverhör. Liebevoll und feindlich
zugleich instauriert er die Wissenschaft dessen, was die alltägliche
Rede contre coeur vom Verborgenen des Herzens bekennt. „Wollen wir nun genau verstehen, so müssen wir wissen, mit welchem
Grade von Lebendigkeit der Redende seine Ausdrücke hervorgebracht" — das ist die hermeneutische Perspektive der Innerlichkeit,
in der sich der vom Denkprozeß bestimmte „Sprachgehalt" eines
Wortgebrauchs bestimmen soll. Es bedarf nun eines spezifisch hermeneutischen „Tacts", um den „Farbton" zu charakterisieren, der
lebendigen Wortgebrauch vom Umlauf eines „abgegriffenen Zei-

chens" abhebt. Ziel der hermeneutischen Übung ist es, die kunstmäßige Schulung des Takts in die zweite Natur des Verstehenden
zu verwandeln. Schleiermacher spricht von „einer bewußtlosen
Anwendung der Regeln, ohne daß wir das Kunstmäßige verlassen
hätten"[8]. Historiker der Konversation haben schon für das
17. Jh. einen Übergang im Gespräch vom geistreichen Genuß zur
hermeneutischen Anstrengung konstatiert. Zunehmend apperzipiert
man die Rede des anderen als Rätsel, das dechiffriert, Geheimnis,
das erraten, Täuschung, die zerstört werden muß. Das hermeneutische Erraten sublimiert die Ergründung des feindlichen Gegenüber. Was sich derart bei Baltasar Garcián noch auf der Ebene
von höfischem Spiel und Intrige zutrug, wird bei Schleiermacher
zum bürgerlichen Ernstfall. Seine „neue Ohrentechnik", Hermeneutik genannt, markiert das Ende der zerstreuten Apperzeption.
Nun schuldet jede Rede dem Deuter Bedeutung[9]. Daß „philologische Unschuld" nicht mehr zu haben ist, verweist auf einen hermeneutischen Sündenfall der Rede, die sich nun dem entschlossenen
unermüdlichen Willen ausgesetzt sieht, „zwischen den Worten zu
hören", „zwischen den Zeilen (zu) lesen" und „alle leisen Andeutungen weiter (zu) verfolgen". Von nun an interveniert eine diplo-
matische und intrigante Ohrentechnik bei alltäglichsten Reden:
„ich ergreife mich sehr oft mitten im vertraulichen Gespräch auf
hermeneutischen Operationen, wenn ich mich mit einem gewöhnlichen Grade des Verstehens nicht begnüge, sondern zu erforschen
suche, wie sich wohl in dem Freunde der Übergang von einem Gedanken zum andern gemacht habe, oder wenn ich nachspüre, mit
welchen Ansichten, Urteilen und Bestrebungen es wohl zusammenhängt, daß er sich über einen besprochenen Gegenstand grade so
und nicht anders ausdrückt." Diese hermeneutische Leidenschaft
scheint Schleiermacher durch sein Leben begleitet zu haben. Schon
in den Religionsreden fordert er die Symphilosophen dazu auf, die
ineffabilen Individuen unter „das Mikroskop der Freundschaft zu
legen"[10].
Hier zeigt sich, daß die Hermeneutik ihren Anspruch auf Autonomie mit der konstitutiven Rezeptionsbeziehung geistiger Objektivationen begründet: diese sind, was sie sind, nicht an und für sich,
sondern kraft der Beziehung, *die der Beschauer hineinlegt,* der als
Leser den Autor erweitert, als Verstehender zugleich produziert,
was er versteht. Dabei gewinnt die Technologie des Verstehens eine
ästhetische Selbständigkeit, weil die Applikation der hermeneutischen Maximen sich einer gesetzlichen Regelung entzieht. Takt,

Sprachtalent und hermeneutische Erfahrung sind Elemente des Verstehens als Kunst und „selbsttätige Produktion"[11]. Zweifellos liegt in dieser Autonomisierung der Hermeneutik ein entscheidender Fortschritt im Bewußtsein der Freiheit zu Texten, die nun dem Leser nicht mehr als kanonisch und institutionell geschützt, das heißt mit normativem Anspruch entgegentreten. Wo sich das Verstehen als universal und selbständig setzt, bricht es den Absolutismus dogmatischer Deutungsansprüche, indem es Diskussion *mitsetzt*. Die hermeneutische Beschränkung vor der unbegrenzten Bedeutsamkeit des Heiligen zeigt sich in ihrer profanen Gestalt als Verzicht auf authentische Deutung. In diesem Sinn hat Ernst Troeltsch den „Verzicht auf jeden Absolutismus" als Signatur des Schleiermacherschen Denkens bestimmt[12]. Er liberalisiert die exegetische Praxis, indem er die hermeneutisch transzendentale Frage historisiert. Daß das Aposteriori konkret zum Apriori wird; daß, nach Fichtes Formel, das Ästhetische den transzendentalen Standpunkt zum gemeinen macht, sofern in ihm das Gegebene nur so *gegeben* wie es *gemacht* ist, hat Friedrich Schlegel schon 1797 viel prägnanter formuliert: *„Elementar* ist das Historisch *Transcendentale."* — „Die transcendentale Historie ist das System aller Individuen"[13]. Indem sich die Frage nach den Bedingungen der Möglichkeit einer hermeneutischen Frage historisch versteht, bricht sie das exegetische Dogma, ohne jedoch relativistisch den systematischen Anspruch der Deutung preiszugeben. Schleiermachers autonome Hermeneutik intendiert ein historisches System der Textindividuen.

Doch wer versteht? Bekanntlich zog Schleiermacher Weihnachten 1797 mit Friedrich Schlegel zusammen. Freunde nannten die Sympraxis „eine Ehe", in der Schleiermacher „die Frau sein" müsse. Ironisch hat dieser das Scherzwort durch eine Idiosynkrasie bestätigt: Schlegel, dem Mann, mangle der Sinn für die „feinen Äußerungen schöner Gesinnungen, die oft in kleinen Dingen unwillkürlich das ganze Gemüt enthüllen"[14]. So treibt das Weib in Schleiermacher (zur) Hermeneutik.

Die Frauen der Salons, die, weil sie sich an gesellschaftlichen Fragen desinteressieren, den Stand der gebildeten Menschen am reinsten darstellen, figurieren als „Stifter der besseren Gesellschaft" und „Virtuosinnen in dem Gebiet der freien Geselligkeit". Denn Divination heißt die weibliche Zauberkraft, sich in einen anderen zu verwandeln, um ihn in seiner Individualität unmittelbar aufzufassen: je eigentümlicher einer ist, desto empfänglicher für alle anderen — das ist die Formel der divinatorischen Synthesis von Allgemeinem und Besonderem[15].

Abseits vom bürgerlichen Leben des Mannes figuriert, wie die Frau, das Kind im Zentrum der Schleiermacherschen Lehre. Wie seine Abhängigkeit von der Mutter das Realmodell der Religion, bildet seine Aneignung von Wortbedeutungen das der Hermeneutik. „Wie lernt man ursprünglich verstehen? Es ist die schwierigste Operation und die Grundlage aller anderen und wir vollbringen sie in der Kindheit"[16]. In jedem Augenblick des „Nichtverstehens" kehrt die Urszene des kindlichen Spracherwerbs wieder und führt zurück an jene hermeneutische Schwelle, die zu überschreiten je und je nur der „divinatorischen Kühnheit" des Kindes gelingt. Diese eigentümlich potenzierte passive Aktivität meint der Begriff Divination: „die innere Beweglichkeit zur eignen Erzeugung, aber mit der ursprünglichen Richtung auf das Aufnehmen von andern"[17].

Man wird nun verstehen, warum Friedrich Schlegel Divination als Geist der Kritik bestimmt hat: Divination ist die noch unbestätigte und darum *vorläufige* Theorie. Die aus ihr geborene Kritik charakterisiert das Ideal ihres Gegenstands. So hat die frühromantische Kunstkritik das Divinationsvermögen hermeneutisch profaniert: es fügt die gegebene Rede der „zusammenhängenden Erfahrung" des Interpreten ein. Wenn Schleiermacher in seinen Manuskripten zuweilen *profetisch* durch *divinatorisch* ersetzt, möchte die Korrektur also deutlich machen, daß jede Prophetie zur Charakteristik des Innern eines Menschen, jedes „Erraten der individuellen Kombinationsweise eines Autors" der demonstrativen Darstellungsform sich nicht fügt. Hermeneutik behauptet[18].

Wenn Schleiermacher etwa als Ziel seiner Hallenser Lehrtätigkeit „das eigentliche Nachconstruieren" des Neuen Testaments nennt, so soll dieses sich von philologischer Pedanterie methodisch fernhalten; es bringt den Text — wortwörtlich — zum Sprechen. „Wenn jedes Sprechen ein lebendiges Reconstruieren wäre, so brauchte es keine Hermeneutik zu geben". Mit anderen Worten: Der Interpret rekonstituiert den Autor als Leser seiner selbst. Die hermeneutische Rekonstruktion einer Rede ist analytisch, sofern sie, als „Theorie des einzelnen", „den Prozeß der Bildung rückwärts konstruieren" muß[19]. Das frühromantische Modell für Charakteristik und hermeneutische Rekonstruktion erstellt die chemische Analyse, darin ein Individuum in Elemente zerfällt, die dann neu kombiniert werden können. Chemische Zerfällung in

Redeelemente soll das Prinzip ihrer diskursiven Verknüpfung freilegen — ist dies „das tiefste Geheimniß der Individualität"? Und
welche Rahmenbedingungen determinieren das chemische Experi-
ment mit der Rede? Jede hermeneutische Operation verknüpft
bestimmte Redehorizonte, sofern jener chemischen Zerlegbarkeit
eines Sprachindividuums die diachrone und synchrone *Teilbarkeit*
der Sprache korrespondiert. Die Rahmenbedingung der Möglichkeit von Interpretation und hermeneutischer Konstruktion nennt
Schleiermacher den „Vorwerth der Sprache"[20]. So erweist sich
jede historische Position des Geistes als eigentümlich und nur das
Bewußtsein ihrer Ergänzungsbedürftigkeit schützt sie vor Einseitigkeit. Schleiermachers Hermeneutik bricht den modernen Bann
des Präsentismus: sie aktualisiert nicht, sondern konstituiert „eine
lebendige Wechselwirkung aller Zeiten und kehrt oft zur Untersuchung und Darstellung des Alten zurück, weil teils das Alte nicht
selten die überraschendsten Aufklärungen über das Neuere gewährt, teils auch jede bedeutende neue Erscheinung ein neues Licht
auf noch nicht völlig verstandene frühere Bestrebungen zurück-
wirft"[21].
Von selbst versteht sich nichts mehr, und nichts, was das Verstehen
betrifft, ist mehr selbstverständlich. Kunstvoll führt Schleiermacher, indem er auf das nichtverstehende Subjekt zentral reflektiert, den cartesischen Zweifel in die Hermeneutik ein. Tritt dem
Bewußtsein die Rede des anderen in apriorischer Fremdheit gegenüber, so ist die hermeneutische Aufgabe universal geworden. Irre-
duzibles Nichtverstehen sei schon dadurch gesetzt, daß das Sein
eines Einzelnen immer auch „das Nichtsein der anderen ist"[22]. In
für Schleiermacher charakteristischer Verkennung der frühromantischen Einsichten in die Psychologie des Traums — Novalis hat an
ihm die hermeneutischen Qualitäten des Divinatorischen, der An-
verwandlung und der freien, poetischen, „auf Assoziationsord-
nung" beruhenden Bedeutung abgelesen — gilt dieser als Modell
des keiner Konnexionsregel folgenden „rein Unverständlichen" im
„freien Spiel der Vorstellungen"[23]. Die Definition des hermeneutischen Objekts als eines „Ineinander des Verstehbaren und Nichtverstehbaren" bliebe trivial, würde sie nicht eine Dialektik von
Nicht- und *Besser*verstehen urgieren. Indem der Interpret, mit
hermeneutischer Erfahrung und historischem Wissen gewappnet,
den blinden Fleck des Nichtverstehbaren umkreist und sich sukzes-
siv „in den Schriftsteller *hinein*bildet", zielt er auf ein *erhöhendes*
Verständnis, „das den Schriftsteller selbst überbietet"[24]. Dieses

hermeneutische Überbietungsverhältnis strukturiert der Interpret aber als immanente Reflexion seines Gegenstandes. Dem ästhetischen Postulat der frühromantischen Kunsttheorie, daß ein modernes Werk sich selbst darzustellen und zu kritisieren habe, entspricht hier ein hermeneutisches: das Unbewußte der Produktion im Bewußtsein der Deutung zu verwandeln. Im Interpreten wird der Autor „reflektierend sein eigener Leser". Deshalb ist die hermeneutische Rekonstruktion *unbefangener* als ihr Gegenstand, dessen *genaues Interesse* in letzter Instanz von der Interpretation bestimmt wird[25].

Jeder „Sprechakt" ist „wie der Lebensakt", den er darstellt und dem er in seiner Konstitution korreliert ist, individuell. Deshalb muß der Interpret das Kombinationsvermögen, das ein Sprechakt bekundet, „als individuelle Natur" zu charakterisieren suchen. Vom spezifischen Gehalt einer Rede weiß er zunächst und zumeist nur „durch die Gewalt, die der Einzelne in der Sprache ausübt". Zwar erweist sich die Individualität und Eigentümlichkeit einer Rede als „etwas nicht zu Beschreibendes", doch hinterläßt sie beschreibbare Spuren und Prägemale im Material der Sprache[26]. Der Hermeneutiker kann die Siegel charakterisieren, doch hält er niemals das Petschaft in Händen. Indessen deutet er jede Prägung als Totalexistenz, als — um es mit der hier zuständigen lebensphilosophischen Formel zu sagen — immanente Totalität einer Lebensverwirklichung im Sprechakt. Hermeneutisch darf in diesem Sinn das Vermögen heißen, an einem diskursiven Faktum das „Cachet des Unvergleichbaren" wahrzunehmen[27]. Hier spricht sich eine Ethik des radikalen Andersseins aus, der in der Dimension der Innerlichkeit die Verheißung ungeteilter reiner Sichselbstgleichheit korrespondiert. Es ist nun aber entscheidend zu sehen, daß das Individuelle nicht das bloß Persönliche, sondern — nach dem Realmodell einer von Vernunft durchdrungenen Natur — dessen *ethisierte* Gestalt ist. Auf die hier verborgene, theologisch voraussetzungsvolle Dialektik Schleiermachers, die im Namen einer „Wiedergeburt der Individualität" das „Opfer der Subjektivität" bringt, hat Fr. Kaulbach hingewiesen[28]. Sie erinnert an die theologische Herkunft des hermeneutischen Denkens, die bekanntlich stets Zukunft bleibt. „Die deutsche Prosa neigt sich zur *Charakteristik geistiger Gefühle* und *Eindrücke*", bemerkt Friedrich Schlegel. „Das Deutsche ist die eigentliche Sprache der Religion." Denn es hat die Innerlichkeit der *Empfindsamen* expliziert und sich so zum Organon innerer Erfahrung und Eigenart einer Rede umgeschaffen. Das historisch ausgebildete psychologische Raffinement der deutschen Prosa, ihre Erfahrungsseelenkunde, läßt sie zur Geburtsstätte einer universalen Hermeneutik werden. „Religion ist innere Empirie und das ist eigentlich der Sinn von Schleiermachers Theorie"[29].

Stil, nach Goethes Wort „ein treuer Abdruck" des Innern, ist deshalb der Focus des hermeneutischen Interesses. Er läßt sich nicht auf den Begriff bringen und nur durch die Kenntnis des ihn ausprägenden *Charakters* verstehen. Dem Blick auf die Eigenart des Stils zeigt sich, daß „jedes Werk darauf ausgeht eine eigene Terminologie zu bilden". Denn in ihm drückt sich, kraft bestimmtester Individualisierung der Sprache, ein je unübertragbarer Gehalt aus[30]. In Schleiermachers Lehre figuriert nun das Unübertragbare als ein aufzuhebendes und doch notwendiges. „Die Unübertragbarkeit ist die Grenze der Gemeinschaft." Und die lebendige Diskontinuität des Selbst. Im Prozeß des Erkennens interveniert diese Eigentümlichkeit als *Gefühl*, als je eigenes Selbstbewußtsein eines „besondern Daseins" schließt sie „alle anderen" aus[31]. Am Gegenpol der „Formel" trägt sie den Bildcharakter der Sprache — auch das Klangbild des Tons. So wird nur der das Individuelle einer Rede verstehen, vor dem sie den Blick aufschlägt; der sie als Gebärde wahrnimmt. Stil ist das Antlitz der Rede.

> Wir können nie ein Individuelles durch die Sprache ausdrücken, außer inwiefern es als Bild oder in einer Reihe von Bildern dasteht. Eine Persönlichkeit kann nie durch eine Definition wiedergegeben werden, sondern wie im Roman oder Drama nur durch das Bild (...) der gesamte Zyklus individueller Bilder muß die Unvollkommenheit des allgemeinen Wissens ergänzen[32].

Manfred Frank hat sehr deutlich gezeigt, wie die Rede kraft individualisierender Konstellation und Kombination von Sprachelementen eine immanente Transzendenz gewinnt. Es geht Schleiermacher demnach um eine an Leibniz gewonnene dynamische Konzeption des principium individuationis der Sprache[33]. Sie rechnet zur romantischen Arbeit der Individualisierung, in der eine Antwort auf die neuzeitliche Erfahrung historischer Zeit gesehen werden kann: wenn Zeit sich unaufhörlich wandelt, wird dasselbe von Verschiedenen verschieden apperzipiert und muß individualisiert werden. Nun wird schon klar geworden sein, daß sich in solch individuellen Verkörperungen eine Dialektik von Universalisierung und Verinnerlichung zuträgt. Von ihr schließt Schleiermacher auf die Repräsentationskraft des Einzelnen, ohne sich doch zu verbergen, daß dieser seinen integralen Verkörperungsanspruch nur im geschützten Bereich der Innerlichkeit stabilisieren kann[34].

Entscheidend nun, daß Schleiermacher das Verhältnis von Unübertragbarkeit und Kommunikation, von Individualität und Universalität nicht dialektisch antithetisch faßt — vielmehr sei alles einzelne „eingewurzelt in größern Individualitäten". Wenn er also fordert, den Schriftsteller „aus seinem Zeitalter zu verstehen", so zielt er, als „Basis der persönlichen", auf die „National- und Säkular-Individualität". Dem Ideologem der Einwurzelung entspricht die soziologische Abkunft des Begriffs Unübertragbarkeit aus der „Sphäre des Eigentums". Das feste, vom *unschönen* Geld noch unberührte Eigentum ist Schleiermachers Realmodell der Individualität.

> Daher kann man nun im Allgemeinen sagen, der Charakter der Eigenthümlichkeit heftet sich mehr an das Beharrliche, Substantielle, die Kraft, der Charakter der Gemeinschaftlichkeit mehr an das Wechselnde, die einzelne Thätigkeit, das Resultat der Oscillation. Daher vorzüglich an den Leib und den Grund und Boden. Diese sind das Gegenstück zum Geld. Daher auch Maaßstab der sittlichen Kultur ist die genaue Correlation zwischen beiden, und daß es nichts repräsentire als ihre Thätigkeiten[35].

Geld, das Dasein des reinen Tauschwerts, empfindet Schleiermacher noch schmerzlich als Antithese zum *persönlichen* Wert, dem die Sprache dort Asyl gewährt, wo sie Stil zeigt: die Bedeutsamkeit der geprägten Form.

„Daß die Sprache das Eigentum des Menschen konstituiert", begründet den Vorrang der Poesie als der „Kulmination" des derart dem Menschen durch Sprache Eigenartigen. Das Poetische ist die immanente Transzendenz der Sprache, kraft der sie die Kluft der Inkommensurabilität von Einzeln-Innerem und starrem Sprachelement überbrückt — es ist die sprachliche Kunst des Übergangs, die sich der „verschwebenden Mannigfaltigkeit" des geistigen Seins gewachsen zeigt; die schöne Anstrengung, das, was sich nicht sagen läßt, dennoch zu sagen: mit Worten und ihrer Konfiguration der schlechthinnigen Einzelheit des Bildes zu entsprechen.

> Die Sprache ist nicht gemacht, die Bestimmtheit des Einzelnen zu geben, aber der Dichter zwingt sie dazu, und daß er dies erzwingt, ist seine Meisterschaft. Die Sprache besteht aus der Kombination fest gewordener Elemente, sie kann also auch eigentlich nur in sich Wechselnde nicht darstellen, der Dichter zwingt sie aber dazu auf indirekte Weise, und dies ist eben seine Meisterschaft. Dieses letztere hat seine Beziehung auf die innerliche Veränderlichkeit des

Seins, und jenes hat seine Beziehung auf die bestimmte Vereinzelung. Beides liegt eigentlich unmittelbar außerhalb der Eigentümlichkeit der Sprache, und nun beides durch die Sprache hervorzubringen, ist die Aufgabe des Dichters[36].

Die oppositionellen Bestimmungen Bild und Formel, Individuelles und Universelles, Eigentümlichkeit und Allgemeinheit scheinen auf eine dialektische Vermittlung zu drängen — doch Schleiermacher vermeidet sie kunstvoll. Es geht ihm, anders als Hegel, gerade nicht um die Bewegung eines Sichselbstgleichen in der Reflexion-in-sich, nicht um die Selbstvermittlung des Einen mit seinem Anderen. Statt dessen visiert er im Begriff der Oscillation eine Synthese, die in sich *antithetisch* strukturiert ist. Oscillation steht, im Gegensatz zu Vermittlung, im Zentrum einer Theorie der unvollendeten Welt. Sie hält den Gegensatz von Idealem und Realem, Organisieren und Erkennen, personaler Eigenart und natürlicher Gattungsidentität stets offen. So definiert Schleiermacher in einem Brief an Jacobi (30. 3. 1818) das Oscillieren als allgemeine Form des Endlichen. Es gilt, darin eine *ironische* Form der Vollendung jenes lebendigen Gegensatzes zu sehen, wie sie im frühromantischen Diskurs unter dem Titel *Bildung* begegnet. Deren „antithetische Synthesis" charakterisiert ein Individuum, dessen „Innres eine fortgehende Kette der ungeheuersten Revoluzionen" darstellt. *Religiöse* Energie heißt, was „diesen Wechsel und Kampf" perpetuiert: „Stete Reihe innrer Revoluzionen, und zwar periodisch"[37]. Nichts anderes meint Schleiermachers Bestimmung der Stellung des Bewußtseins zur Objektivität „als Oscillation zwischen Aufhebung und Wiederherstellung des Gegensazes". Antithetische Synthesis, Oszillation ist Schleiermachers Schema des kombinatorischen Vermögens und seine Schlüsselformel für die „zwiefache Totalität" des Bewußtseins, zu der die für das Sein der Ideen charakteristische Identität von Darstellen und Erkennen im Endlichen zerfällt. Dieses Zerfallen und jenes Oszillieren erweisen sich als komplementäre Ansichten desselben Prozesses[38], dessen kognitive Entsprechung im *erweiternden Schweben* der Reflexion zu sehen ist, die man einmal Skepsis genannt hat.

Auch den Begriff der Gesellschaft konstruiert Schleiermacher nach dem Schema antithetischer Synthesis: Mannigfaltigkeit der Abweichung ist die Signatur ihrer Vollkommenheit - dem Geselligen ist „eigentlich nichts gemein, sondern alles ist wechselseitig, das heißt eigentlich entgegengesetzt". In der Wechselwirkung suchen sie ihre immanente Vollendungsform und den sozialen Ort ihrer *Syn-*

konstruktionen. Man muß sich die Forderung Friedrich Schlegels, nicht mit allen zu symphilosophieren, sondern nur mit denen, die *à la hauteur* sind, vergegenwärtigen um zu verstehen, was es heißt, die Geselligen frei „en rapport (zu) setzen"[39]. Man muß auf der Höhe der Zeit einer Gesellschaft sein, um die anderen so zu *berühren*, daß sie ihr Eigentümliches *offenbaren* und das Eigentum der Einzelnen sowohl *aufschließen* als auch anerkennen. Ausdrücklich fundiert Schleiermacher die Geselligkeit in einer Dialektik von Offenbarung und Anerkennung des Eigentums, das, als das Unübertragbare in eine freie Koordinationsbeziehung tritt. Diese bricht die „Verschlossenheit des Daseins" auf, indem sie das Eigentümliche durch gesellige „Ergänzung" offenbart/aufschließt[40]. Den Bannkreis des bürgerlichen Berufs durch Ergänzung sprengen, heißt, das Individuum kraft seiner geselligen Entäußerung von den Eigenarten der anderen „durchschneiden" lassen. „Das echte Dividuum ist auch das echte Individuum". Diese Bereitschaft des Einzelnen, sich von den Beziehungen zu anderen durchschneiden zu lassen, als *zerlegbarer chemischer Stoff* die soziale Reagenz zu riskieren, erweist Schleiermacher als Bedingung der Möglichkeit „geselliger Krystallisation"[41]. Er initiiert in den „neuen Wunderraum", dessen geistige Abmessungen der großen Studie Gerhard Kaisers zu entnehmen sind. Wie im Pietismus das Vaterland nach innen schlug und der Staat eine subjektivierte radikal vergeistigte Doppelexistenz annahm, so kehrt bei Schleiermacher der Wirtschaftsliberalismus des freien Spiels der Kräfte, draußen als Trug durchschaut, drinnen miniaturisiert und unerkannt als Realmodell der Geselligkeit wieder.

> Jeder einzelne realisiert in der Vollendung seiner Persönlichkeit einen neuen, potentiellen Gehalt der Gemeinschaft und dient damit noch im Individuellsten der Gemeinde. Je mehr Individualitäten, um so vollkommener die Darstellung der Gemeinsamkeit in den vielfältigen und reichen individuellen Spiegelungen[42].

Im Gemeinschaftsgehalt der Individualität soll eine neue Lebensform geselliger Innerlichkeit fundiert werden. So ergehen Reden über Reden, denn diese Innerlichkeit ist objektlos und deshalb total verbalisiert.

Was mag an solchem unendlichem Sprechen begeistern? Zunächst suspendiert die permanente Diskussion die Staats- und Marktgesetze und instauriert im gebildeten Kreis Geselligkeit als privilegierten Ort darstellenden Handelns. Sodann, vom Staat getrennt und prononciert apolitisch, weiß sich freie Geselligkeit als ästhe-

tisch bestimmte „Darstellung des Individuellen" in seiner Allgemeinheit: „der Grundidee des Menschen selbst"[43]. Die ästhetische Konstruktion der Geselligkeit nähert jede Tätigkeit dem Kunstwerk und versteht diese Verkehrsform als Kunstform des Lebens. Ihre Schönheit opponiert Schleiermacher wie die Bestimmungen des Substantiellen und Eigentümlichen der daseienden Abstraktion: dem Geld. Es liegt jener etwas ungelenken Konzeption einer koordinativen Gegenseitigkeit von Unübertragbarem (Eigentum) die Absicht zugrunde, die Herrschaft der Äquivalenz von Tauschwerten zu brechen. Auch scheint Schleiermacher des gesellschaftlichen Doppelcharakters der Tauschsphäre innegeworden: im „weiten Umkreise des großen europäischen Marktes" — ökonomische Basis auch der hermeneutischen Universalisierung, „wo alles sich kennt und alles gleichsam in denselben Hallen lustwandelt", formiert sich, unter dem Zwang der Tauschabstraktion, ein allgemeines Schema der Identität, das den ungesellig-gesellschaftlichen Verkehr reguliert. Die Sprache spiegelt dies im „Formelwesen": „Verkehr mit Worten ohne Anschauung"[44]. Vor babylonischer Verwirrung in erstarrter Terminologie möchte Schleiermachers hermeneutische Geselligkeit schützen, ohne daß recht deutlich würde, wie eine lebendige Einheit von *idealer* und *materieller Kommunikation,* von Handel und Sprachhandeln real zu konstituieren wäre. Der Analogienzauber zeigt jedoch, daß Schleiermacher seine Hermeneutik Aug in Aug mit der gesellschaftlichen Entwicklung konzipiert hat. Indessen blieb ihm das lösende kritische Wort versagt. Idealistisch hat er Warentausch und Arbeitsteilung aus der Partikularität des Einzelnen deduziert und als „einzige ethische Form" seiner fragmentarischen Selbstdarstellung gewürdigt. Doch äußerst scharfsinnig durchschaut er den Zusammenhang zwischen geistiger Differenzierung und fortschreitender Arbeitsteilung, ja verspürt deren Effekt noch im sublimsten Kulturbereich: als „Idiosynkrasie"[45].
Privilegiertes Medium der hermeneutischen Operationen ist das Gespräch, als dessen Geheimnis Kierkegaard die *Aneignung* bestimmt, die Gesprochenes — nach dem Modell der Predigt — einer Innerlichkeit assimiliert. Darin bekennt Schleiermacher sein Herrnhutersches Erbe: Isolation bedrängt ihn sogleich als *Stumpfsinn* und ohne *herzliches Gespräch* heißt ihm das Leben nicht Leben. Daß er sich überdies dem Femininen bis zur Exzentrik zuneigte, ließ einen Leser vermuten, „daß das, was wir Schleiermacher nennen, nicht ein natürliches Wesen ist, sondern ein Züchtungsprodukt"[46]. Die theologische Abkunft dieses Konzepts aus dem

Selbstverständnis der Reformation als eines großen Gesprächs bestätigt Schleiermacher, wo er die Vollkommenheit einer Schrift —
nach dem Prototyp der Einen Heiligen — mit ihrer Dialogizität
gleichsetzt. Schon in den Gesprächen über die Religion hat er die
Reden des Judengotts mit seinem Volk als Urmodell hermeneutischen Lebens gewürdigt: die Lektüre der heiligen Bücher initiiere
ins Große Gespräch. Demgemäß wäre der theologische Index des
dialogischen Subjekts, das Schleiermachers Hermeneutik stets als
angeredetes konstituiert, zu bestimmen. Das Gespräch bestimmt
das Sein. Dessen Minimum bildet eine irreduzible Zweiheit der
Stimmen; was noch das scheinbar solitäre reine Denken als Selbst-
gespräch bestätigt[47]. Das gesellige Gespräch entfaltet die innere
Polyphonie der Sprache, so zwar, daß sich in ihm der hermeneutische Wille gegen den zum Wissen richtet — genauer: gegen dessen
atomisierende Tendenz. Mit anderen Worten: In jeder diskursiven
Produktion eines Wissenskontinuums ist jener dem Gespräch eigentümliche hermeneutische Wille am Werk[48]. Denn *an sich* ist alles
Wissen diskontinuierlich, ein Austausch der Rede so unmöglich wie
die Einheit einzelmenschlicher Erfahrung imaginär. Schleiermacher
indessen konstruiert, wohl als einer der ersten, aus dieser Unmöglichkeit eine neue Kommunikationsform: Er setzt das Dunkle als
den Dritten im Gespräch. Was sich nicht sagen läßt, ist gerade, was
die Menschen zueinander zieht, ins Gespräch bringt. Um es un-
eigentlich zu sagen: So kommt man zueinander. Aber zu nichts.
„Den deutschen Romantikern ist eine originelle Vorstellung eigentümlich: das ewige Gespräch"[49]. Es ist Medium schlechthin. Ent-
scheidungsloses Spiel der Oszillation. Bedenkt man, daß sich die
gleichzeitige gegenrevolutionäre katholische Staatsphilosophie auf
den Begriff der Dezision vereidigt, so gewinnt die Theorie des
Gesprächs einen präzisen historischen Index. Das Tabu über mi-
mische Expressivität bereitet wohl schon im 17. Jh. eine Hermeneutik der Konversation vor. Sie soll kompensieren, was die fort-
schreitende Überlagerung von Ausdrucks- durch Eigentumswerte
den Menschen an gesellschaftlicher Unsicherheit gebracht hat. Diese
Krise des *Gemüts* findet für Schleiermacher im Geistesleben der
Großstadt Berlin wohl ihre äußerste Zuspitzung. Schon zeichnet
sich ein das Individuelle nivellierendes, vom sachlichen Stil der
Geldwirtschaft geprägtes Leben ab. Mit der körperlichen Nähe des
Betriebs wächst die geistige Distanz — hier interveniert die Her-
meneutik des geselligen Lebens. Empfindlich reagiert sie auf die
Entsprachlichung der modernen Kleinfamilie und den fatalen Tri-

umph des intimen Privatlebens über die geselligen Affekte[50]. Das
ist die gesellschaftliche Ursache der „Hemmung", aus der man —
weit über das von Schleiermacher an Ort und Stelle Intendierte
hinaus — sagen kann, daß ihr das Gespräch entspringt. Dieses in
seiner Alltäglichkeit fassen, heißt für Schleiermacher, der eigentlichen hermeneutischen *Virtuosität* innewerden.

Die Erinnerung daran, daß Samuel Johnson schon Mitte des
18. Jh. im *Idler*, einem Zentralorgan der räsonnierenden Öffentlichkeit, über *Wettergespräche* reflektierte, mag Schleiermachers
Intention verdeutlichen: „Es wird geredet, weil die Sprache sich
nur in der Kontinuität der Wiederholung erhält. Was aber nur
schon vorhandenes Gewesenes wiederholt, ist an sich nichts. Wettergespräche. Allein dies Null ist nicht das absolute Nichts, sondern
nur ein Minimum. Denn es entwickelt sich an demselben das Bedeutende"[51]. Die hermeneutische Nullinie markiert den Bereich
des Äquivalententauschs: Auf dem Warenmarkt wird „die Rede
regelmäßig wie ein Ball abgefangen und wiedergegeben". Dagegen
steht *das Bedeutende,* in dem sich der „reale Lebensgehalt des Subjekts" sedimentiere. Wo der Einzelne „aus sich selbst redet", besetzt er den Gegenpol zum Für-anderes-Sein der Tauschsphäre.
Was ins Gespräch eingeht, ist eine diskursive Tatsache seiner „Individualität"[52]. In diesem Sinne unterstreicht Friedrich Schlegel in
seinen Reflexionen über den platonischen Dialog, die er offenbar
der mit Schleiermacher gemeinsam gefüllten *Gedankenschachtel*
entnahm, daß der Leser/Hörer in der Entfaltung des echten Ge-
sprächsgewebes zugleich die „Sprechenden selbst in lebendiger
Eigentümlichkeit dargestellt" finde. Erst indem der Darstellende
zum Moment der Darstellung wird, gewinnt das Gespräch den
Charakter eines sich wechselseitig erregenden Gedankenaustauschs.
Dann ist es *rhapsodisch,* das heißt bewußt fragmentarisch, *biegsam*
und — im Sinne des transzendentalen Schwebens der romantischen
Reflexion — *geflügelt.* Das romantische Gespräch lizenziert das
Springen (jeder Satz kann zum *Satz* werden) und verfugt gerade
dadurch unterschiedliche Redetypen[53]. Als Gespräch konzipiert
Schleiermacher auch das Verhältnis von Autor und Leser. Dieser
tritt mit jenem *in mündliche Verhandlung.* Bedeutsam ist hierbei
nicht das juristische Modell der Gerichtsverhandlung, sondern die
in ihm chiffrierte Tendenz zur ästhetischen Neutralisierung jeder
Autorität zur Interpretabilität. „Schleiermacher entdeckt — indem
er die Bibel als Literatur unter anderer Literatur versteht — als

Grundsituation der pluralisierend-literarischen Hermeneutik die
Gesprächsgesellickeit des *unendlichen Gesprächs*"[54].
Indessen hat sich Schleiermacher, bei aller Betonung des Vorrangs
der Rede, gegen die Eigenlogik der Schriftgeschichte nicht verblen-
det; er deutet sie als Tradition und Gedächtnis der Sprache. Zum
Gedächtnis tritt sie aber dort in Gegensatz, wo sie qua kommuni-
kative als Zirkulationsmittel „analog dem Gelde" dient: „Mitteilung durch Schrift allein ohne lebendige Dialogik wird immer tot."
Jede hermeneutisch unbeseelte Schrift ist ein „Mausoleum des Geistes". Wer es sprengen will, muß sich sprechend *entäußern*, das
heißt „wirklich aus den Grenzen der Persönlichkeit heraustreten
und Anderen angehören"[55]. Schrift verhält sich zum Wort wie
die Geste zum Ausdruck: als abstrakte Repräsentation. Verstehen
heißt deshalb, die Geste beseelen, das Wort entdinglichen. Geselligkeit ist das Medium der beseelten Gestik. Schleiermacher ist schon
früh im Kontext der Schlegelschen Formreflexionen dessen innegeworden, daß „die einförmigen Zeichen" der Schrift zum letalen
Medium werden, wenn es dem Denken nicht gelingt, „durch ver-
vielfältigte Reflexion" in einer mehrschichtigen Darstellungsform
das sprechende Subjekt selber zu vergegenwärtigen. Deshalb ist
dem frühen Schleiermacher nichts wichtiger als das *Daß* der Rede[56].
Mimik, „der Ausdruck des Eindrucks, welche die Rede des anderen
macht", ist es, was dem Gespräch seinen hermeneutischen Vorrang
vor der Schrift sichert. Die Apperzeption der Gesichtsbewegungen
liest den Ausschlag des hermeneutischen Seismographen ab. Groß-
artig die Einsicht Schleiermachers, daß die simultane Wahrnehmung des Eindrucks, den die eigene Rede macht, schon ihren nächsten Ausdruck modifiziert. Hier wird hermeneutisch konkret, wie
sich in redender Manifestation der Einzelne kraft seiner Darstellung des Individuellen den anderen zur Anerkennung darbietet.
Auch was an Wissen ins Gespräch eingeht, wird derart den anderen
in der Darstellung *hingegeben*. Wissen hat Darstellungssinn[57] und
ist kein Depositum der Innerlichkeit. Auch darf Schleiermachers
Primat der Rede in Gesellickeit durchaus als — wenn auch ohn-
mächtiger — Protest gegen die beschleunigte Produktion von *Le-
ser-Innerlichkeiten* am Anfang des 19. Jh. gedeutet werden. Dem
Gespräch stellt sich die Aufgabe einer „redenden Besonderung" des
Einzelnen, darin dieser zugleich seine Intention auf Allgemeinheit
darstellt[58]. Eine philosophische Grundlegung der Schleiermacherschen Hermeneutik hätte den unkörperlichen Materialismus dieser
redenden Besonderung zu explizieren. Sie markiert die prekäre

Position eines Protests gegen Buch(staben)gläubigkeit, die seit je im
Dienst eines formalistischen Rationalismus stand. Heute offenbaren uns Ethnologen die ganze Zweideutigkeit der Schrift, die primär Agentur von Versklavung und Ausbeutung, sekundär erst eine
des Geistes gewesen ist. Idiosynkrasie gegen Schrift wittert den
Betrug und die Gewalt der Integration: „die systematischen Bemühungen der europäischen Staaten um die Einführung der Schul-
pflicht, die sich im Lauf des 19. Jahrhunderts durchgesetzt hat,
gehen mit der Erweiterung des Militärdienstes und der Proletari-
sierung einher. Der Kampf gegen das Analphabetentum brachte
eine verstärkte Kontrolle der Bürger durch die Staatsgewalt mit
sich. Alle müssen lesen können, damit die Staatsgewalt sagen kann:
Unkenntnis des Gesetzes schützt nicht vor Strafe"[59]. Schrift *integriert* und nivelliert. Indem sie Sprache auf eine Kommunikation
reduziert, der es allein um den Ausgleich von Informationsgefällen
geht, trägt sie zur sozialen *Desintegration* bei. Dieser Dialektik
von Integration und Desintegration möchte Schleiermachers redende Besonderung Einhalt gebieten. So hat er, der wohl viel besser
redete als schrieb, seine Schwäche in Produktivkraft umgeschaffen:
Wenn er einmal notiert, daß ihm das Schreiben „ein großes Elend"
sei, bei dem nur „kritische Späne" abgefallen seien, so hat er doch
mit jener *Eisenfeile* philosophiert, die den frühromantischen Frag-
menten ihre unnachahmliche Gestalt gab. Kritische Späne: das sind
die Lehrjahre der hermeneutischen Arbeit (statt Resultate), die
Geschichte der Entstehung (statt des Systems selbst), chaotische
Einzelheiten — doch ein fruchtbares Chaos.
Im Versuch, hermeneutisch mit der gesteigerten Lebensgeschwindig-
keit um 1800 Schritt zu halten, ist Schleiermacher auf charakteristische Formen der Verkürzung gestoßen. „Ellipsen sind Zeichen
des zunehmenden Lebens. Man hat nicht mehr so viel Zeit sich
aufzuhalten"[60]. Ganze, ausformulierte Sätze werden unzeitge-
mäß und widersprechen der Redeökonomie, die fordert, verstandene Elemente einer Rede auszulassen und in anaphorischer Referenz *proxy forms* zu substituieren. Der *Ellipse* entspricht präzise
das disambiguative *Supplement* des jeweiligen Redekontexts; sie ist
das dynamische Element des Gesprächs, seine kombinatorische
Kraft. Die Ellipse „dekomplettiert, um ideelle Totalitäten zu ermöglichen — doch jedes mit ihrer Hilfe gewonnene Ganze bleibt
von der Spur des ursprünglichen Ausfalls geprägt"[61].
Das sprachliche Spiel von Ellipse und Supplement scheint vom
„Gefühl eines Eingewurzeltseins" des Einzelnen in einer Totalität

grundiert. Schleiermacher spricht einmal vom „Sichselbstnichtsoge-
setzthaben"[62] und bestimmt es als allseitige (Marx) Abhängigkeit
von der arbeitsteiligen Gesellschaft. Das wesentlich integrale Gefühl, das Schleiermacher als supplierende Kraft des Diskurses einführt, antwortet also auf eine konkrete soziale Totalitätserfah-
rung. Es ersetzt die in einzelmenschlicher Darstellung stets unmögliche Vollständigkeit[63]. Vom Geheimnis des Gefühls erhellt eini-
ges aus der Szene am Bett des zu Tode kranken Schleiermacher, der
Opium bekommt und nun in seinem Inneren die „göttlichsten Momente" erlebt — nämlich die Einheit des Spekulativen „mit den
innigsten religiösen Empfindungen"[64]. Nicht anders steht es um
die vom Opium der Innigkeit Berauschten. Das so affirmativ ge-
deutete Gefühl schlechthinniger Abhängigkeit als einer teleologischen ist das unmittelbare Bewußtsein eines transzendenten Anderen, jenseits von Selbst- und Objektbeziehung. Es „markiert eine
grundlegende Defizienz im Begriff der Subjektivität selbst"[65].
Jeder einzelne ist zerstückten Wesens und der Ergänzung bedürf-
tig. Die menschliche Gestalt, die — ethisch wie empirisch — je nur
in charakteristischer *Verbildung* erscheint, muß zum Idealen sup-
pliert werden. Dabei korrespondiert der Ersatz der Entäußerung,
wie das Supplement der Ellipse. Korrelativ zum frühromantischen
Imperativ der Mitteilung gilt für Schleiermacher, daß „keiner ohne
Ersatz sich entäußern soll". Nun wird verständlich, warum für die
romantische Hermeneutik die scheinbar sekundären Werkformen
— Rede, Studium, Projekt und Fragment — ins Zentrum der Aufmerksamkeit rücken: Sie sind *ergänzend*, progressiv und *zentrie-
rend*[66].
Indessen erweist sich Schleiermachers Supplement doch immer wieder als Surrogat: Innerliche Geistesbewegung dort, wo es an (der)
Wirklichkeit mangelt — das große Als-ob, mit dem der innerlich
Handelnde von der ganzen Welt Besitz zu nehmen meint und dem
das äußere Leben bestenfalls Bestätigung des Inneren, meist jedoch
Substanzverlust anzeigt. Schleiermacher und das Surrogat. So hat
ihn Kassner gesehen. Geht die hermeneutische Lehre darüber hinaus? Darüber entscheidet ihr Begriff der Einheit.
Die Urfrage der Schleiermacherschen Hermeneutik zielt auf „die
wahre, vollkommene Einheit des Wortes". Daß diese sich sprach-
empirisch nicht rein darstellen läßt, gründet in der Kombinatorik
des Wortgebrauchs. Stets ist das Wort Medium von Übergängen
und Focus von Beziehungen. Die „einzige wahre": „die Eine Bedeutung" eines Wortes ist immer nur Resultat einer hermeneu-

tischen Reduktion. Die „logische Einheit" *in* ihm bleibt unübersetzbar.

> Die Einheit des Wortes ist ein Schema, eine verrückbare Anschauung. Man muß ja nicht den ersten Gebrauch mit der Bedeutung verwechseln. So wie das Wort durch die Beugungen von den Umgebungen afficirt wird, so auch seine Bedeutung[67].

Diese hermeneutische Reduktion auf die Einheit des Sinns hat Szondi als bestimmte Negation der alten Lehre vom mehrfachen Schriftsinn gefaßt. Verschieden sind von nun an nur die Weisen der Interpretation. Der Hemeneutiker muß versuchen, die latente Einheit des Wortes an der „Konfiguration seiner verschiedenen Bedeutungsnuancen" abzulesen. Als Möglichkeitsbedingung der hermeneutischen Reduktion gilt indessen, daß niemand etwas schreiben will, „was nicht einen geschlossenen Sinn gibt"[68]. Die *Einheit des Menschen* ist für Schleiermacher also nicht nur Telos der Deutung, sondern hermeneutisch transzendental. „Jeder Mensch hat seinen Ort in der Totalität des Seins, und sein Denken repräsentiert das Sein, aber nicht getrennt von seinem Ort"[69]. Daß dem Einzelnen die Repräsentation der Totalität nur als perspektivische gelingen kann, hat aber Konsequenzen für den „hermeneutischen Totalblick", der das Einzelverständnis fundieren muß: Jede Deutungskonstruktion bleibt der *coup* eines Einzelnen. Seine „Totalvorstellung" des Interpretandums perspektivisch. Deshalb rührt Hermeneutik in der Konstruktion der Idee des Individuellen als kombinatorischer Einheit an ihrer Grenze. Weil die Deutung immer nur eine „Totalität des Möglichen", nie aber das diskursive Faktum (re)konstituieren kann, nimmt sie kein Ende[70].

Am Ende eines vollendeten Verstehens gemessen, bleibt Schleiermachers hermeneutische Arbeit immer *vorläufig*. Sie läuft lesend vor zur Totalität des Sinns, so zwar, daß sie sich auf dem zweitbesten Weg, nämlich als provisorisch, weiß. Vorläufigkeit führt ab vom Königsweg der Einen Methode und faßt das Interpretandum in Werten, begleitet es kritisch in seiner historischen Entfaltung. Indem er von Detailfragen abstrahiert, gibt „dieser vorläufige hermeneutische Prozeß" eine Totalvorstellung vom Potential der Darstellung, indem er zu den *Grenzen des Zeitalters* vorläuft[71].

Das hat Heidegger zu Ende gedacht. Er agnosziert im Vorlaufen jenes *Sein zur Möglichkeit,* in dem sich jede verstehende Annäherung an ein Interpretandum halten muß. Der vor-läufig Verstehende ermöglicht eigentlich erst die Möglichkeit, in der er sich dann verstehen kann. Indem der Deutende seinen Text so versteht, daß

er sich *in* ihm als *eigenster* Möglichkeit versteht, emanzipiert er die
hermeneutische Arbeit von Autorität und Institution. Marquard
erläutert diese „Genesis des neutralen Lesers" bei Schleiermacher
mit der bedeutsamen Hypothese, daß „die Ausbildung des literarischen *Autors* nur im Schutze der neutralstaatlichen *auctoritas*"
möglich gewesen sei — Schleiermachers Hermeneutik als Produkt
des Zeitalters der Neutralisierung[72].

Der Begriff der Tradition steht für die Identität von Erfahrung
und Mitteilung ein: Aus Sprache empfangenes Wissen, das sich
seinerseits wieder in Sprache deponiert. Wer spricht, *hat* die
Sprache nicht, sondern wird zu ihrem Ort. Wer verstehen will,
steht nicht unmittelbar zur Rede, sondern erfährt sich als in den
herrschenden Sprachgebrauch verstrickt. Beständig reflektiert
Schleiermacher auf diese „leitende Gewalt der schon feststehenden
Form", die den Sprechenden schützt, aber seine Eigentümlichkeit
restringiert. Deshalb muß er „mit der Sprache arbeiten und gegen
sie kämpfen". So *antagonistisch* zeigt sich die Macht der Form dem
sprechenden Subjekt in ihr. Es ist Autor als „Typus" des Geisteslebens und „Organ der Form", deren „Grund im Leben" hermeneutisch bestimmt werden muß. Jeder „Entschluß zu einer Form" verwandelt das Subjekt der Rede in ihr Organ[73].

Indessen droht in der Macht der Form das letale *Formularwesen*,
der buchstäbliche Tod. Ihm wehrt eine hermeneutische Gebärde,
deren pietistisches Urmodell der Durchbruch vom Sündenstand zur
Gnade bildet. In unaufhörlicher Oszillation und Progression
kämpft Schleiermachers Eigentümlicher gegen die Entropie der
Kommunikation. Das hermeneutische Interesse gilt deshalb dem
„Bedürfnis des Moments", das im Kontinuum der Form intermittiert. Das Moment der Konzeption *unterbricht* „den alltäglichen
Zusammenhang des Lebens" und stellt es im Nu der Begeisterung
still. Aus dieser Kluft der Unterbrechung brechen „die lebendigen
Punkte" der Rede hervor — das lebendige Wort entspringt der
Formzäsur. In seiner unkörperlichen Materialität strahlt es vom
Einzelnen in seiner Eigentümlichkeit auf andere aus. So Schleiermacher[74]. Genauer gesehen hat hier der böse Blick Brunners: im
lebendigen Wort des Mystikers löst sich der Wahrheitsgehalt vom
Sachgehalt. Es ist sachlich unwahr, aber *lyrisch* wahr als Gabe aus
Sprechen. Jenes Hervorbrechen des Lebendigen in Konzeption wie
Zäsur der Rede „ist bloße Äußerung, Ejakulation, Glossolalie"[75].

Gewiß, das begeisterte Sprechen mag sachlich unwahr sein. Doch ist
es nicht erquicklicher als das Licht?

Anmerkungen

[1] Schleiermacher, *Hermeneutik*, hrsg. v. H. Kimmerle (zit.: Kim), Heidelberg 1959, S. 43. — K. Barth, *Der Römerbrief*, Zürich 1940, S. XI, XII. — W. Dilthey, *Leben Schleiermachers*, Anhang, Berlin 1870, S. 117: „Der echte historische Sinn erhebt sich über die Geschichte. Alle Erscheinungen sind nur wie die heiligen Wunder da, um die Betrachtung zu lenken auf den Geist, der sie spielend hervorbrachte."

[2] Kim 38; Schleiermacher, *Hermeneutik und Kritik*, hrsg. v. M. Frank (zit.: HK), Ffm 1977, S. 85, 90. — Y. Spiegel, *Theologie der bürgerlichen Gesellschaft*, München 1968, S. 60.

[3] HK 158, 163; 140, 131.

[4] *Schleiermachers Werke*, Zweiter Band, hrsg. v. O. Braun (zit.: AWII), Leipzig 1913, S. 216; vgl. J. Habermas, *Strukturwandel der Öffentlichkeit*, Neuwied, Berlin 1962, S. 66 f.

[5] HK 92, 91; 213.

[6] HK 256.

[7] F. W. Kantzenbach, *Schleiermacher*, Reinbek 1967, S. 12, 24, 29.

[8] HK 109; Kim 97; HK 76.

[9] *Die Kunst des Gesprächs*, hrsg. v. C. Schmölders, München 1979, S. 30, 49. — F. A. Kittler, *Vergessen*, in: U. Nassen (Hrsg.), *Texthermeneutik*, Paderborn 1979, S. 213.

[10] Kim 62; HK 315 f.; Schleiermacher, *Über die Religion*, Hamburg 1958 (zit.: ÜR), S. 149; 28 („zwischen den Zeilen lesen").

[11] M. Frank, *Das individuelle Allgemeine*, Ffm 1977, S. 351 ff. — H. Patsch, *Friedrich Schlegels ‚Philosophie der Philologie'*, in Zschr. f. Th. u. Kirche, 63 Jg. 1966, S. 447. — HK 81; Kim 141; vgl. Schleiermachers Autonomieformeln „selbständige Auslegung", „selbsttätige Interpretation", „das selbständige Verstehen": HK 95, 98.

[12] E. Troeltsch, *Schleiermacher und die Kirche*, in: *Schleiermacher der Philosoph des Glaubens*, Berlin 1910.

[13] *Kritische Friedrich Schlegel Ausgabe (zit.: KA)*, hrsg. v. E. Behler, Bd. XVIII, S. 101, 90. — Vgl. O. Marquard, *Frage nach der Frage, auf die die Hermeneutik die Antwort ist*, in: Philosophisches Jahrbuch 1981, S. 16. — *Fichtes Werke*, hrsg. v. I. H. Fichte, Bd. IV, Berlin 1971, S. 353.

[14] Kantzenbach, a. a. O., S. 47.

[15] AWII 22, 135; HK 169 f.

[16] Kim 61; Spiegel, a. a. O., S. 35, 74. — Kim 40; HK 367, 326.

[17] HK 327.

[18] Schlegel, KA XVIII, S. 380, 422; KA II, S. 183. — I. Kant, *Anthropologie in pragmatischer Hinsicht*, Königsberg ²1800, S. 92. — HK 318; Frank, a. a. O., S. 292; Patsch, a. a. O., S. 458.

[19] Kim 37; Kantzenbach, a. a. O., S. 87; *Friedrich Schleiermachers Ästhetik*, hrsg. v. R. Odebrecht, Berlin 1931, S. 11; H. Birus, *Hermeneutische Wende?*, in: Euphorion, 74. Bd. 1980, S. 215.

[20] Kim 57; Birus, a. a. O., S. 219.

[21] Kantzenbach, a. a. O., S. 99 f.; vgl. zur Kritik des Präsentismus W. Hübener, *Hochzeit des Mercurius mit der Philologie — Prolegomena zu einer Theorie der Philosophiegeschichte*, in: N. W. Bolz (Hrsg.), *Wer hat Angst vor der Philosophie?*, Paderborn 1982, S. 137—196.

[22] HK 328; K O. Apel, *Heideggers philosophische Radikalisierung der Hermeneutik*, in: O. Pöggeler (Hrsg.), *Hermeneutische Philosophie*, München 1972, S. 205. — H.-G. Gadamer, *Wahrheit und Methode*, Tübingen ³1972, S. 167 f.

[23] HK 203. — Novalis, *Werke/Briefe/Dokumente*, Zweiter Band, Heidelberg 1957, Fr. 1200, 1202. Schleiermachers Verkennung der Gesetzmäßigkeit freier Assoziationen schließt Einsicht in die Logik des Unbewußten a limine aus. Deshalb kann auch der von M. Frank in seiner großen Studie *Das individuelle Allgemeine*, die viel Wissenswertes enthält, unternommene Versuch, Schleiermacher in einem von Lacan und Derrida kodifizierten Diskurs zu aktualisieren, nicht ganz überzeugen; vgl. hierzu die skeptischen Bemerkungen F. A. Kittlers, in: *Texthermeneutik*, a. a. O., S. 209.

[24] Kim 50, 67; AWII 575; vgl. HK 325.

[25] HK 94; vgl. Kim 91 und HK 98, 99.

[26] HK 89, 171, 210; 177, 370.

[27] G. Simmel, *Das individuelle Gesetz*, Ffm 1968, S. 223.

[28] Fr. Kaulbach, *Schleiermachers Theorie des Gesprächs*, in: Die Sammlung, 1959, S. 128; vgl. AWI 517; AWII 259.

[29] Schlegel, KA XVIII, S. 564, 386. — Vgl. zu Schleiermachers ‚musikalischer' Konzeption der Religion als innerer Empirie Adornos ‚religiöse' Deutung der Musik Mahlers als „Empirie zweiten Grades", in: *Gesammelte Schriften* 13, Ffm 1971, S. 219.

[30] AWII 100; Kim 48; HK 172; Goethes Gespräch mit Eckermann 14. 4. 1824. — Vgl. R. Barthes' Bestimmung der stets von Formalisierung bedrohten Substantialität des Stils und dessen Charakters als eines solipsistischen Mythos, in: *Mythen des Alltags*, Ffm 1964, S. 120.

[31] HK 384, 361, 374.

[32] HK 466; 211, 362.

[33] Frank, a. a. O., S. 158; vgl. Dilthey, a. a. O., S. 186.

[34] G. Hergt, *Christentum und Weltanschauung*, in: M. Fuhrmann (Hrsg.) *Terror und Spiel*, München 1971. — K. Heinrich, *Tertium datur*, Basel, Ffm 1981, S. 144; Spiegel, a. a. O., S. 28.

[35] AWII 120; HK 177, 368. Vgl. zu den Themen „individuelles Gesetz", Nivellierungsmacht des Geldes und Metaphysik der Arbeitsteilung G. Simmel, *Brücke und Tür*, Stuttgart 1957, S. 256, 233, 267 f.

[36] HK 403 f.; 405—409; Kim 37.

[37] Schlegel KA XVIII, S. 82, 206.

[38] Ästhetik, a. a. O., S. 23; HK 362, 374; AWII 96.

[39] AWII 9, 30. — Vgl. H. Brunschwig, *Gesellschaft und Romantik,* Ffm, Berlin, Wien 1975, S. 348.

[40] AWII 595 f., 443, 447; HK 377. — Vgl. zur Deutung der Eigentümlichkeit als spezifisch christlicher Kategorie B.-H. Lévy, *Das Testament Gottes,* Wien 1980, S. 93, 96, 119.

[41] Novalis, a. a. O., Fr. 1363. — AWII 3, 29, XXVII.

[42] G. Kaiser, *Pietismus und Patriotismus,* Ffm ²1963, S. 73 f.; 49, 53, 57. Vgl. H. Timm, *Die heilige Revolution,* Ffm 1978, S. 44.

[43] AWII 129, 367. — Vgl. Habermas, a. a. O., S. 51 f.; Spiegel, a. a. O., S. 221.

[44] AWII 120 f., 594. — Vgl. N. Altenhofer, „*Geselliges Betragen — Kunst — Auslegung*", in: U. Nassen (Hrsg.), *Studien zur Entwicklung einer materialen Hermeneutik,* München 1979, S. 185. — HK 367 f., 373, 339.

[45] AWII 281, 612; HK 379. — Spiegel, a. a. O., S. 46 ff.; G. Scholtz, *Die griechische Philosophie bei den Schülern Hegels,* in: *Philologie und Hermeneutik im 19. Jahrhundert,* hrsg. v. H. Flashar u. a., S. 294 f., A. O. Lovejoy hat die zentrale Bedeutung von Eigentümlichkeit und Idiosynkrasie als charakteristisch für die romantische Idealisierung der Diversität herausgearbeitet. Indem Schleiermacher Postulate der Schlegelschen Ästhetik auf die Ethik übertrug, verpflichtete er das Individuum „to cherish and intensify his own differentness from other men. Diversitarianism thus led also to a conscious pursuit of idiosyncrasy" (*The Great Chain of Beeing,* Cambridge, Mass. ⁸1957, S. 307). Entsprechend begründet Schleiermacher die Überlegenheit des Christentums über andere positive Religionen durch seine „freedom from exclusiveness" (ebd. S. 311).

[46] E. Howald, *Humanismus und Europäertum,* Zürich 1957, S. 225. — Kierkegaard, *Der Begriff Angst* (Einleitung).

[47] ÜR 160 f.; *Friedrich Schleiermachers Dialektik,* hrsg. v. R. Odebrecht Leipzig 1942. — Vgl. K. Joel, *Antibarbarus,* Jena 1914, S. 147. — HK 421. — Vgl. M. Bachtin, *Probleme der Poetik Dostojevskijs,* München 1971, S. 284 f.

[48] Dialektik 60. — Vgl. M. Heidegger, *Unterwegs zur Sprache,* Pfullingen ⁵1975, S. 100.

[49] C. Schmitt, *Politische Theologie I,* Berlin ²1934, S. 69. — Vgl. M. Blanchot, *Der Gesang der Sirenen,* München 1962, S. 210 ff.

[50] Ph. Ariès, *Geschichte der Kindheit,* München 1968, S. 556 ff.; *Die Kunst des Gesprächs,* a. a. O., S. 35 ff.; G. Simmel, *Brücke und Tür,* a. a. O., S. 229, 237.

[51] HK 82 f.

[52] HK 309, 179.

[53] Schlegel, KA XVIII, S. 534, 127, 391; HK 202. — Vgl. Goethe, *Gesamtausgabe* Bd. 33 (dtv), S. 73 f.

[54] Marquard, a. a. O., S. 12 f. — *Dialektik* 52 f.

[55] HK 386, 263, 382; 361; ÜR 68.

[56] ÜR 99 f., 3.

[57] *Ästhetik* 164; Altenhofer, a. a. O., S. 181, 200.

[58] Heinrich, a. a. O., S. 136. — Vgl. F. A. Kittler, *Autorschaft und Liebe*, in: F. A. Kittler (Hrsg.), *Austreibung des Geistes aus den Geisteswissenschaften*, Paderborn 1980, S. 150.

[59] C. Lévi-Strauss, *Traurige Tropen*, Ffm 1978, S. 295.

[60] Kim 37; Kantzenbach, a. a. O., S. 81.

[61] W. Hamacher, *Hermeneutische Ellipsen*, in: *Texthermeneutik*, a. a. O., S. 141. — Vgl. G. Leech, *Semantics*, Harmondsworth 1974, S. 77 f., 194.

[62] Spiegel, a. a. O., S. 40; AWII 179.

[63] Vgl. Kim 61; Spiegel, a. a. O., S. 42, 56, 111, 139.

[64] Kantzenbach, a. a. O., S. 145.

[65] Hamacher, a. a. O., S. 127. — Vgl. P. Tillich, *Systematische Theologie I* Stuttgart [6]1979, S. 52 f. — M. Frank hat hieraus die Aktualität Schleiermachers nachhaltig begründet: „Er läßt das Subjekt seine Krise reflektieren, ohne es abdanken zu lassen. An der Faktizität unverfüglicher Selbstvermittlung, sagt er, ‚bricht sich (seine) Macht‘ ": (*Das individuelle Allgemeine*, S. 111). Über *Schleiermachers hermeneutische Sprachtheorie und das Problem der Divination*, in: DVjschr. f. Lit. u. G., Sonderband 1978, S. 551, schreibt Frank: „Zur Bedingung der Möglichkeit des Selbst wird seine Verausgabung an ‚das Andere‘ (das es mittendurch spaltet), mag es seinen differentiellen Grund hernach auch verleugnen. Immer durchquert doch das Selbstbewußtsein im Augenblick des ‚Übergangs‘ vom Reflektierten zu sich als Reflektierendem die Brisur (Derrida) einer ‚fehlenden Einheit‘ ".

[66] AWII 614. — Vgl. Spiegel, a. a. O., S. 48; B. Croce, *Ästhetik*, Tübingen 1930, S. 332; Schlegel KA XVIII, S. 259.

[67] Kim 47; 32, 61; HK 106, 108, 461.

[68] HK 258; P. Szondi, *Einführung in die literarische Hermeneutik*, Ffm 1975, S. 179 ff.

[69] HK 464, 171.

[70] HK 104, 140, 298; Kim 34; HK 177.

[71] HK 110, 113 f., 177. — Vgl. R. Wiehl, *Schleiermachers Hermeneutik*, in: *Philologie und Hermeneutik im 19. Jahrhundert*, a. a. O., S. 48, 50.

[72] Marquard, a. a. O., S. 12; Heidegger, *Sein und Zeit*, Tübingen [12]1972, S. 262.

[73] HK 322 f., 184; 78, 162, 195, 197; Kim 164.

[74] HK 316, 337; Kim 138; AWIV 403; Troeltsch, a. a. O., S. 30.

[75] E. Brunner, *Die Mystik und das Wort*, Tübingen 1924, S. 118. — Vgl. Kaiser, a. a. O., über den Begriff „Durchbruch".

Jürgen Danz

August Böckh:
Die Textinterpretation als Verstehen des subjectiven Objectiven

1.

Wer die Diskussion um Texttheorie und Hermeneutik verfolgt, wie sie Vertreter der literaturwissenschaftlichen Disziplinen des deutschsprachigen Raumes gegenwärtig führen, wird feststellen, daß in dem Maße wie die Verbindlichkeit traditioneller wissenschaftstheoretischer Leitbilder — besonders die der transzendentalen Hermeneutik und der Kritischen Theorie — schwindet, die Bereitschaft wächst, sich von Methodenangeboten semiologisch-strukturalistischer Provenienz beeindrucken zu lassen. Deren Rezeption vollzog sich in Westdeutschland aufgrund der Anfeindungen der übermächtigen Position des Spätexistentialismus und der Kritischen Theorie nur zögernd[1]. Das Unbehagen an den Positionen existenzialontologischer Hermeneutik innerhalb der Literaturwissenschaften gründet nicht zuletzt darin, daß die Theorien sinnverstehender Textauslegung, die den methodologischen Prämissen transzendentaler Hermeneutik verpflichtet sind, die Frage nach einer literarischen Hermeneutik nicht angemessen beantworten konnten.

Die Behauptung, die literarische Hermeneutik sei eine vernachlässigte Disziplin, erscheint jedoch verwunderlich, wenn man sich die Schriften vergegenwärtigt, die im 20. Jahrhundert zum Problemkreis der hermeneutischen Theorie veröffentlicht worden sind. In Heideggers *Sein und Zeit* findet man jene ontologische Begründung des hermeneutischen Zirkels, die eine entscheidende Wende in der Geschichte der Geisteswissenschaften eingeleitet hat: den Nachweis des Zirkels im Verstehen als Existenzial und dessen Verwurzelung in der „existenzialen Verfassung des Daseins im auslegenden Verstehen"[2]. In Weiterführung der Heideggerschen Philosophie ist 1960 Gadamers *Wahrheit und Methode* mit dem Untertitel *Grundzüge einer philosophischen Hermeneutik* erschienen. Mit dieser hermeneutischen Theorie, die der Universalität und Geschichtlichkeit des Verstehens Rechnung trägt, soll der Wahrheits- und Erkenntnisanspruch der Geisteswissenschaften begründet wer-

den. „Ihr Anliegen ist Erfahrung von Wahrheit, die den Kontroll-
bereich wissenschaftlicher Methodik übersteigt"[3]. Insbesondere die
Zirkelhaftigkeit des Verstehens sei ein Theorem mit hoher erkennt-
nistheoretischer Relevanz sowohl für die philosophische Begründung als auch für die Methodologie der Hermeneutik. Wie Heidegger gezeigt habe, setze das Textverständnis „Vorhabe", „Vor-
sicht" und „Vorgriff" des Interpreten voraus, welcher einen ersten
Entwurf des Textsinnes vornehme; als konstitutives Moment enthalte dieser Vorentwurf das „Vorurteil". Durch eine begriffs-
geschichtliche Rekonstruktion müsse die ursprünglich positive Bedeutung dieses Begriffes rehabilitiert werden. Möglicher Kritik, die
die bloße Relativität eines solchen Verstehens bemängele, müsse die
existenziale Begründung des hermeneutischen Zirkels entgegenge-
halten werden, die den Zirkel nicht als bloß „methodisches", sondern als „ontologisches Strukturmoment des Verstehens"[4] begreift. „Erst solche Anerkennung der wesenhaften Vorurteilshaf-
tigkeit alles Verstehens schärft das hermeneutische Problem zu
seiner wirklichen Spitze zu"[5].
Bereits hier zeichnet sich die Einsicht ab, daß das Fehlen einer spezifisch literarischen Hermeneutik weniger aus einem Mangel an
hermeneutischen Theorien, als vielmehr aus dem Selbstverständnis
der Literaturwissenschaften resultiert[6]. Durch das methodische
Problem des „hermeneutischen Zirkels" ist paradigmatisch eine
Entwicklung innerhalb dieser Disziplinen gekennzeichnet, in deren
Folgen der Anspruch, eine materiale Lehre von der Auslegung
literarischer Texte zu begründen, aufgegeben worden ist. Die Literaturwissenschaften haben sich gegenüber den Anregungen hermeneutischer Theoretiker des 20. Jahrhunderts zwar durchaus offen
gezeigt, doch mit dem Hinweis auf die durch Heidegger und Gadamer geprägte vorgängige Zirkelhaftigkeit des Verstehens sind Fragen spezifisch methodologischer Art oft mit der pauschalen Anwort
beschieden worden, man bewege sich eben im Zirkel. Die Nichthintergehbarkeit des hermeneutischen Zirkels als methodisches Problem spielt „in der heute verbreiteten Praxis der Interpretation
eine Rolle, die sie von der Kritik der eigenen Erkenntnisweise zu
dispensieren scheint"[7].
Andererseits hat es nie an Bestrebungen gefehlt, im Rückgriff auf
die Geschichte der Hermeneutik darauf zu verweisen, daß Hermeneutik früher ein System von sehr weitreichenden Interpretationsregeln zur Auslegung literarischer Texte erarbeitet habe. Eine
Theorie des Verstehens dürfe nicht auf die Neuformulierung von

Regelkanons verzichten und könne dabei sogar auf bereits erstellte Interpretationsregeln, die ihre Gültigkeit noch nicht verloren hätten, zurückgreifen, müsse sie aber zumindest einer kritischen Prüfung unterziehen[8]. Als Exponenten dieser Richtung gelten vor allem E. Betti mit seiner *Teoria generale della interpretazione* (erschienen 1955), die 1967 ins Deutsche übersetzt worden ist, und E. D. Hirsch mit seinem Buch *Validity in Interpretation* (1967), dessen deutsche Übersetzung *Prinzipien der Interpretation* 1972 erschien. Das von ihnen vorgetragene Konzept einer „objektiven Interpretation", das genuin literaturwissenschaftliche Methodenprobleme aufgreift, soll unter der Voraussetzung des „Unterschiedes zwischen dem Verstehen und der spekulativen Konstruktion (Deutung)"[9] dasjenige bestimmen, was ein Autor gemeint hat. Ihrem Programm liegt die Vorstellung zugrunde, daß in Anlehnung an die klassische Korrespondenztheorie der Wahrheit die vom Interpreten gemachte Aussage über den Text mit dem im Text zur Sprache kommenden ursprünglichen Sinn des vom Autor Intendierten in Einklang gebracht werden kann: Das wäre ein Zustand, der die Richtigkeit des Verstehens verbürgte.

Um sich des Aussagewillens des Autors zu versichern, besteht Hirsch auf einer wichtigen Unterscheidung. Dem ursprünglichen Sinn des vom Autor Gemeinten entspricht der sowohl zeit- als auch kontextunabhängige und den Vorurteilen des Interpreten gegenüber neutrale Wortsinn, wohingegen zum Sinn eines Textes viel weiter reichende historische Bezüge gehören. Der Wortsinn ist den verschiedenen Zugriffen der Ausleger gegenüber resistent: Er stellt das, was ein Autor meint, dar, und im Verständnis wird der Sinn dieses Meinens erschlossen. Während im Verständnis Sinn erschlossen wird, gibt die Interpretation eine Erklärung des Sinns. Hierbei wird unter Interpretation jede von der ursprünglichen Sprache des Autors abweichende Neuformulierung seiner Äußerungen verstanden. Das hat zur Folge, daß es zwar nur ein im Erschlossensein des Sinns festgelegtes Verständnis gibt, aber mannigfaltige Interpretationen, die auf den erschlossenen Sinn zurückverweisen: Verschiedene Interpretationen brauchen sich nicht notwendig zu widersprechen, sondern können durchaus miteinander kongruieren, weil sie über den gleichen erschlossenen Sinn vermittelt sind. Was nun den Begriff der Bedeutung betrifft, so kann dieser im Laufe der Geschichte variieren und ist deshalb von dem des Sinns streng zu trennen. Der Begriff der Bedeutung umfaßt „jedes beliebige Verhältnis, das zwischen dem erschlossenen Wortsinn und etwas anderem besteht"[10]. Unter diesem „anderen" werden z. B. die Subjektivität des Auslegers, dessen relevantes Wissen und die Persönlichkeit des Autors gefaßt. Die methodische Erfassung solcher Zusammenhänge wird jedoch nicht in der Interpretation, sondern in einem zusätzlichen Akt der Kritik geleistet.

Nun könnte eingewendet werden, daß die Aussageabsicht eines Autors immer schon das gegebene sprachliche Repertoire überschreitet, das ihm zur Verfügung steht. Zwar zwingt die Sprache von vornherein den Autor, das, was zur Sprache kommen soll, in einer bestimmten Weise auszudrücken; andererseits bewirkt aber erst die Intention des Autors, daß es so und nicht anders gesagt wird, oder, um in der Terminologie Hirschs zu bleiben: Der Sinn erscheint stets nur in der jeweiligen Bedeutung. Um einer solchen Argumentation zu begegnen, führt Hirsch die Begriffe des „Typs" und des „Genres", der Art eines bestimmten Sprachgebrauchs, ein. Diese kategorialen Einheiten überschreiten zum einen das bloß Private einer Aussageintention und unterteilen zum anderen das Allgemeine einer Sprachgemeinschaft in kleinere Einheiten von „Sinntypen", die „in einem Typ des üblichen Sprachgebrauchs begründet"[11] sind. Damit der Wortsinn einer Äußerung erschlossen werden kann, muß außer einem grammatischen auch ein generisches Verstehen erfolgen.

> Dieses ganze komplexe System von gemeinsamen Erlebnissen, von Zügen des Sprachgebrauchs und Sinnerwartungen, auf die sich der Sprecher verläßt, bilden die generische Konzeption, die seine Äußerung bestimmt. Verständnis kann sich nur vollziehen, wenn der Interpret unter dem gleichen System von Erwartungen vorgeht[12].

Der generischen Interpretation obliegt es, die Möglichkeit objektiver Gültigkeit dadurch wieder in ein Verfahren objektiver Interpretation zurückzuholen, daß dem Interpreten im Genre wegen dessen konventionellen Charakters ein fest umrissener Bestand von Implikationen und Sinnassoziationen gegeben wird.

Es stimmt allerdings bedenklich, daß Hirsch mit seiner Methode hinter Einsichten transzendentaler Hermeneutik zurückfällt, wenn er auf dem ursprünglichen Sinn eines Textes insistiert — in dem Bemühen, einen sowohl zeitunabhängigen als auch gegenüber den Vorurteilen des Interpreten neutralen Textsinn zu rekonstruieren[13]. Mit seiner „objektiven Interpretation" hat er zudem ein verbreitetes Vorurteil in den Literaturwissenschaften untermauert, das den Begriff der Interpretation so sehr in Mißkredit brachte,

daß dieser Begriff sich nur noch durch attributive Ergänzungen wie
„kritisch" oder „synthetisch"[14] wissenschaftlich legitimieren konnte,
weil er fast ausschließlich mit „immanenter" Textbetrachtung und
„autark" verfahrender Interpretationspraxis in Zusammenhang gebracht wurde[15].
Wenn man sich an diesem Punkt der Auseinandersetzung um eine
Methodologie literarischer Textauslegung auf die romantische Hermeneutik rückbesinnt, so betritt man damit ein Terrain, das eigentlich schon aus dem Blickfeld des hermeneutischen Interesses geraten
war. Daß Theoreme romantischer Hermeneutik an die Peripherie
der literaturwissenschaftlichen Diskussion gedrängt worden sind,
liegt nicht zuletzt an einer Form der Rezeption, wie sie sich exemplarisch in Gadamers *Wahrheit und Methode* manifestiert. Gadamer hat seine Grundzüge einer philosophischen Hermeneutik explizit in der Absicht entworfen, den Aporien romantischer Hermeneutik zu entgehen. Sein Versuch, sich in strikter Abgrenzung von
früheren hermeneutischen Theorien der eigenen Position zu versichern, hat die methodologischen Grundlagen jener Theoretiker so
sehr als Kontrastfolie verwendet, daß ihr kritisches Potential für
die Theorie einer literaturwissenschaftlichen Hermeneutik ver-
schüttet worden ist. Gadamers Kritik kulminiert in der These, daß
das romantische Programm einer zugleich methodisch verfahrenden
und kongenial rekonstruierenden Reproduktion des vom Autor
intendierten Sinns auf eine psychologistische und damit letztlich
unverbindliche, weil nur noch „künstlerische" Theorie der Auslegung hinauslaufe[16].
Demgegenüber scheint es notwendig, durch eine systematische Lektüre der Schriften der romantischen Hermeneutiker ihre durch die
Wirkungsgeschichte verstellten Theoreme erneut in den Streit um
eine literarische Hermeneutik einzubringen. In ihnen liegt als Einheit begründet, was in der Tradition hermeneutischer Theoriebildung auseinandergefallen ist: Die romantische Hermeneutik greift
den philosophischen Impuls zu einer Analyse des Verstehens auf,
ohne die Aufgabe zu vernachlässigen, ein materiales Methodenan-
gebot bereitzustellen. Dies gilt auch für die hermeneutischen Schriften August Böckhs[17], die — von den Literaturwissenschaften weit
weniger wahrgenommen als die einschlägigen Arbeiten von Schleiermacher, Dilthey und Humboldt[18] — in traditionskritischen
Selbstrechtfertigungen eine merkwürdig ambivalente Rezeption
erfuhren. Während für Betti und Hirsch Böckh noch als Vertreter
einer Interpretationslehre gilt, die sich dem Anspruch objektiver

Wahrheit und exakter Methode stellt und der sie wichtige Aspekte
ihrer eigenen Konzeption wie den Begriff des „Genres" verdanken[19], sieht Gadamer in den in der Nachfolge Schleiermachers
konzipierten Hermeneutiken nur ein immer entschiedeneres Ein-
schwenken auf die Maxime der psychologischen Interpretation:
Böckhs Formel vom „Erkennen des Erkannten" paraphrasiere nur
den Verstehensakt als divinatorisches Verhalten, als „Sichversetzen
in die gesamte Verfassung des Schriftstellers", mithin „ein Nachbil-
den des schöpferischen Aktes"[20]. Auch für Szondi stellen die
Schriften Böckhs keinen Erkennisfortschritt in der Debatte um eine
literarische Hermeneutik dar, weil Böckh am überlieferten Aus-
legungsziel, dem Einholen der Intention des Autors, festhalte[21].
In neueren Arbeiten, die sich mit Grundfragen und Methoden-
problemen der Literaturwissenschaften beschäftigen oder Materialien zur Geschichte der Hermeneutik präsentieren, erscheint der
Name August Böckhs nur selten[22].

So provozieren schon die Unstimmigkeiten in einem kursorischen
Abriß der Rezeptionsgeschichte eine neuerliche Beschäftigung mit
der hermeneutischen Theorie August Böckhs. Das Interesse daran
ist ein zweifaches: Zum einen scheint es dringend geboten, der bisherigen Rezeption eine Alternative vorzustellen, welche das kritische Potential romantischer Hermeneutik freisetzt. Dieser prospektive Rückblick auf die philologische Hermeneutik August
Böckhs — und hiermit wird ein zweiter Aspekt des Interesses thematisiert — weiß sich motiviert durch das Anliegen, strittige Positionen gegenwärtiger hermeneutischer Theorien zu überwinden und
gleichzeitig einen Beitrag zu einer Theorie literaturwissenschaftlicher Hermeneutik zu leisten. Daher sollen einige Theoreme aufgegriffen werden, deren ursprüngliche Implikationen im Laufe
ihrer Wirkungsgeschichte in zunehmendem Maße verlorengegangen
sind und die durch die Wiederherstellung ihres authentischen Be-
deutungsgehaltes erweiterte Perspektiven für die theoretische Begründung einer „literarischen Hermeneutik im Sinne einer materialen (d. h. auf die Praxis eingehenden) Lehre von der Auslegung
literarischer Texte"[23] liefern. Eine solche Darstellung wird sich
allerdings nicht darauf beschränken können, die überlieferten
Texte Böckhs einer geschichtlichen Einordnung zu unterziehen und
dabei vom heutigen Verständnis hermeneutischer Theorie zu abstrahieren. Vielmehr wird die Aufarbeitung Böckhscher Methodologie vor dem Hintergrund anstehender Probleme in den hermeneutischen Theorien der Gegenwart geleistet werden müssen.

2.

Die Entscheidung August Böckhs[24], sich dem Studium der klassischen Philologie zuzuwenden, ist auf die Begegnung mit F. A. Wolf in Halle zurückzuführen, wohin Böckh 1803 — noch nicht ganz 18jährig — mit dem anfänglichen Vorsatz ging, Theologie zu studieren. Nach Halle wurde 1804 auch der damals 36jährige Schleiermacher als Extraordinarius der Theologie berufen, der dort gleichzeitig philosophische Vorlesungen, vor allem über Platon, hielt, die Böckh regelmäßig besuchte. Nachdem Böckh fast ein Jahr lang im Schuldienst in Berlin tätig gewesen war, zog er zu Beginn des Jahres 1807 nach Heidelberg, wo er noch im selben Jahr zum Extraordinarius und 1809, nach Ablehnung eines Rufes an die Universität Königsberg, zum Ordinarius ernannt wurde. 1810 erhielt er einen Ruf an die neugegründete Universität in Berlin, an der er vom Sommersemester des Jahres 1811 bis kurz vor seinem Tod im Jahre 1867 unterrichtete.

Will man den Beitrag ermessen, den August Böckh auf dem Gebiet der literarischen Hermeneutik geleistet hat, so wird man sich dabei vornehmlich auf seine *Encyclopädie und Methodologie der philologischen Wissenschaften*[25] stützen, in der er sich am ausführlichsten über theoretische und methodologische Grundfragen seiner philologischen Arbeit geäußerst hat[26]. Die *Encyclopädie* ist aus einer Vorlesung entstanden, die Böckh zuerst 1809 in Heidelberg gehalten und dann bis 1865 25mal in regelmäßigen Abständen und mit Ergänzungen versehen wiederholt hat[27]. Sie ist nach seinem Tod erstmals 1877 von seinem Schüler Ernst Bratuscheck aus nachgelassenen handschriftlichen Originalheften herausgegeben worden[28]. Wichtig für Böckhs theoretische Grundlegung waren vor allem die Auseinandersetzungen mit Werken von Ast, Wolf und Schleiermacher[29]; maßgeblichen Einfluß auf seine hermeneutische Theorie dürfte dabei letzterer gehabt haben[30].

Ist damit zumindest grob der Gegenstand umrissen, dem sich eine Beschäftigung mit Böckhs Theoremen zur literarischen Hermeneutik zuwenden muß — bleibt doch zunächst die Frage unbeantwortet, an welchem Punkt einsetzen muß, wer Böckhs Hermeneutik für die gegenwärtige Debatte um eine theoretische Fundierung literarischer Interpretationspraxis fruchtbar machen will. Peter Szondi hat in seinen *Bemerkungen zur Forschungslage der literarischen Hermeneutik* darauf hingewiesen, daß eine literarische Interpretationstheorie sich an zwei Instanzen bewähren müsse: Zum einen müsse die Sprachlichkeit von Literatur und zum anderen die Geschichtlichkeit des Verstehens berücksichtigt werden[31]. Seine Forderungen an eine zu entwerfende Theorie des Verstehens haben mehrere methodologische Konsequenzen. Zuerst wäre eine Sprachtheorie notwendig, in der menschliche Subjektivität und gesellschaftliche Praxis in einer Weise Beachtung fänden, daß in Sprache und Sprechen jenes eigentümliche Moment individueller Sinngebung, mit der wir Sprache zu unserer eigenen machen, konstitutiv miteinginge und daß die Reduzierung der Verständnisleistung auf einen Akt bloßer Dechiffrierung ausgeschlossen wäre. Weiter dürfte die Einsicht in die Geschichtlichkeit des Verstehens nicht solchermaßen vorangetrieben werden, daß ihre Anerkennung zu einer Überbewertung der Wirkungsgeschichte im Verstehensakt[32], oder zu einer bloßen Relativität und Beliebigkeit von Interpretationen führte. Das würde bedeuten, daß eine literarische Interpretationstheorie nicht darauf verzichten könnte, sich in methodischer Absicht über Kriterien ihrer Praxis zu verständigen; nur eben nicht derart, daß sich ein literarisches Kunstwerk gleichsam als mathematische Aufgabe lösen ließe. Daher scheint es sinnvoll, Böckhs Schriften im Lichte der angesprochenen Momente zu lesen, wobei mit dem Problemkomplex der Historizität des Verstehens begonnen werden soll, der zugleich eine kürzere historische Einordnung von Böckhs Werken in die Geschichte der hermeneutischen Theorien erlaubt.

Eine entscheidende Wende in der Geschichte der hermeneutischen Theorien wird repräsentiert durch F. D. E. Schleiermacher, der als erster in der bis in die Antike zurückreichenden Geschichte der Hermeneutik aus der Analyse des Verstehens systematisch eine allgemeine Hermeneutik entwickelt, die das Dogmatische und Zufällige früherer Spezialhermeneutiken ablegt und in der methodischen Hinterfragung des Verstehens die grundsätzliche Frage nach Sinn und Sinngebilden in den Vordergrund des Interesses rückt. Seine Reflexion auf eine Theorie des Verstehens, die die Einsichten des historischen Bewußtseins mitbeinhaltet, mußte ihn in einen strikten Gegensatz zur vorkritischen Hermeneutik bringen, für die die Unterdrückung der Geschichtlichkeit ein charakteristisches Merkmal war[33]. Kennzeichnend für die vorkritische Hermeneutik ist gerade das bewußte Niederhalten der Historizität und die systematische Einebnung des Zeitenabstandes. Geschichte bleibt deshalb aus dem hermeneutischen Verfahren ausgeschlossen, weil sie nur die zeitlose Allgemeinheit der Vernunft verstellt. Exemplarisch läßt sich dies an der philologisch-historischen Methode veranschaulichen, deren Praxis, von Grotius und Spinoza umfassend konzipiert, noch bis an das Ende des 18. Jahrhunderts reicht. Danach besteht die eigentliche Verständnisleistung nicht darin, eine ursprüngliche Intention des Autors oder des Textes zu rekonstruieren. Im Verstehen erfolgt vielmehr eine Vermittlung von Text und Interpret durch die gemeinsame Teilhabe beider an derselben allgemeinen Vernunft von selbst; Kriterium für eine richtige Interpretation ist die Übereinstimmung der im Text vorgetragenen Sache mit den zeitlos gültigen, da axiomatisch auf Vernunft begründeten Einsichten des Interpreten. Demzufolge ist der Bezug zur Geschichte ein nur negativer: Geschichte ist nicht das Maß der Wahrheit, sondern Geschichte verstellt Wahrheit. Aufgabe der Interpretation ist es daher, mögliche Wahrheiten von unvernünftigen Relikten, welche die Geschichte hervorgebracht hat, zu reinigen. Nur das nicht mehr unmittelbar zu Verstehende, d. h. das Unvernünftige, muß eigens verstanden und interpretiert werden.

Es ist offenkundig, daß eine sich der Historizität des Bewußtseins verpflichtet fühlende Hermeneutik an dieser Stelle Kritik anmelden mußte. Schleiermacher und auch Böckh wenden sich dezidiert gegen das Postulat einer sich zeitlos wähnenden Rationalität; das von Schleiermacher vorgetragene Konzept der Sinnkritik impliziert eben, daß die Genesis von Vernunft insofern selbst der Historizität unterworfen ist, als sie ihre Legitimation nur aus gesellschaftlicher Praxis, in der Individuen sich in sprachlich verfaßten Sinnentwürfen ihrer selbst inne werden, beziehen kann. Ist aber das Maß, an dem sich Vernunft und Verständnis der Subjekte festmachen lassen, selbst bestimmt durch zeit- und standortgebundene Entwürfe von Individuen, so kann nicht mehr länger die Teilhabe an einer überzeitlichen Vernunft als Kriterium für gelungenes Verstehen gelten.

Allerdings findet sich das für die philologisch-historische Methode signifikante Phänomen des negativen Bezugs zur Geschichte in einigen wenigen Äußerungen Böckhs in abgeschwächter Form wieder: Der geschichtliche Kontext wird verdächtigt, Sinn zu verstellen, so daß die Aufgabe der Philologie darin gesehen wird, „das Erkannte wiederzuerkennen, rein darzustellen, die Verfälschung der Zeiten, den Missverstand wegzuräumen, was nicht als Ganzes erscheint, zu einem Ganzen zu vereinigen"[34]. Heißt das, daß Böckh hinter Einsichten Schleiermachers zurückfällt und am Axiom einer zeitlosen Vernunft, die durch Teilhabe Verständnis garantiert, festhält? Dagegen ist einzuwenden, daß diese Aussagen nur

ein spezifisches Forschungsproblem klassischer Philologie themati-
sieren. Böckh nimmt hier Bezug auf die häufig anzutreffenden
Überlieferungslücken oder -störungen des wissenschaftlichen Quel-
lenmaterials, denen man mit kritisch-historischer Rekonstruktion
begegnen muß: eine philologische Leistung, die insbesondere dem
Verfahren der Kritik untersteht. Ihre eigentliche theoretische Fundierung gewinnt die Geschichtlichkeit des Verstehens jedoch erst
durch die Bestimmung des Verhältnisses von Philologie und Philosophie, die auf die für den Sinnentwurf eines Interpreten so wichtige Differenz von Text und Interpret verweist.

> Es ist also zunächst die Forderung diese, das Fremde als Eigenwer-
> dendes zu reproduciren, so dass es nichts Äusserliches bleibe, ...;
> zugleich aber auch über diesem Reproducirten zu stehen, so dass
> man es, obgleich es ein Eigenes geworden, dennoch wieder als ein
> Objectives gegenüber und ein Erkennen von dieser zu einem Gan-
> zen formirten Erkenntniss des Erkannten habe[35].

Der entsprechende Verständnisrahmen wird dabei durch historisch
kontingente Entwürfe von Individuen hergestellt, und zwar mit
einer derartigen Produktivität seitens des Interpreten, daß „im
Geschichtlichen der Begriff überhaupt nicht erkannt werden zu
können scheint, wenn man nicht von vornherein die Richtung auf
ihn hin genommen hat"[36].
Wenn daher richtiges Verständnis sich nicht mehr aus der paritä-
tischen Teilhabe von Text und Ausleger an zeitloser Rationalität
einstellen kann, sondern sich erst in ihrem Dialog herstellt, so kann
es keine Interpretation und keine methodische Reflexion auf den
Verstehensvollzug geben, die je den nur approximativen Charakter
des Verstehens auf scheinbare Allgemeingültigkeit hin überschreiten. „Sie (die Theorie der philologischen Tätigkeit) schärft den
Blick und bewahrt vor Verirrungen, indem sie Ursachen derselben
und die Grenzen der Gewissheit aufzeigt"[37].
Wo aber müßte eine Interpretationstheorie, die sich diesen Prämissen verpflichtet weiß, ihren methodischen Ausgangspunkt nehmen?
Böckh gibt darauf eine klare Antwort:

> Da das allgemeinste Vehikel der Erkenntniss, ... die Sprache ist,
> so wird es die erste Aufgabe der Philologie sein, das Mysterium
> derselben zu ergründen, denn in der That, wer die Sprache bis zu
> ihren letzten Fundamenten in ihrer Freiheit und Nothwendigkeit
> begriffen hat, welches die höchste und unermesslichste Aufgabe ist,
> der wird auch eben dadurch alles menschliche Erkennen erkannt
> haben; das allgemeine Organon des Erkennens muss doch auch vor
> allen Dingen erkannt werden[38].

Eine prägnante Formulierung ist in der Rezeptionsgeschichte oftmals herangezogen worden, um den spezifischen Beitrag Böckhs für eine hermeneutische Theorie zu charakterisieren[39]. Sie gibt Auskunft darüber, welche Aufgabe der Philologie in Abgrenzung zur Philosophie zugewiesen wird. „Hiernach scheint die eigentliche Aufgabe der Philologie das Erkennen des vom menschlichen Geist Producirten, d. h. des Erkannten zu sein"[40]. Während es den Wissenschaftscharakter von Philosophie auszeichnet, sich um ein unmittelbares Erkennen von Objekten zu bemühen, leistet die Philologie ein mehr mittelbares Erkennen, das sein Augenmerk auf das ihm historisch gegebene und sprachlich verfaßte Objekt, eben das Erkannte, richtet. Dieses Erkennen eines Erkannten, also eines gegebenen Erkennens, ist nichts anderes als im eigentlichen Sinne „Verstehen"[41]; und das Medium, in dem das gegebene Erkannte mitgeteilt wird, ist die Sprache[42]. So verweist die Formel des „Erkennen des Erkannten" auf die eigentümliche Ambivalenz jeder Interpretation: Im Akt des Interpretierens eines fremden Textes wird immer auch auf das durch die Sprache Interpretierte abgehoben. Hier deutet sich an, was in Böckhs Sprachtheorie einen zentralen Platz einnehmen wird. Sprache stellt zwar den Individuen ein Repertoire an Ausdrucks- und Mitteilungsmöglichkeiten zur Verfügung; dies geschieht aber zugleich in der Weise, daß die Individuen im Gebrauch der Sprache ihr einen solchen subjektiven Beisatz geben, daß der Sprechende etwas in einer von ihm persönlich bestimmten Weise äußert. Böckh trägt dieser Dialektik Rechnung, indem er unter beständigem Insistieren auf dem „Mitteilungscharakter"[43] von Sprache untersuchen will, wodurch der Sinn und die Bedeutung des in der Sprache Mitgeteilten oder Überlieferten bedingt sind. Er versteht unter Sprache zum einen ein komplexes System von Ausdrucksmitteln, das den Individuen für den Sprachgebrauch zur Verfügung steht; es ist allerdings kein zeitloses, sondern stellt ein „geschichtlich gewordenes Sprachsystem"[44] dar, in das auch weiter reichende historische und soziale Faktoren eingehen. Zum anderen, und damit findet die Subjektivität der Sprachverwendung Berücksichtigung, interpretieren und benutzen die Individuen die ihnen durch die Sprache bereit gestellten Zeichen und Regeln in jeder Äußerung aufs neue, weil „jeder Sprechende und Schreibende die Sprache auf eigenthümliche und besondere Weise braucht; er modificirt sie nach seiner Individualität"[45].

Für Sprache ist als konstitutives Moment die Begrenzung sprachlicher Zeichen zwischen „natürlicher Nothwendigkeit" und „individueller Willkürlichkeit"[46] kennzeichnend. Die Notwendigkeit der Bildung von Sprachgesetzen und sprachlichen Formen gründet sich auf einer natürlichen Harmonie zwischen dem Bezeichneten, der sinnlichen Wahrnehmung von Dingen, und dem Zeichen als dessen sprachlichem Ausdruck. Eingeschränkt wird diese Notwendigkeit jedoch durch den historisch vermittelten Sprachgebrauch verschiedener Sprachgemeinschaften; auf dieser Ebene ist das sprachliche Zeichen arbiträr.

> Diese Nothwendigkeit der Sprachbildung bezieht sich ... nur auf die Idee oder das Allgemeine: die Benennung des Besonderen aber und des Nichtinnerlichen, wohin alle Art von Nomenclatur gehört, fällt als rein äußerlich in das Reich der Willkür[47].

Von hier aus läßt sich trotz angenommener Notwendigkeit die Vielfalt der Sprachen erklären: Das historisch kontingente Verhältnis von Zeichen und Bezeichnetem beruht auf unterschiedlicher sprachlicher Synthesis, mit der Individuen in gesellschaftlicher Praxis Welt erschließen. Aufgrund dieses individuellen Charakters von Sprache kann es auch nie eine allgemeine Sprache oder Idealsprache geben, weil sie „keineswegs das Ideal einer Sprache, wozu vor allen Dingen doch Leben gehörte, sondern das todte Gerippe derselben sein würde, ohngefähr das, was eine allgemeine Grammatik ist, ein leerer Schematismus"[48].
Sprache stellt für Böckh eine „Composition von bedeutsamen Elementen" dar; „als solche Elemente erscheinen die Worte selbst, die Flexionsformen und Structuren derselben und die Formen der Wortstellung"[49].
Will man die Bedeutung eines Überlieferten oder Mitgeteilten herausfinden, so wird man zunächst den sie bedingenden „Wortsinn" ermitteln müssen; allein, dieser kann nur verstanden werden, „wenn man die Gesammtheit des gangbaren Ausdruckes versteht"[50], oder, moderner ausgedrückt: Die paradigmatische Bestimmung erfolgt durch Vergleich verschiedener kontextvarianter Gebrauchsweisen. Die Schwierigkeit einer Interpretation liegt nämlich darin, daß jedes Sprachelement nicht nur einen einzigen objektiven Sinn hat, sondern daß alle Wörter und übrigen Sprachformen grundsätzlich vieldeutig sind.

> Man kann jedoch nicht sagen, daß jedes Wort und jede Structur einen Grund*begriff* haben, denn ein Begriff muß sich definiren

lassen, die Grundbedeutung der Sprachformationen lässt sich aber keineswegs definiren: sie ist eine *Anschauung*[51]

Die Grundbedeutung jedes Sprachelementes differiert vielfältig, ohne ihre Identität aufzugeben. Die Ausdifferenzierung eines solchen „Sprachwertes" beruht darauf, daß die sprachlichen Elemente und der allgemeine Wortsinn durch „die historische Entwickelung der Sprache" und „die Sphäre, in welcher jeder Ausdruck angewandt wird"[52], modifiziert werden. Sprache ist nicht unschuldig in dem Sinne, daß sie ein bloßes Repertoire von Zeichenverwendungen zur Verfügung stellt; Wörter sind eben nicht nur „grammatisch", sondern darüberhinaus noch weiter bestimmt, weil „ihr Inhalt mit historisch gegebenen Verhältnissen in realer Verbindung steht": Sie sind „Resultat unausgesprochener Voraussetzungen"[53]. Sprechen und Sichverständigen wird so nicht zum bloßen Ausführen sprachlicher Regeln, sondern verweist auf die sich in gesellschaftlicher Praxis einstellende Vermittlung von Sprachgebundenheit und Sprachgebrauch.

Der Wortsinn ergibt sich aber nicht allein aus der bloßen Wahl seitens des Sprechenden, also auch der Bedeutung einzelner Sprachelemente für sich genommen, er wird zugleich durch deren Zusammensetzung bedingt. Da der Sprachwert durch syntagmatische Verbindungen in seiner unmittelbaren Umgebung modifiziert wird, muß man „die letzte Begrenzung des Wortsinns durch eigene Thätigkeit aus der sprachlichen Umgebung, d. h. aus dem Zusammenhange finden"[54]. Damit kommt die mit Sprache und Sprachverwendung gegebene Individualität der Subjekte zu ihrer Geltung. Sprachelemente können nicht aus universellen Regeln abgeleitet werden; erst in ihrer Anwendung, wenn die Subjekte in kreativer Weise ihre Sprache sprechen, erhalten sie ihren Sinn, „denn jedes Wort, von irgend Jemand ausgesprochen, ist schon von ihm aus dem allgemeinen Sprachschatz herausgenommen und hat einen individuellen Beisatz"[55]. Um Sprachäußerungen überhaupt verstehen zu können, muß immer berücksichtigt werden, inwieweit Individuelles in ihnen zur Geltung kommt. Darin besteht die Dialektik von Individualität und Allgemeinheit in einer Sprache: Einerseits gibt uns die Sprache die Möglichkeit, etwas überhaupt auszudrücken, andererseits aber zwingen wir die Sprache, es so und nicht anders zu sagen.

> Der Sprechende drückt Anschauungen aus, die ihm sowohl an sich, als in ihren mannigfaltigen realen Beziehungen mit der Sprache gegeben sind, er ist somit ein Organ der Sprache selbst. Aber die

Sprache ist zugleich Organ des Sprechenden; denn die Anschauungen, die er ausdrückt, sind zugleich durch seine Auffassung der
objektiven Welt bedingt, und die objektive Bedeutung der Worte
hindert nicht sie so zu wählen und zusammenzustellen, dass sie
seine eigene Natur, die Vorgänge und Zustände seines Innern, also
seine Subjectivität zum Ausdruck bringen[56].

Hier erfährt die Möglichkeit einer vermeintlich objektiven Interpretation ihre Grenze: Niemals können ihre Richtigkeitskriterien
den Status überzeitlicher Wahrheiten annehmen, da es „unmöglich
ist, diese (individuelle Äußerung) zur discursiven Klarheit zu bringen"[57]. Im Gegenteil: Die Subjekte werden sich ihrer eigenen
Geschichtlichkeit inne, weil es aufgrund der Differenziertheit der
Sprachelemente in einer individuellen Sprachverwendung durchaus
zu neuen „Sprachbildungen"[58] kommen kann. Eingeschränkt wird
ein solcher individueller Sinn, den ein Sprecher einer Sprache
im Akt der Verwendung gibt, allerdings durch „Redegattungen"[59], durch die Genres, die auf intersubjektiver Übereinstimmung beruhen und Muster für eine bestimmte Sprachverwendung
bereitstellen. „Diese sind es, die seiner Individualität als Musterbil-
der die Richtung ihrer Wirksamkeit geben"[60]. Insbesondere der
Begriff des Genres als eines konventionellen Musters von Sprachverwendung hat in die neuere Diskussion um Texttheorie und Hermeneutik Eingang gefunden, wobei aber wichtige Implikationen
dieses Theorems Böckhscher Sprachtheorie durch einseitige Rezeption verstellt worden sind[61].

3.

Wenngleich Böckhs Interesse den Erfordernissen einer durch ihren
besonderen Forschungsgegenstand bestimmten philologischen Auslegung gilt, so bleibt für ihn der philosophische Aspekt an einer
hermeneutischen Theorie stets erhalten: Die Lösung des Verste-
hensproblems ist der Ausbildung einer Interpretationstheorie vor-
gelagert[62]. Nur mit Hilfe einer wissenschaftlichen Analyse von
Verstehen und Verständnis wird man zu einer Theorie des Auslegens gelangen, deren hermeneutisch-methodische Grundsätze dann
aber derart universell sind, daß sie „auch Gültigkeit haben müssen,
wenn diese Vorstellungen auf andere Weise als durch die Sprache
ausgedrückt sind"[63]. Da jedoch der adäquateste Ausdruck menschlicher Erkenntnis die Sprache ist und zugleich der Gegenstand philologischer hermeneutischer Bemühungen hauptsächlich literarisch
überliefert ist, beschränkt sich Böckhs Theorie auf die Sprache „als

das allgemeinste Organon der Mittheilung"[64]. Der Wert einer
solchen Theorie liegt darin, daß sie die Notwendigkeit theoretischer Reflexion im Verstehensakt anerkennt und daher Grundsätze des Verstehens entwickelt; denn, wie schon Wolf sagte: „Niemand kann interpretari, nisi subtiliter intellexerit"[65].
Für eine Interpretationstheorie ist es nach Böckh aus didaktischen
Überlegungen heraus sinnvoll, die durch die Sprachtheorie vermittelte Dialektik von Individuellem und Allgemeinem in mehrere
Momente zu zerlegen, um sich so einen besseren Überblick über die
Praxis literarischer Interpretation zu verschaffen. Wenn also einzelne Aspekte einer Theorie der Auslegung gesondert diskutiert
werden, so heißt das nicht, daß darin Modifikationen zum Ausdruck kommen, die je nach der Beschaffenheit der Überlieferung
oder des Textes verschieden angewendet werden müßten, im Gegenteil: Spezifische Unterschiede des hermeneutischen Verfahrens,
die sich nach den vorliegenden Texten richten, gibt es nicht. Die
Unterscheidung zwischen „hermeneutica sacra" und „profana"
verbietet sich[66]. Die verschiedenen Arten der Auslegung sind nur
die einzelnen Momente einer umfassenden Theorie der literarischen
Interpretation. Eine solche Theorie muß ihr Augenmerk auf die
Frage richten, wodurch die Bedeutung eines überlieferten Textes
bedingt und bestimmt ist. Dabei wird — so läßt es der Stellenwert
vermuten, den Böckh einer Sprachtheorie in einer hermeneutischen
Theorie einräumt — die Bedeutung des „Mittheilungsmittels"[67]
Sprache in den Vordergrund des Interesses rücken. Die Ver-
schränktheit von individueller Sprachäußerung und allgemeinem
Sprachrepertoire ist schon erwähnt worden: Zum einen werden
dem Sprechenden im Medium Sprache Zeichen zur Verfügung gestellt, mit denen er sich mit anderen verständigen kann; das ist eine
Ausdrucksmöglichkeit, die Böckh unter dem Begriff des „Wortsinns
an sich" faßt und die die Bedeutung einer Mitteilung in einer ganz
bestimmten Weise festlegt. Zum anderen benutzt der Sprecher das
ihm vorgegebene sprachliche Repertoire auf eine für ihn bezeichnende Art: In jedem Akt des Sprechens oder auch des Schreibens
modifiziert er das sprachliche System auf eine eigene, subjektive
Weise, die man in Rechnung stellen muß, wenn man den Sinn eines
Geäußerten verstehen will. Bei der Spracherklärung wird dieser
Dialektik durch zwei verschiedene Hinsichtnahmen Rechnung ge-
tragen: Textverständnis erschließt sich im Zusammenspiel von
grammatischer und individueller Interpretation. Allein darin er-
schöpft sich noch nicht der Sinn einer Mitteilung. Er wird ferner

bestimmt durch „reale Verhältnisse", in denen die Mitteilung geäußert wird und deren Wissen bei denjenigen vorausgesetzt werden muß, an die sie gerichtet ist. Die historische Interpretation
erhellt die Bedeutung eines Schriftwerkes „im Zusammenhange mit
den gangbaren Vorstellungen der Zeit, zu welcher es entstanden
ist"[68]. Andererseits bleibt auch die individuelle Seite einer sprachlichen Äußerung nicht frei von subjektiven Verhältnissen, die auf
ihren Sinn Einfluß nehmen. Solche subjektiven Bedingungsfaktoren
bestimmen eine Äußerung nach Richtung und Zweck, aus denen
verschiedene Redegattungen hervorgehen. Die Auslegung einer
Mitteilung unter diesem Aspekt wird als generische Interpretation
bezeichnet.

Es ist bereits darauf hingewiesen worden, daß die verschiedenen
Momente der Auslegung zwar begrifflich gesondert behandelt
werden, daß sie aber in der interpretatorischen Praxis ineinander
übergehen. Schleiermacher hatte die Forderung der „mannigfaltigen Oscillation"[69] zwischen den sich gegenseitig voraussetzenden
Operationen zu einem leitenden methodischen Prinzip gemacht.
Beispielhaft verdeutlicht Böckh dies am Verständnis von Allego-
rien. Eine Allegorie wird genau dann vorliegen, wenn der durch
die grammatische Interpretation zu ermittelnde Wortsinn zum
Verständnis nicht ausreicht, weil eine allegorische Sprachverwendung gerade den konventionellen Bedeutungsinhalten von Wörtern
zuwiderläuft. Der durch grammatische Auslegung hervorgebrachte
Wortsinn ist nicht in Einklang zu bringen mit den durch indivi-
duelle, historische und gegnerische Auslegung ermittelten Verhältnissen: Er nötigt den Interpreten, über ihn hinauszugehen. Die
Auslegung einer Allegorie besteht daher in einem permanenten
Wechselspiel aller vier Momente der literarischen Hermeneutik. Ihr
Verständnis setzt deshalb auch keine irgendwie geartete spezifische
Art einer Auslegung voraus, wie es jene von der Antike bis ins
Spätmittelalter hineinreichende Unterscheidung der Hermeneutik
in grammatische und allegorische Interpretation forderte[70]. Wenn
also das methodische Verfahren erkenntnismäßig auf die Totalität
des Textes abzielt, zugleich aber in verschiedene Interpretationska-
tegorien, die in einem wechselseitigen Bedingungsverhältnis stehen,
untergliedert wird, dann ist das einzig mögliche differenzierte
Vorgehen, um im Interpretationsgeschehen die Einzelschritte wieder zum Ganzen zu vermitteln, das „cyklische, wo man Alles auf
einen Punkt zurückbezieht und von diesem nach allen Seiten zur
Peripherie übergeht"[71]. Der „hermeneutische Cirkel"[72] als eine

„selbst kommunikativ-verstehende Erfahrung"[73] stellt die Möglichkeit zur Überprüfung und Korrektur philologisch-historischer Konjekturen durch wiederholtes, immer tiefer eindringendes Lesen der Texte bereit. Der „Cirkel der Aufgabe"[74], dem sich der Interpret im Verstehensprozeß gegenübersieht, ist dabei „weder ein eigens vorausliegender Vorgriff, noch ein gesondert zu denkender Zusatz. Er ist vielmehr dem Verstehen im konkreten Bezug zum Erkenntnisgegenstand inhärent"[75]. Die Nichthintergehbarkeit eines solchen methodischen Prinzips in jedem Interpretationsverfahren hat auch Konsequenzen für den Charakter des Verständnisses, das sich zwischen Text und Interpret herstellen läßt. Durch die Unvermeidbarkeit der Zirkularität wird die formale Theorie der Philologie, die Hermeneutik, zu „einer unendlichen Aufgabe für die Approximation"; und die Anerkennung dieser notwendigen Voraussetzung stellt keinen Einwand gegen die Wissenschaftlichkeit einer solchen Methode dar, denn „die Unvollendetheit ist kein Mangel, ein wirklicher Mangel ist es nur, wenn man sie sich selbst oder anderen verhehlt"[76].

Obgleich im hermeneutischen Vollzug die vier Operationen einander verhaftet bleiben, bildet die allgemeine Grundlage jeder Interpretation die grammatische Auslegung[77], die noch durch Kenntnisse der Individualität des Autors, der historischen Verhältnisse und des Gattungscharakters ergänzt wird. Aufgabe der grammatischen Interpretation ist die Bestimmung des Wortsinns, der einerseits durch die „Bedeutung der einzelnen Sprachelemente für sich", andererseits durch den „Zusammenhang derselben"[78] bedingt ist. Bei der Untersuchung der Bedeutung der einzelnen Sprachelemente für sich ergibt sich die Schwierigkeit, daß ein Sprachelement nicht nur über einen einzigen objektiven Sinn verfügt, sondern „dass die Wörter und übrigen Sprachformen vieldeutig sind"[79]. Sicherlich bedeutet eine solche Vieldeutigkeit nicht, daß man von einer Beliebigkeit der Zeichen und der Zeichenverwendung sprechen kann: Wörter und die sie bestimmenden Regeln, die dem Sprecher durch ein sprachliches System gegeben sind, schränken die Möglichkeiten der Sinngebung, die ein Sprecher im Sprechakt den Wörtern zukommen läßt, von vornherein ein. Dennoch — und hier tritt die im Gespräch stattfindende „Sprachbildung" in den Vordergrund — kann nicht von der sprachlichen Praxis der Subjekte und der individuellen Verwendung des sprachlichen Repertoires abstrahiert werden. Sie bewirkt, daß „die Grundbedeutung jedes Sprachelements ohne ihre Identität einzubüssen sich auf das Mannigfaltigste

differenzieren kann"[80], wie dies z. B. in einer metaphorischen
Sprachverwendung der Fall ist. Worbedeutungen werden nämlich
sowohl durch die Historizität der Sprache, d. i. Sprachenentwick-
lung und -bildung, als auch durch die verschiedenen sozialen Kon-
texte, in denen sie gebraucht werden, modifiziert[81]. Für die hermeneutische Tätigkeit folgt daraus, daß sie ihr Interesse auf den
Sprachgebrauch der Subjekte zu richten hat, der „sich aus den einzelnen Fällen der Anwendung der Formation ergiebt; diese bilden
gleichsam die Peripherie der Bedeutung, von wo aus man das Cen-
trum, die Grundanschauung zu bestimmen hat"[82].
Der Wortsinn wird nicht nur durch die Bedeutung der einzelnen
Sprachelemente für sich bestimmt, sondern auch durch den Zusammenhang derselben bedingt. Die Bedeutung eines Wortes wird in
analoger Weise zu den Einschränkungen durch Zeit und Sphäre, in
der es geäußert wird, durch seine „sprachliche Umgebung"[84], in
welcher es vorkommt, differenziert. Böckh unterscheidet dabei
zwischen den materiellen und formellen Elementen der Sprache.
Materielle Elemente sind Substantive, Verben, Adjektive und Ad-
verbien, während unter die formellen Flexionsformen und Partikel
fallen[85]. Wichtig für die sprachliche Umgebung, d. h. den Zusammenhang, in dem der Wortsinn seine Bedeutung findet, werden bei
einer Textanalyse vor allem die Flexionsformen wie Kasus, Tem-
pus, Passiv etc., da die Verbindung der Flexionsformen die „Structuren"[86] wiedergibt, durch die der Zusammenhang zwischen den
materiellen Elementen erklärt wird. Umgekehrt erklärt die Bedeutung der materiellen Elemente in ihrer Verbindung eben diese
„Structur"; in einem solchen Zirkel der gegenseitigen Bestimmung
stellt sich der Sinn eines Textes ein. Es liegt auf der Hand, daß der
Zusammenhang der Sprachelemente sehr stark von der subjektiven
Zusammenstellung und Komposition abhängig ist; daher wird die
grammatische Interpretation, soweit sie den Wortsinn aus dem
Zusammenhang der Sprachelemente erklären will, sehr oft durch
die individuelle und generische Auslegung ergänzt werden müssen.
In seinen *Prinzipien der Interpretation* hat sich Hirsch bei der
Unterscheidung von Wortsinn und Bedeutung auf Böckh beru-
fen[83]; doch müssen gegen diesen traditionskritischen Rückgriff
Bedenken vorgebracht werden. Für Böckh wäre eine solch strikte
Trennung von Wortsinn, dessen Rekonstruktion der Interpretation
zufiele, und Bedeutung, deren Aufarbeitung zur Aufgabe der Literaturkritik gehören würde, nicht möglich: Abgesehen davon, daß
auch die Bedeutung eines Sprachelementes nach Böckh durch die

Interpretation eingeholt werden muß, bleibt der „Wortsinn an sich" immer nur ein „formaler Begriff"; er erfährt je nach dem geschichtlichen und sozialen Kontext, in dem ein Wort verwendet wird, seine spezielle Differenzierung. Eine literarische Hermeneutik kann sich nämlich nicht darin erschöpfen, den in der grammatischen Auslegung bestimmten Wortsinn zu ermitteln, da dieser selbst mit historisch gegebenen Verhältnissen belegt ist und durch sie modifiziert wird. In einem Gespräch setzt der Sprechende immer schon voraus, daß der Zuhörende ihn nicht bloß „grammatisch" versteht, sondern daß er kraft einer gemeinsamen Teilhabe an gesellschaftlich vermittelten Ausgangsbedingungen sich Gegebenheiten vergegenwärtigen kann, auf die der Sprechende in seiner Rede unausgesprochen Bezug nimmt. Aufgabe der historischen Interpretation ist es daher, jene impliziten Voraussetzungen einer genaueren Überprüfung zu unterziehen, die für Gesprächsteilnehmer ein Verständnis eröffnen, bei dem die Sprechenden Wörter eben nicht nur verstehen, sondern sich „bei denselben mehr denken, als sie an sich besagen"[87]. Die in einem Gespräch oder in einem literarischen Werk geäußerten sprachlichen Zeichen sind eben nicht neutral ihrem Kontext gegenüber, in dem sie stehen, da „die Bedeutung (...) selbst z. Th. in Vorstellungen besteht, welche in den Worten an sich nicht liegen, aber sich an ihren objectiven Sinn vermöge seiner Beziehungen auf reale Verhältnisse knüpfen"[88]. Im Interpretationsgeschehen hat sich der Interpret jener historischen Gegebenheiten rückzuversichern, auf die in einem Sprachwerk Bezug genommen wird, weil sie selbst unhinterfragt in das Sprachwerk aufgenommen worden sind und so erst in einer kritischen Reflexion des Interpreten bewußt gemacht werden können, oder, um es in moderner Terminologie auszudrücken: Die historische Interpretation leistet gerade das, was heute den Theorien der Kontextualität für das Verständnis von Literatur und Geschichte, für die Beziehung inner- und außerliterarischer Phänomene, abgefordert wird[89].
Das besondere Problem einer historischen Interpretation liegt nun darin, wie die Entscheidung über die Anwendbarkeit der historischen Auslegung überhaupt legitimiert werden kann[90] — entzieht sich doch gerade die Differenz zwischen dem, was Wörter eigentlich bezeichnen, und dem, was sich die Benutzer beim Gebrauch dieser Wörter darüberhinaus denken, einer an möglichst weitgehender Exaktheit interessierten Interpretationsmethode. Die Lücke, die durch die Modifikation des Wortsinns aufgrund der individuel-

len Verwendung der Subjekte entsteht, läßt sich von seiten des Interpreten nur durch das „Gefühl"[91] schließen. Nur so ist es ihm möglich zu verstehen, ob einem Autor „in einem bestimmten Fall eine besondere Beziehung vorgeschwebt haben kann"[92]. Böckh betont in diesem Zusammenhang besonders die Grenzen der Anwendbarkeit einer historischen Interpretation, um damit möglicher Beliebigkeit der Textauslegung zu begegnen, wie sie für frühere hermeneutische Theorien charakteristisch war. Wenn bei einer historischen Interpretation auf einen vom Autor angespielten Sinn bezuggenommen wird, den die Rezipienten notwendig verstanden haben müssen, so darf „nicht mehr in die Worte gelegt werden, als die, an welche der Autor sich wendet, dabei denken konnten"[93]. Diese Ausführung versteht Böckh in kritischer Abgrenzung zur allegorischen Interpretation, die bei der Bestimmung des „sensus spiritualis" auf die uneigentliche Bedeutung von Wörtern zielt und das eigentliche grammatische Verständnis, den „sensus litteralis" der grammatischen Interpretation überläßt: Dagegen bleibt für Böckh in der hermeneutischen Tätigkeit die Verschränkung der vier Arten der Auslegung konstitutiv.

4.

Schon bei der Darstellung der Böckhschen Sprachtheorie ist auf die Dialektik von Individuellem und Allgemeinem verwiesen worden, da die Allgemeinheit des einem Sprecher zur Verfügung stehenden Zeichensystems immer nur auf der Folie der individuellen Sprachverwendung eines Sprechers, d. h. unter dem Gesichtspunkt gesehen werden kann, auf welche Weise er im Sprachgebrauch das Sprachrepertoire auf eine für ihn eigentümliche Weise modifiziert. Von daher spiegelt sich in jeder Rede das subjektive Wesen des Sprechenden wider; also das, was Böckh unter dem Begriff der Individualität faßt. Für eine hermeneutische Theorie, in der die individuelle sprachliche Produktivität des Autors berücksichtigt wird, stellt sich die Frage, wo diese Individualität ihre Entsprechung in der Sprache findet. Sie wird von Böckh dahingehend beantwortet, daß der sprachliche Ausdruck im individuellen Stil besteht, der sich in der vom Autor vorgenommenen Wahl und Zusammensetzung der einzelnen Sprachelemente manifestiert. Die Aufgabe der individuellen Interpretation liegt darin, die Individualität durch die Kompositionsweise und daran anschließend die Erklärung der Wahl der Sprachelemente nach ihrer individuellen Bedeutung zu bestimmen[94]. Wenn die Bestimmung der Individualität gefordert wird, so heißt das nicht, daß sie aus psychologischen Gesetzen abgeleitet werden könnte. Daher ist für Böckh die von Schleiermacher verwendete Begrifflichkeit der „psychologischen Auslegung"[95] leicht mißverständlich, weil sie einem überzogenen Erkenntnisanspruch Vorschub leisten kann; denn „der individuelle Stil ist nicht vollständig durch Begriffe zu charakterisiren, sondern durch die Hermeneutik als Anschauungsweise selbst anschaulich zu reproduciren"[96]. Dabei muß aus methodischen Gründen zur Bestimmung des individuellen Stils die Analyse des einzelnen Sprachwerkes den Ausgangspunkt bilden[97].

Böckh hebt besonders hervor, daß ein Sprachwerk als ein „Organismus"[98] gesehen werden muß, in dem das Ganze seinen einzelnen Teilen vorangeht. Ein Autor entwirft ein Werk in der Weise, daß sich aus einem ersten Konzept eine weitgehende Allgemeinheit ergibt, die dann erst in weiteren Zugriffen in ihren Besonderheiten differenziert und modifiziert wird. Insofern erhält ein sprachliches Kunstwerk seine Einheit zuerst durch die „Einheit des Objects"[99], die darin besteht, daß dem Werk ein fest umrissener Stoff zugrundegelegt wird. Dieser objektive Inhalt dient dem Zweck, den der Autor mit seinem Werk beabsichtigt. Die Modifikationen, die die Totalität des Intendierten konkretisieren, werden dadurch hervorgebracht, daß der Autor aus der Vielzahl von Gedankenverknüpfungen diejenigen auswählt, die dem beabsichtigten Zweck angemessen sind, und daraus die „materiale Einheit"[100] bildet. Aus dieser wiederum ergibt sich die „formale Einheit"[101], die die Zusammensetzung der einzelnen Momente eines Werkes zur Darstellung bringt und so der materialen Einheit das logische und rhetorische Äquivalent gibt, so daß auch hier wieder die Einheitlichkeit des Ganzen hervortritt. Beide Einheiten, die materiale und die formale, bilden zusammen die Komposition eines Werkes, in der sich der individuelle Stil zeigt. Der eigentlich subjektive Sprachstil des Autors äußert sich darin, wie dieser Umschreibungen anstelle eines einfachen Ausdruckes einsetzt, wie er Nebengedanken, die nur von geringer Bedeutung für sein Hauptanliegen sind, in sein Werk einfließen läßt, wie er Sätze einbaut, die die vorhergehenden lediglich paraphrasieren. Dabei sind für einen Interpreten auch solche Analysen unumgänglich, die im allgemeinen als genuin linguistische Fragestellungen gelten. So muß er den für einen Autor eigentümlichen Wort- und Periodenbau untersuchen, und er muß die Arten der Wortstellung und die Wahl der Interjektionen analysieren, um nur einige seiner Aufgaben zu nennen[102].

> Die individuelle Composition beherrscht aber alle Elemente der
> Sprache und giebt dadurch dem Sprachwerke seine eigenthümliche
> äussere Form; das materielle Element, also das Objective in der
> Sprache eignet sie sich durch die besondere Art der Verbindungen
> an; über das mehr formelle, die Partikeln, hat sie fast unum-
> schränkte Gewalt[103].

Hat man die Individualität eines Autors durch die Interpretation
des Zusammenhanges der Sprachelemente, der Komposition des
Ganzen, in annähernder Weise bestimmt, so kann man dazu übergehen, einzelne Sprachelemente für sich individuell auszulegen und
etwaige Modifizierungen der grammatischen Bedeutungen durch
den Sprachgebrauch des Autors festzustellen[104]. Daß eine solche
Sinngebung der einzelnen Sprachelemente in ihrer Verwendung
nicht historisch beliebig und willkürlich ist, darauf verweist die
generische Interpretation.
Die generische ist ebenso wie die historische Auslegung im Grade
ihrer Anwendung variabel, weil die Individualität in der Aktualisierung oft einer in ihr angelegten Modifikation folgt, ohne daß
sie dabei Rücksicht auf einen bestimmten Zweck nimmt. Vornehmlich findet „ein solches freies Spiel der Individualität"[105] in einer
leichten Unterhaltung statt, während — als das andere Extrem —
in einer geschlossenen Rede sich das Geäußerte auf einen festgelegten Zweck bezieht und daher das Resultat ein methodisch erstreb-
tes ist. Nach Schleiermacher kann das Verständnis einer Rede nach
dieser Seite hin als technische Auslegung bezeichnet werden[106];
für Böckh ist hingegen die Beschränkung auf eine geschlossene Rede
zu eng gefaßt, um damit die gesamte generische Interpretation zu
fassen, da

> auch im leichtesten Spiel der Rede der Redende doch einen Zweck,
> z. B. eben den der Unterhaltung verfolgt; er ist nur hier einfacher
> und gestattet der Individualität eine freiere Bewegung als die
> technische Durcharbeitung eines Sprachwerks[107].

Sein recht weitgefaßtes Verständnis des Zweckbegriffes resultiert
zwingend aus der Priorität, die Böckh seiner Sprachtheorie — und
damit der grundlegenden Bedeutung der sprachlichen Kommunikation — für die theoretische Fundierung einer literarischen Hermeneutik beimißt.
Die Berechtigung, die auf einen Zweck ausgerichteten Gedankenbe-
ziehungen in einem literarischen Werk in einer generischen Interpretation durchsichtig zu machen, ist darin begründet, daß ein
Zweck, wenn er im Text realisiert wird, eine bestimmte Gattung

präjudiziert, denn „der Zweck ist die ideale höhere Einheit des Mitgetheilten, die — als Norm gesetzt — Kunstregel ist und als solche stets in einer besonderen Form, einer Gattung ausgeprägt erscheint"[108]. Böckh charakterisiert dabei acht verschiedene Gattungsformen: die prosaische, poetische, historische, epische, lyrische, philosophische, dramatische und rhetorische, die aber — wie er selbst zugesteht — sehr abstrakt bleiben und durch die Vielzahl verschiedenartiger Zwecke modifiziert werden; sie sind nur relativ unterschieden und „gehen also nach dem besondern Zweck jedes Werkes mannigfach in einander über. So bestimmt sich denn die innere Form der Darstellung stets nach dem in jedem Falle vorliegenden Zweck"[109]. Die generische Auslegung hat diesen Zweck zu bestimmen, wobei ihre Beziehung zu den anderen Interpretationsarten interdependent ist: Sie ist sowohl auf die historische als auch auf die individuelle angewiesen. Da der Zweck einer Rede immer nur die bestimmte Behandlung eines Stoffes ist, so wird sich diese „nach der Natur dieser (der historisch gegebenen) Verhältnisse" und „nach der Individualität des Redenden"[110] zu richten haben; die generische Auslegung wird daher auf Erkenntnisse des historischen und individuellen Verfahrens zurückgreifen müssen. Ihrer Aufgabe, den einem Text zugrundeliegenden Zweck zu ermitteln, wird sie methodisch durch eine genaue Untersuchung des Werkes und seiner Konstruktion sowie durch die Vergleichung seiner Teile gerecht[111]. Eine in dieser Weise vorgenommene Analyse wird die „generische, d. h. durch den Zweck bedingte Combinationsweise des Werks" freilegen, die „in Mitteln der Darstellung" besteht, die die Absichten des Autors entweder „offenbaren oder verhüllen"[112] sollen. Zu den Mitteln, die die Absicht eines Autors offenbaren, gehören z. B. akzentuierte oder häufig wiederkehrende Passagen eines Textes; zu denen, die die Absicht eher verschleiern, zählt z. B. das Stilmittel der Ironie. Die Kombinationsweise einer Rede drückt sich zugleich auch in ihrer „äußeren Form" aus. „Dieselbe (die äußere Form) ist von der inneren Form abhängig, und wenn man den Schriftsteller im Produciren selbst begreifen will, muß man diese Abhängigkeit verstehen"[113]. Die generische Interpretation macht in ihrer Ausführung die Interdependenz zwischen individuellem Stil und literarischem Gattungscharakter offensichtlich: die Möglichkeiten individuellen Stils und individueller Kompositionsweise sind über die vom Autor für seine Redeabsichten gewählten Gattungen und Geschlechter vermittelt. Falsch wäre allerdings der Schluß, die äußere Form, die ja in der individuellen Komposition entworfen wird, ließe sich auf die innere Form einer bestimmten Redegattung reduzieren. Das Verhältnis der durch eine Gattung festgelegten inneren Form zu der durch die Individualität des Autors bestimmten äußeren Form bleibt insofern offen, als eine Redegattung einen dem Autor eigentümlichen Stil zwar beeinflußt, aber keine feste Verwendung vorgibt. „Die individuelle Seite der Mittheilung" wird, wie Böckh sagt, „durch die subjectiven Verhältnisse", die in Zweck und Richtung liegen, allenfalls „modificirt"[114]. Daher ist Hirschs Behauptung nicht haltbar, Böckh nähere sich der Konzeption des wahren Genres[115]. Dem Genre in Hirschs Interpretationstheorie soll es ja gerade gelingen, die sinnentwerfende Subjektivität des Autors in der Befolgung der von einem Genre vorgegebenen Regeln aufgehen zu lassen, während für Böckh die durch die Redegattung vermeintlich verbindlichen Stile eben nicht „abstrakt das Werk regieren, sondern in die Dialektik seiner Individuation eingehen"[116].

Ein ähnliches Mißverständnis liegt vor, wenn Hirsch seine eigene Unterscheidung von Interpretation und Kritik mit der Böckhschen von Hermeneutik und Kritik vergleicht. Nach Hirsch soll Böckh Hermeneutik und Kritik als zwei Bereiche definiert haben, die es „mit zwei völlig verschiedenen ‚Gegenständen' zu tun haben"[117]. Während der Gegenstand der Hermeneutik im Textsinn an sich, der als Sinn des Textes bezeichnet werden könne, erschlossen sei, sei der Gegenstand der Kritik im Verhältnis jenes Sinnes zu Wertvorstellungen und Erkenntnisinteressen vermittelt, welches auch als Bedeutung des Textes gefaßt werden könne. Es ist bereits darauf verwiesen worden, daß es in der Böckhschen Theorie nicht Aufgabe der hermeneutischen Tätigkeit ist, allein einen Textsinn an sich zu erschließen; die Unmöglichkeit eines solchen Unternehmens liegt in der individuellen Sprachverwendung des Autors begründet. Zudem ist das Verhältnis von Hermeneutik und Kritik ein anderes, als Hirsch es bestimmt. Während für Böckh der hermeneutischen Tätigkeit die Aufgabe zugewiesen wird, „die Gegenstände an sich zu verstehen", was eben nicht in der Weise geschieht, daß „irgend etwas ohne Berücksichtigung vieles andern" verstanden wird, ist es die Aufgabe der Kritik, nicht „einen Gegenstand an sich, sondern das Verhältnis zwischen mehreren Gegenständen zu verstehen"[118]. Der Verstehensprozeß umfaßt, dialektisch vermittelt, beide Momente: Verstehen ist einerseits absolut, weil es auf ein „Object an sich" gerichtet ist, und andererseits relativ, weil es sich dem „Verhältniss zu anderen" zuwendet[119]. Insofern kann in der interpretatorischen Praxis das kritische Verfahren nicht vom hermeneutischen getrennt werden; beide bedingen sich gegenseitig und setzen einander voraus.

> Die Hermeneutik setzt wieder die Lösung der kritischen Aufgabe voraus. Es entsteht hieraus ein Cirkel, welcher ... immer nur durch Approximation gelöst werden kann. Da man hierbei ... beständig von einem zum andern übergehen muß, können in der Ausübung Kritik und Hermeneutik nicht gesondert werden; keine von beiden kann der andern in der Zeit voraufgehen[120].

Kritik wird so zwar nicht mit literarischem Verstehen überhaupt gleichgesetzt, sondern mit einer besonderen Form des Verstehens[121]; dennoch ist der Unterschied zur Hermeneutik ein bloß gradueller, weil die Kritik „mehr Selbstthätigkeit als die Hermeneutik erfordert, bei welcher die hingebende Aneignung des Gegenstandes vorwiegt"[122].

5.

Eine neuerliche Beschäftigung mit der hermeneutischen Theorie August Böckhs kann nicht von den Forderungen abstrahieren, die als Resultat gegenwärtiger literaturwissenschaftlicher Diskussionen an das methodische Selbstverständnis einer literarischen Interpretationstheorie gestellt werden. „Während der literaturwissenschaftliche Positivismus die Hermeneutik zur Einhaltung verbindlicher Regeln verpflichten möchte, warnt die Existentialontologie sie vor einem Rückfall in den geschichtlichen Subjektivismus der Genieästhetik"[123]. Daß eine Theorie literarischer Interpretation sich nicht in den Widersprüchlichkeiten dieser Alternativen verfangen muß, sollte der traditionskritische Rückgriff auf Theoreme der romantischen Hermeneutik aufzeigen. Einen zentralen Begriff bildet dabei das Divinationstheorem, das im allgemeinen dahingehend interpretiert worden ist, daß sich in ihm gegenüber „dem individuellen Sinn der Schein der Irrationalität" und gegenüber „der Aneignung tradierter Bedeutungsgehalte der Verdacht des bloß Arbiträren"[124] behaupte. Seinem Verständnis einen neuen Zugang zu eröffnen, erlaubt die Beschäftigung mit der hermeneutischen Theorie August Böckhs.

Manfred Frank hat mit Recht darauf verwiesen, daß Böckh den Schleiermacherschen Terminus der Divination als eine Art kongenialen Nachvollzugs der Rede des Interpretanden aufgefaßt hat[125]. Böckh hat dies explizit formuliert: „Das ist das Einzige, wodurch Verständniss möglich ist: Congenialität ist erforder-

lich"[126]. Dennoch ergeben sich weitgehende Parallelen zwischen
der Verwendung des Begriffs Divination bei Schleiermacher und
der des Begriffs Kongenialität bei Böckh. Wenn für Schleiermacher
Divination „diejenige Bewußtseinshaltung des Interpreten" bezeichnet, „die der stilistischen Produktivität des Autors korrespondiert"[127], so muß gesehen werden, daß für Böckh das Problem
der Kongenialität und ihrer Notwendigkeit für die hermeneutische
Tätigkeit genau dort einsetzt, wo die Subjektivität eines Autors
das Allgemeine eines sprachlich vorgegebenen Repertoires hin zu
einer individuellen Sprachverwendung überschreitet.

> Zu verschiedenen Zeiten wird man von den Gegenständen auf
> verschiedene Weise afficirt, je nach der verschiedenen Stimmung;
> auch die Gegenstände selbst ändern sich ja. Daher kann man auch
> nie dasselbe noch einmal produciren ... Man wird nicht im Stande
> sein wieder dieselben Gedanken zu finden, soweit es sich um freie
> Combination handelt[128].

Die Sprache erhält so ihren individuellen Charakter, dessen sprachlicher Ausdruck der individuelle Stil ist. Dieser Stil eben entzieht
sich einer grammatischen Interpretation, der es um die Bestimmung
des Wortsinnes geht; die Bedeutung eines Sprachelementes ist
grundsätzlich abhängig von der interpretatorischen Leistung des
Subjektes, seine Sprache in einer für ihn eigenen Weise zu entwerfen. Offensichtlich wird dies, wenn bei der hermeneutischen Tätigkeit der durch die grammatische Interpretation ermittelte Wortsinn
zum Verständnis nicht ausreicht, weil der Autor ihn auf eine für
ihn eigentümliche, aber für seinen Sprachkreis noch verständliche
Weise mit Sinn belegt hat. Das entscheidende Kriterium für die
Anwendbarkeit der historischen Interpretation oder die Zulässig-
keit einer hypothetischen Erklärung liegt allein im Gefühl begründet: Hier bewährt sich die Kongenialität des Interpreten[129]. Nur
die methodisch nicht einholbare Kongenialität vermag es, jene
Lücke des Verstehens zu schließen, die entstehen muß, wenn im
Akt der Rede den allgemeinen Sprachelementen ihr individueller
Sinn durch die subjektive Sprachverwendung des Autors zukommt.
Dieses „keiner weiteren Rechenschaft fähige Gefühl"[130] muß
allerdings notwendigerweise, obgleich es eine eigenwertige Instanz
des Rezeptionsaktes selbst darstellt, im Verstehensprozeß zugleich
wieder begrifflich umrissen werden,

> theils weil man, um zur Klarheit zu gelangen, das Gefühl in Be-
> griffe aufzulösen bestrebt sein muss, und das Gefühl selbst, wenn
> davon keine Rechenschaft gegeben werden kann, wenigstens in

vielen Fällen verdächtig wird; theils weil das Gefühl nicht unmittelbar mitgetheilt werden kann, und folglich, wenn Überzeugung hervorgebracht werden soll, Gründe angegeben werden müssen, welche den Urtheilsfähigen, unabhängig vom Gefühl, zur Einsicht zwingen[131].

Hinzu tritt das Phänomen, daß sich die individuelle Anschauung eines Autors in einem interpretatorischen Akt niemals in ihrer Totalität erfassen läßt. Damit die hermeneutische Aufgabe völlig lösbar wäre, müßte man vollständig in eine fremde Individualität eingehen können[132]. Wenn man dagegen in Anschlag bringt, daß die durch die generische Interpretation ermittelten Ergebnisse bestenfalls zu einer Eingrenzung und näheren Bestimmung der sich im individuellen Stil äußernden Subjektivität führen[133], ist das Verständnis des gleichzeitig allgemeinen und individuellen Sinnes eines Geäußerten nur annäherungsweise vom Interpreten zu erreichen, so daß „die Aufgabe der Hermeneutik nur durch unendliche Approximation d. h. durch allmähliche, Punkt für Punkt vorschreitende, aber nie vollendete Annäherung gelöst werden kann"[134].

Die aus der Allgemeinheit sprachlicher Zeichen und der Individualität der Zeichenverwendung resultierende Differenz verweist eine hermeneutische Theorie darauf, daß die im interpretatorischen Akt hergestellte Verständnisleistung niemals für sich beanspruchen kann, ein objektives Wissen bereitzustellen und den in der Verwendung vom Autor hergestellten individuellen Sinngehalt vollständig zu erfassen; sie muß sich „bewußt bleiben, daß man ein vollständiges Verständniss irgend eines Sprachelements nie erreichen kann"[135]. Sie ist angewiesen auf eine „Form der Erkenntnis, die zugleich rational analytisch und emotional schöpferisch ist"[136] und die in der Interpretation das Individuelle des Geäußerten nie ganz einzuholen vermag. Genau diese Einsicht wird auch im Terminus vom „Kunstcharakter der Hermeneutik" wiedergegeben.

Die Formel vom Kunstcharakter des Verstehens hat ebenso wie das Divinationstheorem im Laufe ihrer Rezeptionsgeschichte einen negativen Beiklang erhalten. Oft ist gegen diese Formulierung eingewendet worden, daß sie nur in anderer Verkleidung dasjenige wiedergebe, was dem Begriff der Divination eigentlich zugrundeliege: nämlich eine bloße methodisch uneinholbare Einfühlung in das von einem Autor Geäußerte[137]. Der Begriff des Kunstcharakters verdecke nur das Anliegen, die interpretatorische Leistung jenseits einer systematischen Analyse der Verstehensbedingungen anzusiedeln. Nun ist schon im Hinblick auf den Begriff der Kongenialität festgestellt worden, daß eine sich einer methodischen Überprüfbarkeit entziehende und aus keiner allgemeineren Regel ableitbare Verstehensleistung aus der Notwendigkeit heraus resultiert, daß nur dieser interpretatorische Akt die Lücke schließt, die sich aus der Allgemeinheit sprachlicher Zeichen und der Individualität ihrer Verwendung durch den Autor ergibt. Von daher besagt die These vom Kunstcharakter des Verstehens nur, daß die hermeneutische Tätigkeit immer eine nicht mehr systematisch ableitbare Produktion des Interpreten im Verstehensakt verlangt. „Denn das Gefühl (...) ist ein innerlich productives; es tritt an die Stelle des Verstandes die Phantasie als hermeneutische Tätigkeit"[138].

Das bedeutet sicherlich nicht, daß eine hermeneutische Theorie darauf verzichten könnte, sich ihrer eigenen Verfahren rückzuversichern; nur kann eine solche Reflexion nicht davon abstrahieren, daß im Verstehen selbst immer ein Mehr an freier produktiver Leistung vom Interpreten geleistet wird. „Die Hermeneutik und Kritik entwickeln natürlich nur die Grundsätze des Verstehens; die Ausübung und Realisierung derselben ist die philologische Kunst"[139]. Eine Interpretationstheorie wird zwar die „wissenschaftliche Entwicklung der Gesetze des Verstehens" beinhalten und sich nicht darauf beschränken können, bloß „praktische Regeln"[140] vorzugeben; doch selbst die Theorie vermag nicht ihre richtige Anwendung und damit richtiges Verständnis zu garantieren. Nichts anderes meint der Satz, daß „richtiges Verstehen eine Kunst sei"[141]. Hierin liegt die Produktivität des Interpreten im Verstehensakt begründet: Der Sinn eines Textes erschließt sich nur demjenigen, der den individuellen Äußerungen des Interpretanden eine nicht mehr in Regeln zu fassende interpretatorische Kunst entgegensetzt, die eben diesen Sinn in ihrer Aktualisierung reproduziert — und nicht rekonstruiert, oder, wie Böckh sagt: Verstehen erfordert „Objectivität und Receptivität"[142]. Unter solchen Prämissen versteht es sich von selbst, daß der Verstehensprozeß nie in vollständiger Weise objektivierbar gemacht werden kann, und insofern wird in jeder neuen Lektüre eines Textes ein Sinn entbunden, der sich der interpretatorischen Produktivität des Lesers verpflichtet weiß.

Die Möglichkeiten von Sinnerweiterungen, die sich in der hermeneutischen Tätigkeit aufgrund der Unabgeschlossenheit ihrer Aufgabe herstellen, verweisen auf die These, daß ein Interpret den Autor nicht nur ebenso gut, sondern noch besser zu verstehen habe[143]. Diese begründet sich darin, daß durch die Historizität des Verstehensprozesses die dem Autor nicht mehr reflexiv verfügbaren Ausgangsbedingungen seiner Sprachverwendung im interpretatorischen Akt zum Vorschein gebracht werden.

> Hieraus folgt, dass der Ausleger den Autor nicht nur eben so gut, sondern sogar besser noch verstehen muss als er sich selbst. Denn der Ausleger muss sich das, was der Autor bewusstlos geschaffen hat, zu klarem Bewusstsein bringen, und hierbei werden sich ihm alsdann manche Dinge eröffnen, manche Aussichten aufschliessen, welche dem Autor selbst fremd gewesen sind[144].

Die Einsicht, daß ein Verständnis niemals eindeutig sein wird, bedeutet nun keineswegs, daß alle Interpretationen gerechtfertigt wären. Vielmehr liegt hier die eigentliche Schwierigkeit und zugleich die Aufgabe des Textverständnisses: nämlich „zwischen falsch und richtig, sinnfremd und sinnbezogen zu unterscheiden, ohne das manchmal objektiv mehrdeutige Motiv um der prätendierten Eindeutigkeit willen zu beschneiden"[145]. Deshalb soll noch einmal die Diskussion um die Theorie der „objektiven Interpretation" aufgenommen werden, der es ja gerade darum ging, durch das Aufstellen „objektiver" Kriterien eine Grundlegung für eine im normativen Sinne richtige Interpretation zu liefern.

Es ist für Hirschs Ansatz bezeichnend, die für eine hermeneutische Theorie wichtigen Begriffe des Erlebens, der Einfühlung, der Divination usw. in einen Bereich abzuschieben, der, weil er jenseits einer szientistischen Überprüfbarkeit liegt, für eine literarische Interpretationstheorie ohne Relevanz, bleibt. In Böckhs Sprachtheorie ging jedoch als konstitutives Moment ein, daß die sprachlichen Systeme nicht von vornherein den Sinn einer Äußerung vorgeben, sondern daß dieser sich immer erst in der aktuellen Sprachverwendung der Subjekte herstellt, wo die Allgemeinheit sprachlicher Zeichen und Regeln sich in ihrer Verwendung in eine individuelle Sinnäußerung auflöst. Diese Einsicht veranlaßte Böckh, die Notwendigkeit der Kongenialität beim Verstehen eines individualisierten Textsinnes zu betonen und auf den nicht aus allgemeinen Regeln ableitbaren Kunstcharakter des Verstehens hinzuweisen. In einer Rede „bleibt eine nicht konzeptualisierbare Überdetermination, in welcher ein aufs Allgemeine irreduzibler Rest von Individualität sich geltend macht"[146]. Hirschs Einteilung der Sprache in kategoriale Einheiten des Typs und des Genres dokumentiert nur das Dilemma einer Theorie der literarischen Interpretation, die, um Regelkanons aufstellen zu könne, die Individualität des allge-

meinen sprachlichen Repertoires und die Allgemeinheit der individuellen Sprachverwendung in diskursive Einheiten auflöst, die als
solche regelgeleitet sind und deren Verständnis nur die Kenntnis
der ihnen zugrundeliegenden Regeln fordert.

An einem solchen Verfahren, das Subjektivität und Intentionalität
zugunsten einer Anwendung der durch ein Genre vorgegebenen
Sprachregeln, denen der Interpret unterworfen ist, zurückdrängt,
muß insofern Kritik angemeldet werden, als das Auffinden des
jeweiligen richtigen Typus von Sprachverwendung selbst schon eine
produktive Leistung des Interpreten verlangt, die sich nicht aus
den Regeln des betreffenden Genres ableiten läßt. Es gibt, wie
Böckh sagt, keinen logisch zwingenden Konnex zwischen den in
einer systematischen Theorie entwickelten Grundsätzen und ihrer
praktischen Anwendung: Gerade die Entscheidbarkeit über die
Anwendung der historischen Interpretaton macht deutlich, daß
nicht alle Auslegungsarten „stets (...) gleichmässig anwend-
bar"[147] sind. Sollten die von Hirsch geforderten Objektivitäts-
kriterien den Anforderungen einer Theorie der „objektiven Interpretation" gerecht werden, müßte ihre Anwendung nochmals durch
verbindliche Regeln gesteuert sein, was eben nicht der Fall ist —
und auch nicht sein kann. Es ist unmöglich, die „Regelbeherrschung
und die Regelanwendung abermals unter Regeln zu stellen"[148].
Oder, um damit wieder zur hermeneutischen Theorie August
Böckhs zurückzukehren: Regelbefolgung ist immer schon ein Mehr
an interpretatorischer Leistung. „Bei dem ächten hermeneutischen
Künstler wird die (hermeneutische) Theorie selbst in das Gefühl
aufgenommen", da „durch mechanische Anwendung hermeneutischer Vorschriften das Talent nicht entwickelt wird"[149]. Und es
scheint die eigentümliche Modernität jener hermeneutischen Theorie, in deren Tradition August Böckh steht, zu belegen, wenn sogar
Hirsch bei der Geltungsprüfung von Interpretationen eine „divina-
torische Fähigkeit" seitens des Interpreten fordert und ferner auf
ein „divinatorisches Talent" verweist, „wie es auch gebraucht wird,
um interpretative Vermutungen anzustellen"[150]. Hier erfährt
eine Theorie literarischer Interpretation, die neben der methodischen Reflexion auf die Grundbedingungen des Verstehens immer
auch den notwendigen „Kunstcharakter" eines solchen Verfahrens
betont hat, ihre Rehabilitation. Der Rückgriff auf die hermeneutische Theorie August Böckhs erschließt damit zugleich ein Potential an Methodenangeboten, dessen kritische Sichtung zur Klärung

gegenwärtiger Probleme der Theoriediskussion um eine literarische Hermeneutik dringend geboten scheint.

Anmerkungen

[1] Vgl. zum neueren Diskussionsstand um literarische Hermeneutik und Texttheorie Frank, Manfred: *Das Sagbare und das Unsagbare. Studien zur neuesten französischen Hermeneutik und Texttheorie.* Frankfurt/M. 1980.

[2] Heidegger, Martin: *Sein und Zeit,* Tübingen 1927[1], 1967[11], S. 153.

[3] Gadamer, Hans-Georg: *Wahrheit und Methode. Grundzüge einer philosophischen Hermeneutik.* Tübingen 1960[1], 1972[3], S. XXVII.

[4] Ebd. S. 277.

[5] Ebd. S. 254.

[6] In einem Brief an Emilio Betti vom 18. 2. 1961 hat Gadamer geäußert, daß eine Aufarbeitung der für eine literaturwissenschaftliche Interpretationspraxis relevanten Theoreme in einer philosophischen Hermeneutik gar nicht geleistet werden solle, da es gerade ihr Anliegen sei, den Begriffen der Hermeneutik und des Verstehens jene universale Bedeutsamkeit zuzuweisen, die einen Gegensatz zum traditionellen Verständnis von Hermeneutik als Kunst- und Methodenlehre bilde: „Im Grunde schlage ich *keine Methode* vor, sondern ich beschreibe *was ist.* Mit anderen Worten, ich halte es allein für wissenschaftlich, *anzuerkennen was ist,* statt von dem auszugehen, was eben sein sollte oder sein möchte. In diesem Sinne versuche ich über den Methodenbegriff der modernen Wissenschaft ... *hinauszu*denken und in prinzipieller Allgemeinheit zu denken, was immer geschieht." (Betti, Emilio: *Die Hermeneutik als allgemeine Methodik der Geisteswissenschaften.* Tübingen 1962, S. 51 Anm. 118). Vgl. dazu auch Gadamer, Hans-Georg: *Replik.* In: *Hermeneutik und Ideologiekritik.* Frankfurt/M. 1971, S. 283—317, hier S. 289.

[7] Szondi, Peter: *Einführung in die literarische Hermeneutik.* Frankfurt/M. 1975, S. 12.

[8] Diese zur Rückversicherung der eigenen Position vorgenommene Verarbeitung klassischer Texte hat insofern positive Konsequenzen hervorgebracht, als die romantische Hermeneutik, die aufgrund der Rezeption durch Gadamer weitgehend ihres kritischen Potentials beraubt worden war (vgl. Gadamer, Hans-Georg, Boehm, Gottfried (Hrsg.): *Seminar: Philosophische Hermeneutik.* Frankfurt/M. 1976), einer erneuten Lektüre unterzogen worden ist. Darüber wird an anderer Stelle noch zu reden sein.

[9] So lautet eine Kapitelüberschrift bei Betti, Emilio: *Allgemeine Auslegungslehre als Methodik der Geisteswissenschaften.* Tübingen 1967. Betti führt diesen Punkt noch genauer aus, wenn er in Auseinandersetzung mit

der Geschichtlichkeit des Verstehens, die Gadamer unter anderem zur Begründung der Vorurteilsstruktur des Verstehens geführt hat, die Trennung zwischen dem „wahren" Verstehen und der „bloß spekulativen Konstruktion" fordert. Spekulative Deutung dürfe nicht „Interpretation" genannt werden, ist sie doch nur das „Sinngeben vom Standpunkt einer angenommenen Weltanschauung, ... eine ‚Kunst des Deutens und Hineinlegens', für die der grundlegende hermeneutische Kanon nicht gilt: ‚sensus non est inferendus sed efferendus' " (ebd. S. 65).

[10] Hirsch, Eric Donald: *Prinzipien der Interpretation.* München 1972, S. 179. Vgl. zu Hirschs Interpretationstheorie auch sein neueres Werk: *The Aims of Interpretation.* Chicago 1976.

[11] Ebd. S. 107.

[12] Ebd.

[13] Vgl. die Kritik, die Palmer an diesen Theoremen Hirschs übt: „First, in order to make the meaning determinate, he asserts that the norm or standard must always be the intention of the author Second, in order to make this meaning objective, it has to be reproducible and changeless, so Hirsch asserts that verbal meaning, as meaning, is forever the same, and that it is separate and separable from its meaning for us as we encounter it in understanding." (Palmer, Richard E.: *Hermeneutics. Interpretation Theory in Schleiermacher, Dilthey, Heidegger and Gadamer.* Evanston 1969, S. 65)

[14] Mecklenburg, Norbert: *Kritisches Interpretieren. Untersuchungen zur Theorie der Literaturkritik.* München 1972 und Hermand, Jost: *Synthetisches Interpretieren. Zur Methodik der Literaturwissenschaft.* München 1968.

[15] Vgl. zum Begriff der „Interpretation" Strohschneider-Kohrs, Ingrid: *Textauslegung und hermeneutischer Zirkel. Zur Innovation des Interpretationsbegriffes von August Böckh.* In: Flashar, Hellmut, Gründer, Karlfried, Horstmann, Axel (Hrsg.): *Philologie und Hermeneutik im 19. Jahrhundert. Zur Geschichte und Methodologie der Geisteswissenschaften.* Göttingen 1979, S. 84—109, hier S. 86 ff.

[16] Vgl. zur Rezeption Gadamer, Hans-Georg: *Wahrheit und Methode,* a. a. O., S. 162 ff. und Gadamer, Hans-Georg, Boehm, Gottfried (Hrsg.): *Seminar: Philosophische Hermeneutik,* a. a. O.

[17] Der Familienname ist in den eigenhändigen Briefen durchweg „Böckh" geschrieben, ebenso auf dem Titel „Die Staatshaushaltung der Athener"; die lateinischen Werke sind mit Boeckhius bezeichnet (Hoffmann, Max: *August Böckh. Lebensbeschreibung und Auswahl aus seinem wissenschaftlichen Briefwechsel.* Leipzig 1901, S. 2 Anm. 1).

[18] Dilthey, Wilhelm: *Die Entstehung der Hermeneutik.* In: *Gesammelte Schriften* Bd. 5. Stuttgart, Göttingen 1957², S. 317—338; Humboldt, Wilhelm von: *Schriften zur Sprachphilosophie.* In: *Werke* Bd. 3. Hrsg. v. Andreas Flitner und Klaus Giel. Darmstadt 1936¹, 1972⁴; Schleier-

macher, Friedrich D. E.: *Hermeneutik.* Nach den Handschriften neu herausgegeben und eingeleitet von Heinz Kimmerle. Heidelberg 1959[1], 1974[2]; ders.: *Hermeneutik und Kritik. Mit einem Anhang sprachphilosophischer Texte Schleiermachers.* Herausgegeben und eingeleitet von Manfred Frank. Frankfurt/M. 1977.

[19] Vgl. dazu Betti, Emilio: *Allgemeine Auslegungslehre,* a. a. O., S. 223 u. Hirsch, Eric Donald: *Prinzipien der Interpretation,* a. a. O., S. 301.

[20] Gadamer, Hans-Georg: *Wahrheit und Methode,* a. a. O., S. 175.

[21] Vgl. Szondi, Peter: *Einführung in die literarische Hermeneutik,* a. a. O., S. 405. Ebeling und Apel erwähnen Böckhs Beitrag zur hermeneutischen Theoriebildung nur sehr beiläufig. Vgl. Apel, Karl-Otto: *Transformation der Philosophie* Bd. 1: *Sprachanalyse, Semiotik, Hermeneutik.* Frankfurt/M. 1976, S. 117 f. u. Ebeling, Gerhard: *Hermeneutik.* In: *Religion in Geschichte und Gegenwart* Bd. 3. Tübingen 1959[3], S. 242—262, hier S. 255.

[22] Zur Rezeption in den Literaturwissenschaften vgl. Strohschneider-Kohrs, Ingrid: *Textauslegung und hermeneutischer Zirkel,* a. a. O., S. 86 f.

[23] Szondi, Peter: *Einführung in die literarische Hermeneutik,* a. a. O., S. 25.

[24] Für biographische Daten vgl. insbesondere Hoffmann, Max: *August Böckh,* a. a. O. Weitere ausführliche Literaturangaben finden sich bei Vogt, Ernst: *Der Methodenstreit zwischen Hermann und Böckh und seine Bedeutung für die Geschichte der Philologie.* In: Flashar, Hellmut u. a. (Hrsg.): *Philologie und Hermeneutik,* a. a. O., S. 103—121, hier S. 109, Anm. 14.

[25] Böckh, August: *Encyklopädie und Methodologie der philologischen Wissenschaften.* Hrsg. von Ernst Bratuscheck. Leipzig 1877 (2. Aufl. besorgt von Rudolf Klussmann. Leipzig 1886). Ein Nachdruck der 2. Auflage ist 1966 in Darmstadt erschienen; er umfaßt allerdings nur den ersten Hauptteil, die „Formale Theorie der philologischen Wissenschaft". Wenn nicht anders vermerkt, wird im folgenden nach der Ausgabe von 1966 zitiert.

[26] Hinzu treten noch weiterführende kleinere Aufsätze in Böckh, August: *Gesammelte kleine Schriften.* 7 Bde. u. 1 Suppl. Hrsg. von Ferdinand Ascherson, Ernst Bratuscheck und Paul Eichholtz. Leipzig 1858 bis 1884. Die veröffentlichten Briefwechsel sind im Hinblick auf die hermeneutische Theoriebildung wenig ergiebig. Vgl. *Briefwechsel zwischen August Böckh und Karl Otfried Müller.* Leipzig 1883; *Briefwechsel Friedrich Schleiermachers mit August Böckh und Immanuel Bekker 1806—1820.* Berlin 1916; Anhang „Auswahl aus seinem wissenschaftlichen Briefwechsel". In: Hoffmann, Max: *August Böckh,* a. a. O.

[27] zu Böckhs Vorlesungscyklen vgl. Stark, Karl Bernhard: *August B. Böckh.* In: *Allgemeine Deutsche Biographie.* Leipzig 1875, S. 770—783

u. Hoffmann, Max: *August Böckh*, a. a. O., S. 467—469 (Verzeichnis der von Böckh gehaltenen Vorlesungen).

[28] Zur Entstehung der Vorlesung und der ständigen Weiterarbeit an ihr sowie zu Editionsfragen vgl. Bratuscheck, Ernst: *Vorwort*. In: Böckh, August: *Encyklopädie*, a. a. O., S. III—VI. Eine kritische Sichtung des Nachlasses von August Böckh, der zu einem großen Teil im Deutschen Zentralarchiv, Abt. Merseburg, und im Akademiearchiv der Deutschen Akademie der Wissenschaften lagert, ist noch nicht geleistet.

[29] Ast, Friedrich: *Grundlinien der Grammatik, Hermeneutik und Kritik*. Landshut 1809; Wolf, Friedrich: *Vorlesung über die Encyklopädie der Alterthumswissenschaft*. Hrsg. von J. D. Gürtler. Leipzig 1831; zu Schleiermacher vgl. Anm. 18. Zur zeitgenössischen philologischen Hermeneutik vgl. Wach, Joachim: *Das Verstehen. Grundzüge einer Geschichte der hermeneutischen Theorie im 19. Jahrhundert*. 3 Bde. Tübingen 1926 bis 1933, hier Bd. 3, S. 251—330.

[30] Vgl. dazu das Selbstzeugnis Böckhs: „In meiner Darstellung sind Schleiermachers Ideen ... aus früheren Mittheilungen benutzt, doch so, dass ich nicht mehr im Stande bin das Eigene und Fremde zu unterscheiden." (Böckh, August: *Encyklopädie*, a. a. O., S. 75.) In der *„Encyklopädie"* wird oft auf Schleiermachers hermeneutische Theorie, zuweilen auch in kritischer Abgrenzung, Bezug genommen. Zum Verhältnis und zur jeweiligen Entstehungs- und Entwicklungsgeschichte der beiden Theorien vgl. insbesondere Klassen, Julie Ann Grover: *August Boeckh's Hermeneutik and its Relationship to Contemporary Literary Scholarship*. Ph. D. Stanford University 1973, hier Appendix III: A Consideration of Schleiermacher's Relation to Boeckh, S. 268—277. Klassen stimmt der schon von Steinthal vertretenen These zu, daß Böckh seine systematische Theorie zwischen 1810 und 1816 konzipiert und nur einzelne Ausführungen in späterer Zeit noch hinzugefügt habe. Vgl. Steinthal, Heymann: *August Böckh. Encyklopädie und Methodologie der philologischen Wissenschaften* (Leipzig 1877). In: *Kleine sprachtheoretische Schriften*. Hrsg. und eingeleitet von Waltraud Bumann. Hildesheim, New York 1970, S. 543—563, hier S. 562 f.

[31] Vgl. Szondi, Peter: *Einführung in die literarische Hermeneutik*, a. a. O., S. 405 f.: „Aus der Konzeption der sprachlichen Bedingtheit von Literatur folgt, daß die literarische Hermeneutik den Gegenstand des Verstehens nicht jenseits der Sprache ansetzen kann, wobei der Akt des Verstehens einer bloßen Dechiffrierung gleichkäme sondern in der Sprache selbst. Die Konzeption der historischen Erkenntnis als einer durch den historischen Standort des Erkennenden mitbedingten stellt die literarische Hermeneutik vor die Aufgabe, Kriterien zu gewinnen, welche sie davor bewahrt, aus der als Selbsttäuschung erkannten Objektivität historischer Einfühlung in die Willkür aktualisierender Subjektivität zu geraten."

[32] Die Bestimmung des Maßes an Produktivität, die ein Interpret beim Verstehensakt leisten muß, ist in der Rezeption als ein Problem der hermeneutischen Theorie Gadamers erkannt worden (vgl. Frank, Manfred: *Das individuelle Allgemeine. Textstrukturierung und -interpretation nach Schleiermacher*. Frankfurt/M. 1977, S. 20 ff.). Der auch im Begriff der Tradition auftretenden Tendenz, das Traditionsgeschehen zum alleinigen Subjekt der Geschichte bei gleichzeitiger Abwertung der menschlichen Subjektivität zu stilisieren, entspricht die im Prinzip der Wirkungsgeschichte angelegte Abwertung der Individualität. Nicht das einzelne menschliche Subjekt vollbringt den Großteil einer Verständnisleistung, sondern Verstehen, die „Teilhabe am gemeinsamen Sinn", wird ihm von der Wirkungsgeschichte angetragen, innerhalb derer immer schon konstituierter Sinn aktualisiert wird. „Das Verstehen ist selbst nicht so sehr als eine Handlung der Subjektivität zu denken, sondern als Einrücken in ein Überlieferungsgeschehen, in dem sich Vergangenheit und Gegenwart vermitteln." (Gadamer, Hans-Georg: *Wahrheit und Methode*, a. a. O., S. 274 f. Vgl. zum Problem der Wirkungsgeschichte Gadamer , Hans-Georg: *Hermeneutik*. In: *Historisches Wörterbuch der Philosophie*. Hrsg. von Joachim Ritter, Bd. 3. Basel 1974, Sp. 1061—1073, hier Sp. 1064.) Der als Subjekt gefaßten Wirkungsgeschichte fällt somit die Aufgabe zu, den durch Tradition nicht gänzlich festgelegten Textsinn zu erschließen und den historisch vorgegebenen Sinn zu überschreiten.
Unter der methodischen Prämisse, durch eine Kritik an Gadamerschen Theoremen zu einer Stärkung des Subjektbegriffes zu gelangen, haben vor allem Apel und Habermas ihre Einwände gegen den Universalitätsanspruch der Hermeneutik, wie ihn Gadamer vorträgt, geltend gemacht. Dieses Anliegen trifft in seinem Kern auch ein legitimes Interesse einer literaturwissenschaftlichen Hermeneutik, die dem Interpreten eine relative Selbständigkeit gegenüber dem Überlieferungsgeschehen und der wirkungsgeschichtlichen Kraft der Tradition zugesteht (vgl. dazu vor allem Apel, Karl-Otto: *Szientistik, Hermeneutik, Ideologiekritik. Entwurf einer Wissenschaftslehre in erkenntnisanthropologischer Sicht*. In: *Hermeneutik und Ideologiekritik*, a. a. O., S. 7—44 und Habermas, Jürgen: *Der Universalitätsanspruch der Hermeneutik*. In: ebd., S. 120—159).

[33] Vgl. Frank, Manfred: *Einleitung des Herausgebers*. In: Schleiermacher, Friedrich D. E.: *Hermeneutik und Kritik*, a. a. O., S. 7—67, hier S. 10 ff.

[34] Böckh, August: *Encyklopädie*, a. a. O., S. 15. Vgl. Böckh, August: *Über Leibnizens Ansichten von der philologischen Kritik*. In: *Gesammelte kleine Schriften* Bd. 2, a. a. O., S. 241—253, hier S. 252.

[35] Böckh, August: *Encyklopädie*, a. a. O., S. 20.

[36] Ebd. S. 17.

[37] Ebd. S. 76.

[38] Ebd. S. 12.

[39] Vgl. vor allem Rodi, Frithjof: *„Erkenntnis des Erkannten"* — *August Böckhs Grundformel der hermeneutischen Wissenschaften.* In: Flashar, Hellmut u. a. (Hrsg.): *Philologie und Hermeneutik,* a. a. O., S. 68—83. E. D. Hirsch faßt unter der Formel „Erkennen des Erkannten" die bloße Erkenntnis dessen, was ein Autor meinte; die weiterreichenden Implikationen des Begriffes sieht er nicht (Hirsch, Eric Donald: *Prinzipien der Interpretation,* a. a. O., S. 43).

[40] Böckh, August: *Encyklopädie,* a. a. O., S. 10. Vgl. ebd. S. 11 u. S. 33.

[41] Ebd. S. 53. Vgl. Steinthal, Heymann: *Darstellung und Kritik der Böckhschen Encyklopädie und Methodologie der Philologie.* In: *Kleine sprachtheoretische Schriften,* a. a. O., S. 564—605, hier S. 588: „Neben diesem unmittelbaren Erkennen gibt es ein mittelbares, auf ein gegebenes Erkennen als Object gerichtetes, also Erkenntnis eines Erkannten. Solches ist philologische Erkenntnis oder Geschichte. Die Philosophie ist Production von Ideen; die Philologie oder Geschichte ist Reproduction, und zwar reproducirt sie nicht bloß die philosophischen Ideen, sondern auch alles sonstige geistige Product. Kurz: Philosophie ist Erkennen; Philologie (Geschichte) Verstehen."

[42] Vgl. Böckh, August: *Encyklopädie,* a. a. O., S. 11: „Der menschliche Geist theilt sich in allerlei Zeichen und Symbolen mit, aber der adäquateste Ausdruck der Erkenntniss ist die Sprache."

[43] Ebd. S. 81.

[44] Ebd. S. 11. Hierin liegt zugleich der Streit zwischen Böckh und Hermann begründet, der weniger aus grundsätzlich verschiedener Forschungsrichtung, als vielmehr aus der unterschiedlichen Sprachauffassung resultierte: Die Notwendigkeit sprachgeschichtlicher Betrachtungen anstelle der damals üblichen logischen Grammatikstudien ergab sich für Böckh notwendig aus der Universalität des Mediums Sprache (vgl. Vogt, Ernst: *Der Methodenstreit zwischen Hermann und Böckh,* a. a. O., S. 115 ff.).

[45] Böckh, August: *Encyklopädie,* a. a. O., S. 82.

[46] Vgl. Böckh, August: *Encylopädie* (1877), a. a. O., S. 728: „Sie (die Sprache) ist dem Menschen von Natur eigen, weil er Geist und Sprachorgane hat, die der Geist nach nothwendigen Gesetzen bewegt. Daher kann man sagen, die Sprache sei dem Menschen angeboren; nur darf man das nicht so verstehen, als sei es ihm anerschaffen, wie den Thieren die Naturlaute. Vielmehr ist nur die Anlage zur Sprache gegeben und der Geist entwickelt diese Anlage frei und selbstthätig."

[47] Böckh, August: *Von dem Uebergange der Buchstaben in einander. Ein Beitrag zur Philosophie der Sprache* (1808). In: *Gesammelte kleine Schriften* Bd. 3, a. a. O., S. 204—228, hier S. 207. In der „Encyklopädie" differenziert Böckh sogar dreifach: 1) das Zeichen des Bezeichnenden, die Schrift; 2) das Bezeichnende, die Sprache; 3) das Bezeichnete, das in der Sprache enthaltene Wissen (Böckh, August: *Encyklopädie,* a. a. O., S. 81).

[48] Böckh, August: *Von dem Uebergange der Buchstaben in einander,* a. a. O., S. 208 f.

49 Böckh, August: *Encyklopädie*, a. a. O., S. 93

50 Ebd. S. 82.

51 Ebd. S. 94.

52 Ebd. S. 98. Vgl. dazu ebd. S. 98 ff.

53 Ebd. S. 112.

54 Ebd. S. 107. Vgl. ebd. S. 127: „In Bezug auf den grammatischen Wortsinn hat jedes einzelne Sprachelement seine einheitliche Bedeutung, und die Modification, in welcher es vermöge seiner Vieldeutigkeit zu nehmen ist, ergiebt sich aus dem Zusammenhang."

55 Ebd. S. 83.

56 Ebd. S. 86.

57 Ebd.

58 Ebd. S. 94. Vgl. ebd. S. 85.

59 Ebd. S. 83.

60 Ebd. S. 141.

61 Vgl. zur Genretheorie die im folgenden formulierte Kritik an E. D. Hirschs Ansatz.

62 Vgl. Böckh, August: *Kritik der Schrift G. Hermanns de officio interpretis* (1835). In: *Gesammelte kleine Schriften* Bd. 7, S. 404—477, hier S. 406: „Der Methodiker muß zeigen, wie man es anzufangen habe, dass man zum Verstehen gelange: ein ganz untergeordneter Gesichtspunkt ist die Darlegung des gewonnenen Verständnisses, welches nichts anderes ist als die Darlegung der Weise, wie man zum Verständnis gelangt ist, und der in dieser Weise selbst liegenden Momente, durch welche das Verständniss vermittelt wird." Vgl. Wach, Joachim: *Das Verstehen* Bd. 2, a. a. O., S. 39 f.

63 Böckh, August: *Encylopädie*, a. a. O., S. 81.

64 Ebd.

65 Wolf, Friedrich August: *Vorlesung über die Encyklopädie der Alterthumswissenschaft*, a. a. O., S. 274. Grundsätzlich hat Böckh noch einmal anläßlich seines Streites mit Gottfried Hermann die Notwendigkeit einer umfassenden wissenschaftlich begründeten Theorie des Verstehens dargelegt (vgl. Wach, Joachim: *Das Verstehen*. Bd. 1, a. a. O., S. 193, Anm. 1). E. Curtius hat darauf verwiesen, daß Böckhs Versuch, das hermeneutische Verfahren theoretisch zu begründen, mit einem Grundzug all seiner Forschungsvorhaben korrespondiert: Nie habe er, im Gegensatz zu seinem Schüler K. O. Müller, Gebiete wie die der Sagenforschung oder der Mythologie untersucht, weil sie mit keiner sicheren Methode zugänglich wären (Curtius, Ernst: *August Böckh und Karl Otfried Müller*. In: *Alterthum und Gegenwart. Gesammelte Reden und Vorträge*. Bd. 3. Berlin 1889, S. 136—155, hier S. 140. Vgl. auch Curtius, Ernst: *August Böckh 24. 11. 1885*. In: Ebd., S. 115—135).

66 Böckh, August: *Encyklopädie*, a. a. O., S. 80.

67 Ebd. S. 82.

[68] Ebd. Darunter ist keine bloße Ansammlung historischer Notizen zu verstehen. Die historische Interpretation schließt eng an die grammatische an, weil — für eine Sprachtheorie eine erstaunliche Modernität — „der Wortsinn an sich durch die objectiven Verhältnisse modificirt wird". (ebd.).

[69] Schleiermacher, Friedrich D. E.: *Hermeneutik*, a. a. O., S. 56.

[70] Vgl. zum Problemkreis der allegorischen Interpretation Böckh, August: *Encyklopädie*, a. a. O., S. 88 f.

[71] Ebd. S. 47.

[72] Ebd. S. 102.

[73] Apel, Karl-Otto: *Die Erklären: Verstehen-Kontroverse in transzendentalpragmatischer Sicht*. Frankfurt/M. 1979, S. 49.

[74] Böckh, August: *Encyklopädie*, a. a. O., S. 84.

[75] Strohschneider-Kohrs, Ingrid: *Textauslegung und hermeneutischer Zirkel*, a. a. O., S. 90. Allerdings ist Böckhs Verständnis des hermeneutischen Zirkels an manchen Stellen ambivalent: Zum einen versteht er ihn als ein unumgängliches Prinzip im Verstehensprozeß, zum anderen als einen zu vermeidenden Zirkelschluß im Interpretationsgeschehen (vgl. Böckh, August: *Encyklopädie*, a. a. O., S. 85, 99, 102, 108). F. Rodi hat auf dieses Problem aufmerksam gemacht und gefordert, daß „der schlechte Zirkel im Sinne der reinen petitio principii deshalb stärker als Böckh selbst dies tut terminologisch von derjenigen Zirkularität unterschieden werden muß, die sich aus dem Verhältnis wechselseitiger Bedingtheit der Zugänge zum auszulegenden Text ergibt". (Rodi, Frithjof: *„Erkenntnis des Erkannten"*, a. a. O., S. 71 f.).

[76] Böckh, August: *Encyklopädie*, a. a. O., S. 16.

[77] Zur Unterscheidung von grammatischer Interpretation und Grammatik, die von Böckh aus dem philologischen Organon verbannt wird, vgl. Pflug, Günther: *Hermeneutik und Kritik. August Böckh in der Tradition des Begriffspaars*. In: Archiv für Begriffsgeschichte 18 (1975), S. 138—96, hier S. 144 f.

[78] Böckh, August: *Encyklopädie*, a. a. O., S. 93.

[79] Ebd.

[80] Ebd. S. 97.

[81] Vgl. ebd. S. 98: „Die grammatische Auslegung hat demnach die Aufgabe jedes Sprachelement nach seiner allgemeinen Grundbedeutung und zugleich nach der speciellen Einschränkung derselben durch die Zeit und die Sphäre der Anwendung zu verstehen."

[82] Ebd. S. 99. Vgl. ebd. S. 106: „Um die besondere Bedeutung aufzufinden, muss man die allgemeine Grundbedeutung als Massstab anlegen, und diese als die Einheit des Mannigfaltigen ergiebt sich doch erst aus der Unendlichkeit der einzelnen Anwendungen."

[83] Vgl. Hirsch, Eric Donald: *Prinzipien der Interpretation*, a. a. O., S. 87.

[84] Böckh, August: *Encyklopädie*, a. a. O., S. 107.

85 Vgl. ebd.

86 Ebd. S. 108.

87 Ebd. S. 112.

88 Ebd. S. 11 f.

89 Vgl. Strohschneider-Kohrs, Ingrid: *Textauslegung und hermeneutischer Zirkel*, a. a. O., S. 94.

90 Das Problem verschärft sich noch, wenn aufgrund fehlender geschichtlicher Kenntnisse die historischen Bezüge eines Sprachwerkes nicht eingeholt werden können; der Interpret muß sich dann mit einer „hypothetischen Erklärung" (Böckh, August: *Encyklopädie*, a. a. O., S. 116) behelfen, die der kritischen Tätigkeit bedarf.

91 Ebd. S. 119.

92 Ebd.

93 Ebd. S. 121.

94 Vgl. ebd. S. 127: „Die Einheit der Individualität haftet augenscheinlich nicht an den einzelnen Worten, sondern bleibt in dem ganzen Sprachdenkmal dieselbe; sie muss also in dem Zusammenhange des Ganzen, der Compositionsweise hervortreten. Die Wahl der einzelnen Sprachelemente wird dagegen die bestimmten Modificationen ausdrücken, worin die Individualität sich äussert."

95 Die Positionen von Schleiermacher und Böckh sind einander dabei ähnlicher als Böckh vermutet. Die von Schleiermacher vorgenommene Unterscheidung der psychologischen Auslegung in eine rein psychologische, die den Impuls einer Äußerung im Verständnis des Lebenszusammenhanges festmachen will, und in eine technische, die den Impuls auf den bestimmten Zweck der Redesituation zurückführen will („Der relative Gegensatz des rein Psychologischen und Technischen ist bestimmter so zu fassen, daß das erste sich mehr auf das Entstehen der Gedanken aus der Gesamtheit der Lebensmomente des Individuums bezieht, das zweite mehr ein Zurückführen ist auf ein bestimmtes Denken und Darstellenwollen, woraus sich Reihen entwickeln." [Schleiermacher, Friedrich, D. E.: *Hermeneutik und Kritik*, a. a. O., S. 181]), scheint sich der Böckhschen Unterscheidung von individueller und generischer Interpretation anzunähern.

96 Böckh, August: *Encyklopädie*, a. a. O., S. 127.

97 Und dies, obwohl der individuelle Stil mit dem nationalen und dem der Gattung verschränkt ist. Vgl. ebd. S. 128 ff.

98 Ebd. S. 131.

99 Ebd.

100 Vgl. zur Bildung der materialen Einheit ebd. S. 131 f.

101 Ebd. S. 132.

102 Vgl. ebd. S. 134 ff.

103 Ebd. S. 135.

104 Zur individuellen Auslegung einzelner Sprachelemente vgl. ebd. S. 138 f.

[105] Ebd. S. 141.

[106] Vgl. zur technischen Auslegung Schleiermacher, Friedrich D. E.: *Hermeneutik und Kritik*, a. a. O., S. 209 ff.

[107] Böckh, August: *Encyklopädie*, a. a. O., S. 141.

[108] Ebd. S. 82 f.

[109] Ebd. S. 147.

[110] Ebd. S. 142.

[111] Vgl. ebd. S. 149: „Es bleibt nur übrig den Zweck durch Analyse des Werks, durch Vergleichung seiner Theile, Untersuchung seiner Construction zu finden."

[112] Ebd. S. 151. Umgekehrt läßt sich das durch die generische Analyse gewonnene Resultat wieder neu für die Erklärung des Einzelnen heranziehen; die Untersuchung auf der Grundlage des Gattungscharakters müßte eine „ästhetische Interpretation" leisten. Diese allerdings bedürfte einer „historischen Ästhetik", da sich ein solches Verfahren die historisch entwickelten Kunstformen zu vergegenwärtigen hätte (vgl. ebd. S. 155 f.).

[113] Ebd. S. 154.

[114] Ebd. S. 82.

[115] Vgl. Hirsch, Eric Donald: *Prinzipien der Interpretation*, a. a. O., S. 130 f.

[116] Adorno, Theodor W.: *Ästhetische Theorie*. Frankfurt/M. 1973, S. 318.

[117] Hirsch, Eric Donald: *Prinzipien der Interpretation*, a. a. O., S. 265. Vgl. dazu auch ebd. S. 265 f.

[118] Böckh, August: *Encyklopädie*, a. a. O., S. 77. Vgl. ebd. S. 170 ff.

[119] Ebd. S. 55. Daß Hermeneutik und Kritik in der methodischen Analyse zusammenfallen, hat auch Klassen, obwohl sie im allgemeinen zu Hirschs Thesen ohne größere kritische Distanz steht, betont: „Hermeneutcis develops the first moment theoretically as the basis for the philological function of object-oriented understanding, and criticism builds the theoretical foundation for comparative understanding. Each performs a necessary philological task, and both are reciprocally determining. Neither precedes the other temporally, for they operate simultaneously." (Klassen, Julie Ann Grover: *August Böckh's Hermeneutik*, a. a. O., S. 220).

[120] Böckh, August: *Encyklopädie*, a. a. O., S. 178 f.

[121] Vgl. zum Begriff der Kritik die Arbeit von Pflug, der nachweist, daß Böckh, obgleich er immer die Einheit der kritischen Methode verfochten hat, doch zwei Arten der Kritik, die doktrinale und die historische, differenziert, für die Schleiermacher mit dem Begriffspaar der philologischen und doktrinalen Kritik eine strengere begriffliche Trennung vornimmt (vgl. Pflug, Günther: *Hermeneutik und Kritik*, a. a. O., S. 177).

[122] Böckh, August: *Encyklopädie*, a. a. O., S. 173. Vgl. ebd.: „In der innigen Verbindung mit dem hermeneutischen Gefühl liegt allein die wirkliche Divinität der Kritik."

[123] Frank, Manfred: *Das individuelle Allgemeine*, a. a. O., S. 342.

[124] Habermas, Jürgen: *Erkenntnis und Interesse*. Frankfurt/M. 1973, S. 214. Allerdings diskutiert Habermas hier den Begriff der Divination bei Dilthey.

[125] Vgl. Frank, Manfred: *Einleitung des Herausgebers*. In: Schleiermacher, Friedrich D. E.: *Hermeneutik und Kritik*, a. a. O., S. 46 f. Der Begriff der Divination wird bei Böckh zur Charakterisierung der überlegenen geistigen Leistung der Kritik herangezogen, die mehr Selbsttätigkeit seitens des Interpreten erfordert als die Hermeneutik. Obgleich das Prädikat „divinatorisch" dem hermeneutischen Verfahren vorenthalten bleibt, führt Böckh keine strenge begriffliche Differenzierung zwischen den Begrifflichkeiten wie „congenial", „divinatorisch" oder „gefühlsmässig" durch (vgl. dazu Pflug, Günther: *Hermeneutik und Kritik*, a. a. O., S. 173 f.).

[126] Böckh, August: *Encyklopädie*, a. a. O., S. 86.

[127] Frank, Manfred: *Einleitung des Herausgebers*. In: Schleiermacher, Friedrich D. E.: *Hermeneutik und Kritik*, a. a. O., S. 47.

[128] Böckh, August: *Encyklopädie*, a. a. O., S. 126.

[129] Vgl. ebd. S. 119.

[130] Ebd. S. 86.

[131] Böckh, August: *Über die kritische Behandlung der pindarischen Gedichte*. In: *Gesammelte kleine Schriften* Bd. 5, S. 248—396, hier S. 253. Schon in der Einleitung der „*Encyklopädie*" spricht Böckh von der „harmonischen Ineinanderbildung des Gefühls und Denkens, des Lebens und Wissens". (Böckh, August: *Encyklopädie*, a. a. O., S. 26).

[132] Vgl. ebd. S. 140.

[133] Vgl. ebd.

[134] Ebd. S. 86.

[135] Ebd. S. 106. Vgl. dazu auch die Ausführungen Böckhs über die Grade der Gewißheit (ebd. S. 175 ff.).

[136] Pflug, Günther: *Hermeneutik und Kritik*, a. a. O., S. 157. Vgl. ebd. die Bemerkungen über die Rolle des Gefühls im Verständnisakt.

[137] Dieser Vorwurf trifft eher auf einen Lehrer Böckhs, Fr. A. Wolf, zu, welcher die Aufgabe der Hermeneutik wie folgt bestimmt: „Man versteht Jemanden, der uns Zeichen giebt, dann, wenn diese Zeichen in uns eben dieselben Gedanken und Vorstellungen und Empfindungen, und in eben der Ordnung und Verbindung hervorbringen, wie sie der Urheber selbst in der Seele gegenwärtig hatte." (Wolf, Friedrich August: *Vorlesung über die Encylopädie der Alterthumswissenschaft*, a. a. O., S. 272. Vgl. ebd. S. 293).

[138] Böckh, August: *Encyklopädie*, a. a. O., S. 86 f.

[139] Ebd. S. 55.

[140] Ebd. S. 76.

[141] Ebd. S. 75. Vgl. dazu Böckh, August: *Kritik der Uebersetzung des Platon von Schleiermacher* (1808). In: *Gesammelte kleine Schriften* Bd. 7, S. 1—38, hier S. 2, in der er die These vertritt, daß die philologischen und philosophischen Disziplinen erst durch den Kunstcharakter ihre eigentliche „höhere" Bestimmung erhalten.

[142] Böckh, August: *Encyklopädie*, a. a. O., S. 76.

[143] F. O. Bollnow hat nachgewiesen, daß dieser Terminus schon Allgemeingut der Philologie war, noch bevor er von Böckh in eine systematische Theorie eingebracht wurde (vgl. Bollnow, Friedrich Otto: *Was heißt, einen Schriftsteller besser verstehen, als er sich selber verstanden hat?* In: Bollnow, Friedrich Otto: *Das Verstehen. Drei Aufsätze zur Theorie der Geisteswissenschaften.* Mainz 1949, S. 7—33, hier S. 10 ff.).

[144] Böckh, August: *Encyklopädie*, a. a. O., S. 87. Deshalb greift auch die von Gadamer vorgetragene Kritik am Terminus des Besserverstehens zu kurz (vgl. Gadamer, Hans-Georg: *Wahrheit und Methode*, a. a. O., S. 280). Böckh geht z. B. auch auf das Problem des Mißverstehens ein (vgl. Böckh, August: *Encyklopädie*, a. a. O., S. 87 f.); letztlich ist für ihn richtiges Verständnis nur intersubjektiv herstellbar: Der Interpret ist immer zugleich auf die Ergänzungen durch andere Interpretationen angewiesen (vgl. dazu Böckh, August: *Des Sophokles Antigone. Nebst zwei Abhandlungen über diese Tragödie.* In: *Gesammelte kleine Schriften* Suppl., a. a. O., S. 111).

[145] Szondi, Peter: *Hölderlin-Studien. Mit einem Traktat über philologische Erkenntnis.* Frankfurt/M. 1970², S. 32.

[146] Frank, Manfred: *Das individuelle Allgemeine*, a. a. O., S. 347.

[147] Böckh, August: *Encyklopädie*, a. a. O., S. 85. Dieses Problem findet bei Betti, der allerdings die Subversivität eines solchen Argumentes für die eigene Theoriebildung nicht berücksichtigt, eine Entsprechung im Kanon der Abstimmung, der „je nach der Art des auszulegenden Objekts und jeweilig entsprechend den Zielen und Aufgaben, die sich die Auslegung vornimmt, in verschiedenen Einstellungen und Abschattungen zur Anwendung" kommt (Betti, Emilio: *Allgemeine Auslegungslehre*, a. a. O., S. 232 f.).

[148] Frank, Manfred: *Das Sagbare und das Unsagbare*, a. a. O., S. 191.

[149] Böckh, August: *Encyklopädie*, a. a. O., S. 87. Vgl. zu Böckhs Genretheorie Klassen, Julie Ann Grover: *August Böckh's Hermeneutik*, a. a. O., S. 210.

[150] Hirsch, Eric Donald: *Prinzipien der Interpretation*, a. a. O., S. 260. Beim Interpretationsgeschehen tritt noch das Moment der Ahnung, ein „Raten mit Fantasie, unmethodisch und intuitiv" (ebd. S. 10 f.), hinzu, das dem kritischen Verständnis vorausgeht. E. Betti spricht sogar in Böckhscher Terminologie davon, daß zum „Wiedererkennen des Objekts" „kongeniale Aufgeschlossenheit" seitens des Interpreten erforderlich sei (Betti, Emilio: *Allgemeine Auslegungslehre*, a. a. O., S. 229 f.).

Erwin Hufnagel

Wilhelm Dilthey:
Hermeneutik als Grundlegung der Geisteswissenschaften

1. Zur Einführung

Kaum ein Denker hat die geistesgeschichtlichen Entwicklungen unseres Jahrhunderts so weitgehend beeinflußt wie Wilhelm Dilthey. Gadamers philosophische Hermeneutik nutzt — bei aller Kritik im einzelnen — die durch Dilthey gewonnenen Problemperspektiven nicht weniger als Martin Heidegger im Konzept seiner Daseinshermeneutik. Auch die Psychopathologie und Weltanschauungspsychologie von Karl Jaspers verdankt dem Diltheyschen Werk entscheidende Anregungen. Ohne Rückgriff auf die von Dilthey bestimmten Kategorien läßt sich weder die philosophische noch die psychologische und pädagogische Wissenschaftsgeschichte des 20. Jahrhunderts angemessen darstellen.

Aus der Fülle des von Dilthey Geschaffenen werden wir im folgenden diejenigen Arbeiten analysieren, die für die Grundlegung der Geisteswissenschaften von erheblicher Bedeutung sind. Entgegen einem häufig geübten Verfahren innerhalb der Dilthey-Interpretation stellen wir die Diltheysche Anthropologie den methodologischen Erörterungen voran, weil wir der Überzeugung sind, daß nur auf dem Boden der von Dilthey explizierten Teleologie des Seelenlebens eine weitgehende Kontinuität der in Diltheys Oeuvre enthaltenen Problemstellungen und Problemlösungen nachweisbar ist. Die allzu oberflächliche Disjunktion in eine psychologische Frühphase und eine hermeneutische Spätphase seines Schaffens verkennt die in aller Akzentverschiebung gewahrte kategoriale Einheitlichkeit, die in Diltheys Psychologie qua Anthropologie gegeben ist. Mit Hilfe der Anthropologie läßt sich die innere Geschlossenheit des Diltheyschen Werkes am ehesten verdeutlichen.

2. Die anthropologische Fundierung der Hermeneutik

Schon in der Akademieabhandlung *Über die Möglichkeit einer allgemeingültigen pädagogischen Wissenschaft*[1] aus dem Jahre 1888 insistiert Dilthey darauf, daß der Mensch aufgrund seiner

wesensmäßigen Geschichtlichkeit kein allgemeingültiges, systematisch vollendetes Wissen über sich selbst erreichen kann. Dilthey
operiert also in seiner Anthropologie methodisch gesehen mit dem
Prinzip der offenen Frage². Eine apriorisch-deduktive Anthropologie unterschlägt nach seiner Auffassung die durch die Historische
Schule detailliert aufgewiesene Geschichtsgebundenheit des menschlichen Selbstverständnisses. Was Dilthey intendiert, ist die Verknüpfung einer Theorie des Seelenlebens mit einer Analyse der
geschichtlichen Welt im Rahmen einer fundamentalen Anthropologie. Diltheys Psychologie hat, aufs Ganze gesehen, die Beziehungen
zum geschichtlich-gesellschaftlichen Kontext und seiner theoretischen Bewältigung nicht unkritisch ausgeblendet und sich auf eine
vermeintlich geschichtslose Introspektion zurückgezogen. Menschliche Deutungsaktivität bleibt in Diltheys Anthropologie durch
geschichtliche Entwicklungen und gesellschaftliche Gegebenheiten
zutiefst bestimmt. Der *Aufbau der geschichtlichen Welt in den
Geisteswissenschaften*³, den Dilthey 1910 publizierte, thematisiert
demnach einen Fragenkomplex, der schon in der Problemexposi-
tion der frühen Schriften als für die Systematik unverzichtbar
erkannt worden war.
Trotz der Zurückweisung des Natürlichen Systems der Aufklä-
rungsphilosophie hält Dilthey in seiner Anthropologie an einem
apriorischen Restbestand fest. Historische Relativierung und ideali-
stische Wesensaussagen versucht er zu verbinden⁴. Seine aprio-
rische Anthropologie kollidiert deshalb nicht mit der am Prinzip
der offenen Frage orientierten Deutung des Menschseins, weil sie
sich auf eine formale Struktur- und Entwicklungstheorie beschränkt. Letztlich ist es ein erkenntnistheoretisches Motiv, daß
Dilthey auf einen formalen anthropologischen Zusammenhang
rekurriert. Der Begriff des menschlichen Selbstverständnisses setzt
nämlich eine nicht genetisch zu gewinnende Ich-Identität voraus.
Das geschichtliche Bewußtsein gründet in ungeschichtlichen Bedingungen. Genetische und transzendentale Anthropologie bilden in
exakt diesem Sinne ein Fundierungsverhältnis. Gerade weil Dilthey expressis verbis gegen die (Kantische) Transzendentalphilosophie argumentiert, ist es von einiger Bedeutung, darauf hinzuweisen, daß sein eigener anthropologischer Ansatz de facto auf transzendentale Denkmuster zurückgreift.
Vergleicht man Diltheys formale Anthropologie mit der Transzendentalphilosophie Kants, so fällt auf, daß höchst unterschiedliche
Kategorien in beiden Formalanthropologien erörtert werden.

Wichtiger allerdings als diese inhaltliche Differenz scheint mir die unterschiedliche Begründung der beiden transzendentalen Anthropologien zu sein. Dilthey geht vom konkreten Menschen, dem Individuum in der Fülle seiner Lebensbezüge, aus; er wendet also das Verfahren der Introspektion an. Kant hingegen artikuliert den Begriff des transzendentalen Subjekts, bleibt mithin im Bereich der Geltungsreflexion.

Dem Diltheyschen Vorgehen haften einige Unstimmigkeiten an. Als zentraler Einwand muß vorgebracht werden, daß die psychologische Deduktion apriorischer Momente dem Begriff der Transzendentalität nicht zu entsprechen vermag. Diltheys formale Anthropologie ist demnach, ungeachtet ihrer theoretischen Bedeutsamkeit und ihres Folgenreichtums, auf unsicherem Terrain gebaut. Wenn das Selbstbewußtsein bloß als Kreuzungspunkt geschichtlicher und gesellschaftlicher Komponenten gefaßt wird, dann bleibt es letztlich uneinsichtig, auf welche Weise Aussagen über die allgemeine Menschennatur gewonnen werden können. Dadurch, daß Dilthey das erkenntnistheoretische Motiv psychologisch einkleidet, nimmt er seinen anthropologischen Ausführungen die argumentative Stringenz.

Innerhalb seiner Lehre von der Teleologie des Seelenlebens — und die ist das Kernstück seiner Anthropologie — entfaltet Dilthey ein Kategoriengefüge, das für die Deutung der geschichtlich-gesellschaftlichen Welt, also für die Arbeit der Geisteswissenschaften unentbehrlich ist. Im seelischen Zusammenhang waltet nach Diltheys Auffassung eine mehr oder minder vollkommene Zweckmäßigkeit. Durch die Selbstbesinnung wird die Idee der Zweckmäßigkeit erkennbar. Da der psychische Zusammenhang hinsichtlich seiner Zweckmäßigkeit verschiedene Grade aufweist, kann der Gedanke der Vollkommenheit vollzogen werden. Die Vollkommenheit des als Ganzheit bestimmten Seelenlebens läßt sich im Sinne einer optimalen Funktionalität aller psychischen Subsysteme (Vorstellen, Fühlen, Wollen) interpretieren. Zweckmäßigkeit und Vollkommenheit als systematische Kategorien sind, wie Dilthey darlegt, aufs engste verknüpft mit den genetischen Kategorien der Entwicklung und Steigerung. Im Gegensatz zum naturalen Kontext herrscht im Bereich des Seelenlebens das Gesetz der Freiheit. Aufgrund des Ideenbezugs vermag der Mensch sich aus dem Naturzusammenhang zu erheben und sich zu vervollkommnen. Die psychische Struktur und Entwicklung, so lautet Diltheys Fazit, erschließt sich nur einer Einstellung, die von den naturalen Kategorien absieht[5].

Mit Hilfe der in solcher ideenbezogenen Perspektive entdeckten Kategorien (Teleologie, Vollkommenheit, Norm, Entwicklung, Steigerung) bestimmt Dilthey sowohl die Besonderheit des psychischen Zusammenhangs wie auch die Gegenständlichkeit der geistig geschichtlichen Welt. Die Grundbegriffe der Geisteswissenschaften sind mit denen der Anthropologie identisch. Das gilt für die Forschung in den einzelnen Geisteswissenschaften ebenso wie für die Reflexion auf ihren Zusammenhalt.

3. Die „Einleitung in die Geisteswissenschaften"

In dem 1883 erschienenen ersten Band der *Einleitung*[6], den Dilthey als *Kritik der historischen Vernunft*[7] konzipierte, soll die Eigenständigkeit der Geisteswissenschaften nachgewiesen werden. Dilthey wollte die erkenntnistheoretische Unzulänglichkeit der Historischen Schule, der er sich doch im Innersten verbunden wußte, mit seinem großangelegten Werk beheben. Die Einzelforschung der Historischen Schule mußte durch eine intentio obliqua ergänzt resp. wissenschaftstheoretisch legitimiert werden. Unter der Hand nimmt diese erkenntnistheoretische Fundierung der Geisteswissenschaften psychologische Züge an. Erst viel später, nach dem Erscheinen von Husserls *Logischen Untersuchungen*, bemüht sich Dilthey um eine Sonderung von Logik und Psychologie. Dilthey rekurriert also in der *Einleitung* auf die Letztheitlichkeit der „inneren Erfahrung"[8]. Ebenso wie Kant der Newtonschen Naturwissenschaft in seiner *Kritik der reinen Vernunft* eine Metatheorie zu geben trachtete, zielt Dilthey darauf ab, die latenten Voraussetzungen der geisteswissenschaftlichen Verfahren freizulegen. Erkenntnistheorie und Methodologie gehören nach Diltheys Überzeugung untrennbar zusammen. Innerhalb der erkenntnistheoretischen Reflexion soll die Naivität des bislang geübten geisteswissenschaftlichen Procedere durchbrochen werden. Wird diese Reflexionsebene nicht beschritten, so bleiben „geschichtliches Anschauen und vergleichendes Verfahren"[9] letztlich arbiträr, d. h. aber: unwissenschaftlich.

Der Rekurs auf eine Erkenntnistheorie, die bei Dilthey in der Gestalt einer Bewußtseinsphilosophie auftritt, soll neben der Legitimation von Methoden den Bezug zur normengeleiteten Verwandlung der Lebenspraxis eröffnen. Innerhalb der Historischen Schule wurde die Hinsicht auf eine normative Dimension — und ineins damit die Verbesserung der gegenwärtigen und zukünftigen Lebenssituation der Menschheit — aus dem wissenschaftlichen Problemhorizont verbannt. Eine solche nur der Vergangenheit verpflichtete Grundstellung verfehlt nach Diltheys Überzeugung den Sinn, den die Geisteswissenschaften zu erfüllen haben, nämlich in der Aufarbeitung der geschichtlichen Welt Normen für die Reform der Lebenspraxis zu gewinnen.

In der *Einleitung* unterscheidet Dilthey die Ebene der Methoden von der methodologischen Dimension und diese wiederum von der erkenntnistheoretischen Fundierungssphäre. Der Erkenntnistheorie fällt die Aufgabe zu, sowohl die naturwissenschaftliche als auch die geisteswissenschaftliche Methodologie voneinander abzugrenzen und aufeinander zu beziehen. Ein bloßes Gegeneinander von Natur- und Geisteswissenschaften vermag Diltheys theoretisches Interesse nicht zu befriedigen. Er möchte deren letztrangige Einheit und die Bedingungen ihrer Differenzierung im Bewußtsein aufweisen, gemäß seiner Devise, daß hinter das Leben resp. das Bewußtsein nicht zurückgegangen werden kann[10].

Durch die erkenntnistheoretische Einstellung möchte Dilthey überdies den spezifischen Methodologien innere Konsistenz, also systematischen Zusammenhalt, verleihen, moniert er doch an dem Vorgehen der Historischen Schule, daß mehr oder minder subjektive Methodenwahl geübt werde.

Mit dem Rückgang auf eine der Scheidung von Natur- und Geisteswissenschaften vorausliegenden Theorie des Bewußtseins hat sich Dilthey auch von der zu seiner Zeit weit verbreiteten Überzeugung distanzieren können, daß die Wissenschaften von der geschichtlich-gesellschaftlichen Wirklichkeit „den Begriffen und Methoden der Naturwissenschaften anzupassen"[11] seien. Dilthey führt demgegenüber ins Feld, daß — im Hinblick auf die Urtatsache des Bewußtseins — der naturale Kontext ein letztes psychisches Derivat darstellt. Die Natur ist ein „bloßer Schatten, den eine uns verborgene Wirklichkeit wirft"[12]; sie bleibt uns im Grunde fremd. Lediglich die in quantitativen Relationen vergegenständlichte Natur ist dem Bewußtsein zugänglich. Dilthey bestimmt demgemäß die phänomenale Natur als Endstufe von reduktiven Leistungen des Bewußtseins. Unabhängig von den diversen Reduktionsformen sind, wie er behauptet, die „in der inneren Erfahrung gegebenen Tatsachen des Bewußtseins"[13]. Ihre Analy-

sis gehört zu den wesentlichen Aufgaben der Geisteswissenschaften.
Daß Dilthey die Geisteswissenschaften auf die Explikation von
ausgezeichneten Bewußtseinstatsachen verpflichten möchte, könnte
im Sinne einer psychologischen Problemverkürzung ihres Auftrags
gedeutet werden. Wie wir im vorangegangenen zu zeigen versuchten, impliziert Diltheys Psychologie diejenigen Kategorien, die für
die Aufarbeitung der Zusammenhänge der geschichtlich-gesellschaftlichen Welt unerläßlich sind. Insofern handelt es sich bei Diltheys Wendung auf die inneren Tatsachen des Bewußtseins zwar
um eine psychologisch-erkenntnistheoretische Grundstellung, aber
es wäre verfehlt, sie in einen Gegensatz zur Analyse der geistigen
Welt (der Kultur im weitesten Sinne) zu bringen und eine fundamentale Diskontinuität im Schaffen Diltheys zu sehen. Angemessener ist es, die Klärung der Bewußtseinstatsachen als conditio sine
qua non der geisteswissenschaftlichen Detailforschung zu erweisen.
Aus dem Bereich des Bewußtseins gliedern sich nach Auffassung
Diltheys, und zwar infolge diverser Reduktionsleistungen, die
Geistes- und Naturwissenschaften aus; genauer gesagt: Natur- und
Geisteswissenschaften sind unterschiedliche Manifestationen des
Bewußtseins. Diese reduktiven Komplexe gründen in nicht-reduk-
tiven Tatbeständen, nämlich den inneren Erfahrungen. Die er-
kenntnistheoretische crux liegt darin, daß Dilthey die Dualität in
seinem Bewußtseinsbegriff weder sieht noch behebt. Während
Natur- und Geisteswissenschaften durch reduktive Akte des
Bewußtseins sich konstituieren, soll die oberste Dimension dieser
Bewußtseinsganzheit unabhängig von Reduktionsmodalitäten sein.
Damit blieben sie freilich unerkennbar. Die unmittelbare Gegebenheit der Fundamentalkategorien der Diltheyschen Psychologie
(Anthropologie) stellt einen Bruch in der Gedankenführung dar.
An diesem zentralen Punkt seiner Argumentation fällt Dilthey
hinter die Errungenschaften der Kantischen Erkenntniskritik zurück. An die Stelle der als Inbegriff synthetischer Leistungen in
Ansatz gebrachten Transzendentalen Apperzeption rückt eine vermeintlich vorsynthetische Gegebenheit. Dilthey überträgt, wenn
wir recht sehen, vorwissenschaftliche Deutungen der Anschauung in
den Bereich der letztheitlichen Kategorien. Dadurch wird die erkenntnistheoretische Grundlegung der Geisteswissenschaften in
einer entscheidenden Hinsicht nicht erreicht.
Dieses theoretische Defizit ist die Folge von Diltheys Zurückweisung des Kantischen Subjektsbegriffs:

In den Adern des erkennenden Subjekts, das Locke, Hume und Kant konstruierten, rinnt nicht wirkliches Blut, sondern der verdünnte Saft von Vernunft als bloßer Denktätigkeit[14].

Analog zu den besonders von Ludwig Feuerbach[15] vertretenen Thesen von der konkreten Subjektivität hält Dilthey es für unumgänglich, die Grundlegung der Natur- und Geisteswissenschaften aus einer antiidealistischen Subjektslehre zu entwickeln. Dabei nimmt er auch die voluntaristischen Strömungen des 19. Jahrhunderts auf, wie seine Ausführungen zum Problem von der Realität der Außenwelt bezeugen[16].

Die Zurückweisung des Kantischen Subjektsbegriffs beruht indes auf einem fundamentalen Mißverständnis der *Kritik der reinen Vernunft*. Nicht um eine genetische Theorie der Bewußtseinsformen geht es in der Transzendentalen Ästhetik und Analytik, sondern um eine die Dimension des psychischen Vollzugs ausklammernde Geltungsreflexion, also um die Frage nach den Möglichkeitsbedingungen der Erfahrung resp. der naturwissenschaftlichen Erkenntnis. Dilthey verkennt den strikt transzendentalen Charakter des Kantischen Subjektsbegriffs; Transzendentalität wird psychologisierend destruiert.

Diltheys psychologisch verbrämte Anthropologie will die „ganze Menschennatur"[17] in ihrem teleologischen Zusammenhang analysieren. Denken, Wollen, Fühlen können, wie Dilthey meint, nur als funktionales Insgesamt adäquat behandelt werden. Wird der Mensch in eine bloß theoretische oder bloß praktische Sphäre aufgeteilt, so bleiben Theorie und Praxis letzten Endes unverstanden. Diltheys Subjektslehre wendet sich also gegen den Primat des Denkens, wie ihn der Deutsche Idealismus nach weit verbreitetem Verständnis proklamiert hat. Bezeichnenderweise sieht Dilthey denn auch Kant nur als den Autor der *Kritik der reinen Vernunft*[18] Er möchte den Menschen als „wollend fühlend vorstellendes Wesen"[19] zum Ausgangspunkt seiner Gesamtsystematik wählen. Man kann unschwer feststellen, daß Diltheys anthropologische Grundlehre die tradierte Dreiteilung des Menschen nicht in Frage stellt. Insofern ist Diltheys Auseinandersetzung mit der anthropologischen und geltungstheoretischen Tradition durch die kategorialen Vorgaben ebendieser Tradition in entscheidenden Punkten bestimmt.

Der Hinweis auf solche Abhängigkeiten erscheint uns deshalb wichtig, weil Dilthey für seine formale Anthropologie, deren Kernstück die Lehre vom teleologischen Zusammenhang jener psychischen Teilfunktionen darstellt, übergeschichtliche Geltung in Anspruch nimmt. Gerade die von Dilthey behauptete kritische Potenz seiner Radikalanthropologie läßt sich nur durch die Suspendierung geschichtlicher Relativierungen absichern.

Die Schwäche der Diltheyschen Gedankenführung liegt darin, daß einerseits die historische Aufarbeitung des menschlichen Selbstverständnisses und der darin gründenden Objektivationen (kulturelle Systeme, Zentren der äußeren Organisation der Gesellschaft) zur „neuen" Anthropologie der „ganzen Menschennatur" konvergieren soll und daß andererseits jenes Totalitätstheorem bei der kritischen Sichtung der geschichtlich-gesellschaftlichen Gegenwart und Vergangenheit schon als Maßstab vorausgesetzt wird. Im Grunde ist demnach längst entschieden, was angeblich erst noch entschieden werden soll. Der Diltheyschen Fundamentallehre mangelt es an einer legitimierenden Metatheorie.

In der *Einleitung* gibt Dilthey seiner Fundamentallehre den Namen „Selbstbesinnung"[20]. Da der auch von ihm häufig verwendete Terminus „Erkenntnistheorie", infolge der geistesgeschichtlichen Entwicklung, intellektualistisch verengt worden sei, will Dilthey auf einen von solchen Bedeutungen freien Ausdruck zurückgreifen. Es wäre verfehlt, dieses für die Grundlegung nicht nur der Geistes-, sondern auch der Naturwissenschaften unentbehrliche Reflexionsverfahren im Sinne einer selbstgenügsamen Introspektion zu interpretieren. In der Selbstbesinnung werden nach Auffassung Diltheys psychologische und historische Aktivitäten miteinander verbunden[21], wobei zu beachten bleibt, daß mit dem Wort „Psychologie" von Dilthey ebenso anthropologische wie „individualpsychologische" Befunde bezeichnet werden. Die Möglichkeit einer derartigen Selbstbesinnung wäre, wie wir sagten, metatheoretisch resp. fundamentalanthropologisch[22] zu erweisen. Dilthey setzt sie einfach voraus.

Bei aller argumentativen Unzulänglichkeit eignet dem Diltheyschen Selbstbesinnungstheorem erschließende Kraft. Dilthey begnügt sich nicht mit einer Aufspaltung menschlicher Leistungsmöglichkeiten in eine theoretische, emotionale und praktische Dimension, sondern er thematisiert im Rahmen der Selbstbesinnung die Relationen zwischen jenen Bereichen des Menschseins. Trotz erheblicher Unterschiede in der Durchführung dieses reflexiven Programms befindet sich Dilthey mit diesen Fragen in sachlicher Nähe zu Kant und zum Neukantianismus.

Während innerhalb der metaphysischen Systeme von einer obersten
Instanz aus begriffliche Differenzierungen abgeleitet werden,
nimmt Dilthey den konkreten Menschen in seiner Geschichtlichkeit
und gesellschaftlichen Bedingtheit zum Ausgangspunkt der Selbstbesinnung. Die allgemeine Menschennatur, auf die in den metaphysischen Deduktionen zurückgegriffen wird, ist nach Überzeugung
Diltheys eine Chimäre. Da er den Menschen als Kreuzungspunkt
geschichtlicher und gesellschaftlicher Entwicklungen begreift, verschärft sich allerdings die Problematik der Selbsterkenntnis und
der Fundierung der Einzelwissenschaften. Dilthey entzieht sich
dieser alles entscheidenden Frage durch den Rekurs auf die formale
Anthropologie, die letztlich als unerkannter metaphysischer Restbestand fungiert, und die Erschleichung der Exzentrizität des Menschen.
Trotz dieser Unzulänglichkeiten kann man Diltheys Selbstbesinnungstheorem kritische und produktive Motive entnehmen. Nicht
nur die erwähnte Relationalität der humanen Leistungsdimensio-
nen gehört hierzu, sondern auch die Einsicht in die Notwendigkeit
einer die einzelwissenschaftlichen Vergegenständlichungen themati-
sierenden Theorie. Dilthey will das vorwissenschaftliche Fundament der Erfahrungswissenschaften (der Natur- und Geisteswissenschaften) in Akten der Selbstbesinnung freilegen, d. h. aber eine
Theorie der wissenschaftlichen Gegenständlichkeit entwerfen. Die
Selbstbesinnung wendet sich also der wissenschaftlichen Konstitutionsproblematik zu.
Macht man mit der von Dilthey behaupteten geschichtlich-gesellschaftlichen Bedingtheit der Selbstbesinnung Ernst, so ergibt sich
die Forderung an den einzelnen und an die jeweilige Epoche, die
latenten Geschichts- und Sozialbezüge theoretisch einzuholen und
sich dadurch zu emanzipieren. Geschichts- und Gesellschaftwissen-
schaften — sie faßt Dilthey unter dem Namen „Geisteswissenschaften" zusammen — dürfen sonach nicht zur selbstzweckhaften
Retrospektive oder Gegenwartsanalyse verkümmern. Sie sollen
vielmehr von unerkannten Dependenzen befreien und Handlungsspielraum eröffnen.
Zwar wird die Selbstbesinnung bei Dilthey zunächst an die teleologische Anthropologie gebunden, aber sie wird durch die historische
Komponente zu einer universalen Anthropologie erweitert. Um es
auf einen möglichst übersichtlichen Nenner zu bringen: Diltheys
Begriff der Selbstbesinnung umfaßt eine formale und eine jeweils
neu zu erarbeitende materiale Anthropologie. Letztere orientiert

sich an dem Prinzip der offenen Frage. Diltheys Selbstbesinnung ist also zugleich apriorisch und empirisch. Die grundsätzlich nicht antizipierbare historische Selbstdeutung des Menschen füllt die apriorischen teleologischen Beziehungen inhaltlich aus. Dilthey unterlegt der jeweiligen historischen Selbstbesinnung eine ungeschichtliche gemeinsame Menschennatur. Damit wird die metaphysische Anthropologie des Natürlichen Systems zwar nicht gänzlich suspendiert, wohl aber wird sie restringiert. Der Mensch wird als Wesen begriffen, das nur durch auf die geschichtliche und gesellschaftliche Wirklichkeit bezogene Deutungsarbeit Freiheit und Zukunft zu erreichen vermag.

Mit Hilfe der teleologisch und historisch fundierten Selbstbesinnung soll nach Diltheys Auffassung auch geschichtsphilosophischen Totalkonstruktionen der Boden entzogen werden. Sie sind ja nur so lange möglich, wie an einer durchgängig apriorischen Natur des Menschen festgehalten wird. Die in Diltheys Begriff der Selbstbesinnung gegebene Verknüpfung von historisch-empirischer und teleologisch-apriorischer Dimension ermöglicht demgegenüber das fundamentale, in der gemeinsamen Menschennatur gründende Verständnis aller humanen Objektivationen und spezifische Entwürfe für die Gestaltung der individualen und gesellschaftlichen Zukunft. Da der auf die Vergangenheit und Gegenwart gerichtete Deutungsprozeß unabschließbar ist, wandelt sich auch die ihm eingelagerte Zukunftsperspektive.

Mit dem Begriff der Selbstbesinnung möchte Dilthey einen Bereich konturieren, der Sein und Sollen, Theorie und Praxis zu integrieren vermag. In die historische und die teleologische Dimension dieses Begriffs sind Seins- und Sollenshinsicht eingefügt. Aus der Deskription des teleologischen psychischen Zusammenhangs läßt sich ein normativer Minimalkontext ableiten, lassen sich so oberste einschränkende Bedingungen für die soziale und individuale Gestaltung der Zukunft formulieren. Eine Konkretisierung des Sollensbereichs ergibt sich aus der Analyse der geschichtlich-gesellschaftlichen Welt und aus der Aufarbeitung der eigenen Biographie. Auf der geschichtlichen wie auf der lebensgeschichtlichen Ebene soll im Rahmen der Selbstbesinnung die Umsetzung des Erkannten (des Seins) in jeweilige Handlungszielbestimmungen (Sollen) erfolgen.

Wie man sieht, umgreift die historische Komponente des Selbstbesinnungsbegriffs wissenschaftliche und vorwissenschaftliche Deutungsmodalitäten. Die hermeneutische Aufarbeitung der eigenen

Lebensgeschichte geschieht zunächst und zumeist im Medium vor-
wissenschaftlicher Reflexion. Wissenschaftliche Vergegenständlichungen des biographischen Materials können sich daran anschließen. Dieselbe methodische Dualität durchzieht die hermeneutische
Analysis der geschichtlich-gesellschaftlichen Welt.
In dem Schlüsselbegriff der Diltheyschen Hermeneutik sind, wenn
wir das zuvor Dargelegte unter methodischem Aspekt zusammenfassen sowohl vortheoretische („innere Erfahrung") als auch wissenschaftliche und vorwissenschaftliche, mithin theoretische Momente enthalten.
Dilthey unterscheidet in den Geisteswissenschaften drei Klassen
von Aussagen[23]. Im Gegensatz zur Windelbandschen Zweiteilung
der Erfahrungswissenschaften in nomothetisch und idiographisch
orientierte Bereiche, in Gesetzes- und Ereigniswissenschaften[24],
hält Dilthey daran fest, daß die Wissenschaften von der geschichtlich-gesellschaftlichen Wirklichkeit historische (singulare) und theoretische (generelle) Sätze aufzustellen streben. In der historisch-
sozialen Gegenstandsdimension sollen Forschungsstrategien angewendet werden wie auf dem anthropologischen Feld.
Die Teleologie des Seelenlebens ist ein Exempel für die generellen
Aussagen der Geisteswissenschaften. Sie sind, wie Dilthey deutlich
macht, nur durch eine radikale Abstraktion aus dem konkreten
Menschsein zu gewinnen. Eine Realanthropologie müßte demgemäß jene Konkretheitsfaktoren zu bestimmen versuchen. Ohne
Einbeziehung der historischen und sozialen Momente kann freilich
dieses Programm nicht durchgeführt werden. Anthropologie und
Analyse der geschichtlichen Welt sind also methodisch identisch
strukturiert und sachlich aufeinander verwiesen.
Diltheys Auffassung ist deshalb so ergiebig, weil sie die latenten
theoretischen Voraussetzungen historischer Aussagen sehen lehrt.
Problematisch ist allerdings, daß der theoretische Bezugsrahmen
von historischen Tatsachenfeststellungen mit naturwissenschaftlichen Gesetzesaussagen identifiziert wird. Hegels Geschichtsmetaphysik scheint uns in diesem Punkt doch nicht gänzlich überwunden. Naturale Gleichförmigkeiten und Ablaufgesetze geschichtlicher
Wirkungszusammenhänge sind zwar im Vergleich zu singularen
Sätzen durch Allgemeinheit gekennzeichnet, aber es handelt sich
doch um unterschiedliche Geltungsansprüche. In dieser besonderen
methodischen Frage wirken Geschichtsmetaphysik und die unkri-
tische Übertragung des naturwissenschaftlichen Gesetzesbegriffes
zu einer fatalen Verkennung des historischen Denkens zusammen.

Daraus den pauschalen Vorwurf abzuleiten, daß Dilthey die
Grenzlinien zwischen Natur- und Geisteswissenschaften nicht zu
ziehen gewußt habe, wäre indes nicht gerechtfertigt. Zum einen
macht Dilthey nämlich klar, daß die Bestimmung des Singularen
strenggenommen auf Individuales abzielt und zum andern nimmt
er normative Aussagen (Werturteile und darauf bezogene Impera-
tive) in das System geisteswissenschaftlicher Leistungen auf. Die
moralisch-praktische Hinsicht gibt den beiden theoretischen Aktivitäten ihren letzten Sinn. In den Geisteswissenschaften stehen „Tatsache, Gesetz, Wertgefühl und Regel in einem inneren Zusammenhang, welcher innerhalb der Naturwissenschaften so nicht stattfindet"[25].

Mit diesem Hinweis auf eine letzte Sinneinheit der Geisteswissenschaften setzt Dilthey seine Reflexionen über den Selbstbesin-
nungsbegriff fort. Deskriptive und präskriptive Aussagen müssen,
wie er wiederholt darlegt, rigoros getrennt werden: „Aussagen
über Wirklichkeit [bleiben] von Werturteilen und Imperativen
auch in der Wurzel gesondert"[26]. Sofern eine im engeren Sinne
erkenntnistheoretische Haltung eingenommen wird, läßt sich diese
Sonderung nicht aufheben. Eine verborgene Durchsetzung von
Seinsaussagen mit irgendwelchen Wertungen wird von Dilthey
strikt abgelehnt. Seinsaussagen unterliegen dem Wahrheitswert,
d. h., sie sind wahr oder falsch.

An denselben geschichtlichen Tatbestand können wir nach Auffassung Diltheys sowohl mit der theoretischen wie auch mit der nor-
mativ-praktischen Perspektive herantreten. In der theoretischen
Grundstellung klammern wir alle geschichtlichen und lebensgeschichtlichen Momente aus, wir reduzieren uns zum auswechsel-
baren Erkenntnissubjekt. Nichts anderes meint letztlich der Terminus „Intersubjektivität"; all diese Momente sind hingegen in der
praktischen Grundstellung präsent; nur so ergibt sich die Möglichkeit zu begründeten Wertungen, zur Beurteilung eines Faktums
als richtig oder unrichtig. Das Werturteil ist dementsprechend
eine Stellungnahme des konkret-geschichtlichen Menschen. Theoretische Leistungen müssen dieser Stellungnahme vorausgehen.
Eine derartige Stellungnahme ist identisch mit dem, was Dilthey
„Werturteil" nennt. Aus einem solchen Werturteil lassen sich Impe-
rative (präskriptive Sätze) ableiten. In der Stellungnahme ist der
Bezug auf die Gestaltung der Zukunft gegenwärtig; in ihr sind alle
Gliederungsdimensionen der Zeit enthalten.

Zukunftsbezug bedeutet: der Mensch kann nur von seiner Aufgabennatur adäquat verstanden werden. Mit anderen Worten: Dilthey sieht den Menschen als Totum von Deutungsaktivität. Die hermeneutische Analyse der geschichtlich-gesellschaftlichen Wirklichkeit hat ihre tiefsten Wurzeln in dieser Aufgabenhaftigkeit des Menschseins. Sofern der Mensch diesen unausdrücklichen Aufgabenbezug reflektiert, gelangt er in den Status der Selbstbesinnung. Durch sie werden Theorie (Deskription) und Praxis (Präskription) aufeinander bezogen, und zwar gilt dies für den wissenschaftlichen und vorwissenschaftlichen Bereich.

Selbstverständnis und Selbstgestaltung sind — wie wir zusammenfassend sagen können — die leitenden Gesichtspunkte, die der Diltheysche Begriff der Selbstbesinnung impliziert. In den Geschichts- und Gesellschaftswissenschaften findet die mit dem Menschsein ursprünglich gegebene Deutungsaktivität ihren methodisch bestimmten Ausdruck. Die Geisteswissenschaften radikalisieren die durch die Idee einer wertbezogenen Selbstgestaltung fundierte hermeneutische Verfaßtheit des Menschen. Ein rein methodologischer Vergleich zwischen Natur- und Geisteswissenschaften kann zwar einige identische Verfahrensweisen zutage fördern und so die Differenzen zwischen beiden Wissenschaftstypen relativieren, aber diese methodologische Betrachtung dringt nicht ins Zentrum der Diltheyschen Grundlegungstheorie vor. Eine derartige Methodenreflexion supponiert ein bloß logisches Subjekt; dessen Genese, d. h. dessen Ausgliederung aus der konkret-geschichtlichen Bestimmtheit des Menschen nachzuzeichnen, ist die vorrangige Aufgabe. Der für Dilthey charakteristische Ansatz am „ganzen Menschen" resp. der Rekurs auf die der Wissenschaftsgliederung vorgeordneten Selbstbesinnung macht deutlich, daß Dilthey sich eine im weitesten Sinne anthropologische Fundierung der Wissenschaftstheorie zum Ziele setzt.

Seine Zurückweisung einer Übertragung naturwissenschaftlicher Methoden in den Bereich der Geisteswissenschaften kann demgemäß nur bedeuten, daß er es für grundsätzlich verfehlt hält, von einem schon Konstituierten die Konstitutionsproblematik zu behandeln. Mögen sich auch viele methodische Identitäten bei einem Vergleich zwischen Natur- und Geisteswissenschaften ergeben — und an diesem Tatbestand hält Dilthey fest —, so genügt eine solche Perspektive doch nicht grundlegungstheoretischen Ansprüchen. Die wissenschaftstheoretische Reflexion darf nicht den im Laufe der Geistes- und Sozialgeschichte entwickelten Status der

Naturwissenschaft mit dem Begriff der Wissenschaft identifizieren.
Durch die Selbstbesinnung soll einer solchen Verabsolutierung eines
bestimmten Wissenschaftsbestandes entgegengewirkt werden.

Auf dem Boden einer hermeneutischen Anthropologie werden die
Möglichkeitsbedingungen aller Wissenschaften freigelegt. Dabei
wird nachgewiesen, inwiefern die sogenannten Geisteswissenschaften für die Emanzipation des einzelnen und der Menschheit, für
das Selbstverständnis und die Selbstverwirklichung resp. für die
Gestaltung der Gesellschaft unerläßlich sind. Darüber hinaus wird
einsichtig gemacht, daß das Subjektskorrelat von Natur- und Geisteswissenschaften unterschiedlich ist. Für die Geisteswissenschaften
bildet die konkrete, geschichtlich-gesellschaftliche Existenz Aus-
gangs- und Endpunkt, während die naturwissenschaftliche Gegenständlichkeit auf ein austauschbares logisches Subjekt bezogen ist.
Die Feststellung von einigen methodischen Identitäten zwischen
Natur- und Geisteswissenschaften legt ein solches Subjektkonstrukt
zugrunde.

Da Dilthey auf gewissen methodischen Übereinstimmungen insistiert, heißt dies, daß er in beiden Wissenschaftsbereichen ein par-
tiell identisches Gegenstandskorrelat ansetzt, nämlich das logische
Subjekt. Und da er sich gegen die Gleichsetzung von Natur- und
Geisteswissenschaften wendet, läßt er keinen Zweifel daran, daß
die Geisteswissenschaften nur unter Bezug auf ein Subjekt in seiner
Totalität in ihren Funktionen durchschaubar werden. Dilthey geht
also von der Methodologie zur Subjektslehre, wobei er darauf
achtet — und das scheint uns ein höchst bedeutsames Motiv —, daß
die naturwissenschaftlichen Kategorien für die Bestimmung dieser
Subjektstheorie suspendiert werden. Auf der obersten Reflexionsstufe, im Horizont der Selbstbesinnung, soll ihre Entstehung aus
lebensweltlichen Auslegungen und humanen Aufgaben begriffen
werden. Natur- und Geisteswissenschaften werden innerhalb der
Fundamentalhermeneutik der Selbstbesinnung voneinander ab-
grenzbar und aufeinander beziehbar[27].

4. Die „Entstehung der Hermeneutik": erkenntnistheoretische, logische und methodische Probleme

Dilthey entwickelt in dieser Abhandlung die konstitutiven Momente seines Verstehensbegriffs. In allen Formen des Verstehens
wird von einem Zeichen, einem Sinnesdatum, auf einen Bedeu-
tungsgehalt, auf die Intentionen dessen, der sich im Medium der

Symbole ausdrückt, zurückgegangen. Dilthey versucht, dieses Verfahren mit Hilfe des Gegensatzes von Innen und Außen zu kennzeichnen. Die Verwendung dieses Begriffspaars ist nicht unproblematisch; zu bedenken bleibt nämlich, ob dieses der räumlichen Vorstellungswelt entlehnte Schema das Spezifische von Sinnerschließungsaktivitäten zu erfassen vermag. Wenn wir die Handlungen (Gebärden, Sätze, Mimik) anderer Menschen verstehen, so beziehen wir Sinnestatsachen auf ein System von Interpretationsregeln. Strenggenommen zerfällt dieser hermeneutische Vorgang nicht einmal in solche gesonderten Schritte, sondern das vermeintliche bloße Sinnesdatum erhält seine Bestimmtheit erst aufgrund eines Bezugs auf ein derartiges Regelsystem. Es wäre demnach unangemessen, die hermeneutische Aktivität der Wahrnehmung von Sinnesdaten zeitlich und sachlich nachzuordnen. Viele Äußerungen Diltheys legen einen solchen Fehlschluß nahe. Und wenn man ihm positivistische Tendenzen vorgeworfen hat, so trifft diese Kritik auf dieses Zwei-Schritt-System sicherlich zu.

Behoben werden kann diese erkenntnistheoretische Schwäche nur dadurch, daß die Außen-Innen-Relation nicht als zeitliche Abfolge und sachliche Nachordnung gedeutet, sondern als hermeneutische Stufung begriffen wird. Das heißt: die Bestimmtheit der Sinnestatsache durch das interpretatorische Regelsystem kann verschiedene Grade von Ausdrücklichkeit, von Theoretizität durchlaufen. Um es paradox zu formulieren: das „Außen" ist grundsätzlich auch ein „Innen", aber das Wissen um diese Relation kann unterschiedlich vollzogen werden.

Durch Diltheys philosophisches Werk zieht sich dieses Operieren mit räumlichen Kategorien in unräumlichen, nämlich geistigen Kontexten. Nicht wenige Probleme sind eine Folge dieses kategorialen Mißbrauchs. Letzten Endes liegt eine solche Verstrickung in Scheinprobleme an Diltheys Bewußtseinsphilosophie. Der Begriff des Bewußtseins und der Begriff des Denkens gehen bei ihm konturenlos ineinander über. So wird er häufig von der Einsicht geleitet, daß uns die anderen Personen in einer ursprünglichen Welterschließungsleistung, nämlich im Denken, gegeben sind, daß Ich und Welt eine fundamentale Korrelation darstellen; aber es fehlt auch nicht an Äußerungen, die im Sinne einer schlechten Monadologie um die Fragen kreisen, wie das in seinem Bewußtsein eingeschlossene Individuum zu anderen Menschen und zur Welt der Sachverhalte Zugang gewinnen kann. Auch hier orientiert sich Dilthey also an dem Gegensatz von Innen und Außen. Damit steht seine Anthropologie in der Gefahr, nach dem Muster gegenständlicher Beziehungen die humane Verfaßtheit zu bestimmen, den Menschen mithin zu einem Gegenstand unter Gegenständen zu machen[28]. Diltheys Erörterungen der Selbstzweckhaftigkeit widerstreiten einer solchen Analogisierung. Beide Tendenzen bleiben in Diltheys Anthropologie unversöhnt.

Der Ansatz der Diltheyschen Hermeneutik am Gegensatz von Innerem und Äußerem hat überdies zur Folge, daß die Illusion entsteht, es gäbe einen psychologisch zu charakterisierenden Zentralbereich der Person, um deren Verständnis wir uns bemühen, als erfülle sich Hermeneutik in Psychologie. Sieht man sich die Darlegungen Diltheys genauer an, so stellt man fest, daß er gerade die mannigfachen Verflechtungen dieses vermeintlich autarken Innen aufweisen möchte. Es geht ihm letztlich nicht um psychische Einfühlung, sondern um die Explikation der sachlogischen Beziehungen eines Werks resp. um die lebenshermeneutische Verknüpfung einer einzelnen Handlung mit dem ihre Bestimmtheit ermöglichenden Interpretationshorizont (Regelsystem). Das Werk eines Künstlers und die Handlung eines Mitmenschen werden in Akten des Verstehens auf diverse Deutungssysteme bezogen und so in ihrer Einmaligkeit oder spezifischen situativen Funktion begriffen. Mit der Verschmelzung von Seelenkernen hat dieses Procedere offensichtlich nichts zu tun.

Wenn Dilthey sagt, daß unser „Handeln (...) das Verstehen anderer Personen überall"[29] voraussetzt, so könnte dies als Psychologisierung der menschlichen Deutungsarbeit verstanden werden. Auch die narzißtische Formel von der Befriedigung, die wir im „Nachfühlen fremder Seelenzustände"[30] zu erleben vermögen, legt eine solche psychologische Reduktion der Verstehensproblematik nahe. Diltheys Schwanken zwischen Psychologie und Sachlogik (Interpretationshorizonten) kann nicht wegdiskutiert werden. Beide Aspekte des hermeneutischen Problems waren ihm präsent, aber es gelingt ihm noch nicht, deren systematische Verbindungslinien darzustellen.

Auf welche Weise die Verknüpfung jener Hinsichten zu erreichen ist, wollen wir in aller Kürze zu zeigen versuchen. Sowohl das Fundament als auch das letzte Ziel der hermeneutischen Aktivität tragen psychologische Züge. Zwischen dem Ausleger und dem Autor des Werks, dem sein Interesse gilt, muß eine „psychische" Affinität bestehen. Kongenialität wäre die Voraussetzung für die optimale Gestaltung dieser Beziehung. Da die interpretatorische

Leistung nicht vollendbar ist, rekurriert Dilthey auf den alten, in der Romantik besonders gewürdigten Gedanken des „individuum est ineffabile"[31]. Die begriffliche Inkommensurabilität des Individuums nimmt in Diltheys Hermeneutik-Konzeption die Funktion eines psychologischen Fundamentalfaktors ein. Zwischen diesen beiden außerbegrifflichen Endpunkten (Affinität, Individualität des Schöpfers) wird die hermeneutische Arbeit durch begriffliche Operationen vorangetrieben.

Die psychische Individualität des Autors bleibt uns nach Diltheys Überzeugung, selbst wenn ein kongeniales Verständnis gegeben ist, unzugänglich. Man tut unseres Erachtens gut daran, jene sich der begrifflichen Bestimmung entziehenden Momente von der Dimension der begrifflichen Operationen her zu kennzeichnen. Dadurch wird ein Bruch in der Argumentation, d. h. die bloße Gegenüberstellung von Rationalität und Irrationalität, vermeidbar. Die Individualität des Autors wird bei einem solchen vom Begriff her konzipierten Hermeneutikmodell nur zum Symbol für die Unabschließbarkeit der rationalen interpretatorischen Aktivitäten; sie wird zur regulativen Idee der hermeneutischen Einheit.

Wenn wir oben behaupteten, daß Dilthey den psychologischen und den sachlogischen Gesichtspunkt des hermeneutischen Problems zwar erkannt habe, aber nicht zu einer systematischen Vermittlung beider Aspekte gelangt sei, so war dies, von der nunmehr erreichten Reflexionsstufe aus gesehen, terminologisch nicht ganz zutreffend. Die Individualität des Schöpfers eines Werks muß nämlich nur als Idee der höchstmöglichen, niemals erreichbaren hermeneutischen Einheit bestimmt und somit entpsychologisiert werden. Das war der Tenor unserer knappen Ausführungen über die Verbindungslinien zwischen den begrifflichen Operationen und den außerbegrifflichen Voraussetzungen der Diltheyschen Hermeneutik.

Dort, wo Dilthey das oberste Ziel der hermeneutischen Verfahrensweisen in psychologisierender Weise zum Ausdruck bringt, fällt er hinter die Möglichkeiten, die seine Systematik birgt, zurück. Die Idee einer inhaltlich bestimmten Einheit — das ist seine tiefe Einsicht — kann nicht aus den begrifflichen Operationen, in denen sich die hermeneutische Arbeit vollzieht, deduziert werden. Jene Idee ist eine im wahrsten Sinne des Wortes fundamentale Antizipation. Statt von psychologischen und sachlogischen Perspektiven zu reden, wäre es zutreffender, mit Hilfe der Begriffe der Antizipation und der Operation die hermeneutische Dimension zu strukturieren. Die systematische Stringenz der Diltheyschen Hermeneu-

tik fordert eine Entpsychologisierung ihrer antizipatorischen Momente.
Im voraufgegangenen haben wir uns bei dieser Entpsychologisierung auf den Zielbereich der hermeneutischen Operationen konzentriert. Daß auch der Basisbereich (Affinität, Kongenialität) der
Auslegung von einer Psychologisierung freigehalten werden kann,
scheint uns in der Tat nachweisbar. Ein Hinweis muß in diesem
Zusammenhang genügen: der Zugang zu einem Werk wird durch
eine Kumulation von Lernerfahrungen ermöglicht. Affinität ist
kein psychisches Urphänomen, sondern von spezifischen Auseinandersetzungen mit der Sache abhängig. Nur durch den Rückgriff
auf die Sachlogik läßt sich Affinität bestimmen. Affinität ist der
Inbegriff besonderer, nämlich werkbezogener Erfahrungen mit der
Sache.
Diltheys Argumentation konzentriert sich in der Abhandlung zwar
auf die geltungstheoretische Problematik, die bei der Auslegung
(Interpretation) von Sprachkunstwerken gegeben ist, aber es fehlt
auch nicht an Hinweisen auf das hermeneutische Umfeld jenes
Gipfelpunktes des Verstehens. Alle lebensweltlichen Personen-
bezüge gründen in Verstehensakten[32]. Eine „allgemeine Hermeneutik"[33] muß die Prinzipien bestimmen, die in allen hermeneutischen Subsystemen (Philologie, Geschichtswissenschaft, Erfahrungswissenschaften, Lebenswelt) wirksam sind; sie umgreift also
wissenschaftliche und vorwissenschaftliche Dimensionen.
Eine von Dilthey ins Auge gefaßte universale Theorie des Verstehens erstreckt sich auf alle Bereiche, in denen Manifestationen des
Geistes angetroffen werden, in denen also eine intentionale Struktur (Handlungsvalenz) in Ansatz gebracht werden kann. Geistig-
keit und Intentionalität sind für Dilthey synonym. Trotz partieller
methodischer Identität muß deshalb die Erkenntnis der Natur aus
dem Aufgabenkreis der universalen Hermeneutik herausfallen.
Hier gibt es, um in Diltheys Sprache zu bleiben, keinen Schritt von
dem sinnlich Gegebenen zu einem intentionalen Inneren. Da diese
Möglichkeit fehlt, bleibt uns die Natur immer fremd.
Für alle hermeneutischen Leistungen bedarf es einer komplexen
Persönlichkeitsstruktur. Die Erkenntnis anderer Menschen ist nur
möglich in Form eines Analogieschlusses. Wir unterstellen nach
Auffassung Diltheys der anderen Individualität eine mit uns identische psychische Verfaßheit. Allerdings erstreckt sich diese Identität nur auf die psychische Teleologie, d. h. auf eine formale Struktur. Momente, die nicht in diesem minimalen Kontext vorhanden

sind, können bei anderen Menschen nur dann erkannt werden, wenn wir auf unseren erworbenen seelischen Zusammenhang zurückgreifen. Unsere Persönlichkeit gliedert sich demnach in zwei Regionen: einen allen Menschen gemeinsamen teleologischen Kontext und den ihn konkretisierenden resp. individualisierenden Niederschlag von Auseinandersetzungen mit der Sach- und Mitwelt. Diltheys Persönlichkeitsbegriff umschließt also eine systematische und eine genetische Hinsicht.

Eine gewisse Inkonsequenz scheint mir darin zu liegen, daß er innerhalb der systematischen Dimension andere Menschen für uns durch letztlich unausweisbare Analogieschlüsse gegeben sein läßt, während er im Bereich des erworbenen seelischen Zusammenhangs mit Hilfe des Begriffs der Interaktion argumentiert. Das im voraufgegangenen thematisierte Schwanken zwischen einem bewußtseins- und denkphilosophischen Ansatz spiegelt sich in diesen unverträglichen Erklärungsmustern.

Ungeachtet dieser theoretischen Insuffizienz kommt den Diltheyschen Ausführungen doch das Verdienst zu, die Mittelbarkeit sowohl des Selbst- als auch des Fremdverständnisses nachzuweisen. Das Interesse, das wir an dem Verstehen anderer Menschen und ausgezeichneter kultureller Leistungen haben, gründet in dem Bemühen, uns selbst, das komplexe Gefüge unserer Individualität, zu begreifen. Lebensweltliche und wissenschaftliche Hermeneutik sind für die Selbsterhellung des Menschen unentbehrlich. In den geisteswissenschaftlichen Aktivitäten erreicht dieses Selbsterkenntnisinteresse seinen radikalen Ausdruck.

Da die Kategorien, mit denen wir uns selbst deuten, abgesehen von den teleologischen, der Auseinandersetzung mit der Sach- und Mitwelt entstammen, verbietet sich eine psychologisierende Interpretation der hermeneutischen Verfahren. Auch die personalen Bezüge (Mitwelt) sind, wie wir schon erläutert haben, nur im Rückgriff auf intersubjektive Regelsysteme realisierbar. Das Verständnis eines anderen Menschen oder einer Kulturtatsache verläuft in diversen Medien der Objektivität (soziale Regelsysteme, theoretische, ethische, ästhetische Normen).

Wenn aber wesentliche Kategorien des Verstehens geschichtlich und sozial vermittelt sind, dann läßt sich die eigene und die andere Individualität immer nur ausschnitthaft begreifen. In unserer Lebensgeschichte wandelt sich das Instrumentarium unserer Selbstdeutung. Analoges trifft für die Erschließung der geschichtlichen Welt zu. In Diltheys Hermeneutik waltet das Grundgesetz der katego-

rialen Relativität. Man tut deshalb gut daran, seine Hermeneutik
als Kategorialanalyse zu interpretieren und die auf solchem Fundament unhaltbare Unmittelbarkeit psychischer Einfühlung als
regulative Idee umzudeuten, also nur als Richtungskonstanz der
kategorialen Operationen anzusetzen.

Diltheys Hermeneutikbegriff hat keinen einheitlichen Bedeutungs-
umfang. Jede Auslegungsaktivität in der gesellschaftlich-geschicht-
lichen Welt, sei sie nun wissenschaftlich oder vorwissenschaftlich,
wird von ihm als hermeneutisch bezeichnet. Andererseits möchte er
mit dem Prädikat „hermeneutisch" nur diejenigen Deutungstätig-
keiten versehen, in denen ein „kunstmäßiges" Procedere erreicht
wird (Hermeneutik = Auslegungskunst). Es fehlt indes auch nicht
an einer noch engeren Fassung des Begriffs: Hermeneutik wird
dann zur Theorie der Auslegungskunst, also zur Kunstlehre. Nicht
minder uneinheitlich sind die hermeneutischen Bezugsdimensionen.
Neben die Mitwelt tritt die geschichtliche Welt; manchmal dient
die kulturelle Welt als Korrelat, manchmal hingegen nur deren
sprachlicher Bereich.

Die Abhandlung über die Entstehung der Hermeneutik zeigt,
warum Dilthey diese philologische Verengung seines Hermeneutikbegriffs vorgenommen hat. Von der mitweltlichen zur im engeren
Sinne kulturellen Hermeneutik ist nach Diltheys Ansicht deshalb
fortzuschreiten, weil letztere sich auf Objekte bezieht, die eine
andere Beständigkeit aufweisen als mitweltliche geistige Manifestationen. Eine Kulturtatsache bietet die Möglichkeit, die Auslegung
zu wiederholen und zu überprüfen.

Auf Grund unserer Darlegungen zum Gesetz der kategorialen
Relativität muß allerdings beachtet werden, daß eine solche Wiederholung und kritische Sichtung ihre Grenzen haben. Da das kategoriale Fundament sich beständig wandelt, bleibt auch die Kulturtatsache nicht völlig identisch. Gewiß, Wörter und ihr Schriftbild
ändern sich nicht — um ein Beispiel zu nennen —, aber die Bedeutungen, die wir damit verknüpfen, hängen von vielfältigen individualen und geschichtlichen Momenten ab. Da Dilthey diese Dependenz nicht aus den Augen verliert, trifft ihn auch nicht der Vorwurf, er habe den Gegenstand der geisteswissenschaftlichen Arbeit
mit dem Objekt der Naturwissenschaften identifiziert.

Daß Dilthey innerhalb der geistigen Welt (Kulturtatsachen) sich
vorrangig „schriftlich fixierten Lebensäußerungen" zuwendet, hat
seinen Grund in der Universalität der natürlichen Sprache. Die
Interpretation nicht-sprachlicher Kulturgebilde erreicht erst dann

eine theoretisch befriedigende Höhe, wenn auf den literarischen Kontext, der bei ihrer Entstehung gegeben war, zurückgegriffen wird. Universal ist die Sprache deshalb, weil alle Kulturtatsachen durch Sprache ihre Bestimmtheit gewinnen. Darüber hinaus eignet der natürlichen Sprache Universalität in dem Sinne, daß sie Sprache und Metasprache zugleich ist. Diltheys besonderes Interesse für die philologische Hermeneutik hat in der universalen Valenz der natürlichen Sprache seine Wurzeln.

Auch die „geschichtlich überlieferten Handlungen"[35], also auch die Erfassung geschichtlicher Fakten bleibt an spezifische sprachliche Vorgaben gebunden. Geschichtswissenschaft und Philologie wirken bei der Bestimmung eines geschichtlichen Ereignisses zusammen. Geschichtliche Wirklichkeit ist durchgängig sprachbezogen. Wer die Handlungen eines politischen Führers der Vergangenheit verstehen will, der muß in das sprachlich vermittelte Umfeld von dessen Wirken eindringen; eine nur historisch-soziale Analyse blendet wesentliche Bestimmungsmomente des geschichtlichen Handelns aus. Mit diesem Ansatz nivelliert Dilthey keineswegs die Unterschiede zwischen sprachlicher und geschichtlicher Wirklichkeit. Geschichte wird nicht zum Text. Aber das geschichtliche Faktum gewinnt erst in der Beziehung auf den sprachlichen Horizont der jeweiligen Zeit seine Bestimmtheit.

Überblickt man das bisher Dargelegte, so erkennt man, daß Dilthey die Frage nach der Allgemeingültigkeit geisteswissenschaftlicher Erkenntnis durch zwei Argumentationszentren zu beantworten sucht. Zum einen entwickelt er die Grundzüge einer Theorie der inneren Erfahrung (Psychologie, Bewußtseinsphilosophie) und zum andern entwirft er im Anschluß an Schleiermacher eine Analyse des Verstehens (allgemeine Hermeneutik). Die dabei zutage tretenden Unstimmigkeiten lassen sich nur dann beheben, wenn man beide Analysen als konstruktiv gesonderte Momente einer hermeneutischen Theorie des Denkens begreift. Die innere Erfahrung wäre demnach von Akten des Verstehens, also von spezifischer und grundsätzlicher Welterschließung (Sachwelt und Mitwelt) abhängig. Dilthey ist eine solche Vermittlung in der in Rede stehenden Abhandlung nicht gelungen, obwohl er das gedankliche Instrumentarium dafür bereitstellt.

Unsere obigen Ausführungen zur Universalität der Sprache haben anzudeuten versucht, daß Dilthey den Menschen als Sprachwesen auszeichnet und daß die Trennung in einen Bereich der inneren Erfahrung und der „äußeren" Wirklichkeit durch den Rekurs auf die Sprache prinzipiell überwunden ist. Eine solipsistische Bewußtseinsphilosophie negiert die welterschließende Funktion der Sprachlichkeit des Menschen. Lediglich als Innenperspektive, also durch die Differenzierung von Erkenntnisintentionen, ließe sich die bewußtseinsphilosophische Argumentation nutzen; damit wäre sie dann allerdings in entscheidender Weise verändert. Innen und Außen wären nämlich als nachgeordnete, sprachlich vermittelte Differenzierungen einer fundamentalen Welterschlossenheit in Ansatz gebracht. Analyse des Verstehens und Analyse der inneren Erfahrung sind eben nicht gleichgeordnet, wie Dilthey behauptet[36]. Aus der Analyse des Verstehens, aus der allgemeinen Hermeneutik muß vielmehr die Theorie der inneren Erfahrung abgeleitet werden. Dadurch, daß Dilthey diese Dependenz nicht sieht, schafft er sich vermeidbare erkenntnistheoretische Probleme.

Die in der allgemeinen Hermeneutik thematisierte Fundamentalität der Sprache, so lautet unser Einwand, muß in der Theorie der Selbsterkenntnis berücksichtigt werden. Schließt man sich diesem Gedanken an, so erscheint auch Diltheys Teleologie des Seelenlebens in einem anderen Licht. Der Sprachbezug der psychischen Strukturmomente wird von Dilthey nicht genügend reflektiert. Er tut so, als gäbe es einen vom Sprachbezug suspendierten anthropologischen Kernbereich. Diltheys Allgemeine Hermeneutik bietet unseres Erachtens die Möglichkeit, die Teleologiekonzeption durch das Fundamentalmoment der Sprachlichkeit zu ergänzen und auf festeren Boden zu stellen.

Dilthey machte in der Abhandlung über die Entstehung der Hermeneutik deutlich, daß alle nicht-sprachlichen Verstehensakte durch die latente Beziehung auf das Regelsystem der jeweiligen natürlichen Sprache ermöglicht werden. Die Bestimmungsfunktion der Sprache ist in ebendiesem Sinne universal. Besondere Schwierigkeiten ergeben sich beim historischen Erkennen dadurch, daß die sprachlichen Bezugssysteme nicht identisch sind. Kulturtatsachen der Vergangenheit bleiben deshalb in allem Verstehen doch auch unverstanden.

Berücksichtigt man diese Diltheysche These, so erscheint die Allgemeingültigkeitsproblematik in einem anderen Licht. Nicht darum geht es, den Geltungsanspruch geisteswissenschaftlicher Erkenntnis an dem Allgemeingültigkeitsideal der Naturwissenschaften zu überprüfen, sondern es kommt darauf an, die spezifischen Kriterien des geisteswissenschaftlichen Erkenntnisbegriffs zu bestimmen. Schon die von Dilthey verwendete synonyme Terminologie ist deshalb nicht unbedenklich. Sie suggeriert die Strukturidentität beider Wissenschaftsformen — und gerade eine solche Ineinssetzung wird in der Abhandlung als nicht statthaft erwiesen. Um die tiefsten Intentionen der Arbeit zu erfassen, ist es freilich notwendig, sich vom prima-facie-Eindruck zu lösen.

Diltheys Begriff der geisteswissenschaftlichen „Allgemeingültigkeit" stützt sich zum einen auf ein verbindliches hermeneutisches Regelsystem und zum andern auf die Teleologiekonzeption seiner Psychologie. Daß dieses anthropologische Kernstück nicht den Kriterien naturwissenschaftlicher Allgemeingültigkeit entspricht, liegt auf der Hand. Dilthey entwickelte ja seine Lehre von der Teleologie durch eine kategoriale Analyse des erworbenen seelischen Zusammenhanges. Die empirische Psychologie sollte sich dieser Kategorialanalyse anschließen können, aber an der Bestimmung der psychologischen Fundamentalbegriffe war sie nicht beteiligt. Wenn Dilthey also von der Allgemeingültigkeit seines Teleologiekonzepts spricht, dann argumentiert er auf einem anderen Feld als der experimentell orientierte Erfahrungswissenschaftler.

Analoges trifft für das hermeneutische Regelsystem zu: das „Zusammenwirken von Induktion, Anwendung allgemeinerer Wahrheiten auf den besonderen Fall und vergleichendem Verfahren"[37] wird in der geisteswissenschaftlichen Erkenntnis nicht weniger erstrebt als in den Naturwissenschaften. In den *Zusätzen* heißt es klipp und klar: „Es sind selbstverständlich (...) dieselben elementaren logischen Operationen, die in den Geistes- und Naturwissenschaften auftreten. Induktion, Analysis, Konstruktion, Vergleichung"[38]. Aber selbst auf der logischen Ebene der hermeneutischen Gesamtproblematik, zu der noch die erkenntnistheoretische und die methodische Dimension gehört, insistiert Dilthey auf der Nicht-Identität von Natur- und Geisteswissenschaften. Das mutet widersprüchlich an. Aber es liegt kein Widerspruch vor.

Dilthey zeigt nämlich, daß in den Naturwissenschaften ein anderes Beziehungssystem — und damit eine andere Gegenständlichkeit — antizipiert wird als in den Geisteswissenschaften und daß die identischen logischen Operationen deshalb zu spezifischen Kriterien der Geltung unterliegenden Denkprodukten führen[39]. Antizipation und Resultat sind nicht identisch, wohl aber elementare logische Verfahrensweisen. Durch die jeweilige Antizipation werden unterschiedliche Geltungskriterien gefordert. Die Überprüfung von Vermutungen über quantitative Relationen und die Würdigung

einer interpretatorischen Leistung greifen auf unterschiedliche
Maßstäbe zurück. In den Geisteswissenschaften sind diese Bezugsmomente nach Auffassung Diltheys in der individuellen psychischen Struktur gegeben. Die „allgemeine" Gültigkeit mißt sich
mithin nach individuell bestimmten Faktoren. Geisteswissenschaftliche Allgemeingültigkeit ist weder Willkürlichkeit (schlechte Subjektivität) noch austauschbare Intersubjektivität. Man wird Diltheys tiefsten Intentionen nur gerecht, wenn man diese doppel-
polige Distanzierung im Auge behält.
Dilthey läßt keinen Zweifel daran, daß die elementaren logischen
Operationen in den Geisteswissenschaften nicht einfachhin mit den
korrespondierenden Verfahren in den Naturwissenschaften identifiziert werden dürfen. Für die Induktion hat er Hinweise auf die
bereichsspezifischen Unterschiede gegeben. Das induktive Vorgehen
in den Geisteswissenschaften gründet in der Teleologie und der
sacherschlossenen Individualität dessen, der sich um die Auslegung
einer Kulturtatsache bemüht; sie ist überdies abhängig von dem
sprachlichen Bezugssystem, dem jenes Faktum zugehört, und von
dem sprachlichen Kontext, in dem der Interpret sich und die Welt
deutet. Teleologie, Theorie des erworbenen seelischen Zusammenhanges und Theorie der Sprache bestimmen die komplexe Struktur
der geisteswissenschaftlichen Induktion. Dilthey unterscheidet die
elementar-logische Bedeutung des Induktionsbegriffs von dessen
wissenschaftstheoretischer Bestimmung. So arbeitet er Koinzidenz
und Differenz beider Wissenschaftsformen heraus.
Überblickt man die Abhandlung zur Entstehung der Hermeneutik
mitsamt den *Zusätzen aus den Handschriften*, so erkennt man, daß
Dilthey den Terminus „Hermeneutik" nicht einheitlich verwendet.
Als Hermeneutik bezeichnet er einerseits die Theorie des Verstehens in weitestem Sinne, also die Theorie der Sach- und Mitwelt-
bezüge; Hermeneutik wird so zur Erkenntnistheorie. Andererseits
nennt er die Theorie des „kunstmäßigen Verstehens von dauernd
fixierten Lebensäußerungen"[40], d. h. die methodische Auseinandersetzung mit Kulturtatsachen, Hermeneutik. Eine noch engere
Bedeutung erhält der Begriff dann, wenn Dilthey die „Kunstlehre
der Auslegung von Schriftdenkmalen"[41] zur hermeneutischen
Wissenschaft erklärt. Parallel zu diesen Abgrenzungen sind die
Begriffe des Verstehens und der Auslegung (Interpretation) zu
differenzieren. Von „Auslegung" spricht Dilthey nur bei der methodischen Analyse von kulturellen Sachverhalten, seien sie nun
sprachlich oder nicht-sprachlich.

Innerhalb der hermeneutischen Gesamtproblematik lassen sich demgemäß eine erkenntnistheoretische, eine logische und eine methodische Argumentationsebene unterscheiden. Unsere Erörterung des Induktionsbegriffes gehört in den logischen Bereich der Hermeneutik. Diltheys Ausführungen zur Methodenlehre konzentrieren sich auf die Analyse sprachlicher, genauer: literarischer Manifestationen. Seine Hermeneutik bietet allerdings die Möglichkeit, auch für die nicht-sprachliche Kulturdimension spezifische Methodenlehren zu entwerfen.

Der triadische Aufbau des Diltheyschen Hermeneutikbegriffes muß im Sinne einer zunehmenden Konkretisierung gedeutet werden. Auf der methodologischen Ebene werden die erkenntnistheoretischen und die logischen Befunde auf die verschiedenen Bereiche der geistigen Wirklichkeit (Kultur) bezogen: ein spezifisches Regelsystem gewinnt Gestalt.

Diltheys Denkrichtung verläuft innerhalb jener umfänglichen Analysis des Verstehens indes nicht nur von der erkenntnistheoretischen Sphäre über die logische Dimension zur im Sachbezug sich konstituierenden Methodologie. Auch die umgekehrte Richtung wird von ihm eingeschlagen. Das heißt: Diltheys Ausführungen zur erkenntnistheoretischen Ebene der Hermeneutik werden erst dann adäquat verstanden, wenn die prinzipielle Kultur- und Sprachbezogenheit des Menschen mitberücksichtigt wird, die ja das Fundament für die methodologische Dimension abgibt. Eine analoge Verschränkung deutet Dilthey für den logischen Bereich an. Bei der Analyse des Induktionsbegriffs haben wir die von Dilthey ins Auge gefaßte Modifikation der elementaren logischen Operationen für das geisteswissenschaftliche Erfahrungsgebiet an einem Beispiel zu erläutern versucht.

Den erkenntnistheoretischen Bereich des Hermeneutikbegriffs gliedert Dilthey durch drei fundamentale Aporien. In allen drei Aporien wird auf den Teleologiebegriff rekurriert. Die erste Aporie lautet: „Transposition ist Transformation"[42]. Alle Manifestationen fremder Individualität — und das gilt für den Bereich der Lebenswelt nicht minder als für den der Geschichte — können niemals gänzlich verstanden werden. Der Kontext, in den die Erkenntnisakte eingelagert sind, ist nicht identisch mit dem Zusammenhang, der dem zu Verstehenden seine letzte Bestimmtheit gibt. Erkennen (Transposition) ist eben deshalb eine Veränderung (Transformation) der ursprünglichen Bestimmtheit. Der andere Mensch und das Kulturgut, dem wir zugewandt sind, werden unserem jeweiligen (monadischen) kognitiven System unterworfen; sie werden verstanden und bleiben doch in letzter Hinsicht unverstanden.

Dilthey operiert bei der Darstellung dieser Aporie mit einem nicht restlos geklärten Monadenbegriff. Die im voraufgegangenen von uns kritisierte Dualität eines bewußtseinsphilosophischen und eines denktheoretischen Ansatzes ist Ausdruck der hier gegebenen theoretischen Isolation — dann freilich wäre fremde Individualität nicht bestimmbar —, andererseits setzt er eine intermonadische Erschlossenheit von Welt (Sach- und Mitwelt) voraus, wobei er seine Teleologiekonzeption zu Hilfe nimmt. Monade und fremde Individualität sind durch die gemeinsame Menschennatur verbunden. Dadurch ist die Objektivation fremder Individualität verstehbar.

Gegen diese Argumentation Diltheys muß allerdings eingewendet werden, daß die Intermonadizität sich nicht aus der Identität der psychischen Struktur ableiten läßt. Die Diltheysche Identitätsthese nimmt das schon in Anspruch, was sie erst noch zu deduzieren vorgibt, nämlich die ursprüngliche Erschlossenheit von Welt. Dilthey bewegt sich in einem schlechten Zirkel.

Die zweite Aporie hat folgende Form: „Aus dem *Einzelnen das Ganze*, aus dem Ganzen doch wieder das Einzelne"[43]. Dilthey verweist hiermit auf die Zirkelstruktur des Verstehens und der Auslegung. Sein Interesse gilt in erster Linie der Zirkelhaftigkeit jeder literarischen Interpretation. Der tiefer liegenden Frage nach der antizipatorischen Bestimmtheit des Erlebens und Denkens ist besonders Martin Heidegger nachgegangen[44].

Im philologischen Bereich wirkt sich die Zirkelstruktur dahingehend aus, daß die Interpretation eines einzelnen Satzes an die Vorwegnahme eines Sinntotums, nämlich der Bedeutungsganzheit des Werkes, gebunden ist. Diese Bedeutungsganzheit wandelt sich durch die Analyse der Details.

Interpretatorische Aktivität vollzieht sich in zwei Grundrichtungen: sie strebt sowohl nach größtmöglicher Verknüpfung (Totalisierung) von Sinneinheiten als auch nach fortwährender Neubestimmung der Bedeutungselemente (Partikularisierung). Ziel der Interpretation ist eine so weit als möglich strukturierte Ganzheit.

Die Ganzheit des literarischen Werks, die durch jene gegenläufige Grundrichtungen erreicht werden soll, erscheint in einer bestimmten Perspektive als Element. Einzelnes und Ganzes sind durch spezifische Intentionen Konstituiertes. Was als Einzelheit oder als

Ganzheit gilt, hängt ab von denkerischer Entscheidung. Über die Ganzheit des literarischen Gebildes kann und muß nach Diltheys Auffassung hinausgegangen werden. Das Werk wird zum Element und die „Individualität" des Autors zum Totum. „Geistesart und Entwicklung"[45] des Verfassers sind unerläßliche Bezugsmomente für die literarische Interpretation. Die dem Werk vorgeordnete Ganzheit, also die „Individualität" im Sinne einer monadischen Repräsentation von Kultur, ist, wie schon die erste Aporie verdeutlichte, nicht vollständig zu erfassen: „Individuum est ineffabile"[46], das heißt: die das literarische Werk ermöglichende individuale Repräsentation der Kultur läßt sich nicht gänzlich erkennen. Deshalb vermag kein Interpret den Sinngehalt eines literarischen Werks endgültig zu bestimmen. Die Bedeutung des Werks wäre erst dann endgültig erfaßt, wenn die Geschichte, die Gesellschaft, die Kultur und die von jenen Faktoren beeinflußte Lerngeschichte des Autors auf den Begriff gebracht worden sind. Die letzte Ganzheit, auf die sich — als regulative Idee — die Werkinterpretation bezieht, ist die systematische Verbindung von Persönlichkeits- und Kulturtheorie.

Diltheys zweite Aporie, so können wir zusammenfassend sagen, bringt zum Ausdruck, daß die Werkinterpretation in einem Insgesamt perspektivischer Antizipationen gründet, die in einer wechselseitigen Zweck-Mittel-Relation stehen. Das Theorem von der Zirkelhaftigkeit der Interpretation stellt den Versuch dar, den Teleologie-Gedanken für die literarische Methodologie zu nutzen.

In der dritten Aporie wird von Dilthey das Verhältnis zwischen Erklären und Verstehen thematisiert. Die Methode des Erklärens wird nicht nur in den Naturwissenschaften, sondern auch in den (systematischen) Geisteswissenschaften angewandt[47]. Alles Erklären zielt auf die Erkenntnis von Gesetzlichkeiten. Akte des Verstehens hingegen streben danach, die individuale Konkretion zu begreifen. Dilthey zeigt nun, daß jede Individualbestimmtheit einen mehr oder minder deutlichen Horizont allgemeiner Einsichten voraussetzt. In den Wissenschaften wird dieser Orientierungsbereich methodisch festgelegt. Aber schon die lebensweltliche Praxis kann auf einen gesetzlich strukturierten Verweisungszusammenhang nicht verzichten. Allgemeine Erkenntnisse sind in sie, wenn auch unausdrücklich, eingelagert.

Die Bestimmtheit des Individualen und Allgemeinen ist nur korrelativ zu gewinnen, handle es sich nun um die Lebenswelt oder um die Geisteswissenschaften. Methodologische Aporie und Anthropo-

logie des Entwurfs von Verweisungszusammenhängen sind nicht
voneinander zu trennen.

5. Psychische und geistige Bestimmtheit:
   „Der Aufbau der geschichtlichen Welt in den Geisteswissenschaften"

Diltheys umfängliche Abhandlung über den *Aufbau der geschichtlichen Welt in den Geisteswissenschaften* aus dem Jahre 1910, in
der verschiedene (gedruckte und ungedruckte) Vorarbeiten integriert sind, dringt — durch die in Husserls *Logischen Untersuchungen* vorgetragene Psychologismus-Kritik sensibilisiert — auf eine
entschiedene Berücksichtigung der Eigengesetzlichkeit (Sachlogik)
geistiger Gebilde. Es wäre übertrieben, zu behaupten, daß Dilthey
eine psychologische Grundlehre durch eine hermeneutische Funda-
mentaltheorie substituiert habe[48]. Denn seine Psychologie resp.
Anthropologie enthält ja wesentliche Kategorien des Kulturgegen-
standes. Aufs Ganze gesehen bietet seine Teleologiekonzeption die
Möglichkeit, sowohl eine Theorie des psychischen Vollzugs wie
auch eine Grundlehre des geistigen Gebildes zu entwickeln.
Die Bestimmtheit des Vollzugs und die Bestimmtheit des Gehalts
lassen sich eben nicht in separaten Theorien auf befriedigende
Weise klären. Von dieser Ahnung sind schon Diltheys frühe Erörterungen zum Teleologieproblem durchzogen. Im Laufe seiner
denkerischen Entwicklung wandelt sich diese mehr oder minder
bewußte Überzeugung zur fundamentalen Einsicht. Um die zuvor
in erster Linie thematisierte Dimension des psychischen Vollzugs
als Korrelat nicht-psychischer (geistiger) Bestimmtheit zu erweisen,
muß er eine Theorie der geistigen Welt erarbeiten. Die primär
psychologische Perspektive wird also durch die kulturtheoretische
Hinsicht ergänzt, freilich nicht ersetzt. Innerhalb der umfänglichen
Teleologiekonzeption differenziert Dilthey zwar die Fragerichtun-
gen, aber er vollzieht keinen radikalen theoretischen Wandel.
Die Abhandlung über den Aufbau der geschichtlichen Welt in den
Geisteswissenschaften ist geradezu zentriert um die Korrelativitäts-
problematik. Dilthey konkretisiert seine teleologische Subjektslehre
dadurch, daß er die Natur- und Geisteswissenschaften als Spezifi-
kationen des Teleologiegedankens begreift. Mit anderen Worten:
Der naturwissenschaftliche und der geisteswissenschaftliche Gegenstand sind Konstitutionsleistungen eines Subjekts, das immer und
überall an teleologische Strukturen verwiesen ist. Hinter die Teleo-

logie kann das Subjekt niemals zurückgehen. Es ist Aufgabe der Subjektslehre, die vielfältigen teleologischen Leistungsformen des Menschen freizulegen. Diltheys Konstitutionstheorie der Wissenschaften nutzt also die anthropologischen Kategorien und arbeitet an deren Konkretisierung. Anthropologie spezifiziert sich zur Wissenschaftstheorie; Wissenschaftstheorie wird mithin anthropologisch fundiert.

In den Natur- und Geisteswissenschaften konsolidieren sich nach Auffassung Diltheys unterschiedliche Zweckrichtungen des Menschen. Die Naturwissenschaften unterstehen der Idee maximaler Beherrschbarkeit[49]. Sie radikalisieren die lebensweltliche Orientierungsintention. Dabei wird der Bezug zur Lebenswelt und zur Organisation des Subjekts zwar nicht aufgegeben, aber es ist die Tendenz in diesen Wissenschaften wirksam, die lebensweltliche Sphäre soweit als möglich zu suspendieren. Dies geschieht durch methodische Reduktionen. An der Daseinsrelativität der Naturwissenschaften hegt Dilthey keinen Zweifel; sie werden also nicht zu einem vermeintlichen An-sich deklariert.

In der naturwissenschaftlichen Arbeit sieht der Mensch von sich ab, das heißt: er klammert die konkreten Lebensbezüge ein. Das Subjektskorrelat der exakten Naturwissenschaften deckt sich nicht mit dem der Geisteswissenschaften; denn in der geisteswissenschaftlichen Erkenntnis bringt sich die konkrete Subjektivität, der Mensch mit seiner individuellen Lebensgeschichte und in der Komplexität seiner Lebensbezüge, zur Geltung. Reduzierte Subjektivität versus nicht-reduzierte Subjektivität: so lassen sich Natur- und Geisteswissenschaften unter subjektstheoretischem Aspekt unterscheiden. Methodisch gewendet lautet dieser Gegensatz: Konstruktion versus Transposition[50].

Dilthey beschränkt sich in dieser Abhandlung ebensowenig wie in der über die Entstehung der Hermeneutik auf eine methodologische Abgrenzung beider Wissenschaftstypen, sondern er dringt in den erkenntnistheoretischen Bereich vor, der über die Bedingungen der wissenschaftlichen Differenzierung Auskunft zu geben vermag. Wissenschaftsformen werden so auf unterschiedliche Intentionen des Subjekts zurückgeführt. Sind für die Konstitution der Naturwissenschaften die Gesichtspunkte der Beherrschbarkeit der „äußeren Welt" und der Orientierung an gesetzlichen Zusammenhängen wegweisend, so zielt der Mensch in den Geisteswissenschaften darauf ab, über sich selbst Klarheit zu gewinnen und oberste normative Bestimmungen zu entwickeln[51].

Wenn man, wie wir es versuchten, Diltheys wissenschaftstheoretischen Ansatz mit Hilfe der Differenzierung von Intentionen und Subjektsformen charakterisiert, dann kann man darauf verzichten, den Menschen abstraktiv in zwei grundlegende Regionen, in den Bereich des Psychischen und des Physischen, zu zerlegen. Diltheys Begründung für die Abgrenzung von Natur- und Geisteswissenschaften ist nicht konsistent. Er operiert sowohl mit einem intentionalen als auch mit einem ontologischen Konzept. Cartesianische und Husserlsche Motive stehen letztlich unverbunden nebeneinander.

Diltheys Hermeneutik ist — trotz aller theoretischen Unzulänglichkeiten — deshalb für die Grundlegung der Geisteswissenschaften so bedeutungsvoll, weil sie sich weder mit relativistischer Resignation noch mit der unkritischen Übertragung naturwissenschaftlicher Methoden und des ihnen entsprechenden Objektivitätsbegriffes in den Bereich der Wissenschaften von der geschichtlich-gesellschaftlichen Wirklichkeit zufriedengeben mag[52]. Unsere Interpretation war bemüht, die Konturen der von Dilthey intendierten hermeneutischen Objektivität sichtbar werden zu lassen.

Anmerkungen

[1] Wilhelm Dilthey, *Gesammelte Schriften,* VI. Band, 5., unveränderte Aufl., Stuttgart, Göttingen 1968, S. 56—82.
[2] Helmuth Plessner, *Die Stufen des Organischen und der Mensch,* Berlin 1928; Otto Friedrich Bollnow, *Methodische Prinzipien der pädagogischen Anthropologie;* in: Bildung und Erziehung 18 (1965), S. 161—164; ders., *Die anthropologische Betrachtungsweise in der Pädagogik,* Essen 1965.
[3] W. D., *Gesammelte Schriften,* VII. Band, 6., unveränderte Aufl., Stuttgart, Göttingen 1973, S. 79—188.
[4] Hermann Noack (*Die Philosophie Westeuropas,* 4., neu bearbeitete und erweiterte Aufl., Darmstadt 1967, S. 100—123) sieht in Dilthey nahezu ausschließlich den Abkömmling des Historismus. Diese Deutung übersieht die bei Dilthey wirksamen Abgrenzungstendenzen gegen den historischen Relativismus im Bereich der Theorie und Normativität.
[5] W. D., *Gesammelte Schriften,* IX. Band, 4., unveränderte Aufl., Stuttgart, Göttingen 1974, S. 181 ff.
[6] W. D., *Gesammelte Schriften,* I. Band, 8., unveränderte Aufl., Stuttgart, Göttingen 1979.

[7] A. a. O., S. IX; S. 116 heißt es: „Die Lösung dieser Aufgabe könnte als Kritik der historischen Vernunft, d. h. des Vermögens des Menschen, sich selber und die von ihm geschaffene Gesellschaft und Geschichte zu erkennen, bezeichnet werden."

[8] A. a. O., S. XVII.

[9] A. a. O., S. XVI.

[10] A. a.O., S. XVII.

[11] Ebd.

[12] A. a.O., S. XVIII.

[13] Ebd.

[14] Ebd.

[15] Vgl. dazu: Alfred Schmidt, *Ludwig Feuerbach: Anthropologischer Materialismus;* in: Josef Speck (Hrsg.), *Grundprobleme der großen Philosophen, Philosophie der Neuzeit II,* Göttingen 1976, S. 184—219.

[16] W. D., *Beiträge zur Lösung der Frage vom Ursprung unseres Glaubens an die Realität der Außenwelt und seinem Recht* (1890); in: W. D., *Gesammelte Schriften,* V. Band, 6., unveränderte Aufl., Stuttgart, Göttingen 1974, S. 90—138.

[17] W. D., *Gesammelte Schriften,* I. Band, a. a. O., S. XVIII.

[18] Zu Diltheys Kantrezeption wäre heranzuziehen: Hans Ineichen, *Erkenntnistheorie und geschichtlich-gesellschaftliche Welt. Diltheys Logik der Geisteswissenschaften,* Frankfurt/Main 1975, S. 87—103.

[19] W. D., *Gesammelte Schriften,* I. Band, S. XVIII.

[20] A. a. O., S. 26, S. 93 f.

[21] A. a. O., S. XVIII.

[22] Helmuth Plessner (a. a. O.) hat mit seinem Theorem von der „exzentrischen Positionalität" des Menschen diesen Weg beschritten. Nicolai Hartmanns Geschichtsphilosophie (*Das Problem des geistigen Seins,* 3., unveränderte Aufl. ,Berlin 1962; 1. Aufl. 1933) nahm dieses zentrale Motiv auf.

[23] W. D., *Gesammelte Schriften,* I. Band, a. a. O., S. 26 f.

[24] Wilhelm Windelband, *Geschichte und Naturwissenschaft* (Straßburger Rektoratsrede, 1894); in: W. W., *Präludien. Aufsätze und Reden zur Philosophie und ihrer Geschichte,* 2. Bd., 9. Aufl., Tübingen 1924, S. 136—160.

[25] W. D., *Gesammelte Schriften,* I. Band, a. a. O., S. 120.

[26] A. a. O., S. 26 f.; vgl. auch: a. a. O., S. 89.

[27] Vgl. dazu: Helmut Johach, *Handelnder Mensch und objektiver Geist. Zur Theorie der Geistes- und Sozialwissenschaften bei Wilhelm Dilthey,* Meisenheim am Glan 1974, besonders S. 42—88.

[28] Zur Frage dieses kategorialen Mißgriffs vgl.: Theodor Litt, *Die Selbsterkenntnis des Menschen,* 2., verbesserte Aufl., Hamburg 1948; ders., *Denken und Sein,* Stuttgart 1948.

[29] W. D., *Gesammelte Schriften,* V. Band, a. a. O., S. 317.

[30] Ebd.

[31] A. a. O., S. 330.

[32] A. a. O., S. 328: „Verstehen und Interpretation sind so im Leben selber immer regsam und tätig, ihre Vollendung erreichen sie in der kunstmäßigen Auslegung lebensmächtiger Werke und des Zusammenhangs derselben im Geiste ihres Urhebers." Siehe auch: a. a. O., S. 329.

[33] Ebd.

[34] A. a. O., S. 332 (*Zusätze aus den Handschriften*, S. 332—338).

[35] A. a. O., S. 319.

[36] A. a. O., S. 320. Im Zusammenhang unserer Argumentation bedeutet „Innen" nichts anderes als die Selbsterkenntnis und „Außen" die Erkenntnis sachlicher und mitweltlicher Bestimmtheit. Dilthey parallelisiert die Analyse der inneren Erfahrung mit der Analyse des Verstehens und engt dadurch letztere, wie wir meinen, in unzulässiger Weise ein. Eine Theorie des Verstehens qua Allgemeine Hermeneutik muß jener Differenzierung vorgeordnet werden und sie begründen können. Es fehlt in der Abhandlung über die Entstehung der Hermeneutik nicht an Hinweisen, daß Dilthey eine Hermeneutik-Konzeption anstrebt, die jener Aufgliederung vorausliegt; vgl. dazu: a. a. O., S. 318: „Ferner kann die innere Erfahrung, in welcher ich meiner eignen Zustände inne werde, mir doch für sich nie meine eigne Individualität zum Bewußtsein bringen. Erst in der Vergleichung meiner selbst mit anderen mache ich die Erfahrung des Individuellen in mir; nun wird mir erst das von anderen Abweichende in meinem eignen Dasein bewußt."

[37] A. a. O., S. 330.

[38] A. a. O., S. 334. Vgl. dazu auch: Hans Albert, *Hermeneutik und Realwissenschaft;* in: H. A., *Plädoyer für kritischen Rationalismus,* 3. Aufl., München 1973, S. 106—149. In diesem Zusammenhang wichtig ist die Kritik, die Hans-Georg Gadamer an Diltheys Hermeneutik übt; vgl. dazu: H.-G. Gadamer, *Wahrheit und Methode. Grundzüge einer philosophischen Hermeneutik,* 3., erweiterte Aufl., Tübingen 1972, S. 205—228. Gadamer wirft Dilthey vor, daß er für die Geisteswissenschaften einen der naturwissenschaftlichen Methodologie entlehnten Objektivitätsbegriff reklamiert. Unsere Dilthey-Interpretation will demgegenüber nachweisen, daß Dilthey die Beziehungen zwischen Natur- und Geisteswissenschaften in einer Weise bestimmt hat, die einen für beide identischen Objektivitätsbegriff ausschließt. Die Differenzierung der hermeneutischen Gesamtproblematik in einen erkenntnistheoretischen, logischen und methodischen Aspekt ist für die Entscheidung dieser Frage von wesentlicher Bedeutung.

[39] Dilthey hat selbst innerhalb der Naturwissenschaften unterschiedliche Antizipationen in Ansatz gebracht; vgl. dazu: a. a. O., S. 335.

[40] W. D., *Gesammelte Schriften,* V. Band, a. a. O., S. 319.

[41] A. a. O., S. 320. In den *Zusätzen* heißt es: *„Diese Kunstlehre des Verstehens schriftlich fixierter Lebensäußerungen nennen wir Hermeneutik"* (a. a. O., S. 332 f.).

⁴² A. a. O., S. 334. In den *„Beiträgen zum Studium der Individualität"* (*Gesammelte Schriften*, V. Band, a. a. O., S. 265) stellt Dilthey der Abstraktion in den Naturwissenschaften die in den Geisteswissenschaften wirksame Transposition gegenüber: „Dort also Abstraktion, hier umgekehrt Zurückübersetzen in die volle ganze Lebendigkeit durch eine Art von Transposition."
In derselben Arbeit heißt es: „Hingegen sind die geistigen Tatsachen, wie sie sind, im Erleben gegeben; aus der Fülle des eignen Erlebnisses wird durch eine Transposition Erlebnis außer uns nachgebildet und verstanden, und bis in die abstraktesten Sätze der Geisteswissenschaften ist das Tatsächliche, das in den Gedanken repräsentiert wird, Erleben und Verstehen" (a. a. O., S. 263).
An einer zentralen Stelle von Diltheys *„Aufbau der geschichtlichen Welt in den Geisteswissenschaften"* steht: „Denn das Verstehen dringt in die fremden Lebensäußerungen durch eine Transposition aus der Fülle eigener Erlebnisse" (*Gesammelte Schriften*, VII. Band, a. a. O., S. 118).
⁴³ Ebd.
⁴⁴ Martin Heidegger, *Sein und Zeit*, 11., unveränderte Aufl., Tübingen 1967.
⁴⁵ W. D., *Gesammelte Schriften*, V. Band. a. a. O., S. 330.
⁴⁶ Ebd.
⁴⁷ Vgl. dazu auch: W. D., *Gesammelte Schriften*, VII. Band, a. a. O., S. 163 f.
⁴⁸ Nicht nur die „klassische" Dilthey-Interpretation (besonders markant vertreten von Otto Friedrich Bollnow) argumentiert in dieser Richtung, sondern auch die dezidiert marxistisch ausgerichtete Dilthey-Arbeit von Christofer Zöckler (*„Dilthey und die Hermeneutik. Diltheys Begründung der Hermeneutik als ,Praxiswissenschaft' und die Geschichte ihrer Rezeptino"*, Stuttgart 1975, S. 68 f.). In der Einleitung seines Buches bekennt sich Zöckler allerdings zu der These von der „einheitlichen Absicht Diltheys in den verschiedenen Etappen seiner Forschungen" (S. 16).
Zöcklers Arbeit fällt dadurch auf, daß sie eine Fülle von Material über Dilthey und von Dilthey berücksichtigt, aber seine Darlegungen verzichten häufig auf analytische Gründlichkeit und muten deshalb allzuoft willkürlich an. Wer freilich Dilthey vorhält, „bürgerliche Wissenschaft" zu treiben, und ihn seiner „pluralistisch-neutralen Maske" (S. 80) entkleiden möchte, dem wird hermeneutische Akribie zu etwas Zweitrangigem.
Ein eklatantes Mißverständnis Diltheyscher Intentionen scheint mir zu sein, daß Zöckler von ihm „emanzipatorische Handlungsanweisungen, die den Anspruch auf Objektivität erfüllen" (S. 67), erwartet. Dilthey will doch gerade die Möglichkeiten und die Grenzen normativer Vorgaben aufweisen. Nicht minder unhaltbar ist die unreflektierte Verwendung des Fortschrittsgedankens bei Zöckler. Auch Dilthey soll, wie er behauptet, an den „Fortschritt der menschlichen Geschichte" (ebd.) geglaubt haben. Die das Diltheysche Oeuvre durchziehende Problematisierung der Fortschritts-

ideologie wird von Zöckler nicht zur Kenntnis genommen (im VII. Band
der *Gesammelten Schriften* findet sich eine Vielzahl von Stellen, an denen
Dilthey sich von geschichtsphilosophischen Fortschrittskonstruktionen
ironisch distanziert; vgl. z. B. S. 245, S. 253).

Gewiß, eine nur immanente Dilthey-Interpretation (besser Dilthey-Philo-
logie) vermag theoretisch nicht zu befriedigen. Aber der Schritt über die
Texte hinaus in den Bedingungenbereich sollte auf die exakte Kenntnis
der Diltheyschen Arbeiten nicht verzichten. Auch reicht es nicht hin, bei
der Reflexion der Voraussetzungen eines Werkes eine „bestimmte Schicht
der bürgerlichen Klasse" (Zöckler, a. a. O., S. 13 f.) ins Auge zu fassen
und über den schichtspezifischen Handlungsspielraum des Autors zu rä-
sonnieren, so fruchtbar ein solcher Aspekt unter Umständen auch sein
mag. Diltheys Hermeneutik qua Theorie der Historischen und Systematischen Geisteswissenschaften hätte Zöckler für eine multifaktorielle Auslegung des Voraussetzungsbereichs geistiger Schöpfungen sensibilisieren
können.

[49] W. D., *Gesammelte Schriften*, VII. Band, a. a. O., S. 82.

[50] W. D., *Gesammelte Schriften*, VII. Band, a. a. O., S. 90 u. S. 118;
vgl. auch: W. D., *Gesammelte Schriften*, V. Band, a. a. O., S. 265.

[51] Max Schelers Abgrenzung von Herrschafts- und Bildungswissen
greift auf analoge Gedanken zurück; siehe dazu: M. Sch., *Die Formen des
Wissens und die Bildung* (1925); In: M. Sch.: *Philosophische Weltanschauung*, 3., durchgesehene Aufl., Bern, München 1968, S. 16—48; ferner: ders., *Die Wissensformen und die Gesellschaft*, 2., durchgesehene
Aufl., Bern, München 1960 (*Gesammelte Werke*, Bd. 8).

[52] Jürgen Habermas übernimmt den von Gadamer (s. Anmerkung 38)
gegen Dilthey erhobenen Vorwurf, daß dieser dem naturwissenschaftlichen Objektivitätsideal auch für die geisteswissenschaftlichen Analysen
eine letzte Verbindlichkeit zuerkenne. Habermas sieht bei Dilthey einen
„heimlichen Positivismus" und einen Rückfall in den „Objektivismus"
gegeben; vgl. dazu: J. H., *Erkenntnis und Interesse*, Frankfurt/Main
1973, S. 224 f. Zwar weist Dilthey auf das Spannungsverhältnis hin, das
zwischen dem Anspruch auf Allgemeingültigkeit und der geschichtlichen
und lebensweltlichen Positionalität des Geisteswissenschaftlers notwendigerweise entsteht (W. D., *Gesammelte Schriften*, VII. Band, a. a. O.,
S. 137), aber damit ist weder eine Dichotomisierung von wissenschaftlicher Objektivität und praktisch-geschichtlichem Lebensbezug noch der
Allgemeingültigkeitsbegriff der Naturwissenschaften unreflektiert in die
Sphäre der Geisteswissenschaften übertragen. Die Auslegung der Diltheyschen Hermeneutik müßte — gründlicher als dies bisher geschehen ist —
darauf achten, inwiefern sich bei ihm Beiträge zu einem geisteswissenschaftlichen Begriff der Allgemeingültigkeit finden.

Norbert Altenhofer

Sigmund Freud:
Lektüre zwischen Sinndeutung
und Funktionsanalyse

Wer Freuds Beitrag zur literarischen Hermeneutik würdigen will,
tut gut, zunächst den Status von Literatur und Kunst im Rahmen
seiner Theoriebildung zu bestimmen. Anders als im Koordinatensy-
stem der neueren psychoanalytisch interessierten Literaturwissenschaft und Ästhetik ist die Stellung des literarischen Werks im
Gegenstandsbereich der Freudschen Psychoanalyse peripher. Weder
die zahlreichen literarischen Zitate oder Anspielungen[1], noch die
quantitativ eindrucksvolle Serie von Abhandlungen und Exkursen
zu literarischen Themen können darüber hinwegtäuschen. Im Zentrum des Freudschen Interesses stehen die unbewußten psychischen
Prozesse; künstlerische Produktionen treten nur soweit in sein
Blickfeld, als sie diesem Erkenntnisinteresse zugänglich sind, oder
jedenfalls scheinen.
Bei genauerem Zusehen ergeben sich weitere ernüchternde Aspekte.
Die Einbeziehung literarischer Werke in die Erörterung spezifisch
psychoanalytischer Fragestellungen hat bei Freud durchweg illu-
strative, ihre monographische Behandlung — vor allem in der Frühphase psychoanalytischer Theoriebildung — unverkennbar propa-
gandistische Funktion. In den für die Psychoanalyse grundlegenden
Werken wie der *Traumdeutung* werden die „großen (. . .) Dichterschöpfungen" (II 268)[2] als Belegmaterial für bestimmte Problem-
aspekte eingeführt; spezifisch literarisch orientierte Abhandlungen
wie die über den *Wahn und die Träume in W. Jensens ‚Gradiva'*
verfolgen mit dem Nachweis der Antizipation wesentlicher Elemente der psychoanalytischen Theorie und Behandlungstechnik
durch die Schriftsteller in erster Linie popularisierende und legiti-
mierende Intentionen. Freud selbst hat nie versäumt, den begrenzten Stellenwert psychoanalytischer Annäherungen an Literatur und
Kunst deutlich zu markieren. Es empfiehlt sich, seine Kautelen zur
Kenntnis zu nehmen, selbst wenn man sie als bloß vorgeschoben
betrachten und (in einer von Freud selbst inspirierten „double lec-
ture") einen latenten Universalitätsanspruch hinter den manifesten
Bescheidenheitstopoi diagnostizieren zu können glaubt[3].

Als problematisch erweisen sich auch alle Versuche, aus den Spuren,
die Freuds immense literarische Bildung in seiner wissenschaftlichen
Terminologie hinterlassen hat, auf eine grundlegende Affinität
zwischen psychoanalytischer Theorie und der Tradition literarischer Ästhetik oder Hermeneutik zu schließen. Die berühmtesten
Beispiele, etwa Ödipus, sind in dieser Hinsicht die desillusionie-
rendsten. So ist Freuds Auseinandersetzung mit dieser mythischen
Figur, die einem der großen Werke der Weltliteratur wie einem
zentralen Stück psychoanalytischer Theorie den Namen gegeben
hat, besonders geeignet, nicht nur als Denkmal, sondern auch als
Warntafel vor jedem Versuch literaturwissenschaftlicher Adaption
psychoanalytischer Interpretationsverfahren aufgerichtet zu werden.
Die Warntafel steht, kaum zufällig, an der „Via regia zur Kenntnis des Unbewußten" (II 577): in der *Traumdeutung*, der wissenschaftlichen Leistung Freuds, die er selbst noch 1931 als „the most
valuable of all the discoveries it has been my good fortune to
make" (II 28) betrachtete. Der berühmte Passus im V. Kapitel[4]
(Das Traummaterial und die Traumquellen) lautet:

> *König Ödipus* ist eine sogenannte Schicksalstragödie; ihre tragische
> Wirkung soll auf dem Gegensatz zwischen dem übermächtigen
> Willen der Götter und dem vergeblichen Sträuben der vom Unheil
> bedrohten Menschen beruhen; Ergebung in den Willen der Gott-
> heit, Einsicht in die eigene Ohnmacht soll der tief ergriffene Zu-
> schauer aus dem Trauerspiele lernen. Folgerichtig haben moderne
> Dichter es versucht, eine ähnliche tragische Wirkung zu erzielen,
> indem sie den nämlichen Gegensatz mit einer selbsterfundenen
> Fabel verwoben. Allein die Zuschauer haben ungerührt zugesehen,
> wie trotz alles Sträubens schuldloser Menschen ein Fluch oder
> Orakelspruch sich an ihnen vollzog; die späteren Schicksalstragö-
> dien sind ohne Wirkung geblieben.
> Wenn der *König Ödipus* den modernen Menschen nicht minder zu
> erschüttern weiß als den zeitgenössischen Griechen, so kann die
> Lösung wohl nur darin liegen, daß die Wirkung der griechischen
> Tragödie nicht auf dem Gegensatz zwischen Schicksal und Men-
> schenwillen ruht, sondern in der Besonderheit des Stoffes zu
> suchen ist, an welchem dieser Gegensatz erwiesen wird. Es muß
> eine Stimme in unserem Innern geben, welche die zwingende Ge-
> walt des Schicksals im *Ödipus* anzuerkennen bereit ist, während
> wir Verfügungen wie in der *Ahnfrau* [von Grillparzer] oder in
> anderen Schicksalstragödien als willkürliche zurückzuweisen ver-
> mögen. Und ein solches Moment ist in der Tat in der Geschichte
> des Königs Ödipus enthalten. Sein Schicksal ergreift uns nur

darum, weil es auch das unsrige hätte werden können, weil das
Orakel vor unserer Geburt denselben Fluch über uns verhängt hat
wie über ihn. Uns allen vielleicht war es beschieden, die erste sexuelle Regung auf die Mutter, den ersten Haß und gewalttätigen
Wunsch gegen den Vater zu richten; unsere Träume überzeugen
uns davon. König Ödipus, der seinen Vater Laïos erschlagen und
seine Mutter Jokaste geheiratet hat, ist nur die Wunscherfüllung
unserer Kindheit. Aber glücklicher als er, ist es uns seitdem, insofern wir nicht Psychoneurotiker geworden sind, gelungen, unsere
sexuellen Regungen von unseren Müttern abzulösen, unsere Eifer-
sucht gegen unsere Väter zu vergessen. Vor der Person, an welcher
sich jener urzeitliche Kindheitswunsch erfüllt hat, schaudern wir
zurück mit dem ganzen Betrag der Verdrängung, welche diese
Wünsche in unserem Innern seither erlitten haben. Während der
Dichter in jener Untersuchung die Schuld des Ödipus ans Licht
bringt, nötigt er uns zur Erkenntnis unseres eigenen Innern, in dem
jene Impulse, wenn auch unterdrückt, noch immer vorhanden sind.
(. . .)
Daß die Sage von Ödipus einem uralten Traumstoff entsprossen
ist, welcher jene peinliche Störung des Verhältnisses zu den Eltern
durch die ersten Regungen der Sexualität zum Inhalte hat, dafür
findet sich im Texte der Sophokleischen Tragödie selbst ein nicht
mißzuverstehender Hinweis. Jokaste tröstet den noch nicht aufgeklärten, aber durch die Erinnerung der Orakelsprüche besorgt
gemachten Ödipus durch die Erwähnung eines Traums, den ja so
viele Menschen träumen, ohne daß er, meint sie, etwas bedeute:

*„Denn viele Menschen sahen auch in Träumen schon Sich zugesellt
der Mutter:* doch wer alles dies Für nichtig achtet, trägt die Last
des Lebens leicht." [V. 981 ff.]

Der Traum, mit der Mutter sexuell zu verkehren, wird ebenso wie
damals auch heute vielen Menschen zuteil, die ihn empört und
verwundert erzählen. Er ist, wie begreiflich, der Schlüssel der
Tragödie und das Ergänzungsstück zum Traum vom Tod des
Vaters. Die Ödipus-Fabel ist die Reaktion der Phantasie auf diese
beiden typischen Träume, und wie die Träume von Erwachsenen
mit Ablehnungsgefühlen erlebt werden, so muß die Sage Schreck
und Selbstbestrafung in ihren Inhalt mit aufnehmen. Ihre weitere
Gestaltung rührt wiederum von einer mißverständlichen sekundären Bearbeitung des Stoffes her, welche ihn einer theologisierenden
Absicht dienstbar zu machen sucht. (. . .) Der Versuch, die göttliche Allmacht mit der menschlichen Verantwortlichkeit zu vereinigen, muß natürlich an diesem Material wie an jedem andern mißlingen. (II 266 ff.)

Freuds Interesse, das macht der Gedankengang des Passus unmiß-
verständlich deutlich, gilt nicht dem Werk des Sophokles, sondern
bestenfalls einem Aspekt seines vorliterarischen stofflichen Sub-
strats: der vom Dramatiker bereits vorgefundenen Fabel, die als
Reaktionsbildung auf die typischen (d. h. kollektiven) Träume
vom Beischlaf mit der Mutter und von der Ermordung des Vaters
erklärt wird. In dieser Optik kann dann die „weitere Gestaltung",
das heißt die Literarisierung der Ödipus-Fabel, nur als Resultat
einer „mißverständlichen sekundären Bearbeitung" erscheinen, die
den Stoff fremden (etwa theologisierenden) Absichten unterwirft.
Die dramatische Bearbeitung ist dabei „sekundär" nicht nur in dem
spezifischen (hauptsächlich auf die Glättung der narrativen Struktur des Traums bezogenen) Sinne, den Freud diesem Begriff gegeben hat (II 470 ff.), sondern auch in bezug auf die „eigentliche"
(verdrängte) sexuelle Bedeutung des Stoffes. Index des künstlerischen Gelingens, soweit dies an der Jahrhunderte überdauernden
Wirkung des Dramas abgelesen werden kann, sind also nicht die
Momente der sprachlichen oder szenischen Gestaltung oder die
Komplexität der Verarbeitung und Verknüpfung sexueller, politischer und theologischer Motive, sondern die unverminderte Viru-
lenz des von jedem Betrachter neu zu durchlebenden ödipalen
Konflikts; nicht der dem sexuellen Urthema aufgepfropfte „Gegensatz zwischen Schicksal und Menschenwillen", sondern die „Besonderheit des Stoffes (. . .), an welchem dieser Gegensatz erwiesen
wird" (II 266 f.).
Freud interpretiert die mit Sophokles einsetzenden „sekundären
Bearbeitungen" als Formen der Verdrängung, nicht der Anreiche-
rung und Entfaltung des ursprünglichen Sinns. Streng genommen
wäre die literarische Produktions- und Rezeptionsgeschichte des
Ödipus-Motivs so von Anbeginn nichts als die progredierende Fälschung der „Wahrheit des vorliegenden Materials" (II 480) und
das immer erneute „Mißlingen" des Versuchs, „die göttliche Allmacht mit der menschlichen Verantwortlichkeit zu vereinigen" (II
268). Freud interessiert sich nicht nur nicht für die Andersartigkeit
der „Wahrheit", die möglicherweise durch die Bearbeitung entsteht; er stellt auch nicht die Frage, ob die Literatur — vielleicht
anders als Theologie, Philosophie oder Einzelwissenschaften — auf
die Darstellung, nicht die Lösung von Widersprüchen abziele und
das Interesse des Interpreten sich entsprechend mehr auf das Gelingen der Darstellung des Konflikts als auf das Gelingen seiner Lösung zu richten habe.

Daß die am Beispiel des Sophokles entwickelte Gleichung nicht
aufgeht, wird schon im nächsten Absatz deutlich, wenn Freud sich
mit einer anderen „der großen tragischen Dichterschöpfungen",
dem *Hamlet* Shakespeares, auseinandersetzt, der „auf demselben
Boden wie *König Ödipus*" wurzele, in der „veränderten Behandlung des nämlichen Stoffes" jedoch den „ganze(n) Unterschied im
Seelenleben der beiden weit auseinanderliegenden Kulturperioden,
das säkulare Fortschreiten der Verdrängung im Gemütsleben der
Menschheit" offenbare:

> Im *Ödipus* wird die zugrundeliegende Wunschphantasie des Kin-
> des wie im Traum ans Licht gezogen und realisiert; im *Hamlet*
> bleibt sie verdrängt, und wir erfahren von ihrer Existenz — dem
> Sachverhalt bei einer Neurose ähnlich — nur durch die von ihr
> ausgehenden Hemmungswirkungen. Mit der überwältigenden
> Wirkung des moderneren Dramas hat es sich eigentümlicherweise
> als vereinbar gezeigt, daß man über den Charakter des Helden in
> voller Unklarheit verbleiben könne. Das Stück ist auf die Zöge-
> rung Hamlets gebaut, die ihm zugeteilte Aufgabe der Rache zu
> erfüllen; welches die Gründe oder Motive dieser Zögerung sind,
> gesteht der Text nicht ein; die vielfältigsten Deutungsversuche
> haben es nicht anzugeben vermocht (II 268 f.).

Das „eigentümlicherweise" markiert eine Inkonsistenz der Argumentation, die von Freud selbst notiert wird, aber keine Modifikation der Prämissen nach sich zieht: Auch die Wirkung des *Hamlet*
soll auf der „Besonderheit des Stoffes" beruhen, obwohl nicht nur
alle Betrachter und Interpreten vor Freud über die ödipale Problematik des Stückes „in voller Unklarheit" verblieben sind, sondern
auch der Text selbst nichts davon „eingesteht". Was dem Werk
nicht zu entnehmen ist, wird — wie auch öfter in späteren Arbeiten Freuds — mit Hilfe einer brüchigen historisch-biographischen
Konstruktion als „kausaler Zusammenhang" einer außerliterari-
schen Lebensrealität abgepreßt:

> Die Sexualabneigung stimmt sehr wohl dazu, die Hamlet dann im
> Gespräch mit Ophelia äußert, die nämliche Sexualabneigung, die
> von der Seele des Dichters in den nächsten Jahren immer mehr
> Besitz nehmen sollte, bis zu ihren Gipfeläußerungen im *Timon von
> Athen*. Es kann natürlich nur das eigene Seelenleben des Dichters
> gewesen sein, das uns im Hamlet entgegentritt; ich entnehme dem
> Werk von Georg Brandes über Shakespeare (1896) die Notiz, daß
> das Drama unmittelbar nach dem Tode von Shakespeares Vater
> (1601), also in der frischen Trauer um ihn, in der Wiederbelebung,
> dürfen wir annehmen, der auf den Vater bezüglichen Kindheits-

empfindungen gedichtet worden ist. Bekannt ist auch, daß Shakespeares früh verstorbner Sohn den Namen Hamnet (identisch mit
Hamlet) trug (II 269 f.).

Die unmittelbar folgende methodische Grundsatzerklärung, wie
„jedes neurotische Symptom, wie selbst der Traum der Überdeu-
tung fähig" sei, ja „dieselbe zu seinem vollen Verständnis" fordere,
so werde „auch jede echte dichterische Schöpfung aus mehr als aus
einem Motiv und einer Anregung in der Seele des Dichters hervorgegangen sein und mehr als eine Deutung zulassen" (II 270), wird
in ihrer Verbindlichkeit jedoch dadurch erheblich eingeschränkt,
daß Freud in seiner Interpretationspraxis immer wieder auf einen
Sinn zielt, der nicht dem Text, sondern der „tiefsten Schicht von
Regungen in der Seele des schaffenden Dichters" als letzter Instanz
verpflichtet bleibt. Dies geschieht, wie hier im Falle Shakespeares,
selbst dann, wenn der Erklärungswert der vorhandenen Personal-
daten verschwindend gering, d. h. wenn die biographische Infor-
mation über den Autor nicht nur unverbürgt, sondern derart un-
spezifisch ist, daß der Rekurs auf das historische Individuum nur
zu einer gewaltsamen Klitterung von Gemeinplätzen und unge-
sicherter Spekulation führen kann. Wenn man die Besonderheit
und die Reichweite der Freudschen literarischen Hermeneutik klären will, wird man die Frage prüfen müssen, ob das offensichtlich
Unbefriedigende der Ausführungen über *König Ödipus* und *Hamlet* (die zu Freuds frühesten öffentlichen Äußerungen über poetische Produktionen zählen) auf eine Überschreitung des psychoanalytischer Interpretation zugänglichen Gegenstandsbereichs oder
auf ein Zurückbleiben Freuds hinter den Möglichkeiten der eigenen
Methode zurückzuführen ist.

Die wenig differenzierte Optik auf die beiden „großen (. . .) Dichterschöpfungen" läßt sich zunächst auf den argumentativen Kontext zurückführen, innerhalb dessen sie als Beispiel herangezogen
werden. Sie werden für Freud nicht etwa interessant im Zusammenhang seiner Darstellung der Mechanismen der Traumarbeit,
desjenigen Teils der *Traumdeutung* also, in dem die entscheidenden
Einsichten einer spezifisch psychoanalytischen Hermeneutik entwickelt werden, sondern bei der Erörterung derjenigen Traum-
phänomene, von denen Freud selbst eingesteht, „daß unsere Kunst
sich gerade an diesem Material nicht recht bewährt": „Bei der Deutung der typischen Träume versagen in der Regel die Einfälle des
Träumers, die uns sonst zum Verständnis des Traumes geleitet

haben, oder sie werden unklar und unzureichend, so daß wir unsere Aufgabe mit ihrer Hilfe nicht lösen können." (II 247)
Die Inhalte typischer Träume gehören zum archaischen Erbe der Menschheit und erweisen sich gegenüber geschichtlichen und kulturgeographischen Modifikationen als weitgehend resistent. Werden mythische oder literarische Stoffe als Antworten auf typische Träume interpretiert, so rückt das Spezifische des einzelnen Werks notwendig an die Peripherie des Interesses. Freuds Blick auf *König Ödipus* und *Hamlet* faßt dementsprechend zunächst das inhaltlich Allgemeinste der Werke ins Auge: den zugrundeliegenden Wunsch, die Mutter zu besitzen und den Vater zu töten.
Weil Freud sich nur auf den Vergleich mit typischen Träumen stützt, die nicht an Sprach- und Kulturkreise gebunden sind, kommt eine wesentliche Entdeckung der *Traumdeutung,* die für die Beziehungen zwischen Traum und Poesie von keineswegs geringerem Gewicht sein dürfte, überhaupt nicht zur Geltung; die Erkenntnis nämlich, daß der — individuelle, nicht der typische — Traum „so innig am sprachlichen Ausdruck" hängt, daß er „in der Regel unübersetzbar in andere Sprachen" ist (II 120). Freud geht nicht diesem Aspekt nach, sondern faßt die Verschiedenheit der beiden Werke, die ihm natürlich nicht entgangen ist, unter scharfer Trennung von Form und Inhalt als „veränderte Behandlung des nämlichen Stoffes" und erklärt die Differenz als Folge des „säkularen Fortschreitens der Verdrängung im Gemütsleben der Menschheit", ohne die für die Erfassung des Spezifischen der Werke entscheidenden Aspekte der Geschichtlichkeit und der gesellschaftlichen Bedingtheit dieses Vorgangs kategorial zu entfalten. Für die kühne Ausweitung des Begriffs der Verdrängung (wie auch der sekundären Bearbeitung; vgl. II 268) vom Individuellen ins Epochale und Kollektive wird keine Begründung gegeben; an ihre Stelle tritt der methodisch fragwürdige Exkurs in die Biographie des Autors Shakespeare.
Der Passus ist geeignet, die Schwierigkeiten deutlich zu machen, die sich einer literaturwissenschaftlichen Adaption der psychoanalytischen Hermeneutik des Traums entgegenstellen. Traumtext und literarischer Text können nicht in eins gesetzt werden, weil eine individualisierende Deutung des Traums nur mit Hilfe der Assoziationen des Träumers möglich ist und die generalisierende Analogie zwischen literarischen Werken und typischen Träumen — auf die Freud hier rekurriert — bei ohnehin begrenztem Anwendungsbereich nur wenig differenzierte Ergebnisse zutage fördert. Freuds

Hinweis auf das „säkulare Fortschreiten der Verdrängung im Gemütsleben der Menschheit", das den Weg von Sophokles zu Shakespeare kennzeichne, ist ein Vorgriff auf Fragestellungen seiner späteren Kulturtheorie, die mit dem begrifflichen Instrumentarium der „Traumdeutung" nicht adäquat formulierbar, geschweige denn lösbar sind.

Eine weitere Lehre kann aus Freuds literarhistorischer Abschweifung gezogen werden. Eine literaturwissenschaftlich motivierte Freud-Lektüre, die ihr Interesse primär auf Freuds Umgang mit literarischen Beispielen richtet, wird seinem Beitrag zur Texthermeneutik so wenig gerecht werden wie eine Marx-Lektüre, die eine materialistische Literaturtheorie vorwiegend aus dessen Seitenbemerkungen zur Dichtung gewinnen zu können glaubt. Freuds hermeneutisches Problembewußtsein ist ungleich tiefer als seine literarischen Interpretationen erkennen lassen — unter anderem, weil diese in der Regel nur der Illustration von Argumenten und nicht ihrer methodischen Explikation dienen. Eine Würdigung und Fortentwicklung seiner Hermeneutik im Bereich der Literaturwissenschaft wird (oder wurde zumindest lange Zeit) vor allem dadurch behindert, daß schon bei Freud selbst den revolutionären hermeneutischen Ansätzen der Psychoanalyse eine — an den literarischen Entwicklungen der Zeit gemessen — rückständige Ästhetik im Wege stand[5]. Die Fixierung des überwiegenden Teils der psychoanalytischen Literaturkritik auf einige wenige Freudsche „Modelle" der Kunstinterpretation hat fatale Folgen gehabt und könnte im Hinblick auf die Zukunft den Wunsch nach einer Radikalkur aufkommen lassen: den nach einer intensivierten Freud-Lektüre unter Auslassung aller literarisch interpretierenden Passagen seines Werkes.

Trotz wesentlicher vorbereitender Einsichten in den *Studien über Hysterie*[6] bleibt Freuds *Traumdeutung* die eigentliche Gründungsurkunde der psychoanalytischen Hermeneutik. Der entscheidende Schritt lag in Freuds Behauptung, daß „Träume deutbar" (II 117), d. h. als Sinngebilde zu betrachten seien und nicht als „somatischer Vorgang, der sich durch Zeichen am seelischen Apparat kundgibt" (II 117). Daß Freud sich der Tragweite seines Unternehmens bewußt war, bezeugt seine provokante These, daß vorwissenschaftliche, zum Teil als „Volksglaube" (II 120) überlieferte Auffassungen des Traums der Wahrheit näher gekommen seien als die von „den Vertretern der exakten Wissenschaft" (II 100) entwickelten (medizinischen, im wesentlichen physiologischen und neurologischen) Theorien, von denen nicht zuletzt auch Freud selbst ausgegangen war.

Freud sieht im Traum einen entstellten, aber nicht sinnlosen Text. Das methodische Problem liegt darin, den Sinn eines Textes zu erhellen, der dem Hervorbringenden selbst unverständlich, zumindest jedoch nicht mehr unmittelbar zugänglich ist. Der Träumer ist zwar in der Lage, den Traum erzählend zu reproduzieren, nicht aber ihn zu deuten.

Für den größeren Teil der vorwissenschaftlichen Traumauffassungen war die Dunkelheit des Traums nicht das Zeichen psychischer oder psychosomatischer Transformationsprozesse, sondern das Siegel göttlicher Eingebung. Seine Hermeneutik war die des Zukünftiges voraussagenden Orakels. Für Freud war dieser Grundgedanke der *äußeren* Fremdbestimmung (nicht der der Fremdbestimmung des Traums überhaupt) nicht annehmbar, wohl aber die Auffassung der Traumelemente als Chiffren und die bereits von Artemidoros von Daldis entwickelte Auslegungskasuistik, die Individualität und Situation des Träumenden in Rechnung stellt. Sie entsprach den Anforderungen einer Betrachtung des Traums als „Symptom" (II 121), die es Freud ermöglichte, Ergebnisse seiner mit Breuer unternommenen Versuche einer Analyse und Therapie hysterischer Phänomene fruchtbar zu machen.

Für das hermeneutische Unternehmen der Traumdeutung waren zwei Ansätze von vornherein unbrauchbar: Der moderne (naturwissenschaftlich begründete), der dem Traumtext jeden Sinn absprach, weil er sich restlos auf somatische Ursachen zurückführen lasse, und der archaische (theologisch begründete), der den Traum insgesamt ins Auge faßte und ihm global einen (symbolischen) Sinn unterstellte. Demgegenüber nähert sich die (schon in der Antike praktizierte) Chiffriermethode dem Traum nicht als Ganzem. Sie setzt mit der Deutung an den Einzelelementen des Traums an und begnügt sich mit der Aufschlüsselung ihrer Bedeutung, ohne einen logischen oder narrativen Gesamtzusammenhang (re)-konstruieren zu wollen:

> Das Wesentliche an diesem Verfahren ist (. . .), daß die Deutungsarbeit nicht auf das Ganze des Traumes gerichtet wird, sondern auf jedes Stück des Trauminhalts für sich, als ob der Traum ein Konglomerat wäre, in dem jeder Brocken Gestein eine besondere Bestimmung verlangt (II 119).

Das Chiffrierverfahren erwies sich als methodisch brauchbar, wenn zwei unausgewiesene Prämissen aufgegeben bzw. in ihrem Geltungsanspruch relativiert wurden: der Glaube, daß sich „jedes Zeichen nach einem feststehenden Schlüssel in ein anderes Zeichen von bekannter Bedeutung" übersetzen lasse, und der, daß die übersetzten Zeichen voraussagende Kraft besäßen (II 118). Die der ersten Prämisse zugrundeliegende Annahme wurde auf den Bereich typischer Träume und kollektiv tradierter Traumsymbolik begrenzt — dazu noch mit strengen methodischen Kautelen versehen; in der zeitlichen Zeichendimension trat die Vergangenheit an die Stelle der Zukunft: Die Traumelemente sind Erinnerungszeichen, deren Bedeutungszusammenhang sich nicht auf der Ebene der narrativen Logik des Traumtextes, sondern nur unter Rückgriff auf das ihm vorgelagerte Erinnerungsmaterial ermitteln läßt.

Daß die Betrachtung des Traums als Symptom keineswegs eine Reduktion seiner Komplexität impliziert, kann schon die Beschreibung verdeutlichen, die Freud im 4. Kapitel seiner gemeinsam mit Josef Breuer erarbeiteten *Studien über Hysterie* (1895) von dem psychischen Material einer Hysterie gibt:

> Man hat zumeist nicht ein einziges hysterisches Symptom, sondern eine Anzahl von solchen, die teils unabhängig voneinander, teils miteinander verknüpft sind. Man darf nicht eine einzige traumatische Erinnerung und als Kern derselben eine einzige pathogene Vorstellung erwarten, sondern muß auf Reihen von Partialtraumen und Verkettungen von pathogenen Gedankengängen gefaßt sein. (. . .)
>
> Das psychische Material einer solchen Hysterie stellt sich (. . .) dar als ein mehrdimensionales Gebilde von mindestens *dreifacher Schichtung*. (. . .) Es ist zunächst ein *Kern* vorhanden von solchen Erinnerungen (an Erlebnisse oder Gedankengänge), in denen das traumatische Moment gegipfelt oder die pathogene Idee ihre reinste Ausbildung gefunden hat. Um diesen Kern herum findet man eine oft unglaublich reichliche Menge von anderem Erinnerungsmaterial, das man bei der Analyse durcharbeiten muß, in, wie erwähnt, dreifacher Anordnung. Erstens ist eine *lineare, chronologische* Anordnung unverkennbar, die innerhalb jedes einzelnen Themas statthat. (. . .) Die (. . .) Einzelerinnerungen (. . .) treten jedesmal in einer chronologischen Ordnung auf, die so unfehlbar verläßlich ist wie die Reihenfolge der Wochentage oder Monatsnamen beim geistig normalen Menschen, und erschweren die Arbeit der Analyse durch die Eigentümlichkeit, daß sie die Reihenfolge ihrer Entstehung bei der Reproduktion umkehren; das frischeste, jüngste Erlebnis des Faszikels kommt als „Deckblatt" zuerst, und den Schluß macht jener Eindruck, mit dem in Wirklichkeit die Reihe anfing. (. . .) Diese Themen nun zeigen eine zweite Art von

Anordnung; sie sind (...) *konzentrisch um einen pathogenen Kern geschichtet.* (...) Es sind *Schichten* gleichen, gegen den Kern hin wachsenden *Widerstandes und damit Zonen gleicher Bewußtseinsveränderung,* in denen sich die einzelnen Themen erstrecken. Die periphersten Schichten enthalten von verschiedenen Themen jene Erinnerungen (oder Faszikel), die leicht erinnert werden und immer klar bewußt waren; je tiefer man geht, desto schwieriger werden die auftauchenden Erinnerungen erkannt, bis man nahe am Kerne auf solche stößt, die der Patient noch bei der Reproduktion verleugnet.

(...) Jetzt ist noch eine dritte Art von Anordnung zu erwähnen, die wesentlichste, über die am wenigsten leicht eine allgemeine Aussage zu machen ist. Es ist die Anordnung nach dem Gedankeninhalte, die Verknüpfung durch den bis zum Kerne reichenden logischen Faden, der einem in jedem Falle besonderen, unregelmäßigen und vielfach abgeknickten Weg entsprechen mag. Diese Anordnung hat einen dynamischen Charakter, im Gegensatze zum morphologischen der beiden vorerst erwähnten Schichtungen. Während letztere in einem räumlich ausgeführten Schema durch starre, bogenförmige und gerade Linien darzustellen wären, müßte man dem Gange der logischen Verkettung mit einem Stäbchen nachfahren, welches auf den verschlungensten Wegen aus oberflächlichen in tiefe Schichten und zurück, doch im allgemeinen von der Peripherie her zum zentralen Kerne vordringt und dabei alle Stationen berühren muß, also ähnlich wie das Zickzack der Lösung einer Rösselsprungaufgabe über die Felderzeichnung hinweggeht.

Ich halte letzteren Vergleich noch für einen Moment fest, um einen Punkt hervorzuheben, in dem er den Eigenschaften des Verglichenen nicht gerecht wird. Der logische Zusammenhang entspricht nicht nur einer zickzackförmig geknickten Linie, sondern vielmehr einer verzweigten, und ganz besonders einem konvergierenden Liniensysteme. Er hat Knotenpunkte, in denen zwei oder mehrere Fäden zusammentreffen, um von da an vereinigt weiterzuziehen, und in den Kern münden in der Regel mehrere unabhängig voneinander verlaufende oder durch Seitenwege stellenweise verbundene Fäden ein. Es ist sehr bemerkenswert, um es mit anderen Worten zu sagen, wie häufig ein Symptom *mehrfach determiniert, überbestimmt* ist (E 80 ff.).

Freud ergänzt seinen Versuch, „ein höchst kompliziertes und noch niemals dargestelltes Denkobjekt von verschiedenen Seiten her zu veranschaulichen" (E 83 f.) mit einem weiteren Vergleich, der den bruchlosen Übergang zwischen ichfremden und dem Ich verfügbaren Schichten des psychischen Materials betont und die an einem früheren Punkt der Darlegung eingeführte Analogie zum Verhalten eines Fremdkörpers im lebenden Gewebe korrigiert[7]:

> Wir sind jetzt in der Lage einzusehen, worin dieser Vergleich fehlt. Ein Fremdkörper geht keinerlei Verbindung mit den ihn umlagernden Gewebsschichten ein, obwohl er dieselben verändert, zur reaktiven Entzündung nötigt. Unsere pathogene psychische Gruppe dagegen läßt sich nicht sauber aus dem Ich herausschälen, ihre äußeren Schichten gehen allseitig in Anteile des normalen Ich über, gehören letzterem eigentlich ebensosehr an wie der pathogenen Organisation. Die Grenze zwischen beiden wird bei der Analyse rein konventionell, bald hier, bald dort gesteckt, ist an einzelnen Stellen wohl gar nicht anzugeben. Die inneren Schichten entfremden sich dem Ich immer mehr und mehr, ohne daß wiederum die Grenze des Pathogenen irgendwo sichtbar begänne. Die pathogene Organisation verhält sich nicht eigentlich wie ein Fremdkörper, sondern weit eher wie ein Infiltrat. Als das Infiltrierende muß in diesem Gleichnisse der Widerstand genommen werden (E 83).

Für den Traum nimmt Freud ein vergleichbar kompliziertes Ineinanderfließen dem Ich verfügbarer und unverfügbarer Elemente bzw. Verknüpfungen an. Das bedeutet die endgültige Absage an den Versuch, dem erzählten Traumtext als solchem — auch, oder gerade wenn er den Eindruck einer gewissen logischen oder narrativen Kohärenz vermittelte — einen auf bewußte Intentionen rückführbaren Sinn zu unterstellen. Die Deutung muß vielmehr die Elemente auf einen im Traum selbst nicht entfalteten Kontext zurückbeziehen und Organisationsprinzipien unterhalb der Oberflächenstruktur des reproduzierten Traums ermitteln. Der Interpret derartiger psychischer Produktionen sieht sich einer — von der traditionellen Hermeneutik her gesehen — paradoxen Situation gegenüber. Er darf nicht am Verständlichen anknüpfen, um von dort weiterschreitend das Unverständliche zu erhellen, weil die dem Verständnis scheinbar entgegenkommenden Partien ihre trügerische Evidenz in der Regel der glättenden Arbeit einer zensurierenden Instanz verdanken, die dem Bewußtwerden nicht lizenzierter Wunschregungen entgegenarbeitet.

Für den mit hysterischen Phänomenen konfrontierten Arzt wie für den (meist in therapeutischer Absicht) an der Deutung von Träumen Arbeitenden bietet sich in dieser Situation der Rückgang *hinter* die als Text fixierten psychischen Produktionen an. Dieser Rekurs ist nötig, weil die innere Organisation von Texten, die unter weitgehender Suspendierung der Kontrolle des „normalen Ich"

(E 83) durch Krankheit oder Schlaf produziert wurden, zu komplex ist, um eine Rekonstruktion des verzerrten Sinns aus dem Textmaterial selbst zu erlauben. Er ist möglich, weil dem Therapeuten ein Kontext des pathogenen Materials oder Traums zugänglich ist, der dem literarischen Interpreten in der Regel verschlossen bleibt: die psychische Produktion des Patienten bzw. Träumers in ihrem aktuellen Vollzug, und zwar in einer gegenüber dem normalen Wachzustand des Analysanden modifizierten Form:

> Man strebt zweierlei bei ihm an, eine Steigerung seiner Aufmerksamkeit für seine psychischen Wahrnehmungen und eine Ausschaltung der Kritik, mit der er die ihm auftauchenden Gedanken sonst zu sichten pflegt. (...) Man sagt ihm also, der Erfolg der Psychoanalyse hänge davon ab, daß er alles beachtet und mitteilt, was ihm durch den Sinn geht, und nicht etwa sich verleiten läßt, den einen Einfall zu unterdrücken, weil er ihm unwichtig oder nicht zum Thema gehörig, den anderen, weil er ihm unsinnig erscheint. Er müsse sich völlig unparteiisch gegen seine Einfälle verhalten (...) (II 121).

Die Traumdeutung bedarf also eines — im Wortsinne produktiven — Interpreten, des Träumers selbst, der in einem „psychischen Zustand (...) der beweglichen Aufmerksamkeit" (II 122) seinen Traum unter der vorsichtigen Anleitung des Analytikers erneut durcharbeitet. Entscheidend ist bei diesem Verfahren,

> daß man nicht den Traum als Ganzes, sondern nur die einzelnen Teilstücke seines Inhalts zum Objekt der Aufmerksamkeit machen darf. Frage ich den noch nicht eingeübten Patienten: Was fällt Ihnen zu diesem Traum ein? so weiß er in der Regel nichts in seinem geistigen Blickfelde zu erfassen. Ich muß ihm den Traum zerstückt vorlegen, dann liefert er mit zu jedem Stück eine Reihe von Einfällen, die man als die „Hintergedanken" dieser Traumpartie bezeichnen kann (II 124).

Da die narrative Syntax des Traums das Produkt einer „sekundären Bearbeitung" ist und nur Fassadencharakter besitzt, muß von ihr abstrahiert werden. Die Zeichenelemente des Traums werden, linguistisch gesprochen, nur in ihrer paradigmatischen, nicht in ihrer syntagmatischen Beziehung[8] beachtet; erst die Rekonstruktion der latenten Traumgedanken aus den gewonnenen Assoziationen ergibt einen neuen, logisch korrekten syntaktischen Zusammenhang.
Der Status dieser Form von Interpretation läßt sich vielleicht am besten erhellen, wenn man sie vergleichend auf die bis heute umfassendste und differenzierteste hermeneutische Systematik, die

Schleiermachers, bezieht. Der Vergleich bietet sich auch an, weil Schleiermacher seine Interpretationslehre nicht als literarische Spezialhermeneutik, sondern als eine Hermeneutik von Schrift und Rede konzipiert hat. An dem von Schleiermacher als „grammatisch" charakterisierten Typus der Interpretation, der das einzelne Zeichen unter dem Aspekt seiner Zugehörigkeit zu einem vorgegebenen allgemeinen Sprachsystem betrachtet und es paradigmatisch nach seinem lexikalischen Sprachwert, syntagmatisch nach seinen an den unmittelbaren Kontext gebundenen Bedeutungsmodifikationen zu bestimmen sucht, partizipiert Freuds Verfahren der Traumdeutung nur im speziellen Fall der Analyse typischer Träume und kollektiver Symbole mit festgelegter Bedeutung. Dabei ist aufschlußreich, daß Freud — nicht anders als Schleiermacher — die interpretativen Verfahren zwar als komplementär betrachtet, ihre Gewichtung aber vom Charakter des jeweiligen hermeneutischen Objekts abhängig macht. Der Symbolik, die nicht „dem Traume zu eigen" angehört, sondern dem „unbewußten Vorstellen, speziell des Volkes, und (...) in Folklore, in den Mythen, Sagen, Redensarten, in der Spruchweisheit und in den umlaufenden Witzen eines Volkes vollständiger als im Traume aufzufinden" ist (II 346), ist das Verfahren der Übersetzung nach dem „feststehenden Schlüssel" (II 118) einer vorgegebenen Grammatik angemessen. Im Falle der echten — individuell produzierten — Träume warnt Freud ausdrücklich davor,

> die Bedeutung der Symbole für die Traumdeutung zu überschätzen, etwa die Arbeit der Traumübersetzung auf Symbolübersetzung einzuschränken und die Technik der Verwertung von Einfällen des Träumers aufzugeben. Die beiden Techniken der Traumdeutung müssen einander ergänzen; praktisch wie theoretisch verbleibt aber der Vorrang dem (...) Verfahren, das den Äußerungen des Träumers die entscheidende Bedeutung beilegt, während die von uns vorgenommene Symbolübersetzung als Hilfsmittel hinzutritt (II 354).

Der Grund für diesen Vorrang des „individualisierenden" Verfahrens liegt in der „eigentümlichen Plastizität des psychischen Materials":

> Ein Symbol kann oft genug im Trauminhalt nicht symbolisch, sondern in seinem eigentlichen Sinne zu deuten sein; andere Male kann ein Träumer sich aus speziellem Erinnerungsmaterial das Recht schaffen, alles mögliche als Sexualsymbol zu verwenden, was nicht allgemein so verwendet wird. Wo ihm zur Darstellung eines Inhalts mehrere Symbole zur Auswahl bereitstehen, wird er

sich für jenes Symbol entscheiden, das überdies noch Sachbeziehungen zu einem sonstigen Gedankenmaterial aufweist, also eine individuelle Motivierung neben der typisch gültigen gestattet (II 347).

Schleiermacher hatte das hier mit Priorität ausgestattete Verfahren als „psychologische Interpretation" beschrieben, die „sich (...) auf das Entstehen der Gedanken aus der Gesamtheit der Lebensmomente des Individuums bezieht"[9]; schon bei ihm gehören zu ihr die Erfassung der „Kombinationsweise des Verfassers" und die „Kenntnis von dem Vorstellungsmaterial des Verfassers", wobei „beide Momente (...) sich auf gewisse Weise gegenseitig ergänzen"[10]. Schleiermacher meint zwar, daß die „Fertigkeit (...), die Sukzession der Vorstellungen eines anderen als Tatsache seiner Individualität zu verstehen (...), literarisch betrachtet (...) keinen Wert" habe, „weil das rein freie Gedankenspiel nicht leicht literarisch wird", weist aber doch darauf hin, daß nichtkonventionalisierte Genres wie der „rein freundschaftliche Brief (...) großen Einfluß auf das Verstehen" der „übrigen literarischen Produkte" von Autoren haben, weil sie „als Tatsachen ihres Gemüts in persönlichen Verhältnissen" Rückschlüsse auf den „Vorstellungsprozeß des Schreibenden"[11] erlauben. Das von der psychologischen Interpretation nur selten Erreichbare, aber immer Anzustrebende sind „Bekanntschaft mit der unwillkürlichen Kombinationsweise" und „Kenntnis des geheimen Vorstellungsbestandes" des Schreibenden (oder Redenden)[12]. Es geht darum, „zu wissen, nicht nur, was für Nebengedanken dem Verfasser eingefallen, sondern auch, was ihm nicht eingefallen, und was, und warum er etwas zurückgewiesen hat"[13]. Am Ende einer Skala von Formen wie Reisebeschreibung, lyrisches Gedicht, Brief oder zweckfreies Gespräch, also solcher „Produktionen (...), die ihrem wesentlichen Inhalte nach ein (...) Sich-gehen-Lassen sind"[14], steht für Schleiermacher der Traum:

> Es ist (...) hier die Rede von jenem freien Spiele der Vorstellungen, wobei unser Wille passiv ist, das geistige Sein aber doch in Tätigkeit. Je freier wir uns so gehen lassen, desto mehr hat der Zustand Analogie mit dem Träumen, und das ist das rein Unverständliche, eben weil es keinem Gesetz des Zusammenhanges folgt und so nur zufällig erscheint[15].

Das rein Zufällige ist nicht mehr Gegenstand der Hermeneutik, ist auch nicht mehr — wie etwa die Kombinationsweise des lyrischen Gedichts von „vollkommen freier Gedankenbewegung" — als „Negation des gebundenen Gedankenganges, (...) als Sprung und als Wendepunkt" bestimmbar und damit „wieder auf das Gebundene" zurückzuführen, „wovon auch die freieste Gedankenbewegung sich nicht ganz frei machen kann"[16]. Wo Schleiermacher die Grenze des Unverständlichen zieht, setzt Freud mit dem Versuch ein, das von seinem Vorgänger als gesetzlos aufgegebene psychische Terrain hermeneutisch zu erschließen.

Diese Erschließung bedeutet nicht — so wäre nur die oben getroffene Feststellung zu präzisieren — daß der Sinn des entstellten (manifesten) Traumtextes *restituiert* werden könnte. Sie bedeutet auch nicht — und dies ist ein Mißverständnis, das Freud in gewisser Weise selbst provoziert, in späteren Zusätzen zum Urtext der *Traumdeutung* und in neuen Darstellungen der Traumproblematik allerdings entschieden bekämpft hat — daß dem manifesten Traum in Form der durch Analyse ermittelten latenten Traumgedanken ein Sinn *substituiert* würde. Freudsche Formulierungen wie die, „einen Traum deuten" heiße, „seinen ‚Sinn' angeben, ihn durch etwas ersetzen, was sich als vollwichtiges, gleichwertiges Glied in die Verkettung unserer seelischen Aktionen einfügt" (II 117), haben zu dieser Auffassung wesentlich beigetragen.

Aufgabe der psychoanalytischen Hermeneutik ist es nicht, einen „eigentlichen" Sinn in oder hinter der Verworrenheit des Traumtextes zu ermitteln, sondern den Sinn der Entstellung des Traumtextes zu erfassen, das heißt: die individuelle Form des Traums als Ergebnis der Traumarbeit zu verstehen. Freud selbst hat erkannt (und es in einem Zusatz zur Ausgabe der *Traumdeutung* von 1925 ausgesprochen), daß dieser entscheidende Gesichtspunkt zeitweilig hinter der Propagierung der Einsicht zurücktreten mußte, daß die Lösung des Rätsels „Traum" nicht aus dem manifesten Traumtext entwickelt werden kann, sondern nur aus den latenten Traumgedanken, die als „neues psychisches Material" (II 280) auf dem Wege der assoziativen Anknüpfung an die Elemente des manifesten Trauminhalts gewonnen worden sind:

> Ich fand es früher einmal so außerordentlich schwierig, die Leser an die Unterscheidung von manifestem Trauminhalt und latenten Traumgedanken zu gewöhnen. Immer wieder wurden Argumente und Einwendungen aus dem ungedeuteten Traum, wie ihn die Erinnerung bewahrt hat, geschöpft und die Forderung der Traumdeutung überhört. Nun, da sich wenigstens die Analytiker damit befreundet haben, für den manifesten Traum seinen durch Deutung gefundenen Sinn einzusetzen, machen sich viele von ihnen einer anderen Verwechslung schuldig, an der sie ebenso hartnäckig

festhalten. Sie suchen das Wesen des Traums in diesem latenten
Inhalt und übersehen dabei den Unterschied zwischen latenten
Traumgedanken und Traumarbeit. Der Traum ist im Grunde
nichts anderes als eine besondere *Form* unseres Denkens, die durch
die Bedingungen des Schlafzustandes ermöglicht wird. Die *Traumarbeit* ist es, die diese Form herstellt, und sie allein ist das Wesentliche am Traum, die Erklärung seiner Besonderheit (II 486).

Die Verwechslung, gegen die Freud sich hier verwahrt, ist allerdings keineswegs nur ein Problem der anderen. Sie findet sich als
Widerspruch zwischen Hermeneutik und Kausal- bzw. Funktionsanalyse noch in den spätesten von Freud selbst besorgten Auflagen
der *Traumdeutung*. Sie ist auch einer der Gründe dafür, daß Freud
weder in der *Traumdeutung* (wo es nicht zu verlangen war), noch
in seinen Arbeiten zur Literatur (wo man es hätte erwarten dürfen) zu einem Begriff des poetischen Textes gelangt ist, der nicht
nur ästhetischen Ansprüchen, sondern auch den immer wieder for-
mulierten hermeneutischen Prämissen seiner eigenen Theorie ent-
sprochen hätte.

Wenn das Wesen des Traums nicht im latenten Inhalt, sondern in
der Traumarbeit liegt, dann kann die durch die Traumarbeit hergestellte Form des manifesten Traums nicht auf dem Wege einer
Interlinearversion ohne Verlust in den „Klartext" der latenten
Traumgedanken rückübersetzbar sein. Die emphatisch eingesetzten
Begriffe „Form" und („Traum"-)„Arbeit" können in diesem Zusammenhang nur dann mehr als bloße Leerformeln sein, wenn der
Übersetzungsleistung ein Moment von Produktivität (Sinntrans-
formation, Sinnzuwachs) zugebilligt wird. Genau dies läßt aber die
nähere Bestimmung, die Freud sowohl der die Form herstellenden
Traumarbeit wie der sie rekonstruierenden Deutungsarbeit gibt,
nicht zu:

> Traumgedanken und Trauminhalt liegen vor uns wie zwei Dar-
> stellungen desselben Inhaltes in zwei verschiedenen Sprachen, oder
> besser gesagt, der Trauminhalt erscheint uns als eine Übertragung
> der Traumgedanken in eine andere Ausdrucksweise, deren Zeichen
> und Fügungsgesetze wir durch die Vergleichung von Original und
> Übersetzung kennenlernen sollen. Die Traumgedanken sind uns
> ohne weiteres verständlich, sobald wir sie erfahren haben. Der
> Trauminhalt ist gleichsam in einer Bilderschrift gegeben, deren
> Zeichen einzeln in die Sprache der Traumgedanken zu übertragen
> sind. (...) Ich habe etwa ein Bilderrätsel (Rebus) vor mir: ein
> Haus, auf dessen Dach ein Boot zu sehen ist, dann ein einzelner
> Buchstabe, dann eine laufende Figur, deren Kopf wegapostro-

phiert ist, u. dgl. Ich könnte nun in die Kritik verfallen, diese
Zusammenstellung und deren Bestandteile für unsinnig zu erklären. (...) Die richtige Beurteilung des Rebus ergibt sich offenbar
erst dann, wenn ich gegen das Ganze und die Einzelheiten desselben keine solchen Einsprüche erhebe, sondern mich bemühe, jedes
Bild durch eine Silbe oder ein Wort zu ersetzen, das nach irgend-
welcher Beziehung durch das Bild darstellbar ist. Die Worte, die
sich so zusammenfinden, sind nicht mehr sinnlos, sondern können
den schönsten und sinnreichsten Dichterspruch ergeben. Ein solches
Bilderrätsel ist nun der Traum, und unsere Vorgänger auf dem
Gebiete der Traumdeutung haben den Fehler begangen, den Rebus
als zeichnerische Komposition zu beurteilen. Als solche erschien er
ihnen unsinnig und wertlos (II 280 f.).

Der am Ende erhobene Vorwurf läßt sich gegen Freud selbst keh-
ren. Auch er nimmt dem Traum jeden Wert, wenn er ihn als Rebus
bezeichnet und seine Deutung mit der Lösung des Bilderrätsels
gleichsetzt. Der Sinn des Rebus *ist* der Klartext, und dieser Klartext ist eindeutig. Deutung heißt hier einzig und allein: Rekonstruktion dessen, was schon vor der Verrätselung in identischer
Form (eben als Klartext) vorlag. Die Konzepte der „Form" und
der „Arbeit", denen in dem oben zitierten späteren Zusatz besonderes Gewicht gegeben wird, werden dadurch aufs Äußerste reduziert: Form ist hier nicht mehr als Verhüllung, Traum*arbeit* (wie
Traum*deutung* als ihre Umkehrung) nicht mehr als Übersetzung
nach dem mechanischen Verfahren der *Ersetzung* eines Zeichens
durch das andere. Eine Form und eine Arbeit, die durch die Deutung „erledigt" sind, verdienen diesen Namen nicht.

Freud erliegt immer wieder der Versuchung, „die Aussagen der
Deutung auch schon als ‚Traumgedanken' zu hypostasieren, die
dem Traum zugrundeliegen"[17]. Die Syntax der Deutung kann
unter diesen Prämissen nur von der einfachsten und eindeutigsten
Struktur sein, nämlich der des *unverhüllten* Wunsches, nicht der
seiner vielfältigen Transformationen. Deutungen dieser Art ver-
fehlen ihre hermeneutische Aufgabe, weil das Interesse an den
formgebenden und individualisierenden Leistungen der Traumarbeit völlig hinter ihrer Auffassung als Vehikel der Wunscherfüllung, das heißt dem Versuch einer „funktionale(n) Erklärung des
Traums"[18] zurücktritt. Sie vermitteln weder einen Eindruck von
der Form des Traums, noch von der Produktivität, die bei seiner
Herstellung und bei seiner Deutung (im Zusammenspiel der assoziativen Produktion neuen psychischen Materials durch den Analysanden einerseits, der Interpretation assoziativ-paradigmatischer

Beziehungen zwischen den Einzelelementen dieses Materials und denen des Traums durch den Analytiker andererseits) wirksam war. Der latente Funktionalismus der Freudschen Hermeneutik erweist sich hier wie in den späteren Arbeiten als die eigentliche Crux ihrer Anwendung auf literarische Texte. Dies nicht, weil eine funktionalistische Sicht literarischer Phänomene grundsätzlich illegitim wäre, sondern weil sie bei ihm das hermeneutische Interesse verkümmern läßt, oft völlig aufzehrt. Die Reduktion des Form- und Arbeitsbegriffs erweist sich schon bei dem transitorischen, nicht auf Kommunikabilität angelegten Produkt des Traums als höchst problematisch; bei literarisch produzierten Texten führt sie zur Verkennung spezifischer Merkmale des Gegenstandes.

Nichts spricht dafür, daß dies so sein muß. Freuds Werk selbst hält Alternativen bereit, die sich innerhalb des Rahmens psychoanalytischer Theorie bewegen. Bedeutsam für ein Verständnis der Struktur nicht nur von Traumtexten ist Freuds Auffassung des manifesten Traums als eines Kompromisses, in dem der Konflikt verschiedener Tendenzen für einen lebensgeschichtlichen Augenblick zur Form gerinnt. Die funktionalistische Sicht, für die der manifeste Traum nur eine Station im psychischen „Energieverteilungsprozeß"[19] markiert, schließt einen hermeneutischen Zugang nicht aus, der die durch die Traumarbeit hergestellte und durch Erzählung objektivierbare Form als individuelle, so nicht wiederholbare Konstellation von Zeichenelementen begreift. Die Freudsche Analyse kann den Blick dafür schärfen, daß „Form" weniger ein festes Gefüge als einen Zustand prekärer Balance bezeichnet und daß die Zeichenelemente zugleich als Spur vergangener Konflikte und als Ferment weitergehender psychischer Produktivität gelesen werden müssen[20]. Gerade weil der Traum kein auf *inter*subjektive Kommunikation angelegtes psychisches Gebilde ist, tritt in Freuds Beschreibungsmodell das Moment einer spannungsreichen *inner*subjektiven Kommunikation zwischen verschiedenen psychischen Instanzen hervor — ein Aspekt, der geeignet ist, den in der traditionellen geisteswissenschaftlichen Hermeneutik oft vorschnell als homogen unterstellten Begriff der Intention des Produzierenden in Frage zu stellen. In dieser (nur in dieser) Hinsicht wirkt etwa Diltheys (gleichzeitig mit Freuds *Traumdeutung* konzipierte) Sicht des Verhältnisses von produzierender Psyche und Werk hermeneutisch undifferenziert, fast naiv:

> Über die Beweggründe der handelnden Personen in der Geschichte können wir uns irren, die handelnden Personen selber können ein

täuschendes Licht über sie verbreiten. Aber das Werk eines großen
Dichters oder Entdeckers, eines religiösen Genius oder eines echten
Philosophen kann immer nur der wahre Ausdruck seines Seelenlebens sein; in dieser von Lüge erfüllten menschlichen Gesellschaft ist
ein solches Werk immer wahr, und es ist im Unterschied von jeder
anderen Äußerung in fixierten Zeichen für sich einer vollständigen
und objektiven Interpretation fähig (. . .)[21].

Dort wo Freud die Spannung zwischen energetischer und hermeneutischer Sicht voll zur Geltung kommen läßt und nicht durch
eine funktionalistische Interpretation der ersten die zweite ver-
kürzt, bleibt er mit seinem dynamischen Beschreibungsmodell weit
mehr als Dilthey der Auffassung Schleiermachers treu, der das
Werk nie zum unbedingt „wahren" Ausdrucksmonument erstarren
ließ, sondern die Aufgabe der Hermeneutik darin sah, es als produktiven Kompromiß, in seiner spannungsvollen Doppelgesichtig-
keit als Resultat, aus vorgegebenen Stoffen und Formen Herge-
stelltes, zugleich aber auch als Lebensmoment und über das Gegebene hinauszielenden Entwurf zu verstehen[22].

Der Traum ist zwar kommunizierbar, wird aber nicht unter dem
Aspekt von Kommunikabilität produziert. Das bedeutet eine
methodisch gravierende Einschränkung der Vergleichbarkeit von
Traum und literarischem Text. Die von Freud beschriebenen Mechanismen der Traumarbeit (Verdichtung, Verschiebung, Rücksicht
auf Darstellbarkeit, sekundäre Bearbeitung) und die hinter ihnen
wirksamen Kräfte (Wunsch, Zensur) sind nur insofern auf den
Bereich literarischer Arbeit übertragbar, als sie allgemeine Funktionsweisen bzw. Instanzen der psychischen Systeme (Unbewußt,
Vorbewußt, Bewußt) bezeichnen. Ihr Erklärungswert hängt dann
allerdings davon ab, ob ihr Funktionieren unter den veränderten
Bedingungen so genau spezifiziert werden kann, daß sie eine in
literarischer Hinsicht signifikante Beschreibung und Analyse von
Texten ermöglichen.

Freud hat diese Arbeit nicht selbst geleistet. Auch seine Schriften
zur Literatur bieten allenfalls Ansätze dazu; nicht selten fallen sie,
wie schon angedeutet, sogar hinter das hermeneutische Problembewußtsein der allgemeineren Arbeiten zur Theorie und Behandlungs-
praxis der Psychoanalyse zurück. Man wird dabei kaum den
Vorwurf erheben können, Freud habe den Kompetenzbereich der
Psychoanalyse über Gebühr ausgeweitet. Das Problem besteht eher
darin, daß er die psychoanalytische Fragestellung nicht weit genug
— und nicht mit den dann erforderlich werdenden methodischen

Differenzierungen — in den Bereich künstlerischer *Verfahren* vorantreibt. So wird die Feststellung, daß „das Wesen der künstlerischen Leistung uns psychoanalytisch unzulänglich ist" (X 157) von Freud charakteristischerweise nicht damit begründet, daß hier der Zuständigkeitsbereich der Ästhetik oder literarischen Hermeneutik beginne, sondern damit, daß die Psychoanalyse an dieser Stelle „der biologischen Forschung den Platz" räumen müsse:

> Die Triebe und ihre Umwandlungen sind das letzte, das die Psychoanalyse erkennen kann. (...) Verdrängungsneigung sowie Sublimierungsfähigkeit sind wir genötigt, auf die organischen Grundlagen des Charakters zurückzuführen, über welche erst sich das seelische Gebäude erhebt. Da die künstlerische Begabung und Leistungsfähigkeit mit der Sublimierung innig zusammenhängt, müssen wir zugestehen, daß auch das Wesen der künstlerischen Leistung uns psychoanalytisch unzugänglich ist (X 157).

Daß dort, wo Fragen der künstlerischen Arbeit und der künstlerischen Form zur Debatte stehen, regelmäßig die argumentative Wendung zur Person des Autors, zu seiner Biographie und seiner psychophysischen Verfassung erfolgt, gilt nicht nur für pathographische Untersuchungen wie die über Leonardo, wo die Wendung von der Fragestellung legitimiert ist, sondern auch für Arbeiten, die sich dem einzelnen Kunstwerk zuwenden. Ein Blick auf die Abhandlung *Der Dichter und das Phantasieren* die sich um eine nähere psychoanalytische Bestimmung der „eigentliche(n) *Ars poetica*" (X 179) und des ihr zu verdankenden dichterischen *Produkts* bemüht, kann diese Denkfigur noch einmal verdeutlichen.

Freud sucht hier, „seiner genetischen Denkweise entsprechend, ein Übergangsglied zwischen Traum und Kunstwerk: die Tagträume". Die vier Mechanismen der Traumarbeit sind auch an der Herstellung dieser Phantasien beteiligt, mit der Modifikation, daß „der sekundären Bearbeitung eine weit größere Bedeutung"[23] zukommt. Während Verdichtung, Verschiebung und Rücksicht auf Darstellbarkeit spezifische Funktionsweisen des Systems Ubw bezeichnen und hermeneutisch als assoziative Selektion aus einem Paradigma beschrieben werden können[24], repräsentiert die sekundäre Bearbeitung innerhalb der Traumarbeit die Funktionsweise „unseres wachen Denkens", indem sie darauf abzielt, im Traummaterial „Ordnung zu schaffen, Relationen herzustellen, es unter die Erwartung eines intelligibeln Zusammenhangs zu bringen" (II 480), das heißt, es unter syntagmatischem Aspekt zu organisie-

ren. Der höhere Organisationsgrad der Phantasie[25] gegenüber
dem Traum bedeutet einen ersten Schritt in Richtung auf die intersubjektive Mitteilbarkeit, die das Kunstwerk als folgendes Glied
dieser genetischen Reihe auszeichnet. Freud glaubt, das spezifisch
Poetische als „Technik der Überwindung" des Egoismus bestimmen
zu können, der den Tagtraum auszeichnet:

> Wir werden von (. . .) Phantasien, wenn wir sie erfahren, abgesto-
> ßen oder bleiben höchstens kühl gegen sie. Wenn aber der Dichter
> uns seine Spiele vorspielt oder uns das erzählt, was wir für seine
> persönlichen Tagträume zu erklären geneigt sind, so empfinden
> wir hohe, wahrscheinlich aus vielen Quellen zusammenfließende
> Lust. Wie der Dichter das zustande bringt, das ist sein eigenstes
> Geheimnis; in der Technik der Überwindung jener Abstoßung, die
> gewiß mit den Schranken zu tun hat, welche sich zwischen jedem
> einzelnen Ich und den anderen erheben, liegt die eigentliche *Ars
> poetica*. (. . .) Der Dichter mildert den Charakter des egoistischen
> Tagtraumes durch Abänderungen und Verhüllungen (. . .) (X 179).

Geht man davon aus, daß diese Techniken der *Ars poetica* auch die
bei der Traumarbeit wirksamen sind, so ließen sich die Anforderungen an sie nach dem Freudschen Beschreibungsmodell folgendermaßen präzisieren: Verdichtung, Verschiebung und Umarbeitung
mit Rücksicht auf Darstellbarkeit müßten ihre Zeichen aus einem
sprachlichen Paradigma schöpfen, das nicht nur dem „geheimen
Vorstellungsbestand"[26] des Schreibenden, sondern dem allgemeinen lexikalischen Repertoire angehört; die sekundäre Bearbeitung
müßte ausreichend starke syntagmatische Strukturen ausbilden, um
das assoziative Spiel der Zeichen auch für den interpretabel zu
machen, der den Text nur als Leser rezipieren kann.

Man kann wohl davon ausgehen, daß diese Charakterisierung in
etwa das Freudsche Verständnis der *Ars poetica* umschreibt, auch
wenn seine Darstellung diese genaueren Bestimmungen nur impliziert. Es liegt aber auf der Hand, daß sie allenfalls die sozialen,
nicht die spezifisch literarischen Merkmale poetischer Texte erfaßt.
Es genügt nicht, daß die Zeichen, deren sich der Dichter bedient,
durch die „wie an der Schnur des durchlaufenden Wunsches anein-
andergereiht(en)" (X 174) lebensgeschichtlichen Momente (aktuel-
ler Eindruck — Erinnerung eines früheren, meist infantilen, Erlebnisses — auf die Zukunft bezogene Situation) in ihrer Bedeutung
determiniert sind. Um für den Leser interpretierbar zu sein, müssen
sie sich zugleich auf ein literarisches Paradigma, auf ein in der poetischen Tradition gebildetes Zeichenrepertoire beziehen. Als

Traumdeuter kann der Psychoanalytiker den zu verstehenden Text in den Kontext der freien Assoziation des Analysanden einfügen, als literarischer Hermeneut ist er gezwungen, den Text in die poetische Tradition einzustellen, d. h. seine Verdichtungen, Verschiebungen und bildlichen Umarbeitungen als Kontamination lebensgeschichtlicher *und* literaturgeschichtlicher Momente, die sekundäre Bearbeitung als Funktion der Ich-Zensur *und* als Adaption an poetologisch kodifizierte Genre- und Stilmuster zu begreifen. Die literarische Form kann wie die des Traums als Kompromißbildung verstanden werden, allerdings nur, wenn alle an ihrer Herstellung beteiligten Kräfte berücksichtigt werden. Freud verstellt sich den hermeneutischen Zugang zu diesem Zusammenhang auch hier durch seinen Funktionalismus, der sich ästhetische Formgebung nur als Milderung, Abänderung, Verhüllung und schließlich Bestechung „durch rein formalen, d. h. ästhetischen Lustgewinn" (X 179) vorstellen kann.

Freuds Abhandlung hat dennoch einen hohen Erkenntniswert. Durch die verkürzte Sicht wird die Einsicht in einen wichtigen literarischen Zusammenhang eröffnet: den Mechanismus von trivialliterarischen Texten, die in der Tat angemessener unter funktionalistischen als unter hermeneutischen Aspekten verstanden werden können. Die Trivialautoren finden sich nicht zufällig in der Gruppe jener, „die ihre Stoffe frei zu schaffen scheinen", und nicht unter denen, „die fertige Stoffe übernehmen wie die alten Epiker und Tragiker" (X 176). Ihre Texte erlauben unmittelbare, tagtraumhafte Identifikationen — Freud meint, weil „seine Majestät das Ich" (X 176) in ihnen grundsätzlich überlebensgroß und unverletzlich erscheint; in Wirklichkeit wohl eher, weil bei der Herstellung wie bei der Rezeption dieser Texte ein wesentliches Moment literarischer Arbeit ausfällt: die Vermittlung der an „Lebenseindrücke" anknüpfenden „phantasierenden Tätigkeit" (X 174) mit der literarischen Motiv- und Formentradition. In diesem Zwischenbereich spielt sich von den Prozessen der Verdichtung, Verschiebung, bildlichen Umarbeitung und sekundären Bearbeitung der Teil ab, der spezifisch literarische Strukturen erzeugt.

Freud hat seine Methodik und seine Begrifflichkeit auf diesem Terrain nicht weiterentwickelt, weil er auf „das Problem der dichterischen Stoffwahl" (X 178) fixiert bleibt. Daß dies nicht in der Konsequenz psychoanalytischer Theorie liegt, sondern mit persönlichen Präferenzen ihres Begründers zusammenhängt, hat er übrigens selbst gesehen:

> Ich habe oft bemerkt, daß mich der Inhalt eines Kunstwerkes
> stärker anzieht als dessen formale und technische Eigenschaften,
> auf welche doch der Künstler in erster Linie Wert legt. Für viele
> Mittel und manche Wirkungen der Kunst fehlt mir eigentlich das
> richtige Verständnis (X 197).

Es ist auffällig, daß Freud den Weg psychoanalytischer Annäherung an die Kunst nicht nur in ästhetisch-hermeneutischer, sondern
auch in energetisch-ökonomischer Hinsicht nicht konsequent zu
Ende geht. Einen Ansatz hätte der Spiel-Begriff bieten können,
den Freud als ontogenetische Vorstufe poetischer Praxis einführt:

> Die liebste und intensivste Beschäftigung des Kindes ist das Spiel.
> Vielleicht dürfen wir sagen: Jedes spielende Kind benimmt sich
> wie ein Dichter, indem es sich eine eigene Welt erschafft oder,
> richtiger gesagt, die Dinge seiner Welt in eine neue, ihm gefällige
> Ordnung versetzt. Es wäre dann unrecht zu meinen, es nähme
> diese Welt nicht ernst; im Gegenteil, es nimmt sein Spiel sehr ernst,
> es verwendet große Affektbeträge darauf. Der Gegensatz zu Spiel
> ist nicht Ernst, sondern — Wirklichkeit. Das Kind unterscheidet
> seine Spielwelt sehr wohl, trotz aller Affektbesetzung, von der
> Wirklichkeit und lehnt seine imaginierten Objekte und Verhält-
> nisse gerne an greifbare und sichtbare Dinge der wirklichen Welt
> an. Nichts anderes als diese Anlehnung unterscheidet das „Spielen"
> des Kindes noch vom „Phantasieren" (X 171 f.).

In das Spiel als „Ersatz- oder Surrogatbildung" (X 172) für reale
Versagungen werden die affektiven Energien investiert, die nach
dem Verlust der lebenden libidinösen Objekte einer anderweitigen
Abfuhr bedürfen.
Das dichterische Phantasieren bedeutet nur einen kleinen Schritt
darüber hinaus: Es bedarf nicht mehr der unmittelbaren Anlehnung an „greifbare und sichtbare Dinge", sondern entfaltet sich
autonom im Raum der Imagination. Diese Bestimmung reicht jedoch nicht aus um zu erklären, weshalb sich die „persönlichen Tagträume" als literarische *Texte* niederschlagen. Psychoanalytisch-
energetisch läßt sich dieser Vorgang wohl nur so erklären, daß
hohe Affektbeträge nicht nur in die phantasierten Objekte, sondern auch in die Medien der ästhetischen Vermittlung, in die
Sprache und in die literarischen Formen, investiert werden. Freud
hat aus diesem Gedankengang sein Konzept der „Vorlust" entwickelt:

> Der Dichter (...) besticht uns durch rein formalen, d. h. ästheti-
> schen Lustgewinn, den er uns in der Darstellung seiner Phantasien
> bietet. Man nennt einen solchen Lustgewinn, der uns geboten wird,

um mit ihm die Entbindung größerer Lust aus tiefer reichenden psychischen Quellen zu ermöglichen, eine *Verlockungsprämie* oder eine *Vorlust*. Ich bin der Meinung, daß alle ästhetische Lust, die uns der Dichter verschafft, den Charakter solcher Vorlust trägt und daß der eigentliche Genuß des Dichtwerkes aus der Befreiung von Spannungen in unserer Seele hervorgeht (X 179).

Freuds Vorlust-Konzeption ist, auch unter den Prämissen seiner eigenen Theorie betrachtet, in mehrfacher Hinsicht unbefriedigend. Zum einen ist sie völlig leer im Hinblick auf die zentrale Frage, unter welchen Bedingungen „formale, d. h. ästhetische" Lust überhaupt möglich wird (Form und Sprache zu libidinösen Objekten werden können). Zum andern bleibt unklar, wie der vermitteltere, von den realen Objekten entferntere Typus der Lust, nämlich der ästhetische, zum Wegbereiter der „größeren", tieferen Quellen entstammenden Lust werden und weshalb er offenbar nur in dieser Vehikelfunktion seine Existenzberechtigung finden kann. Schließlich muß die Frage gestellt werden, ob die Identifizierung der Vorlust mit der ästhetischen Lust nicht alle Kunstformen ignoriert, deren Telos nicht in der „Darstellung", sondern in der Arbeit am sprachlichen Material selbst liegt, das heißt die gesamte hermetische und einen großen Teil der modernen Literatur. Freuds Vorlust-Begriff ist an eine Auffassung der künstlerischen Form gebunden, die eine klare Unterscheidbarkeit von Darstellung und Dargestelltem voraussetzt und damit schon zu Freuds Zeiten obsolet war. Er ist psychoanalytisch unbefriedigend, weil er keine Differenzierung der nach Epoche, Genre, Stillage, Autorpersönlichkeit variierenden affektiven Besetzung formaler und sprachlicher Elemente des literarischen Textes zuläßt. In einer solchen ökonomisch-energetischen Theorie der Verschiebung von Triebenergien läge aber die Voraussetzung für eine psychoanalytische Hermeneutik der Genres, Stile, epochengebundenen Sprach- und Formauffassungen etc.
Diese hätte von einer Grundregel auszugehen, die bei Freud wie noch bei einem großen Teil der heutigen psychoanalytischen Literaturkritik immer wieder mißachtet wird: Daß die ersatzhaften Objektbeziehungen, die das Ich des Autors wie des Lesers mit den imaginierten Figuren verbinden, nicht als quasi-reale, sondern nur vermittelt über beider libidinöse Beziehungen zum literarischen Medium (Sprache, Formen) — das heißt aber: hermeneutisch — konstruiert werden dürfen. Freuds in anderer Hinsicht reizvolle und lehrreiche Abhandlung über den *Wahn und die Träume in W. Jensens ‚Gradiva'* bleibt *methodisch* irrelevant, weil ihr

psychoanalytisches Interesse sich nur auf der Inhaltsebene (im Nachweis einer psychopathologischen und psychotherapeutischen Thematik der Erzählung, die psychoanalytische Einsichten vorwegnimmt) artikuliert, die Frage nach den Formen der Vermittlung aber ausspart.

Mit Freuds mangelndem literarischen Formverständnis hängen auch seine Schwierigkeiten zusammen, dem Moment der Tradition, der geschichtlichen und institutionellen Dimension der Literatur also, einen systematischen Ort innerhalb seiner Theorie anzuweisen. Nicht daß er es als außerhalb der Reichweite seiner Begrifflichkeit liegend betrachtet hätte: die Formel vom „säkularen Fortschreiten der Verdrängung im Gemütsleben der Menschheit" belegt, daß die Fragestellung schon auf der Stufe der *Traumdeutung* in psychoanalytischen Termini formuliert, wenn auch nicht entfaltet wird. Die Konzepte der „sekundären Bearbeitung" und der „Zensur" (letzteres ohnehin von einer historischen Erscheinungsform politisch-literarischer Kommunikation auf den innerpsychischen Bereich übertragen) implizieren einen geschichtlichen und institutionellen Charakter der bezeichneten Funktion bzw. Instanz, der in der *Traumdeutung* nur deshalb ohne nähere Bestimmung bleiben kann, weil der flüchtige und nichtkommunikative Charakter des eigentlichen Gegenstands der Untersuchung dies — anders als der literarische Text — nicht gebieterisch fordert.

Von den Arbeiten, die in den Jahren nach dem Abschluß der ersten Fassung der *Traumdeutung* erschienen und literarischen Phänomenen im weiteren Sinne gewidmet sind, enthalten vor allem *Der Witz und seine Beziehung zum Unbewußten* und *Der Dichter und das Phantasieren* Ansätze, die zum Ausgangspunkt eines psychoanalytischen Verständnisses spezifisch literarischer Produktions- und Rezeptionsmechanismen, und damit auch der Spezifika literarischer Texte, hätten werden können.

Schon die Auffassung des Witzes als eines „sozialen Vorgangs" (IV 132 ff.) führte Freud notgedrungen über die am Traum entwickelten Fragestellungen hinaus, obwohl die Witztechniken sich weitgehend aus den Mechanismen der Traumarbeit ableiten ließen:

> Mit der Witzarbeit ist der Drang zur Mitteilung des Witzes unabtrennbar verbunden; ja dieser Drang ist so stark, daß er sich oft genug mit Hinwegsetzung über wichtige Bedenken verwirklicht. (...) Der psychische Vorgang der Witzbildung scheint mit dem Einfallen des Witzes nicht abgeschlossen, es bleibt etwas übrig, das durch die Mitteilung des Einfalls den unbekannten Vorgang der

Witzbildung zum Abschlusse bringen will. (...) Über den Witz, der mir eingefallen ist, den ich gemacht habe, kann ich nicht selbst lachen, trotz des unverkennbaren Wohlgefallens, das ich am Witz empfinde. Es ist möglich, daß mein Bedürfnis nach Mitteilung des Witzes an einen anderen mit diesem mir selbst versagten, beim anderen aber manifesten Lacheffekt des Witzes irgendwie zusammenhängt.

Warum lache ich nun nicht über meinen eigenen Witz?

Und welches ist dabei die Rolle des anderen?

(...) Es scheint, daß beim Scherz dem anderen Person die Entscheidung übertragen wird, ob die Witzarbeit ihre Aufgabe erfüllt hat, als ob das Ich sich seines Urteils darüber nicht sicher wüßte. Auch der harmlose, den Gedanken verstärkende Witz bedarf des anderen, um zu erproben, ob er seine Absicht erreicht hat (IV 135 f.).

Wesentlicher noch als dieser — zunächst pauschale — Hinweis auf die soziale Dimension des Witzes ist Freuds genauere Charakterisierung der besonderen „Stimmungslage", die unentbehrlich für das Zustandekommen von Witzkommunikation ist:

Wen eine an ernste Gedanken geknüpfte Stimmung beherrscht, der ist ungeeignet, dem Scherz zu bestätigen, daß es ihm geglückt ist, die Wortlust zu retten. Er muß selbst in heiterer oder wenigstens in indifferenter Stimmungslage sein, um für den Scherz die dritte Person abzugeben. Dasselbe Hindernis setzt sich für den harmlosen und für den tendenziösen Witz fort (...) Ein Grad von Geneigtheit oder eine gewisse Indifferenz, die Abwesenheit aller Momente, welche starke, der Tendenz gegnerische Gefühle hervorrufen können, ist unerläßliche Bedingung, wenn die dritte Person zur Vollendung des Witzvorganges mitwirken soll (IV 136 f.).

Freud sieht klar, daß die „indifferente Stimmungslage" oder „Geneigtheit" *Voraussetzung*, nicht etwa Begleiterscheinung der Witzkommunikation ist; er faßt diese Indifferenz jedoch ausschließlich als eine der „subjektiven Bedingungen", die das „Ziel der Lusterregung" erreichbar oder — im Falle ihres Fehlens —„unerreichbar machen können" (IV 136). Auch hier wird also das institutionelle Moment, die konventionalisierte Abgrenzung der Witzkommunikation von der interessenbestimmten Alltagskommunikation, zwar gesehen, aber nicht selbst Gegenstand psychoanalytischer Befragung. Freuds Interesse gilt dem Aspekt der „Abfuhr", der sich im Lachen manifestiert, also letztlich wieder dem energetischen und funktionalen Moment des Vorgangs.

Ähnlich verfährt Freud mit dem bereits in anderem Zusammenhang diskutierten Phänomen des kindlichen Spiels und seiner Fortbildung in Tagträumen und dichterischen Phantasien. Sein Augen-

merk gilt ausschließlich den im Spiel imaginierten Objekten und
Beziehungen, nicht den *Regeln*, denen das Spiel folgt oder die es —
zur Abgrenzung von der Wirklichkeit — mitproduziert. Die Leistung, die nach Freuds Einsicht schon vom spielenden Kind er-
bracht wird, nämlich die Bewältigung von Versagung durch symbolische Akte, die sich gegenüber der Realität zu autonomen Gebil-
den organisieren, müßte im Falle der poetischen Produktionen, die
einer späteren Entwicklungsstufe des Menschen zuzuordnen sind,
neu bestimmt werden. Die bloße Analogie — „wenn aber der
Dichter uns seine Spiele vorspielt (...)" (X 179) — ist eher geeignet, die spezifischen Differenzen einer textvermittelten „Spiel"-
Konstellation, als die Literatur sich in dieser Perspektive darstellt,
zu verwischen.
Die *Regeln* des literarischen „Spiels" können nicht aus den „egoi-
stischen Tagträumen" der Dichter und ihren „Verhüllungen"
(X 179) abgeleitet werden; sie werden als (modifizierbare) Sprach-
und Formmuster von der literarischen Tradition bereitgestellt und
sind unverzichtbare Interpretamente einer *anonym* und *schriftlich*
gewordenen Kommunikationsform.
Die Literatur müßte gerade von einer psychoanalytischen Betrachtungsweise als ein Symbolsystem in Rechnung gestellt werden, mit
dessen Formen und sprachlichen Spielregeln der Einzelne in der
Regel erst als *Leser*, das heißt auf der Stufe ausgebildeter Sprachlichkeit, vertraut gemacht wird und das er im Umgang mit *Texten*
— durch ihre schriftliche Objektivierung „situationslos" gewordenen Sprachgebilden — erlernt; nicht, wie die gesprochene Sprache,
im Zusammenhang mit Alltagshandeln.
Sowohl das Spielbewußtsein (des Kindes oder Autors/Lesers) wie
die „Indifferenz" des an der Witzkommunikation Beteiligten sind
konventionalisierte Einstellungen, Vorformen oder Erscheinungs-
formen eines gattungsgeschichtlich ausgebildeten Habitus „interes-
selosen Wohlgefallens" im Dienste ästhetischen Lustgewinns.
Ihnen gegenüber fungieren die subjektiven Faktoren (Wunsch-
phantasien, verdrängte Erinnerungen, aber auch Traumatisierun-
gen und privatisierter Symbolgebrauch[27]) als Momente der Irri-
tation und Innovation. Auch hier läge die Leistung einer psychoanalytischen Interpretation in der möglichst differenzierten Beschreibung der Kompromißstruktur literarischer Texte.
Einen systematischen Ort für die Momente *Institution* und *Tradition* hat Freud erst im Rahmen der zweiten Topik skizziert. Die
psychische Instanz Über-Ich erscheint hier als „Träger der Tradi-

tion, all der zeitbeständigen Wertungen, die sich auf diesem Wege über Generation fortgepflanzt haben" (I 505). Gegenüber (vulgär-)materialistischen Positionen macht Freud den Aspekt eines unaufhebbaren psychischen Anachronismus der Traditionsinstanz gegenüber den sich wandelnden äußeren Bedingungen geltend:

> Wahrscheinlich sündigen die sogenannten materialistischen Geschichtsauffassungen darin, daß sie diesen Faktor unterschätzen. Sie tun ihn mit der Bemerkung ab, daß die „Ideologien" der Menschen nichts anderes sind als Ergebnis und Überbau ihrer aktuellen ökonomischen Verhältnisse. Das ist die Wahrheit, aber sehr wahrscheinlich nicht die ganze Wahrheit. Die Menschheit lebt nie ganz in der Gegenwart, in den Ideologien des Über-Ichs lebt die Vergangenheit, die Tradition der Rasse und des Volkes fort, die den Einflüssen der Gegenwart, neuen Veränderungen, nur langsam weicht, und solange sie durch das Über-Ich wirkt, eine mächtige, von den ökonomischen Verhältnissen unabhängige Rolle im Menschenleben spielt (I 505).

Das Konzept wird von Freud nur im Zusammenhang seiner späten Kulturtheorie entfaltet, aber nicht mehr für die Interpretation literarischer Texte fruchtbar gemacht. Die hermeneutischen *Möglichkeiten* psychoanalytischer Textinterpretation, die in diesem erweiterten Beschreibungsmodell angelegt sind, sind in der nachfreudschen psychoanalytischen Literaturkritik kaum zur Wirkung gekommen; sie hätten ihr eine andere Richtung und andere Arbeitsfelder — abseits etwa vom beherrschenden Typus der Psychopathographie — eröffnen können.

Daß die Tradition in Freuds Modell durch das Über-Ich immer auch intrapsychisch, nicht nur als ein dem Einzelnen gegenübertretendes Gesamtcorpus schriftlich objektivierter Überlieferung repräsentiert ist, gibt seinem Traditionsbegriff eine Komplexität , die innerhalb der positivistischen Literaturwissenschaft nie, innerhalb der geistesgeschichtlich orientierten Literaturwissenschaft nur selten erreicht wurde. Im Lichte der neuen Topik wird die Tradition (als Funktion des Über-Ich) zu einer einsozialisierten psychischen Instanz, deren Verarbeitungsmechanismen anderen Bedingungen unterliegen als die der schriftlichen Überlieferung. Am Beispiel der jüdischen Geschichtsschreibung entwickelt Freud aus dieser Differenzierung ein Beschreibungsmodell, das *methodisch* auch dann bedeutsam bleibt, wenn die Darstellung der Religionsgeschichte des alten Judentums durch neuere Forschungsergebnisse im Detail oder im Ganzen überholt sein sollte:

(...) die Leute aus Ägypten hatten die Schrift und die Lust zur
Geschichtsschreibung mitgebracht, aber es sollte noch lange dauern,
bis die Geschichtsschreibung erkannte, daß sie zur unerbittlichen
Wahrhaftigkeit verpflichtet sei. Zunächst machte sie sich kein
Gewissen daraus, ihre Berichte nach ihren jeweiligen Bedürfnissen
und Tendenzen zu gestalten, als wäre ihr der Begriff der Verfälschung noch nicht aufgegangen. Infolge dieser Verhältnisse
konnte sich ein Gegensatz herausbilden zwischen der schriftlichen
Fixierung und der mündlichen Überlieferung desselben Stoffes, der
Tradition. Was in der Niederschrift ausgelassen oder abgeändert
worden war, konnte sehr wohl in der Tradition unversehrt erhalten geblieben sein. Die Tradition war die Ergänzung und zugleich
der Widerspruch zur Geschichtsschreibung. Sie war dem Einfluß
der entstellenden Tendenzen weniger unterworfen, vielleicht in
manchen Stücken ganz entzogen, und konnte darum wahrhaftiger
sein als der schriftlich fixierte Bericht. Ihre Zuverlässigkeit litt
aber darunter, daß sie unbeständiger und unbestimmter war als
die Niederschrift, mannigfachen Veränderungen und Verunstaltun-
gen ausgesetzt, wenn sie durch mündliche Mitteilung von einer
Generation auf die andere übertragen wurde. Eine solche Tradition konnte verschiedenartige Schicksale haben. Am ehesten sollten
wir erwarten, daß sie von der Niederschrift erschlagen wird, sich
neben ihr nicht zu behaupten vermag, immer schattenhafter wird
und endlich in Vergessenheit gerät. Aber es sind auch andere
Schicksale möglich; eines davon ist, daß die Tradition selbst in
einer schriftlichen Fixierung endet, und von noch anderen werden
wir im weiteren Verlauf zu handeln haben (IX 517 f.).

Die Folgerungen, die Freud in einem kurzen Exkurs für die literarische Traditionsbildung im engeren Sinne zieht, zeichnen sich gegenüber den früheren Äußerungen durch eine weit differenziertere
Sicht des Zusammenspiels von individueller Wunschphantasie und
literarischer Überlieferung aus:

Man hat sich darüber verwundert, daß das Epos als Kunstgattung
in späteren Zeiten erloschen ist. Vielleicht liegt die Erklärung
darin, daß seine Bedingung sich nicht mehr herstellte. Der alte
Stoff war aufgearbeitet, und für alle späteren Begebenheiten war
die Geschichtsschreibung an die Stelle der Tradition getreten. Die
größten Heldentaten unserer Tage waren nicht imstande, ein Epos
zu inspirieren, aber schon Alexander der Große hatte ein Recht
zur Klage, daß er keinen Homer finden werde.
Längstvergangene Zeiten haben eine große, eine oft rätselhafte
Anziehung für die Phantasie der Menschen. Sooft sie mit ihrer
Gegenwart unzufrieden sind — und das sind sie oft genug —,
wenden sie sich zurück in die Vergangenheit und hoffen, diesmal

den nie erloschenen Traum von einem goldenen Zeitalter bewahrheiten zu können. Wahrscheinlich stehen sie immer noch unter dem Zauber ihrer Kindheit, die ihnen von einer nicht unparteiischen Erinnerung als eine Zeit von ungestörter Seligkeit gespiegelt wird. Wenn von der Vergangenheit nur mehr die unvollständigen und verschwommenen Erinnerungen bestehen, die wir Tradition heißen, so ist das für den Künstler ein besonderer Anreiz, denn dann ist es ihm frei geworden, die Lücken der Erinnerung nach den Gelüsten seiner Phantasie auszufüllen und das Bild der Zeit, die er reproduzieren will, nach seinen Absichten zu gestalten. Beinahe könnte man sagen, je unbestimmter die Tradition geworden ist, desto brauchbarer wird sie für den Dichter (IX 520).

Das hier umrissene Bild kommt einem Beschreibungsmodell sehr nahe, das den literarischen Text als ein Spiel- und Kompromißfeld der von Es, Ich und Über-Ich vertretenen Tendenzen und der nach Intensität und Objekt variierenden libidinösen Besetzungen begreifen könnte. Freud hat das Szenario der literarischen Arbeit und das hermeneutische Instrumentarium zu ihrem Verständnis entworfen; die Charakteristik der beteiligten Akteure und die Regeln des Spiels sind leider Entwurf geblieben.

Anmerkungen

[1] Dazu Walter Schönau: *Sigmund Freuds Prosa. Literarische Elemente seines Stils.* Stuttgart 1968.
[2] Zitiert wird nach der *Studienausgabe,* Frankfurt a. M. 1969—75, Bd. 1—10 (= I—X) und Ergänzungsband (= E).
[3] Vgl. Sarah Kofman: *L'enfance de l'art. Une interprétation de l'esthétique freudienne.* Paris 1970, S. 7 ff.
[4] Die wesentlichen Gesichtspunkte finden sich schon in Freuds Brief an Fließ vom 15. 10. 1897; vgl. Freud: *Aus den Anfängen der Psychanalyse. Briefe an Wilhelm Fließ. Abhandlungen und Notizen aus den Jahren 1887—1902.* (Korrigierter Nachdruck.) Frankfurt a. M. 1975, S. 191 ff.
[5] Vgl. dazu Gerhard Rupp: *Aphasie und Idée reçue. Literaturpsychoanalyse am Beispiel von Flauberts „Madame Bovary".* In: Urban, Bernd und Winfried Kudszus (Hrsg.): *Psychoanalytische und psychopathologische Literaturinterpretation.* Darmstadt 1981, S. 352 f.
[6] Dazu Bernd Urban: *Interaktionsform — hermeneutische Tradition — Psychobiographie. Zur Gegenstands- und Verfahrensproblematik psychoanalytischer Textinterpretation, auch innerhalb einer strukturalen Psychopathologie.* In: Krauß, H. und R. Wolff (Hrsg.): *Psychoanalytische Literaturwissenschaft und Literatursoziologie.* Frankfurt a. M., Bern 1982, S. 177—192.

[7] Die Einführung, Modifizierung, Einschränkung, häufig auch Verwerfung veranschaulichender Metaphern und Gleichnisse gehören zu Freuds Darstellungsstrategie. Die hier zitierte Darstellung des hysterischen Symptomkomplexes gehört zu den elaboriertesten und perspektivenreichsten Beispielen. Die hermeneutische Funktion des Verfahrens bedürfte genauerer Untersuchung.

[8] Vgl. dazu Peter Szondis Darstellung der grammatischen Interpretation und ihrer Kanones bei Schleiermacher in: Szondi, Peter: *Einführung in die literarische Hermeneutik.* Frankfurt a. M. 1975, S. 174 f.

[9] Schleiermacher, F. D. E.: *Hermeneutik und Kritik. Mit einem Anhang sprachphilosophischer Texte Schleiermachers.* Hrsg. und eingeleitet v. Manfred Frank. Frankfurt a. M. 1977, S. 181.

[10] Ebd., S. 182.

[11] Ebd., S. 179 und 202.

[12] Ebd., S. 203 und 206.

[13] Ebd., S. 206.

[14] Ebd., S. 180 und 206.

[15] Ebd., S. 203.

[16] Ebd., S. 139.

[17] Bartels, Martin: *Ist der Traum eine Wunscherfüllung? Überlegungen zum Verhältnis von Hermeneutik und Theorie in Freuds Traumdeutung.* In: Psyche 33 (1979), S. 128.

[18] Ebd., S. 129. — Vgl. auch den Einwand S. 128: Indem Freud die Bildzeichenfolge des Traums als Übersetzung der Traumgedanken auffaßt, legt Freud dem „Traumtext" einen anderen „Text" zugrunde, der den Traum anregt und in seinem Inhalt bestimmt. Sofern die Traumgedanken einen „Text" bilden, sind sie in ihrem Umgang festgelegt, in sich selbst wohlbestimmt und untereinander zu einem kohärenten Sinnzusammenhang verbunden.
Unter dieser Voraussetzung *hat* jeder Traum schon einen verborgenen, wohlbestimmten Sinn, und die Deutungsarbeit hat lediglich die Aufgabe, diesen Sinn *aufzudecken,* indem sie die bereits unbewußt bestehenden Traumgedanken in verständliche Deutungsaussagen überführt.
(. . .) Mit dieser Konstruktion verfälscht Freud (. . .) den hermeneutischen Charakter der Deutungsarbeit. Sie deckt keinen bereits bestehenden Sinn des Traumes auf, sondern stiftet ihn erst, indem sie den Träumer zu einer neuen Sicht seiner selbst führt, unter der die Traumhandlung in den eigenen Lebenszusammenhang integrierbar wird. Statt einen Bestand von Traumgedanken *festzustellen,* formulieren die Deutungsaussagen ein verändertes Selbstverständnis des Träumers, auf das er sich selbst *festlegt,* um so den Traum als seine Lebensäußerung begreifen zu können.

[19] Bartels, ebd., S. 129.

[20] Am weitesten entfaltet ist diese Sicht in Freuds Studie *Der Moses des Michelangelo* von 1914. Im Hinblick auf Freuds hermeneutische Prämissen wäre zu prüfen, ob nicht zumindest die im Verlauf einer Therapie

produzierten Träume so weit von der Deutung, d. h. den spezifischen Akzentsetzungen des Pychoanalytikers bestimmt werden, daß von einer intersubjektiv (nicht nur innersubjektiv) kommunikativen Funktion des Traums ausgegangen werden müßte. Die Frage kann hier nicht diskutiert werden. Freuds Unterscheidung von „eingeübten" und „nicht eingeübten" Patienten (II 124) gibt einen Hinweis auf das Problem, dem in der *Traumdeutung* jedoch keine methodisch gravierende Bedeutung beigemessen wird.

21 Dilthey, Wilhelm: *Die Entstehung der Hermeneutik* (1900). In: Dilthey, Wilhelm: *Gesammelte Schriften,* Bd. 5. Stuttgart, Göttingen 1974, S. 319 f.

22 Dazu Manfred Frank: *Das individuelle Allgemeine. Textstrukturierung und -interpretation nach Schleiermacher.* Frankfurt a. M. 1977.

23 Pietzcker, Carl: *Zum Verhältnis von Traum und literarischem Kunstwerk.* In: Cremerius, Johannes (Hrsg.): *Psychoanalytische Textinterpretation.* Hamburg 1974, S. 59 f.

24 Vgl. Freuds zusammenfassende Darstellung der drei Mechanismen (II 335):
Wir wissen nun, daß das Traummaterial, seiner Relationen zum guten Teile entblößt, einer Kompression unterliegt, während gleichzeitig Intensitätsverschiebungen zwischen seinen Elementen eine psychische Umwertung dieses Materials erzwingen. Die Verschiebungen, die wir berücksichtigt haben, erwiesen sich als Ersetzungen einer bestimmten Vorstellung durch eine andere ihr in der Assoziation irgendwie nahestehende, und sie wurden der Verdichtung dienstbar gemacht, indem auf solche Weise anstatt zweier Elemente ein mittleres Gemeinsames zwischen ihnen zur Aufnahme in den Traum gelangte. Von einer anderen Art der Verschiebung haben wir noch keine Erwähnung getan. Aus den Analysen erfährt man aber, daß eine solche besteht und daß sie sich in einer *Vertauschung des sprachlichen Ausdruckes* für den betreffenden Gedanken kundgibt. Es handelt sich beide Male um Verschiebung längs einer Assoziationskette, aber der gleiche Vorgang findet in verschiedenenn psychischen Sphären statt, und das Ergebnis dieser Verschiebung ist das eine Mal, daß ein Element durch ein anderes substituiert wird, während im anderen Falle ein Element seine *Wortfassung* gegen eine andere vertauscht.
Diese zweite Art der bei der Traumbildung vorkommenden Verschiebungen hat nicht nur großes theoretisches Interesse, sondern ist auch besonders gut geeignet, den Anschein phantastischer Absurdität, mit dem der Traum sich verkleidet, aufzuklären. Die Verschiebung erfolgt in der Regel nach der Richtung, daß ein farbloser und abstrakter Ausdruck des Traumgedankens gegen einen bildlichen und konkreten eingetauscht wird. Der Vorteil, und somit die Absicht dieses Ersatzes, liegt auf der Hand. Das Bildliche ist für den Traum *darstellungsfähig* (...). Aber nicht nur die Darstellbarkeit, auch die Interessen der Verdichtung und der Zensur können bei diesem Tausche gewinnen. Ist erst der abstrakt ausgedrückt

unbrauchbare Traumgedanke in eine bildliche Sprache umgeformt, so
ergeben sich zwischen diesem neuen Ausdruck und dem übrigen Traummaterial leichter als vorher die Berührungen und Identitäten, welcher die
Traumarbeit bedarf und die sie schafft, wo sie nicht vorhanden sind,
denn die konkreten Termini sind in jeder Sprache ihrer Entwicklung
zufolge anknüpfungsreicher als die begrifflichen.

[25] Er kommt auch darin zum Ausdruck, daß die Phantasie von jedem
wirksamen „neuen Eindrucke" eine „Zeitmarke" empfängt und zwischen
den „drei Zeitmomenten unseres Vorstellens" (X 174) schwebt, also nicht,
wie der Traum, nur das Präsens kennt.

[26] Schleiermacher, F. D. E.: *Hermeneutik und Kritik*, a. a. O., S. 206.

[27] Vgl. dazu Lorenzer, Alfred: *Kritik des psychoanalytischen Symbol-
begriffs*, Frankfurt a. M. 1970, S. 77 ff., der diesen Aspekt am differen-
ziertesten entwickelt (auch in Richtung auf eine psychoanalytisch verfah-
rende Literaturgeschichtsschreibung).

Rainer Marten

Martin Heidegger:
Den Menschen deuten

1. Vorbemerkung

Die Auslegung von Heideggers Hermeneutik, wie ich sie hier versuche, ist notwendig beschränkt — sowohl in ihrer Textgrundlage
als auch in ihrer philosophischen Absicht. Ich gehe allein dem nach,
was Heidegger in seiner Spätzeit auf recht verschlungenen Wegen
als ἑρμηνεύειν vorführt. Dabei beschränke ich mich im wesentlichen
auf Arbeiten, die er 1954 unter dem Titel *Vorträge und Aufsätze*
veröffentlicht hat, und dies in der Überzeugung, daß ich nachste-
hende Untersuchungen mit durchgängig vergleichbaren Ergebnissen
auch ohne Berücksichtigung der *Vorträge und Aufsätze* auf Grundlage anderer Schriften der Spätzeit hätte durchführen können. Das
ἑρμηνεύειν, wie es sich in der Spätzeit darstellt, gekennzeichnet
durch den anderen Standort des Hermeneuten, ist übrigens — Heideggers Selbstauslegung zufolge — keine neue Art von ἑρμηνεύειν
gegenüber dem frühen in *Sein und Zeit*; es ist nur insoweit anders,
als es eben *dasselbe* ist.

2. Das Heimsagen ins Eigene (Oikeiolektik)

Heidegger teilt mit der überlieferten Philosophie die praktische
Einsicht, daß das, was im Denken zu *deuten* ist (wenn nicht zuerst,
dann zuletzt), stets der Mensch selbst sei. Das Auslegen von Dichtung und Philosophie, ja von Winken der Götter und Zeichen der
Zeit — diese hochgestimmte und betroffene Aufmerksamkeit und
jene Arbeit am Text darf nicht darüber hinwegtäuschen, daß Heideggers Interesse am Denken und Sprechen beides nicht an die
Vielfalt der Bedeutungen und des Bedeutungshaften bindet, sondern einheitlich auf das Wesen des Menschen ausrichtet.
Dies Wesen ist Heidegger nicht das Essentielle einer Gattung, nicht
das Substantielle von Individuen, sondern schlicht das, was ,dem'
Menschen, zumal dem heutigen, *fehlt*. Heidegger zeigt nicht DEN
Menschen, indem er auf Menschen deutete und sie uns als Menschen
auslegte. Die alltäglich praktizierte Menschlichkeit, wie sie unsere

Lebens- und Handlungsbefähigung recht und schlecht bewähren und erneuern läßt, ist nichts von der Art, was Heideggers Wesensausblick als Ziel oder auch nur als Richtung entspräche.

Geht Philosophie daran, den Menschen zu deuten, genauer: sich neu über ihn als Menschen zu verständigen, dann antwortet sie jeweils auf eine besondere Herausforderung. Platons Deutung des Menschen als eines so und nicht anders vernunftbeherrschten Lebewesens ist Antwort auf erzieherische, wissenschaftliche und politische Gefährdungen von Menschen seiner Zeit und seines Interesses, wie er sie durch Sophisten für gegeben erkennt. Auch Heidegger erklärt den Menschen seiner Zeit und seines Interesses für gefährdet, allerdings nicht so, daß er ihn bedroht sähe, lebensgeschichtlich sein Wesen nicht recht gewinnen zu können oder halb gewonnen wieder zu verlieren. Für ihn geht es um die Frage, ob DER geschichtliche Mensch überhaupt in sein Wesen findet. Zudem benennt er nicht Sophisten als maßgebliches Gefährdungspotential, sondern Geschickhaftes, über das Menschen („wir') nicht verfügen.

Semata des ‚heutigen' Menschen bei Heidegger lauten: wurzellos, bodenlos, heimatlos, abstandlos, ruhelos, ohne Muße, gedankenlos, ohne Erinnerung, maßlos — mit einem Wort: *wesenlos*[1]. Wesenlos, wie sie sind, übersehen und überhören die Menschen, wie sie ‚eigentlich' das „wesende Verhältnis zum Sein als Sein" sind[2]. Man darf solch einen Hinweis nicht zu sehr in seiner ontologisch introvertierten Sagekraft nehmen. Die Wesenlosigkeit der heutigen Menschen dank mangelnder Seinsnähe wird ihnen auch ganz bewegt nachgesagt, zeigt sie sich doch Heidegger immer wieder im Hetzen, Jagen, Rasen, Umgetriebensein. Was wunder, daß wir praktische menschliche Seinsnähe allem zuvor als Gelassenheit, Bodenständigkeit und Inständigkeit gezeigt bekommen. Eine etwas aktivere Deutung dieses — nötigen — seinsgemäßen Verhaltens gibt er uns mit den Worten Hegen, Pflegen, Hüten, auch mit Entgegenkommen, Entgegenwarten. In alledem sei ein Hören und Denken, ein Fragen und (Ent-) Sprechen am Werk. Die verhaltenen Aktivitäten des vorgedachten wesenhaften Menschen arbeiten zusammen. In ihrem einigen vorgedachten Ergebnis zeigt sich die äußerste Spanne dessen an, was Heideggers Hermeneutik ‚vorläufig' zuzugebringen beansprucht: sie *sagt*, indem sie das Sein ansagt, *den Menschen heim*[3]. Mit dem Wesen des Menschen geht es aber auch schon um mehr, als bloß um den Menschen. Heideggers Hermeneutik sucht den Menschen in das Sprechen DER Sprache und das Ereignen DES Ereignisses heimzusagen.

Das Heimsagen möchte den Menschen auf sein Eigenes zuführen — nicht auf das, was er selber zueigen *hat*, sondern dem er zueigen *ist*, in das er gehört. Heideggers Hermeneutik versteht sich als die auf das Seinsverhältnis des Menschen zielende Heimsage ins eigene Wesen. Ich nenne sie *Oikeiolektik* οἰκεῖον eigen, zugehörig; wörtlich: häuslich). Sie stellt keine bloße Kunst dar, anderen Menschen das rechte Wesensselbstverständnis zu vermitteln, sondern ist ein Wissen, insofern sich Heidegger darauf beruft, aus Einsicht zu handeln: aus dem *Einblick in das was ist*[4], aus dem Vorblick auf das ‚Eräugnis'[5]. Das Verb ereignen ist mit dem Adjektiv eigen nicht verwandt, sondern geht auf Althochdeutsch (ir)-ougen, vor Augen stellen, zurück. Heidegger macht sich die auf dem Gleichklang gründende Volksetymologie[6] zunutze, um das Eigene, Eignende und Eigentliche mit dem Blickhaften in Verbindung zu bringen.

Heideggers Hermeneutik als einblickgegründete Sage heim ins Eigene ist ebensosehr eine Heimsage ins Eigentliche und Wesenhafte, ins Frühe und Ursprüngliche, ins Hohe und Heilige, ins Schickliche und Selbe, zuletzt ins Unscheinbare. Zugleich gibt sie sich als Vor(her)sage des Zukommenden und Künftigen. Ich werde darum Heideggers Oikeiolektik unter den besonderen Titeln ihrer verschiedenen, wenn auch zusammengehörigen Ansätze und Tendenzen erläutern. Von seiner Prophetie dagegen (die Herrschaft der Technik werde noch gute dreihundert Jahre dauern) halte ich mich fern, da sie nirgendwo auch nur dem Versuch nach begründet auftritt.

3. Das Heimsagen ins Wesen (Usiolektik)

Was ist für Heidegger überhaupt wesensfähig und wesensbedürftig? Wer Platons Philosophie nicht — fälschlich — den Anspruch einer mathesis universalis unterstellt, weiß, wie sinnvoll danach zu fragen ist, von was alles es eigentlich Ideen gibt. Die Antwort darauf ist durch Platons *Beispiele* vorgezeichnet. Entsprechend halte ich es mit Heidegger. Es scheint, als spreche er allem und jedem ein Wesen zu — ob Sache, Ding, Person, Vorgang, Zustand oder Handlung[7]. Genauer besehen ist aber alles Wesensfähige als solches am Wesen des Menschen ausgerichtet. Die Vorstellung eines *Wesenhabens* von allem und jedem, selbst wenn Heidegger sie provozieren sollte, zielt an seinem Wesensverständnis vorbei.

Anders als bei Platon ist die Wesensfähigkeit einer Sache für Heidegger nicht schon vollends darin zu erfassen, daß sie denkfähig (einsichtsfähig) und entsprechend sprachfähig (,hörbar') ist. Der entscheidende Zug der Wesensfähigkeit ist bei ihm die Geschichtsfähigkeit. Diese hat, insofern sie sich in der Spannung von Wesen und Unwesen bewährt, zwei Gesichter. Einmal wird Wesensfähiges (wie Mensch und Weinkrug) so gesehen, daß es vom geschickhaften Unwesen bis zum — jäh eingeholten — geschickhaften Wesen reicht, das andere Mal ist die Sicht eher alternativ: Wesensfähigem wie dem Menschen wird - im wesentlichen — ein Wesen, Wesensfähigem aber wie der Neuzeit (als der Zeit der Herrschaft des ,Wesens' der Subjektivität und der Technik) — im wesentlichen — ein Unwesen nachgesagt. Wesen und Unwesen bzw. Unwesen und Wesen — das ist zum einen das seinsgeschickhafte Von-Bis ein und desselben Wesens, zum andern das seinsgeschickhafte Entweder-Oder einander ausschließender Wesen[8].

Der Prozeß der Verwüstung der Erde wird von Heidegger z. B. für wesensfähig erklärt[9]. Gemeint ist natürlich, daß dieser Prozeß eigentlich *un*wesenhaft sei, insofern er das dem Menschen zugesprochene Wesen als menschliches Eigentum verzögere, verweigere, gefährde. Er wird nur darum nicht anders erklärt, weil er für das möglicherweise einstmals glückende Wesen nicht wesensneutral sei. Heidegger schätzt es geradezu, mit geschichtsnotwendigem Unwesen zu operieren, um die Leuchtkraft des geschichtsmöglichen Wesens um so schärfer zu kontrastieren. Das gleicht den in Märchen erzählten ungeheuren und unerläßlichen Mühen vor dem letzten Glück. So *muß* für Heidegger der Mensch die Erde verlassen (Kosmonautik), um sie bleibend zu gewinnen; er *muß* zur bloßen Arbeit gezwungen und als arbeitendes Tier festgestellt werden[10], um in Freiheit und Muße sein Wesen zu finden.

Jede Wissenschaft sei wesensfähig[11], auch ,die' moderne[12]. Doch diese wird von Heidegger zugleich ausgezeichneterweise für wesens*un*fähig erklärt. Die Historie z. B. sei nicht fähig, ihr Wesen als Wissenschaft selber zu erfassen[13], provokativ formuliert: kraft ihres Wesens sehe und gehe sie an ihrem Wesen vorbei. Dasselbe gilt ihm für das Wesen der modernen[14] und überhaupt der Technik[15]. Auch beim Wesen des Kraftwerks[16] ist nicht damit zu rechnen, daß er ihm — für jetzt oder einst — ein heiles reines Wesen zubilligt. Er sieht es allzusehr in die Verwüstung der Erde und Verweigerung von Wesendem eingespannt. Dem Wesen der Metaphysik[17] ergeht es kaum anders. Das Wesen der Geschichte des Seins[18] dagegen bleibt nicht auf der Seite des Unwesens. Seinsgeschick gehört für Heidegger zum Wesenden, das kraft seiner wesenhaften Frühe[19] zur ‚Letze' mehr verspricht als zu verwindendes Unwesen.

Damit sind wir beim Wesenhaften, wie es als Geschichtliches der Gefährdung und Rettung, der Unwahrheit und Wahrheit fähig ist, wie es zu (Un-)Zeiten (in der Moderne, aber auch schon lange und, wie Heidegger voraussagt, noch lange hin) in seinem Wesen verkannt und verstellt, zu Zeiten (jetzt — im Vordenken) entdeckt wird. Das Wesen des Weinkruges[20] ist freigegeben, auf daß es ein Physiker verkennt, ein maßvoller Trinker ihm auf die Spur kommt (J. P. Hebel: „ein Viertele oder zwei") und ein gottfrommer Priester es handelnd vollbringt. Stets ist Heideggers Denken bestrebt, das je eigene Wesen einer Sache[21] zu entdecken, was nicht selten heißt, es in sein ‚vormaliges' Wesen, aus dem es herausgesetzt ist[22], im Denken wieder einzusetzen. Wesensgedanken, die noch nie zuvor gedacht worden waren[23], gehören für ihn zum Retten: zum Einholen ins Wesen[24].

Der Philosoph, der sich als Wesensretter und Hüter des Seins präsentiert, versteht sich nicht als selbsternannter Seinsfunktionär, der überall auf Erden nach dem Rechten zu sehen hat — ein Möchtegern im Verbessern und Bewahren von Dingen, die ihn eigentlich nichts angehen. Den Denkenden geht eben gerade *alles* an — alles Wesensfähige und je geschickhaft Wesende. Krug und Kraftwerk, Bauen und Wohnen, Wahrheit und Freiheit, Kunst und Wissenschaft, Natur und Geschichte — all das hat für Heidegger mit dem zu denkenden Wesen des Menschen zu tun. In jeder Spanne und in jedem Entweder-Oder von Wesen und Unwesen sind die geschichtlichen Prägungen des Menschen vorgezeichnet, die allein das Denken entdeckt. Jedes ‚sachliche' Wesen und Unwesen belangt als solches den Menschen in seinem — vorgedachten — Wesen.

Der *heutige* Mensch begegnet nirgends seinem Wesen, versieht und verhört sich daran, auf welche Weise ihm überhaupt zu begegnen wäre[25]. Was soll es dann heißen, wenn Kunst dazu bestimmt wird, daß der Mensch in ihr reiner schaut und hört, was sich seinem Wesen zuspricht[26]. Ist für Menschen des kunstwachen Bildungsbürgertums zugleich auch schon wieder alles in Ordnung, d. h. im Wesen? Heidegger setzt oftmals auf Gleichzeitigkeiten („Konstellationen")[27]. Neuzeitlich hingen ‚wir' ganz im Wegriß der Entwurzelung, zugleich gäbe es unter uns schönste Bodenständigkeit. Doch diese Sicht ist für unseren Auslegungsversuch nicht weiter erhellend. Überall dort, wo Heidegger im Heutigen etwas bejaht, betreibt er, genau besehen, Vorschau. Wenn der Mensch dem Sein wesenhaft übereignet *ist*, wenn etwas zuvor von sich aus uns in unserem Wesen *mag*[28], sprechen daraus keine Ist-Behauptungen, die auf zeitgenössische Tatsachen zielten, sondern ‚geschichtliche' Aussagen, die sich an die ganze Spanne dessen halten, was dem Menschen von früh an zugesprochen ist und was er dereinst, wenn es glückt, einholen wird. Das eigene Wesen der Sterblichen[29] z. B. zeigt keine ‚heutige' Gegebenheit an.

Das Wesen des Menschen wird von Heidegger in seiner Geschichtlichkeit unterschieden als *bisheriges* und *ausstehendes (aufgespartes, vorbehaltenes, vorenthaltenes)*[30]. Der Philosoph erklärt es als seine Aufgabe, den Menschen in sein *Wesen* zu weisen. Der Mensch wie er wesenhaft dem Sein übereignet, das wesende Verhältnis zum Sein als Sein ist[31] — den sagt er an, denkt er vor. Weil er dies nicht von Menschen aus, sondern auf sie zu tut, sagt er damit in eins, so versteht er sich, das Sein an (emphatisch: das Sein *selbst*).

Doch jetzt kommt etwas, das geradezu dialektisch anmutet: eine Wende im Verständnis von Hermeneutik. Bislang konnte es so scheinen, als wäre Hermeneutik ein Instrument in der Hand des Philosophen: *hier* der heimsagende Philosoph, *dort* der heimgesagte Mensch. Doch er denkt den Menschen (den heutigen) selber als hermeneutisch (als wäre er nicht eigentlich Objekt, sondern Subjekt der Oikeiolektik): in seinem Wesen sei er ein Weisen und Zeigen[32]. Heidegger manipuliert nicht den Menschen (kraft höheren oder eigenen Auftrags), sondern sieht ihn so, wie er selber sich selbst zeigt — im *Fehl* seines Wesens. Der heutige Mensch ist nicht bloß wesenlos, vielmehr das genau zeigende Zeichen seiner eigenen — signifikanten — Wesenlosigkeit und damit bereits mittelbar Zeichen seines Wesens.

Ich resümiere: Oikeiolektik ist Usiolektik (οὐσία: Sein, Wesen). Sie sagt alles Wesensfähige heim in sein jeweiliges Wesen, indem sie allem zuvor und durch alles hindurch auf das geschichtliche Wesen des Menschen zielt. Der Mensch ist unterwegs in seine Heimat. Die Usiolektik möchte ihm sein heimatbestimmtes Wesen zeigen und läßt ihn dafür selbst Zeichen seines allein im Denken zu zeigenden Wesens sein.

4. Das Heimsagen ins Ursprüngliche (Archaiolektik)

Wie kommt Heidegger dazu, gerade so und nicht anders das Wesen des Menschen zu zeigen und zeigen zu lassen? Ist ‚der‘ Mensch als Wesenszeichen seiner selbst für einblickmächtige Hermeneuten so klar zu sehen? Nein. Heidegger genügt die Rede vom Sehen selber nicht. Seine Wesenssicht gründet er darauf, daß es das Wesen jeweils zu *hören* gibt. Die Wesensanzeige einer wesensfähigen Sache entnimmt er jeweils der *ursprünglichen* Bedeutung des Wortes, das die Sache nennt. Das bedeutsame Wort hört er als Zuspruch. Der sich auf Wesendes besinnende Mensch habe sich ursprüngliches Wesen allein zuzusprechen und im Hören des Zuspruchs entdecken zu lassen.

Ursprüngliche Wortbedeutungen scheinen klar Sache der Etymologie zu sein. Heidegger zielt auch in der Tat mit seiner Archaiolektik (ἀρχαῖος: anfänglich, alt, ursprünglich) auf den ἔτυμος λόγος. Die dabei verfolgte Einheit von Wortbedeutung und Wesensdeutung führt ihn allerdings dazu, sich betont anders zu verhalten, als es die Art wissenschaftlicher Etymologie wäre. Er demonstriert offen, wie ihm jede Methode recht ist, ein Wörterbuch zu gebrauchen, wenn sie zu dem vorgedachten Ziele führt. Manche Wegwahl zwischen Wortgebrauch und Wortwurzeln nimmt sich abenteuerlich aus. Um sagen zu können[33], freien bedeute *eigentlich* schonen und damit das *eigentliche* Schonen als Grundzug des Wohnens zu deuten, wählt er folgenden Weg durch das Wörterbuch: wohnen → wunian → Frieden → Freie → fry → schonen.

Das geht auch kürzer. Halten heiße *eigentlich* hüten[34]. Im Lexikon lesen wir, daß es *ursprünglich* im Sinne von Vieh hüten, weiden gebraucht wurde. In diesem Falle ist für Heidegger allein ein alter Wort*gebrauch* verständnisleitend. Wenn er jedoch hört, daß bauen *eigentlich* wohnen heiße[35], geht er allein auf das Wortfeld, das eine *Wurzel*bedeutung umschreibt, zurück. Dennoch wird unterschiedslos die eigentliche für die ursprüngliche und die ursprüngliche für die eigentliche Bedeutung genommen. Das gelingt als beanspruchte Einsicht selbst dort, wo Wörterbücher nicht weiterhelfen. Um hören zu können, nur das *Gewährte* währe eigentlich[36], muß das Ohr eines Dichters her, das einen „unausgesprochenen Einklang“ von währen und gewähren hört. Beide Wörter sind im Wörterbuch nicht zusammenzuführen — es ist eine Spielart bewußter Volksetymologie.

Wie bei alledem eigentliches mit ursprünglichem Bedeuten und
beides mit eigentlichem Sein (Wesen) zusammengedacht werden,
zeigen die gleichbedeutenden Wendungen[37]: bauen *ist eigentlich*
wohnen, bauen *heißt ursprünglich* wohnen, das *eigentliche* Bauen
ist das Wohnen, der *eigentliche Sinn* des Bauens *ist* das Wohnen,
die *eigentliche Bedeutung* des Wortes bauen ist das Wohnen, das
eigentliche, aus dem *Wesen* des Wohnens *gedachte* Bauen.
Was im einzelnen als ursprüngliche und eigentliche Wortbedeutung
genommen wird, stellt für Heidegger kein Belieben, keine Willkür
dar[38]. Causa hat für ihn *eigentlich und zuerst* die Bedeutung Fall
(„fast gleichbedeutend mit res"), nicht Ursache[39], obwohl im *Er-
nout/Meillet* zu lesen ist[40]: L'étymologie étant inconnue, le
sens originel n'est pas déterminable — und zur Wortbedeutung
als erstes Cicero zitiert wird: causam appello rationem efficiendi.
Das Denken, nicht die Wissenschaft, soll bestimmen, was sprachlich
ursprünglich und wesenhaft ist. Heidegger hält sich zwar an frühe
Wortbedeutungen[41], wird dann aber dazu geführt, auf seine
Weise Kants Unterscheidung von — historisch gesehen — Anfäng-
lichem und — vernünftig gesehen — Ursprünglichem zu folgen.
Ein Beispiel: λέγειν hat für ihn *gleich früh* mit der Bedeutung reden, sagen, erzählen auch die Bedeutung nieder- und vorlegen, die
er jedoch für die *noch ursprünglichere* und damit einzig eigentliche
erklärt[42]. Beide Bedeutungen sieht er nicht gleichrangig nebeneinander bestehen. Das Reden sei vielmehr mit dem Legen zusammen-
zubringen und zwar als der *engere* Sinn von λέγειν[43]. Die sprachliche Enge stellt zugleich eine Wesenseinengung vor. Die ursprünglichere Bedeutung von λέγειν wird nicht allein für die eigentliche,
sondern für die im Grunde einzige genommen[44].
Dieser Wechsel vom Anfänglichen zum Ursprünglichen und Einzigen ist längst nicht alles, was es schwer macht, Heideggers Archaiolektik auf ihre methodische Spur zu kommen. Häufig verfolgt er
ein Wort, das er auf seinen Wesenswink hin befragt, überhaupt
nicht in eine sprachgeschichtliche Frühe zurück. Wenn er Dichten
als eigentliches Wohnenlassen auslegt[45], *denkt* er das schlicht. Ein
Wort Hölderlins genügt als Denkvorlage. Deutet er Verhängnis als
inmitten von etwas hängen lassen[46], dann beruft er sich — frei
von der Geschichte des Wortgebrauchs — auf den *strengen, hier
allein gemeinten* Sinn. Auch dann, wenn Bestand ‚mehr' und ‚We-
sentlicheres' als Vorrat sagt und in den Rang eines Titels rückt[47],
verantwortet Heidegger das eher selbst — ein Spielen mit dem
Wortfeld (stehen, Stand, Gegenstand) ist nicht zu übersehen. Das

Wort Gestellt möchte er sogar einmal „in einem bisher völlig unge-
wohnten Sinne" gebrauchen[48] — Assoziationen zum gewöhnlichen Wortgebrauch sowie die Bedeutungen von Präfix und Wort-
stamm stehen bei der Neuerung allerdings Pate.

Die Sprache winke uns zuerst und dann wieder zuletzt das Wesen
einer Sache zu[49] — das ist ein klares Bekenntnis zur Etymologie.
Doch die ist eben besonderer Art: in ihr muß *zuvor* gedacht werden. Wenn es gilt, „im Anhalt an die frühe Wortbedeutung und
ihren Wandel den Sachbereich zu erblicken, in den das Wort hin-
einspricht"[50], dann führt keine gesprochene Sprache zum verbindlichen Verstehen. Die recht gehandhabte Etymologie bleibt nach
Heidegger darauf verwiesen, „zuvor die Wesensverhalte dessen zu
bedenken, was die Wörter als Worte unentfaltet nennen"[51]. Er
nimmt Wörter nicht als lexikalisch und literarisch vorgegebenes
Material, sondern als Worte, d. h. als Gedanken. Sein Sprachdenken, wie es entschieden auf das Wort, nicht auf Satz und Text
ausgerichtet ist, erkennt im einzelnen Wort selbst schon den Gedanken: die Wesensbestimmung. Alle Wörter (Namen) von Wesensfähigem sind für ihn Holophrasen besonderer Art.

Daß ein einzelnes Wort, mit der rechten Denketymologie angegan-
gen, sich als eine moralische Anstalt entpuppt, hat in Deutschland
Tradition. Ickelsamer, der darauf bedacht war, deutsches Sprach-
gut zu konsolidieren und Deutschen ihre Sprache zu lehren,
schreibt in *Teutsche Grammatica* (um 1530) unter dem Titel „Von
der Teütschen wörter Etymologia, bedeütung vn vrsprung"[52]:

> Es ist in allen sprachen, glaub ich, kaum ain lieblicher ding, dann
> die Etymologias vnd Composition der wörter erkennen vnd ver-
> stehn, dann es ist so künstlich ding, das gleich etliche tieffe Ge-
> haimnuß allain vnter den Buchstaben verborgen ligen, ...
> ... so seyn die teütschen jrer sprach vn wörter so vngeübt, das, so
> schon ain wort auß glück, noch bey seim rechten Namen bliben ist,
> sy dannoch soliches nit verstehn noch wissen was es sey oder
> haysse ... als vnter andern vilen das wort Weinnachte ist, ... Das
> wort lautet von ainer weynige nacht die man mit weintrincke hat
> zubracht ...
> Möcht ainer sagen, warzu solliches zuwissen nutz wer? Antwurt.
> Wen man solliches nit brauchet, wie gesagt, so kumen die wörter
> vnd sprach leicht in ain vergeß vnd vnuerstand, wie geschehen.
> Zum andern, so gibt soliches ain grosse lieb, vnnd gleich ain ver-
> wunderung, wie alle ding so fein vnnd kunstlich also mit namen
> geziert vnnd angezaigt sein. Es dient auch ainem verstendigen
> gottfürchtigen mensche zur besserung, als so er vom grund dises

yetztgedachten worts Weinnachten, gedenckt, kan er achten dieweil
noch solche stuck vn reliquie der vnglaubigen Haiden (die wir
etwa gewest sein) bey vns gehafftet vnd bliben sein ...

Heidegger nimmt Wörter als Worte. Ickelsamer schätzt das Glück,
wenn ein Wort bei seinem rechten Namen geblieben ist. Platon
nennt in Laut und Schrift völlig verschiedene ‚Wörter‘ (Namen)
wie Hektor, Astyanax und Archepolis *dieselben,* weil sie *dasselbe
bedeuten*[53]. Jedesmal wird das Wort als wahres zur Wort*bedeutung.* Ein Wort der gesprochenen Sprache kann nicht mehr als —
glücklicher, nicht willkürlicher — Anhalt sein, die wahre Bedeutung aufzuspüren.

Heideggers denkendes Etymologisieren folgt, wie es sich selbst
versteht, dem *Zuspruch* der Sprache. Doch der ist nicht im geläufi-
gen Sinne Gesprochenes. Wenn nämlich gelten soll, die Sprache
spreche und nicht der Mensch[54], dann ist eben das Sprechen der
Sprache nicht von der Art menschlichen Sprechens. Nicht ge-
brauchte Wörter als — frühe — sprachgeschichtliche Zeugnisse sind
Fundgruben für ‚Wesenhaftes‘, sondern das, was sich in ihnen,
nach einem geschichtsphilosophischen Konzept von Frühe geurteilt,
angezeigt, aber nicht entfaltet hat. Heideggers Archaiolektik, auch
dort, wo sie etymologisiert, hat unbeirrt eine Frühe und Ursprünglichkeit im Sinn, die sich nicht sprachwissenschaftlich, sondern
allein aus dem philosophischen Entwurf einer ‚Seinsgeschichte‘ begreifen läßt.

Ein Beispiel: „Das anfänglich aus der Frühe Während ist das Ge-
währende"[55]. Was da mit Hinweis auf Goethe und gegen die
Wortgeschichte als gehörter Zuspruch demonstriert wird, beruft
sich klar auf eine Frühe, die als solche aus einem seinsgeschichtlichen Entwurf zu ermessen ist[56]. Wenn entsprechend währen
eigentlich und ursprünglich gewähren bzw. gewährtsein *heißt*[57],
dann kann das nicht sprachwissenschaftlich sondern allenfalls
geschichtsphilosophisch überprüft werden. Dasselbe zeigt sich, wenn
Heidegger behauptet, das Sagen ereigne sich von früh an als
λέγειν, als Legen[58]. Dieses ‚Ereignis‘ konnte in keinem Lexikon
einen Niederschlag finden, da es überhaupt nicht für ein wissenschaftlich umgrenzbares Faktum, sondern für ein dem ‚andenken-
den‘ und nicht ‚berechnenden‘ Denken zugespieltes unausdenk-
liches Geheimnis genommen wird[59]. Spricht ein Wort *noch* ursprünglich (bedeutet z. B. bauen noch wohnen), dann ist für diese
Ursprünglichkeit nicht die — gesicherte — historische Frühe als

solche maßgeblich, sondern die Geschichtlichkeit alles Wesensfähigen.

Alles ‚anfänglich Wahre' und ‚früh Enthüllte'[61] meint als solches *Seins*geschichtliches. Der Hermeneut Heidegger sieht sich gehalten, bereit zu sein, vor dem *Kommenden* der Frühe zu erstaunen[62], weil er das Frühe als das seinsgeschichtlich erst noch Bevorstehende hört. Das in der Frühe Zugesprochene zeigt (durch alles herrschende und signifikante Unwesen hindurch) auf das — ‚künftige' — Wesen. Die Rückwendung auf frühes Sprachliches ist Heidegger keine Gegenbewegung zum Vordenken, kein Anachronismus. Die ursprüngliche Bedeutung von wohnen etwa wird von ihm im Jahre 1951 nicht erstlich aus Wörterbüchern oder gar aus der herrschenden Wohnungsnot erschlossen, sondern aus dem eigentlichen, seinsgeschichtlich ausgelegten Wohnbedürfnis.

Ein letztes Beispiel zur *denkenden* Etymologie: Guß nenne eigentlich Spende und Opfer[63]. Zur Ermunterung des Hörers (und Lesers), das für so gut wie wissenschaftlich gesichert zu nehmen, wird Griechisch-Indogermanisches bemüht. Doch das täuscht. Das ‚Eigentliche' läßt sich niemals lexikalisch belegen (Metallguß, Regenguß, Weinguß — der Wortgebrauch von χέειν und seinen Ableitungen entdeckt unmöglich Wesenspräferenzen). Die eigentliche Bedeutung des Wortes gießen, das vor allem ein menschliches Tun bezeichnet (es gießt allerdings auch, wenn Zeus gießt!)[64], wird von Heidegger in einer Weise für *echt* erklärt, daß sich dies Tun selbst in seiner Wesenhaftigkeit anzeigt: „Gießen ist, wo es wesentlich vollbracht, zureichend gedacht und echt gesagt wird: spenden, opfern"[65]. Hier findet sich Sprache nicht in einer Rückbesinnung, um den Wortgebrauch zu klären, zu ordnen und möglichst effizient zu machen, sondern als ein im Denken entfalteter Zuspruch wahren menschlichen Wesens. Wollte man einen Vorrang kultischen Weinopfers vor menschlichem Weingenuß (von Waschwasser- und Metallguß ganz zu schweigen) wissenschaftlich nachweisen, dann wären dafür etwa ethologische, archäologische und ethnologische Forschungen anzustellen, sicher nicht vorrangig sprachgeschichtliche. Doch an Nachweisen dieser Art ist Heidegger unmöglich interessiert. Sein Denken ist ihm notwendig Verbindlichkeit genug, um die Archaiolektik methodisch auf Kurs zu halten.

Weil und insofern der Wesenszuspruch nicht alten Wörtern selbst zu entnehmen ist, gilt für Heideggers Wortbedeutungsverstehen im Grunde dasselbe, was er für die Auslegung eines ‚Spruches' in Anschlag bringt. Entgegen der *gewöhnlichen* Auslegung, die sich als

selbstsicheres Nachzeichnen gebärde, sei die eigene ungewöhnliche
ein freiwagendes Vorzeichnen[66]. Wir müssen seine Geschichtsauf-
fassung genauer kennen, um beurteilen zu können, inwiefern sein
— zuspruchgetreues — *Vorzeichnen*[67] von Wesen Überzeugungs-
kraft, ja Verbindlichkeit besitzt. Zuvor ist die Bewegungstendenz
der Oikeiolektik vollständiger zu erfassen. Sie zeigt nicht allein
,zurück‘, sondern auch nach ,oben‘.

5. Das Heimsagen ins Hohe (Analektik)

Das, was Heidegger in Wesen und Ursprung heimsagt, sagt er
bisweilen auch hinauf ins Hohe. Die Höhe dieses Hohen scheint
auf bekannten, rein appellativ vertretenen Wertschätzungen zu
beruhen. Das herabmindernde[68], vordergründige[69], vernutzte[70],
überhaupt das alltägliche[71] Sprechen und Wortverstehen ver-
geht sich offensichtlich am Seltenen, Reichen, Tiefen und eben
Hohen. Gesteigertes Dasein kommt einem in den Sinn, Ehr-
furchtsgebärden (wie reine Empfangs- und Dankhaltungen), em-
phatisches und zugleich zurückhaltendes (,gehorchendes‘) Sprechen.
Dabei hat es ganz den Anschein, als ziele Heidegger mit dem Emphatikon „hoch“ ins Ungefähre. Auf was Rechtes und Bestimmtes
sollte er denn auch ,oben‘ hinauswollen? Der Schein trügt. Heideggers Analektik gibt sich entschieden verbindlicher. Die Höhe, die
sie den Wortbedeutungen und damit der Sprache (ihrem Zuspruch)
und damit wieder dem Wesensfähigen als solchen zumißt, ermißt
sich aus seinem Seinsdenken.

Für Heidegger gilt als ausgemacht, daß Sein unbestreitbar Anwesen bedeutet[72]. Darum kann das, was sich *ins volle Anwesen* hervorbringt, das ἔργον, als etwas Hohes begriffen werden: „ἔργον ist
das, was im eigentlichen und höchsten Sinne an-west“[73]. Die Bestimmtheit der Höhe kommt durch die theologische Komponente
dieser ontologischen Analektik klarer zum Ausdruck[74]. Göttliches
tritt in ihr wie selbstverständlich als Hohes auf. θεωρία z. B. habe
eine hohe (und geheimnisvolle) Bedeutung, sofern aus dem Wort
u. a. „die Göttin“ (θεά) herauszuhören ist[75]. Dementsprechend
habe die griechisch gedachte Theorie ein hohes Wesen[76]. Gleich
selbstverständlich kommt Heidegger Hohes in den Sinn, wenn er
den Weinkrug *eigentlich* gebraucht sieht, nämlich zum Götterkult
und nicht für menschliches Trinken: „Ist der Guß zur Weihe, dann
stillt er . . . die Feier des Festes ins Hohe“[77].

Die Frage, wie traditionell griechisch, christlich und Hölderlin-befohlen Heideggers Gottgedanken sind, ist für die Darstellung seiner Analektik unerheblich. Zwar ist das Hohe, an dem sie sich ausrichtet, maßgeblich durch Gedanken des Göttlichen bestimmt, dies jedoch so, daß das *Seins*denken als solches leitend bleibt. So zögert Heidegger nicht, etwas eher Trostloses wie DAS Gestell aufgrund der ihm zugedachten seinsgeschichtlichen Bedeutung in einem Atemzug mit dem zu nennen, was Philosophen als Höchstes zu denken suchen[78]. Seine Bedeutung wird darin gesehen, mit ihm als dem Gedanken des *Wesens* der Technik den Umschlag im menschlichen Technikverhältnis zugunsten des Wesens des Menschen vorzudenken[79].

Das Hohe, an dem sich Heideggers Analektik ausrichtet, würde mißverstanden, wenn man im Hohen des Anwesens, des Opfers, des Gottes, ja des Gestells seinsgeschichtliche Objektivationen sähe, die den Sinn hätten, das Hohe als solches zu entpsychologisieren. Das Hohe wird von Heidegger gar nicht, dem Menschen entrückt, in hohes und fernes Sein verlegt, sondern bleibt Sache der Sprache und der menschlichen Zugehörigkeit zu ihr. *Hohes* Sprechen, *hohe* Bedeutungen und *höchster* Zuspruch verstehen sich für ihn maßgeblich aus einem Herrschaftsverhältnis: die Sprache bleibt „die Herrin des Menschen"[80]. Sie ist als dienendes Instrument um- und hinaufzudenken. Das erniedrigt und knechtet[81] den Menschen nicht, sondern gibt ihm die Chance, frei zu werden für sein Wesen.

Daß der Mensch in Anbetracht der Herrin Sprache nicht an Höhe verliert, liegt nicht daran, daß Heidegger insgeheim sein Selbstwertgefühl als Mensch und Philosoph einbrächte. Es wird aber auch nicht aus der bloßen Tatsache verständlich, daß er sich an den traditionellen Gedanken von der Würde des Menschen hängt, indem er dem Menschen Schau und Einkehr „in die höchste Würde seines Wesens" zudenkt[82]. Für ihn liegt das am Hohen der Sprache selbst, das durch ihre bloße Gebieterrolle noch nicht zureichend erfaßt ist.

Das Hohe der Sprache ist für Heidegger im letzten die Dimension des Menschenwesens: die Reichweite seines sprachlichen und geschichtlichen Wesensaufenthalts in Höhe und Tiefe, im Herauf und Herab — gemessen vor allem aus dem Verhältnis von Himmel und Erde, Sterblichen und Unsterblichen[83]. Findet der Mensch im Wegsinn Heideggerscher Analektik ‚hinauf' in sein Wesen, dann ist er nirgendwo anders als in der *ganzen* Dimension der Sprache zuhause. Es ist (die Wörter als Worte verstanden) die Dimension der ‚reinen‘ Bedeutungen: die Sprache ist Sprache und nichts außerdem (bzw.: die Sprache spricht), die Zeit zeitigt, die Nähe näht. Das ist ein dem Platonischen Wesensdenken verwandter Zug: etwas ins Reine und Unvermischte zu denken und zu sagen (Katharolektik). Doch anders als bei Platon ist die reine Bedeutung bei Heidegger dem Denken nicht als bleibende Idee zur Schau gestellt, sondern gehört zum Vorgedanken des in sein Wesen heimkehrenden Menschen. Die Dimension der reinen Bedeutungen ist ebenso sprachlich wie geschichtlich. Der Mensch *hat* sie nicht, um in ihr sein Wesen zu finden. Heidegger zwingt zu der Auslegung, daß das *Wesen* des Menschen diese Dimension selbst *ist*. In den reinen Bedeutungen als den ursprünglichen und hohen ermessen sich die Höhen und Tiefen des Wesens des Menschen.

Die Geschichtsbestimmtheit des Hohen wird klarer, wenn wir dem Verständnis von Geschichte dort nachgehen, wo es Heidegger nicht von zugewiesen und (zu-)geschickt[84], sondern von (sich) schicken, geschickt und schicklich[85] ableitet. Was sich gehört, ziemt und schickt, heißt griechisch το πρέπον. Dies Wort wird schon von Platon eingesetzt, um das zu kennzeichnen, was einer Sache als *Wesen* zuzumessen ist. Die philosophische Meßkunst nimmt nach seinen Worten[86] Maß wie folgt: πρὸς τὸ μέτριον καὶ τὸ πρέπον καὶ τὸν καιρὸν καὶ τὸ δέον, d. h. am Angemessenen und Schicklichen und Günstigen und Nötigen.

6. Das Heimsagen ins Schickliche (Prepontolektik)

Das *Schickliche* für den Menschen, wie Heidegger es sieht und sprachlich markiert, ist schnell berichtet[87]. *Sich* als Mensch ins eigentliche Hören und Sehen *schicken* und damit *geschickt* werden für das eigentliche Denken — das ist das eigentliche *Geschick* des Menschen: sein Wesensgeschick.

Zum näheren Verständnis dieses ‚sittlichen‘ Anspruchs scheinen nurmehr die seinsgemäßen menschlichen Denktugenden gefragt zu sein, wie Heidegger sie reichlich zur Sprache bringt: gelassen, nachdenklich und andenkend sein, offen sein (für das Geheimnis), inständig, verhoffend und bereit sein, langmütig, großmütig und edelmütig („Edel ist, was Herkunft hat"!) sein, zuvorkommend sein (in der Zurückhaltung). Vor allem: keine ‚bloßen‘ Aktivitäten, kein Fordern und Hetzen, kein Berechnen.

Die — unvollständige — Aufzählung dessen, was sich als menschliches Denkgebaren schicke und nicht schicke, nennt noch gar nicht das, worauf alles Schickliche zielt. Sie kommt darum auch nicht mit dem sprachlich-gedanklich gewagten Bogen zurecht, den Heidegger vom Schicklichen zum Geschick schlägt. Sich wie auch immer zu schicken und schicklich zu sein, ist ihm kein menschlicher Selbstzweck. Der Gedanke des Schicklichen hat überhaupt nicht die menschlichen Verhältnisse im Sinn, wie sie als tatsächlich soziale und gewollt rationale die Idee der Sittlichkeit binden, sondern allein das Geschick.

Worauf alles seinsgemäß glückende Sichschicken sich einläßt und was entsprechend das Wesensgeschick des Menschen ist, hat bei Heidegger viele Namen. Ich wähle für die Darstellung seiner Hermeneutik den, der am klarsten anzeigt, wie wenig er zur Wesensauslegung des Menschen im Grunde zu sagen gedenkt, zu sagen hat: *das Selbe.* Schicklich zu sagen und zu denken sei eigentlich ‚nur' das Selbe. Wir können formulieren: Was sich schickt, ist das Selbe. Das bedeutet: für den Menschen schickt es sich, sich in das Selbe zu schicken, *und* eben dies ist sein Geschick. Keine menschliche Selbstidentität ist gemeint, sondern eine Identität, die sich aus der Zusammengehörigkeit von Mensch und Sein, von Mensch und Sprache bestimmt[88].

7. Das Heimsagen ins Selbe (Tautolektik)

Hören[89] ist ein dem Sprechen Gehören, dies ein Vorliegenlassen, dies wieder ein das Vorliegende als es selbst Legen[90]. Das von der Sprache ursprünglich Zugesprochene ist selbst nichts anderes als das gesammelt vorgelegte Vorliegende[91]. Darin, „daß sich von früh an das Sprechen der Sprache aus der Unverborgenheit des Anwesenden ereignet und sich gemäß dem Vorliegen des Anwesenden als das beisammen-vorliegen-Lassen bestimmt", sieht Heidegger „das unausdenkliche Geheimnis"[92]. Das klingt nach traditioneller Übereinstimmungstheorie. Um die Wahrheit zu sagen, ist, wie Aristoteles sich ausdrückt, vom Seienden jedenfalls zu sagen, daß es ist, z. B. vom Schnee, der weiß ist, daß er weiß ist[93]. Doch mit dem Gedanken, das Vorliegende *als es selbst* zu ‚legen', meint Heidegger nicht die Entsprechung (‚Identität') von Aussage und bestehendem Sachverhalt. Das ‚Vorliegende' ist für ihn überhaupt nichts, dem durch *Aussagen* zu entsprechen wäre. Der Zuspruch der Sprache, wie er ihn hört, spricht allein *Worte,* die sich im menschlichen Sprechen als Wörter, nicht als Aussagen artikulieren. Nur das, was den Bezügen von Himmel und Erde, Sterblichen und Un-

sterblichen als Wesen zugehört, ist zugesprochen, damit menschliches Sprechen es — entsprechend — *als es selbst* ,lege‘, *als das
Selbe* sage. Zur Sprache kommt in dieser Art sprachlich artikulier-
ter Identität kein bestehender Sachverhalt, auch kein einzelnes
Ding, sondern allein *Wesen:* das Wesen des Wohnens, der Nähe,
der Sprache. Wesen stellt dann nicht Dingkern, Quasiding oder
kennzeichnende Eigenschaft vor, sondern jeweils ein Moment
menschlichen Wesens als sprachlich und geschichtlich bestimmte
Dimension.

Das ,Vorlegen‘ nennt Heidegger ein ὁμολογεῖν, nicht ein ταὐτὸ
λέγειν oder ταὐτολογεῖν. Wenn es in Platons Dialogen methodisch
zu einer Homologie (Übereinstimmung) kommt, sagen Gesprächspartner zwar im Augenblick dasselbe (sie stützen sich auf dieselbe
Hypothese in derselben sprachlichen Gestalt), dies aber nicht, um
damit eigentlich nichts zu sagen, sondern um sich ausdrücklich der
gemeinsamen Ausgangslage ihres Erkenntnisversuchs zu vergewis-
sern. Wenn es im ὁμολογεῖν bei Heidegger nicht um Übereinstimmung von Gesprächspartnern geht, sondern darum, das — zugesprochene — Wesen als das Selbe zu ,legen‘, dann soll der geläufige Sinn des Wortes doch wohl insoweit erhalten bleiben, als die
,homologen‘ Tautologien nicht nichtssagende, sondern auf besondere Weise sprechende sind[94].

Das ,Legen‘ des zugesprochenen Wesens als das Selbe hat bei Heidegger nicht durchweg die Form der Tautologie. Wenn Wohnen
eigentlich ein Schonen ist, Bauen ein Wohnen, Währen ein Gewähren, dann wird jeweils zur Deutung eines namentlich genannten
Wesens ein weiteres Wort eingesetzt, ohne daß die Absicht der
,Identität‘ verloren ginge. Wohnen z. B. bleibt gerade als Schonen
wesenhaft Wohnen. Im Zuspruch der Sprache spricht, so deute ich
das, die *reine Bedeutung.* Menschliches Verstehen kann auf diesen
Zuspruch je nachdem mit einem ,anderen‘ Wort (Plural: Wörter)
antworten. Die Einheit des Wesens bzw. der reinen Bedeutung
wird durch das Hinzutreten eines ,weiteren‘ *menschlichen* Wortes
nicht entzweit. Es *muß nicht* — wesensgetreu und ,homologisch‘ —
zu Wendungen kommen wie „das Wohnen ist das Wohnen“ oder
„das Wohnen wohnt“.

Wird das Selbe gesagt, dann ereignet sich das Schickliche[95]. In
dies hat sich der Wesenskundige bei allem Wesensfähigen zu fügen
(im Denken, Sprechen und Gebrauch Machen)[96], damit *menschliches* Sprechen dem Sprechen der *Sprache* entspricht. Sollte die
Übereinstimmungstheorie hier Fuß fassen können, dann wäre nicht

an eine Übereinstimmung von Aussage und bestehendem Sachverhalt zu denken, sondern von Sprechen der Sprache und menschlichem Sprechen. Wer im ‚sterblichen' λέγειν mit dem Λόγος übereinstimmt und so das Selbe sagt, spricht reinen Bedeutungen nach. Das kennen wir der Form nach schon von Platon, wenn er vom Schönen selbst denkt und sagt, daß es nichts anderes als schön, in nichts nicht schön und einzig schön sei[97]. Platon weiß jedoch nichts vom Geschick, in das schickliches menschliches Sprechen als solches gehört, nichts vom sterblichen λέγειν, das vom Geschick her in das ὁμολογεῖν „er-eignet" ist[98]. Sagten Menschen reine Bedeutungen nach, so daß ihnen als eigentlich Sprechenden der Aufenthalt in ihrem Wesen verliehen wäre, dann verdankten sie das Heidegger zufolge nicht philologischen und philosophischen Anstrengungen, sondern DEM Ereignis[99].

Werden reine Bedeutungen in menschlicher Verlautbarung nicht Deutungen ausgesetzt, sondern so gut wie rein nachgesagt, dann bildet das Sagen des Selben reine Tautologien aus. Da Heidegger Wesen verbal versteht, wird der Name des Wesens im Sagen des Selben verbalisiert: der Riß reißt, das Ding dingt. So schickt sich für ihn ‚sterbliches' λέγειν genau in das Geschick des Λόγος.

Sagt der philosophische Hermeneut vom Riß, er reiße, und meint er, dies dem Geschick des Λόγος zu entnehmen, dann hat er mit diesem Geschick kein Ereignis in der Zeit im Sinn, auch glaubt er nicht, mit dem ‚antwortenden' Reißen selbstverantwortlich Sprache zu gebrauchen. Die Vielzahl seiner Tautologien darf nicht darüber hinwegtäuschen, daß er einzig und allein den *Menschen* in sein Schickliches heimzusagen gedenkt. Bleibt aber das Wesen der Sprache einem Geschick anheimgestellt, über das der Mensch nicht verfügt, dann gibt es für Heidegger *im Grunde* nur zwei Dinge — in eins — als das Selbe zu sagen: DIE Sprache (als unhinterfragbaren Zuspruch allen Wesens) und DAS Ereignis (als vollendetes und unhinterfragbares Geschick allen Wesens).

Die Sprache einfach als die Sprache zur Sprache bringen[100], von der Sprache schlicht zu sagen, sie selbst sei die Sprache[101], verbalisiert: die Sprache spreche[102], genauer: sie spreche allein und allein sie spreche[103] — das meint keinen Fall von ὁμολογεῖν, sondern ὁμολογεῖν als solches. Dies einzigartig Schickliche entnimmt Heidegger bereits dem Logos des Heraklit:

> Auf die Frage, was der Λόγος sei, gibt er nur *eine* gemäße Antwort. Sie lautet in unserer Fassung: ὁ Λόγος λέγει[104].

Darauf war ein Coseriu gar nicht gekommen, als er zu Beginn
eines sprachwissenschaftlichen Vortrags wie aus dem Stand sieben
Sprachbegriffe aufzählte[105]. Selbst der sechste, „die Sprache ist
eine geistige Tätigkeit", der Wilhelm von Humboldt erinnert,
wäre für Heidegger in nichts schicklich. Ist Sprache geistige Tätigkeit, dann kann sie nicht schlicht sie selbst sein, dann ist es gar nicht
sie, die spricht, sondern ein geistig Tätiger. Auch spräche ja *ein*
‚Geist' zu einem *anderen* — die Einsamkeit der Sprache, ihr Mo-
nologisches, wäre überspielt.

Die Auslegung des Menschen kommt an ihren springenden Punkt.
Sein Wesen sei nicht durch die Lebensverhältnisse vorgezeichnet,
nicht durch Sprache, über die der sozialisierte Mensch als soziales
Eigentum mit verfügt, sondern allein durch die reinen Bedeutungen
des Wesensfähigen.

> Die Sterblichen hören den Donner des Himmels, das Rauschen des
> Waldes, das Fließen des Brunnens, das Klingen des Saitenspiels,
> das Rattern der Motoren, den Lärm der Stadt nur und nur so
> weit, als sie dem allen schon in irgendeiner Weise zugehören und
> nicht zugehören[106].

Ich lese das so, daß die Menschen dem Klingen des Saitenspiels
ihrem Wesen nach zugehören, dem Lärm der Stadt aber nicht. Die
‚sprechende' Tautologie „die Sprache spricht" gibt über das Wesen
des Menschen keine weitere Auskunft als die, daß es sich als solches
in das Geschick der Sprache schickt. Entscheidungen wie die, daß
der Saitenklang menschlichem ὁμολογεῖν offenstehe, Stadtlärm
aber nicht, beruhen vermutlich auf lebensgeschichtlich bedingten
und insofern auch berechtigten Vorurteilen, können jedoch kaum
aus der ontologischen Hermeneutik als solcher abgeleitet werden.
In der grundlegenden Tautologie seiner Hermeneutik sucht Heidegger das Wesen der Sprache (die Sprache *spricht*) und ihre Maß-
geblichkeit für menschliches Sprechen (die *Sprache* spricht) anzu-
sprechen. Im Blick hat er genau das, womit der Mensch in seinem
Wesen zusammengehört[107] — das sind Sprache und Sein[108].
Das Identische, das Heideggers Tautolektik zuwege zu bringen
sucht, ist nichts anderes als dies Zusammengehören.

In einem späten Versuch, seinen Grundgedanken von *Sein und Zeit*
zu wiederholen, in dem Vortrag *Zeit und Sein*, fragt Heidegger
gegen Ende[109]:

> Was bleibt zu sagen?

und antwortet:

> Nur dies: Das Ereignis ereignet.

Er fährt unmittelbar mit der Erklärung fort:

> Damit sagen wir vom Selben her auf das Selbe zu das Selbe.

Der Grundgedanke des Ereignisses ist derselbe wie der der Sprache: es ist der Gedanke des Geschicks des Selben. Das meint kein Identitätsereignis — vergleichbar dem Gleichzeitigkeitsereignis, wie es Einstein konstruiert und erläutert[110]. Das Selbe des Ereignisses wird überhaupt nicht so gedacht, daß es *sich* ereignet, sondern daß es ereignet. Der Gedanke des Selben schickt sich, wie er sich liest, einzigartig in den Zuspruch der Sprache und in das Ereignen des Ereignisses. So geeint zielt er auf das Wesen des Menschen, wie es in der reinen Bedeutung der Sprache (ihrem Zuspruch) und des Ereignisses (seinem Ereignen) gründet. Ein Mehr an *Sinn* gibt es für Heidegger nicht zu denken. In das Selbe je der Sprache und des Ereignisses als einig Selbes sich zu schicken — das soll für den Menschen bedeuten: in die Dimension seines Wesens zu finden.

Die Grundgedanken der Sprache und des Ereignisses je als des Selben, in das sich der Mensch zugunsten seines Wesens zu schicken hat, sprechen wie aus einer anderen Welt. Zunächst sagen sie so wenig, im weiteren zuviel. Der Mensch vermag aus sich nichts Wesenhaftes — das ist eine Grundüberzeugung Heideggers. Ihr verdankt er den Standpunkt, von dem her er so spricht, als spräche er aus der Heimat, aus dem Ursprünglichen und Hohen, aus dem Schicklichen und Selben. Ja er scheint dem Hörer geradewegs selber aus dem Selben selbst zu kommen: aus dem Einfachen und Reinen der Sprache, in dem er bereits zuhause ist. Was er von dorther — sinngemäß — am entschiedensten mitzuteilen hat, ist kurz dies: dem Menschen, der über Sprache zu verfügen und seine eigenen Verhältnisse im großen und ganzen selber zu steuern können meint (sich u. a. für die politischen und ökonomischen Verhältnisse selber verantwortlich fühlt), wird gesagt, daß er nicht im Selben, daß er heimatlos, entwurzelt, gehetzt und aktivitätensüchtig und so in seinem Wesen gefährdet, wenn nicht verloren sei. Es wird ihm ferner bedeutet, daß es keine menschliche Selbsterlösung gebe, der Mensch für mehr praktische Humanität nichts Selbstverantwortliches unternehmen könne. Er habe sich vielmehr einzig der Sprache und dem Sein in der für ihn unverfügbaren Zusammengehörigkeit mit ,beiden' auszusetzen[111]. Dabei weiß Heidegger mehr oder weniger ausdrücklich zu verkünden, daß die Zukunft des Menschen eher in der Frömmigkeit als in der Vernunft liege,

eher auf dem Lande als in der Stadt, eher in der schollengebunde-
nen als in der sozialgefügten Heimat, eher im Kleinhandwerk als
in der Industrie, eher im Besinnlichen als im Tätigen, eher im
Deutschen als im Nichtdeutschen (um nicht zu sagen: *Un*deutschen[112]. Vielleicht ist das vergleichbar der Unart von Geneti-
kern, sich von ihrem grundsätzlich retrospektiven wissenschaftlichen Horizont abzukehren, um prospektiv sogleich persönlich zu
werden. Die Person eines Carsten Bresch sieht und wünscht dann
etwa die Mitnahme von Gotteshäusern und Konzertsälen in eine
millionenferne vernünftige Zukunft des Menschen voraus.
Die *methodologische* Konzeption der Tautolektik läßt sich verstehen, ohne daß lebensgeschichtlich gegründete Vorurteile zu teilen
wären. Allein die Tugend des eigentlichen Hörens und mit ihr die
Bereitschaft zum ὁμολογεῖν sind angesprochen. Der Gedanke des
Heimsagens ins Selbe spricht sich so als *reiner* Aufruf zu menschlicher Wesenhaftigkeit aus.
Die Heimsage ins Wesen als Heimsage ins Selbe ist Heidegger noch
lange nicht ‚gering‘ genug. Um seine Oikeiolektik vollends dem —
gewöhnlich möglichen — Verstehen entzogen zu sehen, ist seinem
‚Wink‘ ins Unscheinbare und Geheimnisvolle zu folgen.

8. Die Heimsage ins Unscheinbare (Aphantolektik)

Was Heidegger menschlichem Hören und Sehen zu bemerken aufgibt, kann gar nicht für unscheinbar genug erachtet werden. Wer
einseitig die Schwierigkeiten verfolgt, die Heidegger mit dem Sein
hat, es als das Sein *selbst* plausibel zu machen (er versteht sich nicht
zu einem „das Sein istet", sondern gebraucht „das Sein ist es
selbst", „Es gibt Sein"), der rennt sich leicht am Vorwurf absurd-
spekulativer Tautologien fest, ohne zu bemerken, wie dieser Tau-
tolektiker sich eigentlich selber das Wort entzieht. Mit seinem positiven Verhältnis zu wissenschaftlichem Erkenntnisverzicht will er
eigens etwas dazu tun, daß es Geheimnisse gibt. Alles und jedes,
was er für wesens- und geschickfähig hält, ist ihm vom Hauch und
Glanz des Geheimnisvollen umworben.
Das Unscheinbare, das nachzuverstehen wir einen eigenen Flair
entwickeln müßten, ist der Sache und Sprache nach das *Ereignis*.
Obwohl ein Singularetantum, deckt es in Heideggers Denken den
Reichtum der Wesensheimkehr alles Wesensfähigen ab. Zugleich
entdeckt es die Dimension menschlichen Wesensgeschicks. Heidegger
spricht vom Ereignis der Unverborgenheit, Entbergung, Lichtung

und Wahrheit[113] als dem *unscheinbaren* Ereignis[114]. Es besteht für ihn darin, daß das ‚Sein des Seienden' am Anfang philosophischer Weltauslegung (wie immer Parmenides und Heraklit, Platon und Aristoteles zu diesem Zweck einheitlich zu fassen wären) als Anwesen erscheint[115]. Es ist ein rechtes Seins- und Weltereignis[116]: alles Welthafte, alle Dinge sind dem Ereignis der Lichtung „vereignet"[117]. Das Weltereignis wird so für das Ereignis alles Wesensfähigen und -bedürftigen genommen, wobei zunächst allein die raum-zeitlichen Dinge im Blick stehen[118].

Das anfängliche Ereignis ist für Heidegger damit belastet, daß sich zwar das Sein des Seienden ereignet, der Unterschied von Sein und Seiendem aber nicht recht bedacht und so bereits der Grund für die Vergessenheit des Seins *selbst* gelegt wird. Das anfängliche Ereignis ist darum neu zu denken, auf daß der Vorrang des Seienden gebrochen und dem Sein selbst die Ehre gegeben wird. Das Ereignis des Untergangs des Seienden und der Verwindung des Seins[119], der Enteignung des Seienden[120], des Entzugs[121] — das meint das Ereignis, das den Unterschied von Sein und Seiendem eigens ereignet[122] und das Wesen der Seinsgeschichte offenbart[123]. Die einzig echte Art, den Weltzustand zu ändern, scheint angesprochen zu sein[124]. Das so bestimmte Ereignis ist für keine künftige Zeit vorgesehen, ist überhaupt nicht als geschichtszeitlich Datierbares gemeint. Vom rechten Denken wird es offenbar schon ‚jetzt' eingeholt, sobald nur der denkende Hermeneut alles Wesensfähige *eigentlich* denkt: als *Ereignis*! Heidegger möchte sich da nichts ausdenken. Für ihn ist DAS Ereignis im anfänglichen Ereignis vorgezeichnet[125].

DAS Ereignis hat nicht nur die *eine* Form „das Ereignis ereignet", sondern wird uns als Vielfalt vorgelegt. So ereignet *sich* das Wohnen[126] (als Sichaufhalten in der eigenen Wesensdimension). Entsprechend *ist* das Geviert ereignet[127], ereignet *sich* das Dingen des Dinges[128], aus dem *sich* dann auch das Wesenhafte des Kruges ereignet[129]. Heidegger spricht des weiteren davon, daß das Dichten *sich* ereigne („und wese")[130], das Sprechen der Sprache[131], das Geschickliche[132].

Die Entfaltung des Unscheinbaren macht dem Nachverstehen besondere Schwierigkeiten. Der Weinkrug (der griechische und germanische, der deutsche und französische!?) diene eigentlich kultischen Zwecken. Herrscht das Ereignis, dann, so verstehe ich Heidegger, führt der Gebrauch des Weinkrugs nicht länger zu Weinseligkeiten. Zur Begründung dieser Krugdeutung kann sich der den-

kende Hermeneut eigentlich nur auf die ,Seinsgeschichte' berufen.
Wären aber die Griechen auch (und in ihrer Nachfolge die Deutschen) das vom Sein auserwählte Volk (wie die Juden das von
einem Gotte), könnte man Heideggers Krugwesen dennoch aus
keinem griechischen Seinsverständnis ableiten. Selbst in der Ersten
Philosophie des Aristoteles ist bei aller Theologik, die den Seinsge-
danken (den des ὄν als οὐσία) bestimmt, der Gedanke des Gevierts
nicht vorgezeichnet — weder positiv noch negativ. Wenn Gießen
eigentlich Spenden bedeuten und sein soll, ist die Tautolektik bereits über sich selbst hinausgewachsen: sie gebärdet sich programmatisch. Es geht nicht darum, Heidegger ein schwäbisches, eurozen-
tristisches oder sonstwie beschränktes Denken nachzuweisen. Gegenüber reinen Vernunftabmessungen theoretischer und praktischer
Art („A = A", „Was wäre, wenn das jeder wollte?") nimmt sich
menschliche Selbstauslegung durch Philosophen mit Recht provin-
ziell aus. Ich frage mich aber, warum Heidegger, der das Geviert
nicht als einen ins künftige gewandten Mythos verstanden wissen
will, sondern zum Maßstab der methodischen Tautolektik nimmt,
nirgends zu erkennen gibt, wie dieser Gedanke eigentlich dazu
gekommen ist, sein ἑρμηνεύειν von Grund auf durch all seine Gestaltungen zu leiten. Philosophiegeschichtlich (trotz Platons *Gor-
gias*) und ethnoglogisch (obwohl das Geviert auch in anderen Kulturen vorkommt) kann er nicht argumentieren. Er kann den Gedanken auch nicht als reines Gegenbild zur technischen Welt ausge-
ben. Das könnte anders ausfallen. Setzt er auf seine bloße Plausibilität? Ist er sich seiner einfach lebensgeschichtlich sicher?

Die prinzipiellen hermeneutischen Ungereimtheiten spiegeln sich
überall in Heideggers Beurteilungen geglückten Wesens. Einmal
sieht es sich mit ihm so an, als sei im Frühen (im geschichtlich Frühen und im je gegenwärtig ,Naiven') die Welt, wenn nicht heil, so
doch ungleich heiler als heute und hier — nicht zuletzt bei den
Griechen im Denken und bei den Bauern im Brauchtum. Dann aber
scheint es auch wieder mit ,allem' noch nie etwas Rechtes gewesen
zu sein. Auch ungleichartige Gleichzeitigkeit[133] erkennt er: die
einen sind — schon — weitaus näher am Wesen als die anderen, sei
es im Dichten und Denken, sei es, was leichter und anschaulicher zu
bewerkstelligen ist, durch Schmücken der Häuser zu einem Stadt-
fest[134].

Die Problematik prospektiver Inhaltsbestimmungen geglückten
Menschenwesens muß jedoch den Weg, den Heidegger ins Unscheinbare und Geheimnisvolle vorzeichnet, *im Prinzip* nicht ver-

stellen. Blicken wir mit ihm auf das, was *jetzt* herrscht, dann besteht die Chance, seinen *grundl*egenden Gedanken hermeneutischer Verbindlichkeit zu erfassen.

Das Wesen der Technik ist zweideutig und dies in einem *hohen* Sinne[135]. Derart Zweideutiges *braucht* den philosophischen Hermeneuten — für die Wahrheit! Merkwürdigerweise soll die nicht in einer Eindeutigkeit gesucht werden, sondern in der Deutung der Zweideutigkeit als geschickhafte Nähe von Unwesen und Wesen. Die Zweideutigkeit gerät zum Geheimnis. Das ‚Wesen‘ der Technik leitet auf diese Weise Heideggers Menschenauslegung entscheidend mit an. Der Gedanke des Ereignisses als des unscheinbaren und Geheimnisvollen ist mitgeprägt als Gegengedanke zur neuzeitlichen Wissenschaft und Technik. Diese Sicht einheitlicher Herausforderung (Gefährdung) des Menschen führt dazu, den Menschen als den Gebrauchten zu denken — gebraucht als Mensch *und* Hermeneut. DAS Ereignis, wie es im Ereignis, das die Welt ist, und im Ereignis des Sprechens der Sprache als anfängliches zu denken ist, bestimmt den ‚heutigen‘ Menschen dazu, die herrschende Weltauslegung (die subjektivistische) und das herrschende Weltverhältnis (das technische) zu verändern, ja zu verabschieden, um die geschichtliche Frühe als Wahrheit des Kommenden zuzulassen.

Das Ereignis ‚eräugnet‘ das Menschenwesen — es rufend und brauchend[136]. Wenn menschliches λέγειν glückt, ist der Mensch dem ‚vereignet‘, was selber den Mensch *mag* und darum sein Wesen *braucht*[137]. Die Sprache (ihr Zuspruch) braucht den Menschen, nicht der Mensch die Sprache. Genau darin liegt, wie ich es nennen möchte, die *hermeneutische Kehre: die Sprache legt den Menschen aus.* Die Sprache spricht, das Ereignis ereignet — das ist dem geschichtlichen Menschen (ohne prospektive Mutmaßungen) zu künden, damit er sich endlich aus seiner anfänglichen und zugunsten seiner vollendeten Geschichte im Wesen auslegen lasse. Bei allem Verhoffen, Warten und auch schon Hegen, das dem Menschen zu ‚tun‘ bleibt, stellt Heidegger es dem *Goldenen* dieser Welt anheim (wie er es in Anbetracht ihrer Geheimnisfülle sieht und sagt), den Menschen dahin zu bringen, sich ins reine Ereignen zu schicken[138]. Wie aber Heideggers ἑρμηνεύειν nichts für das gewöhnliche Ohr erbringt, so auch nicht für das gewöhnliche Auge. Dies Goldene nämlich ist der Glanz des *Unscheinbaren*[139]. Jetzt erst läßt sich vollends verständlich machen, was es meint, daß der Mensch seinem Wesen nach hermeneutisch ist[140]. Heidegger läßt ihn nicht nur mit seinem gegenwärtigen Wesen (und Treiben) in

sein wahres Wesen zeigen, sondern auch seinem Wesen nach ein
Gezeigtes sein — nicht von ‚außen‘ (etwa von seinen biologischen
und sozialen Entwicklungen her), sondern aus den reinen Bedeutungen, und dies ebenso geschichtlich wie unscheinbar.
So vollendet sich Heideggers Hermeneutik für den, der sie ihrerseits auszulegen sucht, als Aphantolektik, als Heimsagen ins Unscheinbare (ἀφανής: tritt nicht in Erscheinung, unsichtbar, unerkannt, geheim; Heidegger übersetzt gelegentlich mit unscheinbar).
Wiederum spielt die Sprache mit: die das Wesen des Menschen aus-
legende Heimat wird zum *Geheimnis*[141]. Alle wesensgemäße
Hermeneutik ist nach Heidegger dem Unscheinbaren zugewandt[142]. Wer diese Wendung nimmt, dem winkt, so sieht er es,
nicht Abenteuer, sondern *Heimkehr*[143].

Anmerkungen

[1] Heidegger, Martin: *Vorträge und Aufsätze*. Pfullingen 1954, S. 162;
176; 187; 73; 130; 264; 198; 35. Diese Veröffentlichung ist im folgenden
mit den Seitenzahlen allein notiert.
[2] S. 177; vgl. S. 35.
[3] Zur Bedeutung von ἑρμηνεύειν ist vor allem zweierlei zu nennen:
das Auslegen (Erklären, Vermitteln) von Gedanken durch Worte *und* das
Auslegen fremder Zungen, d. h. das Übersetzen. Das erste versteht Heidegger ganz klar als sein philosophisches Geschäft, jedoch nicht so selbst-
los wie manch anderer Hermeneut. Er will sicher kein Herold fremder
Gedanken anderer Menschen sein (siehe Platon; *Politikos* 260 d). Eher
möchte er es den Dichtern gleichtun, wie sie Platon im *Ion* (535 a) als
selbstlose Hermeneuten göttlichen Willens und Wortes bestimmt. Aus
dieser Ecke poetologisch erklärter Bescheidenheit stammt jedenfalls sein
Selbstverständnis als Hermeneut, wenn er den „ursprünglichen Sinn" von
ἑρμηνεύειν als Bringen von Botschaft und Kunde, auch als Verwahren
von Botschaft deutet (*Unterwegs zur Sprache*. Pfullingen 1959, S. 122;
126).
Heidegger hat jedoch gespürt, daß er mit dieser Bescheidenheit seinem
Selbstwertgefühl, als Ansager des Seins gerade auch etwas Eigenes zu
sagen zu haben, nicht gerecht würde. Darum wohl bringt er in einem
„Spiel des Denkens" (was übrigens schon Platon in den Etymologien des
Kratylos tut) den Hermeneuten mit dem Gott Hermes zusammen —
ungeachtet der Frage, ob die Etymologie von Hermes auf εἴρω, *fügen*,
nicht aber auf εἴρω, *sprechen* verweist (*Unterwegs* ..., S. 121). Hermes
fungiert ja in der griechischen Mythologie nicht als bloß verkündender

Bote, sondern als ein rechter Gott, der auch selber etwas zum guten Ende führt (διάκτορος — des weiteren die Epitheta ἡγεμόνιος, ἐνόδιος, ψυχοπομπός).

Darum verstehe ich Heideggers ἑρμηνεύειν, wie es sich an der überlieferten Philosophie versucht, doch nicht so recht als ein Auslegen vorgegebener Gedanken, sondern eher als ein Übersetzen, dies in dem Sinne, daß er überlieferte Gedanken in eigene Gedankengänge (pauschal: in die Seinsfrage) und in seine eigene Sprache ,übersetzt'.

[4] Titel eines Vortrags, den Heidegger im Herbst 1949 vor dem *Club zu Bremen* gehalten hat.

[5] S. 99.

[6] Siehe Andresen, Karl Gustav: *Über deutsche Volksetymologie*. Leipzig [7]1919, S. 378 f.: „Von dem got. *áugjan* (zeigen), mhd. *ougen* (ouge, Auge), stammt das reflexive *ereugen*, ... *eräugen* und mit weiterer Bildung *eräugnen*, wie noch Lessing schrieb und einzelne allzu eifrige Historiker heute wieder herzustellen sich freilich vergebens bemühen, nachdem dafür mit Veränderung des ursprünglichen Begriffs *ereignen* festen Fuß gefaßt hat, bei welchem Worte der Gedanke an ,eigen' so berechtigt als möglich ist". — Heidegger jedoch möchte, Kindern gleich, beides haben: die wirksam gewordene Volksetymologie *und* das alte eräugen.

[7] Sache: S. 146; 78; 99; Ding: S. 23; 169 ff.; Person: S. 279; Vorgang: S. 99; Zustand: S. 32; Handlung: S. 145 f.; 152; 188; 212; 264.

[8] Heidegger, Martin: *Aus der Erfahrung des Denkens*, Pfullingen 1954, S. 7: „Die Verdüsterung der Welt erreicht *nie* (kursiv: R.M.) das Licht des Seyns."

[9] S. 99.

[10] S. 73.

[11] S. 64; 45; 57.

[12] S. 59; 65 f.

[13] S. 65 f.

[14] S. 29 f.

[15] S. 31; 33; 36; 38; 43 f.; 98.

[16] S. 23.

[17] S. 77.

[18] S. 71.

[19] S. 30.

[20] S. 171.

[21] S. 146.

[22] S. 164.

[23] S. 164: „Der Mensch hat bisher das Ding als Ding so wenig bedacht wie die Nähe." S. 166: „Darum hat Platon ... das Wesen des Dinges so wenig gedacht wie Aristoteles." S. 169: „... daß die Dinge überhaupt noch nie als Dinge dem Denken zu erscheinen vermochten."

[24] S. 36.

[25] S. 35.

[26] S. 45.

[27] S. 41.

[28] S. 92; 129.

[29] S. 151.

[30] Man verfolge z. B. wie Heidegger sich anschickt (siehe S. 106), in Ansehung vom bisherigen Wesen des Menschen dem ungeheuerlichen Muß zu folgen, das Nietzsche für eine künftige Erlösung des Menschen in Anschlag bringt.

[31] S. 92; 177.

[32] S. 135 f.

[33] Siehe S. 149.

[34] S. 129.

[35] S. 146—148.

[36] S. 39.

[37] S. 146—148; 152.

[38] Siehe S. 190; 172; 48.

[39] S. 173 f.

[40] Ernout, A., Meillet, A.: *Dictionaire étymologique de la Langue Latine.* Paris 1951, S. 192.

[41] S. 48.

[42] S. 208.

[43] S. 209; vgl. S. 152: colere als bauen im *engeren* Sinne.

[44] Vgl. S. 221: „Das *allein* und d. h. zugleich *eigentlich* Geschickliche ist der Λόγος."

[45] S. 189.

[46] S. 77. Vgl. S. 154: „Wenn wir die Brücke streng nehmen . . .".

[47] S. 24.

[48] S. 27.

[49] S. 190.

[50] S. 48.

[51] S. 173.

[52] Ickelsamer, Valentin: *Teutsche Grammatica.* Freiburg i. B., Tübingen 1881, S. 32—36.

[53] Platon: *Kratylos* 394 a 1 — c 1.

[54] *Unterwegs* . . . , S. 12 ff.

[55] S. 39; vgl. *Unterwegs* . . . , S. 155.

[56] Zum Zusammenhang von Wesen der Sprache und Wesen des Seins siehe u. a. S. 213; 228 f.

[57] Abzuleiten aus dem anderen kursiv gedruckten Satz von S. 39: „*Nur das Gewährte währt*".

[58] S. 212.

[59] S. 213.

[60] S. 147.

[61] Siehe u. a. S. 73; 182.

[62] Siehe u. a. S. 30; 213.

63 S. 171.

64 *Ilias* 16, 385.

65 S. 171.

66 S.219.

67 Vgl. *Unterwegs* . . . , S. 32: *vorhören*.

68 *Unterwegs* . . . , S. 253.

69 S. 148.

70 S. 175; *Unterwegs* . . . , S. 31.

71 *Unterwegs* . . . , S. 31.

72 Siehe u. a. Heidegger, Martin: *Zur Sache des Denkens*. Tübingen 1969, S. 6; vgl. S. 2.

73 S. 50.

74 Daß dies nicht aus der Aristotelischen Ersten Philosophie als einer Theologik abgeleitet werden muß, sondern auf einer allgemeinen deutschen Neigung zur Theologie beruhen kann, wissen vielleicht unsere Nachbarn besser als wir selbst. Pierre Bertaux schreibt 1960 in einem Brief an Brigitte Fischer: „In Deutschland ist Philosophie eine Theologie der Idee (neuerdings eine Theologie des Seins) — Kunst, eine Theologie des Schönen . . ." (Fischer, Brigitte: *Sie schrieben mir*. Zürich, Stuttgart 1978, S. 287).

75 S. 52.

76 S. 53.

77 S. 171. Nicht jede Ausprägung von Heideggers hermeneutischem Heimsagen kommt zur Darstellung. Ich verzichte u. a. darauf, das Heimsagen ins Heile (Soteriolektik) und ins Andere (Heterolektik) zu erörtern, obwohl es die Analektik ergänzt. Führt beispielsweise die Deutung des Krugwesens ins Hohe, so entsprechend die des Brückenwesens ins Andere (S. 153 f.). Das eigentlich Andere, in das Heidegger den Menschen heimsagt, ist das Jenseits. Dort drüben sei mit dem Ungewöhnlichen auch das Heile erreicht, während im Hiesigen das Gewöhnliche und Unheile herrsche. Ein Ding wie die Brücke, ist es die. echte Brücke und wird die Brücke *streng genommen*, sei nie *bloß* Brücke. In ihrer Weise wesenhaft ein Ding zu sein, führe sie den Menschen als Menschen (d. h. als Sterblichen) auf die *andere Seite* (ebd.).

78 S. 27. In dieser Rede vom Höchsten vgl. Platon: *Siebter Brief* 344 d: τῶν περὶ φύσεως ἄκρων καὶ πρώτων. Häufiger gebraucht Platon allerdings das Emphatikon „groß" (μέγιστα, die ‚größten' Dinge), z. B. *Politikos* 285e: μέγιστα καὶ τιμιώτατα.

79 Siehe u. a. S. 40; Heidegger, Martin: *Identität und Differenz*. Pfullingen 1957, S. 28.

80 S. 146.

81 Das Problem von „Herrschaft" und „Dienstschaft" der Technik (siehe *Identität* . . . , S. 29) weist genau in die andere Richtung.

82 S. 40.

[83] Siehe u. a. *Unterwegs* ..., S. 13 letzter Abschnitt (speziell zu dem hier angesprochenen Gedanken des Abgrundes vgl. *Identität* ..., S. 32, zu dem von Höhe und Tiefe Heidegger, Martin: *Gelassenheit,* Pfullingen 1954, S. 73); *Vorträge* ..., S. 195. Der Gedanke der (Vier-) Dimensionalität der *Zeit* (siehe Heidegger, Martin: *Zur Sache des Denkens.* Tübingen 1969, S. 15 ff.) gehört ebenfalls zur Darstellung der ‚räumlichen‘ Entfaltung des Menschenwesens. Allerdings ist dabei nicht die Unterscheidung von Höhe und Tiefe, sondern von Nähe und Ferne leitend.

[84] *Unterwegs* ..., S. 264.

[85] S. 217 f.

[86] *Politikos* 284 e.

[87] Siehe S. 217 f.

[88] Für einen ersten Anhalt zum Verständnis dieses Identitätsgedankens siehe *Identität* ..., S. 32.

[89] Zur genaueren Bestimmung des Hörens siehe *Unterwegs* ..., vor allem S. 30 ff.; 135; 175; 180; 254.

[90] S. 215.

[91] S. 213 f.

[92] S. 213.

[93] Aristoteles: *Metaphysik* Gamma 7 1011 b 27; vgl. Theta 10 1051 b 8 f.

[94] Siehe *Unterwegs* ..., S. 12.

[95] S. 217 f.

[96] Siehe S. 171 das Gießen als „wesentlich vollbracht".

[97] Siehe *Symposion* 210 e—211 a.

[98] S. 224; vgl. S. 222: der λόγος als eigentliches Geschick.

[99] Siehe *Unterwegs* ..., S. 259.

[100] *Unterwegs* ..., S. 242.

[101] *Unterwegs* ..., S. 12.

[102] Ebd.

[103] Siehe *Unterwegs* ..., S. 265: die Sprache als Monolog.

[104] S. 220.

[105] Coseriu, Eugenio: *Sprache. Strukturen und Funktionen.* Tübingen 1970, S. 15.

[106] S. 215.

[107] Siehe u. a. *Unterwegs* ..., S. 265.

[108] Zur Überlegung, das Wesen der Sprache als das Wesen des Seins zu denken, siehe u. a. S. 228.

[109] *Zur Sache* ..., S. 24.

[110] Einstein, Albert: *Über die spezielle und allgemeine Relativitätstheorie.* Braunschweig [17]1956, S. 12 ff.

[111] Vgl. hierzu auch *Identität* ..., S. 31.

[112] Siehe Marten, Rainer: *Heideggers Heimat. Eine philosophische Herausforderung.* In: Guzzoni, Ute (Hrsg.): *Nachdenken über Heidegger. Eine Bestandsaufnahme.* Hildesheim 1980, S. 136—159.

[113] S. 26; 40; 43; 273; 278.

[114] S. 142; vgl. S. 281.

[115] S. 142.

[116] S. 276.

[117] S. 278.

[118] Wie verbindlich für Heidegger raum-zeitliche Dinge sind, um Seiendes als solches zu diskutieren, zeigt sich selbst noch in dem späten Vortrag *Zeit und Sein*. Spricht er in ihm z. B. davon, daß jedes *Ding* seine Zeit habe (*Zur Sache* ..., S. 2), dann zitiert er in der Sache gerade nicht *Prediger* 3, 1 ff., da dort nur davon die Rede ist, daß alles menschliche *Handeln* seinen *Kairos* habe, nicht aber davon, daß Dinge wie Stühle der Zeit nach ,endlich‘ seien.

[119] S. 72.

[120] S. 79.

[121] S. 135.

[122] S. 78.

[123] S. 71.

[124] Zu einer vergleichbaren Rede von Weltzustand siehe S. 98.

[125] S. 134: „Das Vorenthaltene aber ist uns stets vorgehalten". Zum Gedanken des Vorenthalts vgl. *Zur Sache* ..., S. 16—23.

[126] S. 151.

[127] S. 177.

[128] S. 179 f.; vgl. S. 176.

[129] S. 176.

[130] S. 202.

[131] S. 213; 215.

[132] S. 221; 224.

[133] S. 41.

[134] Heidegger, Martin: *Ansprache zum Heimatabend am 22. 7. 1961.* In: *700 Jahre Stadt Meßkirch.* Meßkirch 1961, S. 16.

[135] S. 41.

[136] S. 99.

[137] S. 203; vgl. vor allem *Unterwegs* ..., S. 135—155.

[138] S. 281. Zur Rede vom Ereignis des Schicklichen siehe S. 218; 221.

[139] S. 281; vgl. S. 142.

[140] Siehe oben S. 246.

[141] S. 98; 213.

[142] S. 66 f. Zur Rede vom unscheinbaren Sachverhalt vgl. in *Unterwegs* ..., S. 194 die vom ungreifbaren Sachverhalt.

[143] S. 68.

Jörg Villwock

Paul Ricoeur:
Symbol und Existenz. Die Gewissenserfahrung
als Sinnquelle des hermeneutischen Problems

1.

Die der Philosophie wesenseigene Wendung gegen den „Geist der
Abstraktion" in allen seinen Spielarten und Äußerungsformen
knüpft sich im Werk Paul Ricoeurs an den Rückgang auf die „ge-
lebte Selbsterfahrung", die als eine Beziehung, deren ganze Fülle
vom Involvierten allein um den Preis des Begreifens erlebt werden
kann, der gedanklichen Konstruktion des Nichtinvolvierten aber
notwendig entzogen bleibt, das hermeneutische Problem der interpretierenden Aneignung des Fremdsinnes evoziert: „It is always
somenone else who thematizes this relation in which the other is
engaged"[1]. Die Explikate jenes geschichtlich charakterisierten
Ichbezugs sind entsprechend nur als hermeneutische Begriffe im
Vollzug der Interpretation seiner symbolischen Ausdrucksgestalten
zu erreichen.

Die Hermeneutik Ricoeurs ist eingebunden in ein weitgespanntes
Unternehmen, das vom Autor selbst als „Philosophie der konkreten Reflexion" vorgestellt wird und dessen wohl am meisten auf-
fallender Zug die Verbindung geschärften Methodenbewußtseins
mit einer Totalität des Fragens bildet, welche scheinbar gegenein-
andergekehrte Möglichkeiten des Denkens dergestalt umspannt,
daß geläufige Einordnungskriterien wie Idealismus und Realismus,
Monismus und Dualismus in ihrer Einseitigkeit zur Bezeichnung
der Grundtendenz des Gedankenverlaufs eigentümlich versagen.
Wer ihn unter der Alternative betrachtet, ob er eher auf eine Philosophie des Subjekts oder der Seinsgebundenheit zielt, sieht sich
bald auf die Ausgangspunkte solchen Vorgehens zurückgeworfen,
läßt er doch weder den Begriff des einen noch den des anderen
Aspekts unberührt.

Während Descartes und die ihm verpflichtete Tradition neuzeitlicher Erkenntnistheorie das Subjekt von der Identität und Sponta-
neität des Ich her versteht, betont Ricoeur die ursprüngliche Gebrochenheit der Subjektssphäre, ihre Disproportion und Nichtkoin-
zidenz mit sich selbst. Daß es im Subjekt solches gibt, was das Sub-

jekt nicht selbst ist und doch den Grund seiner Existenz bildet, diese Formulierung dürfte die beabsichtigte Erweiterung der Subjektsproblematik um die Dimension des Ich-fremden insofern adäquat beschreiben, als es dabei um eine Dualität geht, die zugleich Einheit zuläßt. Was auf der anderen Seite den Aspekt der Seinsgebundenheit betrifft, so denkt ihn Ricoeur im Begriff einer Abhängigkeit (Kontingenz), welche die Freiheit nicht ausschließt, sondern ihr in sich Raum gewährt. Beide Ideen aber, die der sinnerfüllten Kontingenz ebenso wie die des nicht mit dem Ich der Denkakte zusammenfallenden Subjekts, ziehen eine Erkennntnisweise an, die weder reines Gegenstandsbewußtsein ist noch reine Reflexion.

Sofern die Kraft geschichtlicher Erinnerung eine Funktion des eigenen produktiven Entwurfs der philosophischen Aufgabe darstellt, sind historische Erörterung und systematischer Ansatz notwendig wechselbezügliche Komponenten eines jeden Versuchs, das Problem der Philosophie so zu bestimmen, daß dabei sowohl die einseitige Anlehnung an Traditionen als auch die Zurechtlegung des Vergangenen unter Gesichtspunkten gegenwärtiger Bedürfnisse und Interessenlagen vermieden wird. Das Bemühen um eine Zurückführung der scheinbar autarken Bewußtheit auf den Boden konkreten Existierens[2], dem die in Ricoeurs Hermeneutik enthaltenen Motive zur Neuexplikation der Selbstauslegung geschichtlichen Daseins in Mythos, Kunst und Religion entspringen, findet einen ausgezeichneten Anhalt in der praktischen Philosophie Kants. Das gilt vornehmlich für den Begriff des Gewissens, jenes „wundersamen Vermögens" zur Erschließung des Subjekts im Existenzmodus der Handlung, jener Grunderfahrung, welche die beiden anderen Wesensformen des Selbstbewußtseins, die Apprehension, die das Sinnenleben offenbart, und die Apperzeption, die das Ich in der Seinsweise des Vorstellens bzw. des Denkens enthüllt, auseinanderhaltend verbindet und so die Polarität zwischen dem, was ich bin und dem, wie ich mir erscheine, aufbrechen läßt[3]. Sie liefert den Ansatzpunkt für eine Reformulierung des traditionellen Reflexionskonzepts, die es gestattet, das hermeneutische Problem der Interpretation innerhalb des transzendentalen Paradigmas der Philosophie zu situieren. Aus dem Unterschied nämlich von apodiktischem Sichwissen des „Ich denke" einerseits, konkretem Bewußtsein des „jemeinigen" Soseins andererseits, erwächst die Aufgabenidee der kritischen Destruktion dessen, was Max Scheler einmal „Idole der Selbsterkenntnis"[4] nannte, ein Ausdruck, der das Erfordernis einer im Verhältnis zur cartesianisch-neuzeitlichen Erkenntnistheorie umgekehrten Fassung der Cogito-Problematik ankündigt. Der entscheidende Punkt der Umkehrung besteht darin, daß nunmehr statt des Aussichherausgehenkönnens die Möglichkeit des Zusichselbstkommens dem radikalen Zweifel anheimfällt. Prägnant und nicht ohne stilistische Affinität zu Descartes formuliert Heidegger diesen Zweifel, wenn er schreibt: „Es könnte sein, daß das Wer des alltäglichen Daseins gerade nicht je ich selbst bin"[5].

Wider allem Anschein von Unmittelbarkeit muß in die Aneignung der Existenzerfahrung eine Destruktionsarbeit einbezogen werden. Die Philosophie des Ego sieht sich daher auf den Umweg einer „Hermeneutik des Ich bin" gewiesen, der es obliegt, den verstellten Sinn der Existenz unter ihrem manifesten Sinn freizulegen oder, wie Ricoeur sich ausdrückt, das Selbst „durch eine Interpretation, die es aus der Verborgenheit holt", zu restituieren[6]. Entscheidende Vorzüge dieses hermeneutischen Ansatzes, der das Schema einer Auslegung entwirft, die in jedem ihrer Akte sich der Polarität von Destruktion und Wiederherstellung ausgesetzt weiß, können in der Überwindung des methodischen Solipsismus sowie in der Konkretisierung der Reflexion erkannt werden, denn bezüglich „der Frage nach dem Wer kann man nicht vorankommen, wenn man nicht zugleich das Problem des alltäglichen Lebens, der Selbsterkenntnis, der Beziehung zum anderen — und zuletzt der Beziehung zum Tod behandelt"[7]. Dem von Wittgenstein vollzogenen „linguistic turn" gegenüber darf die „Hermeneutik des Ich bin" insofern einen Vorzug beanspruchen, als sie nicht einfach eine intersubjektiv zugängliche Wirklichkeit an die Stelle der bloß privaten Gegebenheiten des „jemeinigen" Bewußtseinslebens setzt, sondern sich in der Spannung von Individualisation und Partizipation hält. „Existenz" ist nämlich keine jederzeit verfügbare Realität. Sie wird vielmehr nur in Symbolen zugänglich, die sich an das je eigene Erfahren wenden. Dieser geschichtliche Grundcharakter ihrer Thematik fordert von der „Hermeneutik des Ich bin" die methodische Konsequenz, entgegen Max Webers schroffer Trennung zwischen wissenschaftlicher Betrachtung und wertender Stellungnahme die neutrale Beobachterposition, „die wißbegierig, aber nicht betroffen ist"[8], im Selbsteinsatz des Interpreten zu überschreiten. Schließlich läßt sich zugunsten der existenzbezogenen Hermeneutik noch geltend machen, daß sie durch den Einbezug von Sprache und Sprechen in die Subjektsproblematik über die rein mentalen Explikationsweisen des Reflexionsbegriffs hinausführt. Indem sie „den

Weg vom Ich-bin zum Ich-spreche"[9] beschreitet, konvergiert sie
mit den philosophisch tragfähigen Motiven des „linguistic turn".
An diesem Punkt setzt die kritische Auseinandersetzung Ricoeurs
mit der Position Heideggers ein. War die hermeneutische Fragestellung historisch aus konkreten Desideraten im Bereich der Exegese
erwachsen, um sich dann in Richtung auf eine allgemeine Verste-
hens- und Bedeutungsproblematik hin zu erweitern, so sieht Ricoeur in Heideggers Existentialontologie einen Grad der Universalisierung der Hermeneutik erreicht, von dem her der Rückgang zu
den exegetischen Ausgangsfragen unsicher, wenn nicht gar unmöglich erscheint. Die Ontologie des Verstehens, so lautet Ricoeurs
entscheidender Einwand, lenkt im Endeffekt von der Methoden-
frage ab, deren Vorbereitung sie zu leisten beansprucht, und gibt
damit die Leitfadenfunktion der Philosophie für die Wissenschaften unter dem Vorwand ihrer Neubegründung stillschweigend
preis. Bei Heidegger, der in *Sein und Zeit* Husserls Begriff der
Intentionalität zur Idee einer ursprünglicheren, wissenschaftlicher
Tatsachenrichtigkeit vorgeordneten Wahrheit des Verstehens hin
entfaltet, erfährt dessen Rückläufigkeit eine existentialontologische
Auslegung in der These von der Zugehörigkeit des Seinsverständ-
nisses zum Sein des Daseins. Ihm gilt das Verstehen nun als Seins-
modus, nicht mehr als Erkenntnisart. „Das hermeneutische Problem
wird damit zu einem Teilbereich der Analytik dieses Seienden, des
Daseins, das als ein Verstehendes existiert"[10]. Das ist der Diver-
genzpunkt zwischen Ricoeur und Heidegger: Jener rückt umgekehrt die begriffliche Klärung des Existenzphänomens ans Ende
eines hermeneutischen Untersuchungsganges, der die Methodenstufen der Semantik und der „Reflexion über die Exegese, über die
Methodik der Geschichte, über die Psychoanalyse, über die Phänomenologie der Religion usw." umfaßt[11]. Daß Heidegger die
historische Erkenntnis aus dem ursprünglichen ontologischen Verstehen nicht abzuleiten vermag, berechtigt nach Ricoeur zu dem
Versuch, den umgekehrten Weg einzuschlagen und die abgeleiteten
Formen des Verstehens auf ihre Herkunft hin durchsichtig zu
machen.

> Wenn wir also eine neue Problematik der Existenz erarbeiten
> wollen, kann dies nur auf der Grundlage einer semantischen Erhel-
> lung jenes Interpretationsbegriffes geschehen, der allen hermeneu-
> tischen Disziplinen gemeinsam ist[12].

Hermeneutik ist eine Funktion der Interpretation, sie muß daher
in der Gegenwart den Erfordernissen derjenigen Wissenschaften

entsprechen, die ihre Ziele nur im Vollzug interpretierender Sinn-
explikation erreichen können, weil und sofern sie Phänomene be-
treffen, die als Gebilde der Freiheit der menschlichen Existenz und
damit der Geschichtlichkeit verhaftet sind. Neben dem Stande
philosophischer Reflexion bildet die wissenschaftliche Situation den
anderen wesensnotwendigen Pol, um den sich die hermeneutische
Arbeit sammelt, wenn sie aus der jeweils bestimmenden Korrelation von Sachfeld und Perspektive die Grundlagen der interpretativen Forschungsmethoden der verschiedenen Humanwissenschaf-
ten entwickelt.

Die Freiheit aber, die sich ausschließlich in ihren Werken bekundet
und so als „verborgene Kunst" der unmittelbaren Aneignung
durch Selbstbewußtsein entzogen bleibt, ist die produktive Einbildungskraft, von der Kant sagt, sie sei „sehr mächtig in Schaffung
gleichsam einer anderen Natur, aus dem Stoffe, den ihr die wirkliche gibt"[13]. Als „bildende Mitte" leistet sie in der Abwesenheit
des Willens, des aktiven Ich, die Synthesis zwischen anschaulicher
Präsenz und Sinn, zwischen endlicher Perspektive und unbegrenz-
tem Wahrheitsanspruch, zwischen Schriftzeichen und Bedeutung,
weshalb Schelling annehmen durfte, sich in Hinsicht auf die Kantischen Ausführungen in den Grenzen des intepretatorisch Möglichen zu halten, wenn er schloß, „daß der ganze Mechanismus der
Sprache"[14] auf jener Kraft zur Schematisierung beruhe, die den
gemeinsamen Grund sowohl der Reflexion als auch der Interpretation darstellt. Indem sie die erstere aus unmittelbarer Innenschau
auf den indirekten Weg über die Sache selbst führt, übernimmt sie
die Bürgschaft für das Erreichen eines transzendentalen Methoden-
niveaus.

> Reflexion ist diese Besinnung, weil sie von der *Sache* ausgeht, und
> deshalb auch ist sie transzendental; eine unmittelbare Meditation
> über die Nichtkoinzidenz des Ich mit sich selbst verliert sich so-
> gleich in der Pathetik, und keine Innenschau kann ihr noch den
> Anschein der Strenge geben. Aber Reflexion ist nicht Innenschau;
> ihr Weg geht über das Objekt; sie ist Reflexion *über* das Objekt.
> Darin ist sie recht eigentlich transzendental: sie läßt am Objekt
> aufscheinen, was im Subjekt die Synthesis ermöglicht; diese Unter-
> suchung der Möglichkeitsbedingungen einer Objektstruktur bricht
> mit der Pathetik, führt das Problem der Disproportion und der
> Synthesis in die philosophische Dimension ein[15].

Was den Ursprungszusammenhang zwischen Einbildungskraft und
Interpretation betrifft, so findet sich dazu ein wichtiger Hinweis in

Kants These, daß die Kategorien des Verstandes nur im schemati-
sierten Gebrauch sinn- und bedeutungsvoll seien. Man muß ihre
Bedeutung schon verstanden haben, um die Kategorien anwenden
zu können, und doch bildet die Anwendung das einzige Kriterium
des Verstehens. Ersichtlich bringt diese Verhältnisbestimmung von
Schema und Kategorie das Applikationsmodell zum Ausdruck, mit
dessen Hilfe die Hermeneutik Sinn und Interpretation aufeinander
bezieht. Ihr gilt ein gegebener Text nur in dem Maße als verstanden, in dem er zugleich die Erfahrung der geschichtlichen Situation
des Verstehenden ermöglicht:

> To understand a text is at the same time to light up our own
> situation, or if you will, to interpolate among the predicates of
> our situation all the significations which make a Welt of our Um-
> welt. It is this enlarging of the Umwelt into the world which
> permits us to speak of the references opened up by the text — it
> would be better to say that the references open up the world[16].

Die konstitutive Funktion der Einbildungskraft für die *Anschauung* hat Kant im Begriff des Bildes erfaßt, dessen Erzeugung aus
den sinnlichen Eindrücken allererst etwas Erblickbares schafft. Wie
allen Produkten der Einbildungskraft eignet auch dem Bild ein
Doppelcharakter: einerseits entspringt es einer an den unmittelbaren Erscheinungen ausgeübten imaginativen Synthesis, andererseits
ist es Ausgangspunkt für die Reflexion, die nach Kant den Grund-
akt der Begriffsbildung ausmacht. Die Bildrepräsentation kann
mithin formal gedeutet werden als rückwendig produktive Ver-
sinnlichung mit Rücksicht auf die Möglichkeit der Begriffsbildung
im Denkhandlungsmodus der Reflexion.
In einem unmittelbar an texthermeneutische Fragestellungen an-
geschlossenen metapherntheoretischen Zusammenhang hat Ricoeur
diesen Gedanken Kants aufgegriffen, um die produktive Einbildungskraft als das Vermögen namhaft zu machen, das auch die
Verstehbarkeit von Metaphern gewährleistet, indem sie nämlich
das Schema des jeweiligen Begriffs derart verwandelt, daß dessen
Bedeutungsanspruch durch zwei verschiedene Bilder erfüllt bzw.
exemplifiziert werden kann. Die in dieser Argumentation nieder-
gelegte Auffassung sieht das Metaphernverständnis aus einer möglichen symmetrischen Beziehung von identischem Begriffsschema
und bildlicher Doppelperspektive hervorgehen[17].
In der auf die Sprache bezogenen hermeneutischen Grunderfahrung wird der Übergang vom Gesprochenen zum Geschriebenen,
vom Wort zur Schrift entscheidend; er zeigt eine Objektivation

bzw. Verfremdung, durch die Sprache sich zumal von den Intentionen des Autors und den Gegebenheiten einer ostensiv definierbaren
Realität ablöst. Text und Metapher aber bilden die Grundgestal-
ten, in denen die Absolvenz der Schrift zum Austrag kommt. Das
Objektivationsmoment der Metapher liegt darin, daß sie die für
die diskursive Sinnmanifestation charakteristische Bewegung des
Verschwindens aufschiebt. In dem Maße, wie von metaphorischer
Rede die Aufforderung ausgeht, beim sprachlichen Medium zu ver-
weilen, läßt sie den sinnlich-dinghaften Aspekt der Sprache hervortreten, der ihrer wissenschaftlichen Thematisierung zugrundeliegt.
Dieses literale Moment von Metaphern ist jedoch zugleich die Voraussetzung ihrer zeitlichen Sinnentfaltung auf dem Wege der nach-
träglichen Exposition ihrer Bedeutungsmomente. Das Metaphorische verlangt gleichermaßen eine Bewahrung des Wortes und eine
Transzendierung des sprachlichen (wörtlichen) Sinnes.
Ricoeurs theoretische Bemühungen um die begriffliche Klärung
von Text und Metapher orientieren sich, sehe ich irgend recht,
leitmotivisch an der Grunderfahrung der biblischen Gleichnissprache, die dem unbegriffenen, auf abstrakte Bestimmungen sich
versteifenden natürlichen Bewußtsein, das nicht frei oder wollend,
sondern ihm selbst verborgenen Voraussetzungen gemäß wirkt,
vermeintlich unmittelbar Gegebenes vertrauend aufnimmt und mit
ihm als so Aufgenommenem differenzlos verwächst, die Spitze
ihrer Paradoxe entgegenhält, die zwar nicht der Vernunft selbst,
wohl aber aller bloßen Verständigkeit des einfachen Wahrnehmens
(simplex apprehensio), Urteilens (iudicium) und Schließens (discur-
sus) das Opfer der Selbstpreisgabe abverlangen. Was Hamann in
Hinsicht auf Sokrates festgestellt hat, darf gewiß auch als ange-
messene Wiedergabe des Telos der biblischen Gleichnissprache genommen werden. Sie zeigt, wie

> das Korn aller unserer natürlichen Weisheit verwesen, in Unwis-
> senheit vergehen muß, und wie aus diesem *Tode,* aus diesem
> *Nichts* das Leben und Wesen einer höheren Erkenntniß neu-
> geschaffen hervorkeimen[18].

Daß das natürliche Bewußtsein nur durch das Opfer seines Todes
zu sich selbst auferstehen kann, daß ihm zu seiner Befreiung nur
der Weg bleibt, den das Paradox vom Selbstgewinn durch Selbst-
verlust weist, diese christliche Zentralintuition bestimmt auch die
Art, in der Ricoeur Text und Metapher in den leitenden Vorgriff
nimmt. Sie gelten ihm wesentlich als Instanzen gegen die drei
„Autoritäten"[19] des natürlichen Bewußtseins: die sinnliche Wahr-

nehmung, das subsumierende Urteil und die formale Schlußfolgerung.

Hermeneutische Erörterungen beziehen sich auf irgendwie übermittelte Sprachgestalten als Einheiten von sinnlich-wahrnehmbaren Wortfügungen und unsinnlichen Bedeutungen. Ihr Bestreben geht dahin, durch einen gegebenen Ausdrucksbestand hindurch den Zugang zur Wirklichkeitssphäre, auf die er vermöge seiner Bedeutung verweist, zu gewinnen, um sie sodann mit dem Selbstverständnis des Interpreten zu vermitteln. Im Falle von Text und Metapher, die in besonderem Maße die durch die geschriebene Rede gewährte eigentümliche Beweglichkeit der Bedeutung gegenüber der singulären manifesten Wortgestalt beanspruchen, muß die hermeneutische Erörterung notwendig von einem distanznehmenden Akt ihren Ausgang nehmen, welcher die Möglichkeit einer freien *Aussicht* auf die verschiedenen potentiellen Bedeutungsrichtungen des jeweiligen Ausdrucks eröffnet. Erst anschließend kann die Erörterung auf diesen so zurückkommen, daß sich ihr eine *Durchsicht* (Per-spektive) in die „Welt" ergibt, aus der her er seine faktische Bestimmungskraft im gegebenen Zusammenhang erlangt.

Ihren Endstand aber erreicht die Interpretation dann, wenn ihr im Vollzug der soeben skizzierten Bewegung eine neue selbständige *Einsicht* in das Verhältnis der „Sache" des Textes oder der Metapher zum sich wissenden und motivierenden Ich zuteil wird. So verwirklicht sich die hermeneutische Erörterung, formal betrachtet, im Durchgang durch drei Orte oder Momente, wobei Aussicht, Durchsicht und Einsicht zueinander sich verhalten wie terminus a quo, terminus per quem und terminus ad quem. Insofern die objektivierende Distanzierung eine unumgängliche Phase der Sinnaneignung bildet, umgreift die Hermeneutik den strukturalen Methodenansatz, den man daher nach Ricoeur „im Blick auf die Wiedereroberung des Sinnes als notwendigen Umweg, als die Stufe der wissenschaftlichen Objektivität bewerten" kann[20].

Entsprechend der skizzierten Schrittfolge im Ablaufszusammenhang der Interpretation lassen sich drei Methodenstufen der Hermeneutik unterscheiden, deren *erste* die *Konstruktion* des immanenten Sinnes eines Textes oder einer Metapher darstellt. In bezug auf die hier erforderliche Erklärungsleistung besitzt die Metapher paradigmatische Bedeutung für den Text:

> We construct the meaning of a text in a way which is similiar to the way in which we make sense of all of the terms of metaphorical statement[21].

Wurde die Metaphernbildung in der rhetorischen Tradition, zumal wenn es um die kritische Prüfung ihrer Rechtmäßigkeit ging, einem funktionalen Beurteilungsschema unterworfen und dabei, gleichgültig, ob man sie schließlich als Leistung anerkannte oder aber als Fehlleistung negativ gegen andere Aussagemöglichkeiten absetzte, im Sinne einer menschlichen Tätigkeit aufgefaßt, deren Fortsetzung nach Maßgabe der ihr erreichbaren Sinnausweisung zur Disposition steht, so erhebt gegen eine solche Auffassung die Erfahrung Einspruch, daß Metaphern unvorhersehbare Ereignisse im geistigen Leben des Menschen darstellen und aus der Reihe menschlicher Äußerungen als Sprünge heraustreten, die in ihren Voraussetzungen undurchschaut bleiben. Mit Bezug auf die metaphorische Bedeutung, deren Genesis in Erinnerung an das, was die mittelalterlichen Mystiker „fulguratio" (Blitz) nannten, als ein in die Existenz Treten von etwas im vorhinein nicht absehbar Neuem aufgefaßt werden kann, mag sich der Mensch daher weniger als sprachbeherrschendes denn als „Geschöpf der Sprache" (Herder) verstehen.

An derartige Erfahrungen sucht Ricoeur Anschluß, wenn er emphatisch die Unverfügbarkeit des metaphorischen Sinnpotentials gegenüber Bestrebungen akzentuiert, es auf Konnotationen (Beardsley) oder assoziierte Gemeinplätze (Black) zu reduzieren. Der Modifikation des phänomenalen Ausgangspunktes der Metapherntheorie gemäß entwickelt er selbst einen Ansatz, der das Hervorgehen des Sinnes metaphorischer Rede aus der *Interaktion* ihrer Bestandteile lehrt. Der Gehalt „lebender Metaphern", der keine auf allgemeine Regeln sich stützende Rekonstruktion zuläßt, verlangt eine „Arbeit am Sinn", welche die Bedeutungen der konstitutiven Elemente einer metaphorischen Aussage solange abwandelt bzw. durch Interpolation neuer Bedeutungen ergänzt, bis ein konsistenter Gesamtsinn vernehmbar wird. So verlangen Metaphern vom Rezipienten bedeutungsverleihende Akte, die gleichermaßen erforderlich sind, wenn es um die hermeneutische Erklärung („explanation") eines Textes geht, dessen Bedeutung konstruiert werden muß, teils weil er ein von den Intentionen des Autors — und damit zugleich von der Gesprächssituation — abgelöstes Sinngebilde ist, teils weil er nicht nur eine summative Aneinanderreihung von Sätzen, sondern ein strukturiertes Ganzes, eine abgeschlossene Totalität darstellt. Vermöge dieser Eigenschaften verstrickt er die Erklärung in ähnliche Probleme wie die Metapher. Er läßt das konstruktive Verstehen über mehr oder weniger abgesicherte Vermutungen nicht hinauskommen, da für Auslegungshypothesen immer nur ein Wahrscheinlichkeitsanspruch erhoben und eingelöst werden kann, niemals aber ein definitiver Wahrheitsanspruch. Die Gesamtbedeutung eines Textes ist letztlich ebensowenig einholbar wie die einer „lebenden Metapher".

Die *zweite* Methodenstufe der Hermeneutik ist nach Ricoeur durch das Merkmal der „Welt" bestimmt, welches aus der Destruktion der unmittelbaren Verweisung der Rede auf die gegebene Realität hervorgeht. Die *Referenz*, die dem Text als solchem eignet, bedeutet im Unterschied zum ostensiven Bezug gesprochener Rede, für den die Form der Präsenz kennzeichnend ist, eine Entbergung von Weltaspekten, die sich nicht relativ zur Aktualität einer Gesprächssituation zeigen.

> Die Schrift, vor allem aber die Werkstruktur verändern den Verweisungsbezug so sehr, daß sie ihn gänzlich problematisch werden lassen. In der mündlichen Rede besteht der Verweisungsbezug in der Fähigkeit, eine allen Gesprächsteilnehmern gemeinsame Wirklichkeit zu zeigen. Mit der Schrift bestehen diese konkreten Bedingungen des Zeigens nicht mehr[22].

Durch die Aufhebung des primären Bezuges gewinnt der Text Spielraum für den Entwurf einer Welt, die sich vom Bereich behandelbarer Gegenständlichkeit abhebt. Zu Zwecken einer positiven Charakteristik des Verhältnisses von Erst- und Zweitbedeutetem mag der Terminus „einschließende Transzendenz" angemessen erscheinen, wenn darunter ein Überschreiten verstanden wird, das das Überschrittene nicht zurückläßt, sondern mitnimmt. Das hier sich zeigende Strukturmoment des Textes, seine Wesensmöglichkeit, die der alltäglichen Erfahrung verborgene Welt eigens sehen zu lassen, weckt die Erinnerung an den Aristotelischen Gedanken der „Mimesis", demzufolge das Kunstwerk Wirklichkeit nur erreicht, soweit es sie auf der Ebene der Mythenkonstruktion in ihr Anderes, das Fiktive, zu transfigurieren vermag. Gleich wie die Tragödie die Handlungen als das zeigt, was sie sind, indem sie sie so vergegenwärtigt, wie sie niemals präsent waren, hält sich auch die Referenz des Textes in der Polarität von Abbildung und Fiktion[23].

Während unter dem Gesichtspunkt des immanenten Sinnes die Metapher paradigmatische Bedeutung für den Text besitzt, kehrt sich das Verhältnis beim Übergang zur Ebene des Weltbezuges genau um: Die erreichte Explikationsstufe der referentiellen Dimension des Textes liefert das Schema für die entsprechende hermeneutische Analyse der Metapher, insofern deren spezifische Leistung als „Neubeschreibung" sich fassen läßt.

> Sie zeigt keine Welt, die schon da ist wie die beschreibende oder didaktische Rede; aber in dem Maße, wie der Verweisungsbezug erster Ebene zerstört wird, wird eine andere Macht des Sagens von Welt freigelegt, aber auf einer andern Ebene von Wirklichkeit[24].

Die *dritte* Methodenstufe der Hermeneutik ist durch das Moment der Reflexion im Sinne des Sichverstehens aus der vom Text entworfenen „Welt" bestimmt. Gegenüber der empirischen Realität, dem Bezugsfeld einseitiger Intentionen des vergegenständlichenden Erkennens, zeichnet sich Welt, die „Sache" des Textes, durch eine Rückwirkungsqualität gegenüber dem Bewußtsein aus, von der die Textwahrheit direkt abhängt: Der Text bleibt nur solange gültig, wie die Korrelation von Selbst und Welt sich erhält, deren angemessener Ausdruck er ist. Die Entfaltung der vom Text eröffneten Welt bildet daher eine Interpretationsaufgabe, deren Erfüllung nur in dem Maße gelingen kann, wie der Interpret die Chance der Selbstdeutung ergreift, die sich ihm in diesem Zusammenhang eröffnet. Die in der Interpretation geschehende Konfrontation mit einer anderen Welt erschließt dem Subjekt zugleich neue Möglichkeiten eigenen „In-der-Welt-Seins". Der hermeneutische Zirkel besteht darin, daß der Interpret den Zugang zu der vom Text aufgedeckten Wirklichkeit nur vermitteln kann, sofern er diese die Vermittlung sein läßt, durch welche er sich selbst versteht.

> Wie die Textwelt nur in dem Maße wirklich ist, als sie fiktiv ist, gelangt die Subjektivität des Lesers zu sich selbst nur in dem Maße, als sie in die Schwebe versetzt, aus ihrer Wirklichkeit gelöst und in eine neue Möglichkeit gebracht wird, wie die Welt selbst, die der Text entfaltet. Anders gesagt: die Fiktion ist eine ebenso grundlegende Dimension des Verweisungsbezuges des Textes wie der Subjektivität des Lesers. Ich, der Leser, finde mich nur, indem ich mich verliere. Die Lektüre bringt mich in die imaginativen Veränderungen des Ich. Die Verwandlung der Welt im Spiel ist auch die spielerische Verwandlung des Ich[25].

Wie die Entbergung der Welt ein Moment der Destruktion einschließt, so vermittelt sich auch der neue Selbstbezug, den der Text stiftet, über die Destruktion der Idole des Ich. Die Applikation involviert notwendig eine Kritik, welche die Illusionen des Subjekts angreift, um den Text in seiner auf die *Einbildung* gerichteten Auswirkungstendenz freizugeben. Die Einbildung aber „ist unsere

Existenz selbst, insofern sie sich durch das Wort modifizieren läßt"[26].

Diese dem Weltbezug des Textes korrespondierende Dimension der Subjektivität geht dem Willen, dem aktiven Ich, voraus. Wenn es sich daher einerseits nicht um ein ruhendes Eingriffsvermögen handelt, etwa im Sinne dessen, was die Scholastik „potentia activa" nannte, so ist andererseits mit der Modifikabilität durch das Wort auch nicht eine bloße Bildsamkeit („potentia passiva") gemeint. Vielmehr dürfte, sehe ich recht, ein Mittleres intendiert sein, also eine latent schon wirklich wirkende Fähigkeit, die bloß noch eines *negativen* „Anstoßes", einer Beseitigung von Hindernissen, einer „Enthemmung" bedarf, um in den eigentlichen Vollzug überzugehen. Es ist das *eigene Leben* — ὁ αὐτοῦ βίος heißt es bei Aristoteles (Eth. Nic. K 7, 1178 a 3) — worin jeder *einzelne* Mensch als solcher sich rein nur auf das anlegt, was in ihm wahrhaft er selbst ist und seine Existenz als Zweck (Kant) konstituiert. Dieses im Menschen *gebundene* eigene Leben kann freigegeben werden durch das Wort (λόγος), das weder moralische Gebot noch die Notwendigkeit des Seins deklariert, sondern, wie es die biblischen Gleichnisse tun, die Voraussetzungen erschüttert,

> auf denen der Gebrauch von Weisheitssprüchen beruht, vor allem den Plan, eine mit der eigenen Existenz kontinuierlich einhergehende Ganzheit zu bilden. Denn wer kann einen stimmigen Plan entwerfen, sein Leben zu ‚verlieren', um es zu gewinnen? Diese Redeweisen scheinen die Absicht zu haben, den Zuhörer von dem Plan abzubringen, aus seinem Leben etwas Kontinuierliches zu machen. Die Funktion des Grenzausdrucks besteht hier in einer merkwürdigen Strategie, die darauf abzielt, das Leben neu zu orientieren, indem sie es desorientiert[27].

Nicht in der Formulierung moralischer oder theologischer Lehren gelangt die Bewegung des Gleichnisses, die, ausgespannt zwischen der Erzählung als Form und der Metapher als Prozeß, an den Polaritäten von Konsequenz und Inkonsequenz, Geschlossenheit und Offenheit partizipiert, an ihr Ziel, sondern nur im freien Handeln der Einbildungskraft. Gegenüber der existentialistischen Bibelexegese, die einseitig den Akzent auf die augenblickliche Entscheidung legt, betont Ricoeur, „daß sich die Grenzmetaphern zunächst an unsere Einbildungskraft und erst dann an unseren Willen wenden; für sie eröffnet diese Sprache Möglichkeiten der Erneuerung und der Kreativität"[28]. Die Metapher verwandelt die Leitbilder auf der nichtvoluntaristischen Existenzebene der Phantasie; sie erzeugt eine μετάνοια, eine Umkehr der Einbildungskraft.

2.

Nach Kant ist das Gewissen ein Bewußtsein des Einflusses der dem natürlichen Erkennen entzogenen intelligiblen Ordnung auf unseren Willen. Es offenbart so das Subjekt, auf das hin gehandelt wird, als Wesen, das als „Zweck an sich selbst" existiert und am Miteinandersein der Personen im „Reich der Zwecke" partizipiert. Das Gewissen enthüllt das Ich in seinem Streben nach einer dem Sollen entsprechenden (erfüllten) Existenz („höchstes Gut"), und zwar gerade dann, wenn ihm der Sinn des faktischen „ich bin" fragwürdig wird angesichts der bedrohenden Möglichkeit des Selbstverlustes. Das Gewissen ist die Bewußtseinsweise der paradoxen Lage des „unfreien Willens", zu der nach Ricoeur, hierin kommt er mit Jaspers überein, ein ursprünglicher Anstoß von der Grenze ausgeht, wo Freiheits- und Schicksalsaspekt, Moralität und Tragik der menschlichen Daseinsverfassung einander berühren.

In seiner *Psychologie der Weltanschauungen* hatte Jaspers von den „Grenzsituationen" wie Kampf, Tod, Zufall, Schuld festgestellt, daß an ihnen „sich das stärkste Bewußtsein der Existenz" erhebe[29]. „Das Bewußtsein der Existenz geht gerade durch das Bewußtsein der antinomischen Situation auf"[30]. Ricoeur knüpft an diese These an, um sie jedoch sogleich in einer wesentlichen Hinsicht zu ergänzen. Die der Bewältigung dienenden Reaktionen auf jene entscheidenden Situationen, die nach Jaspers „mit dem endlichen Dasein unvermeidlich gegeben sind"[31], verbleiben nicht im Diffusen, sondern konzentrieren sich in sprachlichen Ausdrucksgestalten, den *Symbolen*. Wo Jaspers sich auf den Unsagbarkeitstopos zurückgezogen hatte, verweist Ricoeur auf ein durch die Grenzerfahrungen selbst ausgelöstes „sprachschöpferisches Geschehen"[32], welches dem Menschen gestattet, gegenüber Eindrücken Halt zu finden, die ihn zunächst in „Blindheit, Zweideutigkeit und Bestürzung"[33] versetzen.

> So kommt es, daß die Erfahrung, die der Glaubende im Sündenbekenntnis eingesteht, sich gerade wegen ihrer Befremdlichkeit eine Sprache schafft; die Erfahrung, ich selbst zu sein und mir entfremdet zu sein, setzt sich auf der Sprachebene unmittelbar in den Fragestil um; mehr vielleicht als das Schauspiel der Natur ist die Sünde als Selbstentfremdung eine erstaunliche, bestürzende, anstö-

ßige Erfahrung: sohin die reichste Quelle des fragenden Denkens[34].

Noch in einer anderen Hinsicht geht Ricoeur wesentlich über Jaspers hinaus. Während bei diesem die Grenzsituation als eine Letztgegebenheit erscheint, durchschaut Ricoeur ihren vermittelten Charakter. Sie konstituiert sich nämlich nur unter der Voraussetzung eines Vorgriffs auf das Ganze, Ungebrochne, Übergegensätzliche, kurz das „Heilige" als der Grundwirklichkeit, im Hinblick auf die allein das Bewußtsein der Gespaltenheit entstehen kann. Das „Mitwissen" (conscientia) um Ganzheit und Totalität, um „die Bindung des Menschen an das ihm Heilige"[35] ist die sinngenetische Bedingung für die Rede von Entfremdung, Zerstörung und Gespaltenheit, die die existentielle Lage des im Vollzug des „Ich bin" behinderten Menschen darstellen soll. Nur aus der Einstellung dessen heraus, der sich der Totalität zu versichern sucht, wird die Grenzsituation als solche erlebbar. Diese Einsicht aber eröffnet zugleich eine Explikationsmöglichkeit für die Bindung des Symbols an den Mythos:

> Darum ist der Mythos der ‚Krise' in eins der Mythos der Totalität; indem er erzählt, wie diese Dinge angefangen haben und wie sie enden werden, holt der Mythos die Erfahrung des Menschen in ein Ganzes ein, das von der Erzählung Richtung und Sinn empfängt. So erbringt sich durch den Mythos ein Verständnis der menschlichen Realität im Ganzen mittels einer Erinnerung und einer Erwartung[36].

In der auf die Existenz des Ich qua Zweck bezogenen Gewissenserfahrung ist entscheidend, daß das Subjekt in sich etwas gegen sich gelten lassen muß, das es vom bloßen sich selbst Wollen in seiner zufälligen Vereinzelung abzieht. Im Vollzugssinn des Gewissens liegt die Anerkennung einer dem „conatus sese conservare" (Spinoza), dem Streben, sich in seinem Sein, d. h. im Wohlsein, im Vollgenuß seines Seins, zu erhalten, gesetzten Schranke, die dem Menschen nicht von der Sinnenwelt herkommt, aber auch nicht von den anderen Menschen, sofern sie Sinnenwesen sind, sondern von den Menschen, sofern sie Personen und intelligible Wesen sind, welche als solche gleichen Anspruch auf Existenz und Wohlsein besitzen. Die intelligible Ordnung des Miteinander der existierenden Personen legt sich dem selbsttätigen Willen als Gesetz auf, dessen Unterwerfung heischende Macht die Gewissenserfahrung ebenso bezeugt wie das Erfordernis einer verwandelnden „Wiederaneignung unseres Strebens nach Existenz"[37]. Freilich enthält sie

284   Jörg Villwock

noch mehr, nämlich die volle Anerkennung der Bedingtheit des Handelns in der Sinnenwelt. Sie leugnet nicht die durchgängige Erklärbarkeit einer Handlung und doch besteht sie auf ihrer Zurechnung, mithin auf der Möglichkeit des Andersseins der jeweiligen Begebenheit als Tat, „sie mag jetzt geschehen oder vorlängst geschehen sein"[38]. Das ist die Zweideutigkeit der Gewissenserfahrung: in ihr weiß sich der Mensch erhoben über die Notwendigkeit des Seins und doch unfähig sie zu durchbrechen.

„Philosophie des Willens" nennt Ricoeur das Projekt, dessen erster Band 1950 unter dem Titel *Le volontaire et l'involontaire* erschienen ist, dem dann als Bände II/1, II/2, II/3 die Arbeiten *L'homme faillible, La symbolique du mal* sowie *De l'Interprétation. Essai sur Freud* nachgefolgt sind. Der bisher noch nicht erschienene dritte Band soll nach der Ankündigung, die der Autor im ersten gibt, eine „Poetik des sich befreienden Willens" liefern[39]. Diese Wendung enthält einen Fingerzeig auf Ricoeurs leitenden Vorbegriff vom Wesen des Wollens, insofern ihre Stoßrichtung nur gegen den Hintergrund des christlichen Paradoxes einer „Knechtschaft des Willens" verständlich wird: allein geknechtetes Wollen nämlich erheischt Befreiung. Ihrer authentischen Intention nach sollte die Formel von der „Willensknechtschaft" der pelagianisch-manichäischen Radikalität in der Trennung zwischen Natur und menschlicher Entscheidungsfreiheit Einhalt gebieten. Zeitigte diese Trennung die falsche Alternative von Indeterminismus (Pelagius) einerseits, tragischem Determinismus (Mani) andererseits, so ging es Augustinus um den mühevolleren Mittelweg, auf dem das wechselseitige Ineinander von Natur und Freiheit gewahrt und in der These ausgedrückt werden konnte, daß Natur — innere wie äußere — an jedem Freiheitsakte partizipiere und menschliches Handeln umgekehrt in den Naturbereich sich erstrecke. Gleichermaßen überwunden waren damit die beiden gegenläufigen Extremauffassungen der Pelagianer und Manichäer über den Ursprung des Bösen in der Welt, denen zufolge es entweder rein willentlich, durch den freien Entscheidungsakt des Menschen oder rein unwillentlich, als notwendige Wirkung natürlicher Determinanten, entstanden sei.

An die skizzierte spätantike Diskussion knüpft Ricoeur mit seinem Traktat *Le volontaire et l'involontaire* an, ja man kann vielleicht sagen, er bemühe sich darin um eine philosophische Neuaneignung der augustinischen Willenslehre für die Gegenwart, die ihm durch eine der Situation des Kirchenvaters analoge Konfrontation gekennzeichnet scheint, wobei Sartres Existentialismus mit seiner

Betonung freien Wählens und Entscheidens der Position des Pelagius entspricht, die verbreitete Strömung naturalistischer Psychologie der des Mani, so daß sich nun unter veränderten Bedingungen
erneut die Frage des Mittelweges erhebt. Den Versuch ihrer Beant-
wortung unterstellt Ricoeur bewußt dem Einfluß der bedeutsamen
philosophischen Arbeit seines Lehrers Gabriel Marcel, der er zu-
vörderst, wie früher schon M. Merleau-Ponty, das zentrale, für die
hermeneutische Explikation des Existenzbegriffs relevante Denkmotiv des „je eigenen Körpers" entnimmt, der weder als pures
Ding unter anderen vorkommt noch einfach im Reflexionsbereich
des Subjekts aufgeht, mithin ein „Drittes" darstellt, das, einbehal-
ten im Subjekt, ohne doch mit ihm zusammenzufallen, konstituie-
rend *und* konstituiert, gebend *und* gegeben zugleich ist. Der
„eigene Leib" ist kein Ding, das dem „ego cogito" rein äußerlich
gegenübersteht, er ist ichhaft, das Ich hinwieder unterhält zu seinem Leib nicht einen Bezug des „Habens", vielmehr waltet zwischen ihnen ein elementares Seinsverhältnis. Das Ich „ist" leiblich,
Leiblichkeit folglich ein Konstitutivum der Seinsweise des Subjekts,
seiner Existenz.

Verpflichtet der hermeneutische Grundsatz der Reflexion denjenigen, der Logosartiges, d. h. solches, das anderes offenbar macht,
nach seinen Grundzügen aufzuhellen beabsichtigt, sich an das zu
halten, was sich aus ihm selbst enthüllt, so muß die Wesensinterpretation des Symbols, will sie seinem Sinnanspruch in der rechten
Weise folgen, von den begrifflichen Explikaten der Existenz her
ihren Ausgang nehmen. Der Zirkel, in den die Überlegung dabei
unvermeidlich gerät, wird deutlich, wenn man bedenkt, daß das
Symbolische einerseits die primäre *Erschlossenheit* der Existenz
begründet, diese aber andererseits die *Seinsweise* des Symbols. Die
Symbolik, fähig, den existentiellen Boden zu bedeuten, dem sie
entspringt, gibt „sich selbst als ein Modus des Seins, von dem sie
spricht, zu erkennen"[40]. Zwischen beiden Polen waltet also eine
Relation der Verhältnisumkehrung, derzufolge die Existenzausle-
gung an symbolischer Rede ihre Orientierung findet, während
zugleich das Wesen des Symbols allein vom Existenzphänomen her
zureichend faßbar wird. „Existenz" nennt die Seinsweise des Ich,
den im „Ich bin" ausgedrückten Akt, der sich ursprünglich symbolisch manifestiert, und das Symbol ist die Form der Kundgabe, die
seinsmäßig an den existentiellen Strukturen partizipiert.

Diese Kreisbewegung zwischen *Ich-spreche* und *Ich-bin* verlegt die
Initiative nacheinander auf die Symbolfunktion und ihre trieb-

hafte und existentielle Wurzel. Doch dieser Kreis ist kein circulus vitiosus; es ist der sehr lebendige Kreis zwischen dem Aussprechen und dem ausgesprochenen Sein[41].

Mit der Determination des allgemeinen Begriffs „Sinn überhaupt" zum Begriff des Symbols, das entbergend verbirgt und verbergend entbirgt, indem es durch einen ersten unmittelbaren wörtlichen Sinn einen zweiten mittelbaren übertragenen Sinn anzielt, ist zugleich ein Ausgangspunkt gewonnen für die dazu korrelative Einschränkung des Begriffs „Verstehen überhaupt" zum Begriff der Interpretation, die nun als die „rationale Arbeit, die im offenbaren Sinn den verborgenen entschlüsselt" oder als die Entfaltung der „Bedeutungsschichten, die in der wörtlichen Bedeutung impliziert sind"[42], gefaßt werden kann.

Weil die Symbolinterpretation, während sie sich ausbildet, in den eigenen Grund, die Existenz, zurückläuft, entzieht sich ihre hermeneutische Erhellung der Anspruchsweite des von Hegel gegen die Möglichkeit einer Erkenntnistheorie gerichteten Zirkularitätseinwandes. Er galt dem methodischen Widersinn einer Erkenntnis vor der Erkenntnis. Die Hermeneutik jedoch folgt, eingebunden in den Vollzugszusammenhang der Interpretation lediglich deren immanenter Begründungstendenz, um sie zur vollen Entfaltung kommen zu lassen. Ihrer Rückläufigkeit wegen ist die Interpretation nicht einfach Gegenstand der Hermeneutik, vielmehr kann die hermeneutische Besinnung nur dem Zug der Selbstaufklärung der Interpretation, die in Richtung auf ihre existentiellen Grundlagen sich bewegt, nachgehen.

Ist aber nun die Setzung, die im „Ich bin" ihren Ausdruck findet, wie wir gesehen haben, wesensmäßig der Zweideutigkeit von kontingenter Faktizität und freier Aktivität unterworfen, so spaltet sich entsprechend die hermeneutische Selbstaufklärung der Interpretation in zwei divergierende, doch innerlich verbundene Richtungen, deren eine das Moment der Faktizität akzentuiert, während in der anderen das Moment der Aktivität den Primat behauptet. Für die erstgenannte Richtung ist nach Ricoeur die psychoanalytische Interpretation Freuds maßgebend, für die zweite ist es die phänomenologische Interpretation Hegels.

In jedem Existenzakt verschränken sich freiheitliche mit schicksalhaften Aspekten zu jener spannungsvollen Einheit, die vom Menschen innerhalb der grundsätzlichen Situation erfahren wird: daß er dem weltlichen Sein gleichzeitig gegenübersteht und ihm angehört. Die Freiheit wird betroffen durch die Determiniertheit der

Körperreaktionen sowie der dynamischen Beziehungen zwischen Unbewußtem und Bewußtem, umgekehrt partizipieren diese am Freiheitscharakter des Selbst. Während nun Hegel in der Wesensinterpretation des Selbstseins auf verschiedene Gestalten der Freiheit stößt (Herrschaft und Knechtschaft; Stoizismus, Skeptizismus, unglückliches Bewußtsein), gelangt Freud in der Gegenrichtung zur Entdeckung von Kategorien, die den Schicksalssinn selbsthaften Verhaltens zu explizieren gestatten. Ricoeurs Versuch der Verhältnisbestimmung beider Interpretationsweisen orientiert sich prinzipiell an der Einsicht in die Priorität des Ganzen vor den Teilen, derzufolge die Determiniertheit einzelner Komponenten der menschlichen Realität nur im Horizont der Freiheit des Ganzen, nicht aber umgekehrt, verstanden werden kann. Entsprechend betrachtet Ricoeur Freuds regressive Analyse im Lichte der Hegelschen Freiheitsgestalten, insbesondere der von Herrschaft und Knechtschaft:

> Es ist in der Tat eine nicht-egalitäre Beziehung, in der der Patient, ähnlich dem Knecht in der Hegelschen Dialektik, das andere Bewußtsein bald als das Wesentliche, bald als das Unwesentliche sieht; auch er hat seine Wahrheit in erster Linie im Anderen, bevor er durch eine der Arbeit des Knechts vergleichbare ‚Arbeit‘ — die der Analyse — zum Herren wird. Eines der Zeichen dafür, daß die Analyse beendet ist, ist gerade die Eroberung der Gleichheit der beiden Bewußtseine, wenn nämlich die Wahrheit des Analytikers zur Wahrheit des kranken Bewußtseins geworden ist. Dann ist der Kranke nicht mehr entfremdet, nicht mehr ein Anderer: er ist ein Selbst, ist er selbst geworden[43].

Die Bewegung dessen, was Hegel die *Erfahrung des Bewußtseins* nennt, ist eine Bewegung aus dem Ziel her. Das im Gegenstandswissen aufgehende natürliche Bewußtsein wird sich selbst, indem es die Erfahrung macht, daß der Gegenstand nicht an sich, sondern für es ist, zu einem anderen, wobei es gerade in diesem Sichanderswerden zu sich selbst kommt. Es gewinnt seinen eigenen Sinn, während es einen ersten, unmittelbaren Sinn preisgibt. Ein Wesensmoment der Rückkehr des Wissens aus der Entfremdung an die Dinge zu sich bildet die *Begierde,* in der das Selbst sich auf dem Wege über das Gegenstandsbewußtsein sucht, ohne dabei je ans Ziel gelangen zu können, so daß die Bewegung in eine fortwährende Iteration der Begierde ausläuft, wenn sie nicht durch die Beziehung zu einer anderen Begierde aufgehalten wird. Was die Begierde dem eigenen, ihr freilich verborgenen Wesen nach ist, enthüllt sich erst auf der Stufe der *Anerkennung* des Menschen durch den Menschen, wo das Selbstbewußtsein sich verdoppelt und das einzelne Ich sich gegenüber einem anderen setzt:

> Die Phänomenologie der Begierde, ..., ist das genaue Gegenteil einer Genesis des Höheren aus dem Niederen; sie besteht vielmehr darin, den Sinn und die Bedingungen der Begierde, so wie sie in den späteren Momenten erscheinen, darzulegen; nur wenn das Leben sich als eine andere Begierde manifestiert, ist die Begierde Begierde; und diese Gewißheit hat ihrerseits ihre Wahrheit in der gedoppelten Reflexion, in der Verdopplung des Selbstbewußtseins[44].

Das ist die *progressive* Synthesis, die Ricoeur als zentralen Wesenszug der phänomenologischen Interpretation im Sinne Hegels hervorhebt: Die Sache zeigt sich in der Erfahrung anders als sie zunächst schien, wobei der Geist dieses Scheinen zuerst negiert, sodann in die Erfahrung hineinnimmt und schließlich auf eine höhere Stufe des Wissens seiner selbst hebt.

Die systematische Anordnung der *Phänomenologie des Geistes* zeigt das Selbstbewußtsein in der Mitte zwischen Vorstellung (Bewußtsein) und Vernunft (Geist). Es nimmt die Vorstellung als deren Wahrheit in sich auf, vermag aber seine eigene Wahrheit nicht zu begreifen, was sich schon äußerlich darin zeigt, daß das Selbstbewußtsein im letzten Stadium seiner Wesensentfaltung „unglückliches Bewußtsein" ist. Es gelangt nicht zum begrifflichen Verständnis seines *selbständigen Lebens,* dessen Wahrheit der Geist ist, sondern bleibt rückgebunden an das *unmittelbare Leben* der Begierde.

> Daher tut die spätere Dialektik niemals etwas anderes, als diese unmittelbare Gegebenheit des Lebens zu vermitteln, die gleichsam die unaufhörlich negierte, aber auch unaufhörlich aufbewahrte und neubehauptete Substanz ist. Das Auftauchen des Selbst ist nicht ein Auftauchen außerhalb, sondern innerhalb des Lebens[45].

Hier zeigt sich das *regressive* Strukturmoment der phänomenologischen Interpretationsweise, das dem Schicksalsaspekt innerhalb der Freiheit korreliert. Die Genesis der Vorstellungen und Vorstellungsverbindungen hat eine passive Seite[46], sofern sie durch Schicksale der Begierde bedingt ist, deren Resistenz gegen Intentionen und Motive Freud zur Ausbildung einer energetischen Analyse bewog, die die Wunschbedingtheit des Bewußtseins wie auch der Kulturphänomene am Leitfaden topischer und ökonomischer Erklärungsmodelle aufzuhellen sucht. Ihr Thema bilden Sinnverbindungen, die in der Abwesenheit meiner selbst entstehen, Inhalte, die der Mensch in Uneinigkeit mit der Gewißheit seiner selbst findet und die daher dem „Prinzip der Erfahrung" (Hegel, Enz. § 7), das die Parousie, das „Dabeisein" des Subjekts fordert, schroff widerstreiten. Sie verlangen eine *archäologische* Interpretationsweise, welche nach Ricoeur allerdings nur in dem Maße ihr Wesen erfüllt, wie sie zugleich teleologisch-progressive Elemente einschließt.

An dieser Stelle sei noch einmal der Blick auf einen Grundaspekt der Gewissenserfahrung gelenkt, ich meine ihre Tragweite für die Erschließung der *Situation,* der faktischen Lage des Menschen, den geschichtlichen „Ort" seiner Existenz, von dem her er gewesene Möglichkeiten „wiederholen" und neue Möglichkeiten entwerfen kann[47]. Ebensowenig wie sie sich in einen Grundsatz konzentrieren läßt, geht die Gewissenserfahrung in der punktuellen Wahrnehmung innerer (psychischer) Vorkommnisse auf. Sie ist wesenhaft ein vollzugsgeschichtliches Phänomen. Ihr Name deutet auf das Beständige, immer Wiederkehrende dieser Bewußtseinsweise hin, die das Ich in der vollen Konkretion seiner retentionalen Erstreckung in die Vergangenheit und seiner protentionalen Spannweite in den von ihm selbst entworfenen Erwartungshorizont enthüllt. Indem es so dem Selbstverständnis Zeitlichkeit verleiht, wird es zur Grundquelle aller Motive des Rückgangs in die Historie durch die eigene Geschichte hindurch[48]. Indem sie den Menschen aus den gegenwärtigen Bezügen zu den Dingen seiner Umwelt herauslöst, um ihn einerseits auf die gewesenen Möglichkeiten seiner selbst zurückzubringen und um ihm andererseits den Überschuß an zukünftigen Möglichkeiten frei vorzuhalten, in deren Licht ihm seine jeweilige Wirklichkeit als eine Einschränkung, mithin als Unzulängliches sichtbar wird, hebt die ihrem geschichtlichen Bezugssinn nach auf das Selbst gerichtete Gewissenserfahrung die *Disproportion* zwischen dessen Anspruch und dessen eigener Kontingenz ins Bewußtsein[49]. Sie enthüllt den Zustand der Existenz im Verhältnis zu den essentiellen Möglichkeiten des Freiseins, und zwar dergestalt, daß jener Zustand in eins als Wesensfolge und als Faktum erscheint, ichhaft und nichtichhaft zumal. In dieser Disproportion der menschlichen Realität, die das Gewissen offenbart, sind die Momente der Endlichkeit und der Unendlichkeit entscheidend. Dem Endlichkeitspol entspricht die Stelle, die der Mensch als Einzelner in der erscheinenden Natur besetzt, dem Unendlichkeitspol die Stelle, die er in der intelligiblen Welt einnimmt. Jene behauptet der Mensch im selbstbezogenen Streben nach Wohlsein, diese aber durch jenes andere, nicht mehr sinnliche, sondern geistige Streben, welches Platon ἔρως nannte und als eine befreiende, hellsichtig, statt blind machende Ergriffenheit dachte, die den Menschen über sich hinaus entrückt und der sich die höchsten, sonst unerschwinglichen Werke der Kultur verdanken.

Eine entsprechende Disproportion hatte sich Kant in der transzendentalen Reflexion auf das menschliche Erkenntnisvermögen gezeigt. Hier war es die Kontingenz des perspektivisch gegebenen Sinneindrucks, die dem Anspruch apriorischer Bestimmung entgegenstand, woraus das Erfordernis eines Mittleren erwuchs, welches die Objektsynthese ermöglicht[50]. Der Mittelbereich nun zwischen dem vitalen Wunsch (ἐπιθυμία) und dem geistigen Streben (ἔρως)‘ der analog der die Einheit des Objekts entwerfenden Einbildungskraft die *Synthesis im Subjekt* leistet, um zugleich eine zum Konflikt dramatisierbare Erfahrung der menschlicher Existenz wesenseigentümlichen Disproportion zu vermitteln, wird nach Ricoeur durch ein Gefühl besetzt, das sich bei Platon unter dem Namen θυμός als Grundgestalt des Übergangs vom Leben (βίος) zum Geist (νοῦς) beschrieben findet. Ricoeur nimmt dieses platonische Denkmotiv auf, um ihm jedoch aus dem Horizont gegenwärtigen Problembewußtseins eine über die traditionelle Deutung (Thomas v. Aquin) hinausgehende Neuinterpretation zuteil werden zu lassen, die von vornherein die wesentlich geschichtlich-interpersonalen Gefühle des Habens, der Macht und der Geltung in den Mittelpunkt der Betrachtung rückt, wodurch die antik-mittelalterliche Thematik dem Problembereich der neuzeitlichen Frage nach dem Selbstbewußtsein integriert wird.

> Das Leben und das Denken, deren spezifische Affektionen wir unter dem Zeichen der ἐπιθυμία und des ἔρως erforscht haben, sind abwechselnd diesseits und jenseits des Selbst; erst mit dem θυμός nimmt das Begehren den Charakter der Differenz und der Subjektivität an, der aus ihm ein Selbst macht; ... Das Selbst ist in diesem Sinn gleichfalls ein ‚zwischen-zweien‘, ein Übergang[51].

Die thymischen Strebungen vollbringen die Zentralisation des Selbst, indem sie es in seinen Beziehungen zu verfügbaren Gütern, zu institutionellen Gestalten der Macht und zu anderen Personen enthüllen. In den Gefühlen des Habens geschieht die zusicheinholende Erfahrung von solchem Seienden, welches in der Verläßlichkeit des „Meinseins“ begegnet. Machtgefühl ist das Ergriffensein von dem, was den Menschen relativ zu seinem Streben nach Herrschaft angeht; Anerkennungsgefühl die Weise der Verinnerlichung des Verhältnisses zu den Phänomenen der Kultur.

Die thymischen Strebungen konstituieren das Selbst als solches, indem sie einen zweiseitig begrenzten Spielraum schaffen zwischen dem Lebensgefühl (ἐπιθυμία) und dem Geistesgefühl (ἔρως). Auf der einen Seite begrenzen sie die sinnliche Begierde, indem sie ihr Bilder aus den Sphären des Habens, der Macht und der Anerkennung vorhalten:

> Die Sexualität wird menschliche Sexualität, insofern sie von dem eigentümlich menschlichen Verlangen durchquert, übernommen, überlaufen wird; deshalb findet sich in ihr immer eine Spur von Besitzenwollen, ein Schatten von Machtstreben und auch die Suche nach gegenseitiger Anerkennung[52].

Auf der anderen Seite begrenzen sie das unendliche Glücksstreben, indem sie es auf ihre Objekte übertragen, woraus jenes mixtum entspringt, daß man die „große Leidenschaft" nennt, in der sich der ἔρως mit der Unruhe des θυμός verbindet:

> Wenn der Leidenschaftliche ‚alles' will, setzt er sein ‚Alles' in eines dieser Objekte, das wir in Korrelation mit dem Ich des Besitzes, der Herrschaft und der Geltung erstehen sahen; deshalb würde ich sagen, das Glück schematisiere sich in der Schwungkraft und in den Objekten des Gemüts (θυμός); eines dieser Objekte steht plötzlich, in einer Art von affektiver Unmittelbarkeit, für das Ganze des Begehrenswerten; man könnte sagen, die Unendlichkeit des Glücks lasse sich in die Unbestimmtheit der Unruhe herab; die Begierde nach der Begierde, die Seele des θυμός, biete dem ungegenständlichen Streben nach Glück seine Bezugsobjekte an als Bild, als vorweisliche Figuration[53].

Leistet der θυμός, unter dem Aspekt seiner Selbständigkeit ins Auge gefaßt, eine Vermenschlichung sowohl der Begierde als auch des Geistesgefühls, so zeigen sich, wenn er unter dem Gesichtspunkt seiner Unselbständigkeit betrachtet wird, zwei gegenläufige Möglichkeiten, nämlich die seines Herabfallens unter die Botmäßigkeit der ἐπιθυμία einerseits und die seiner Vergeistigung andererseits. Die *erste* Möglichkeit markiert nach Ricoeur den philosophischen Ort dessen, was Freud zu Zwecken wissenschaftlicher Hypothesenbildung terminologisch „Libido" genannt hat. Das damit Gemeinte kann nun zunächst in Begriffen Platons als Aufladung des θυμός in der ἐπιθυμία, sodann im Sinne der vorstehenden Spezifizierungen als eine Einheit interpretiert werden, worin das Sexuelle über das Besitz-, Macht- und Geltungsstreben bestimmend übergreift:

Jörg Villwock

Die Libido ist zugleich ἐπιθυμία und θυμός, Begierde und Gemüt; wenn Freud sagt, die Libido sei sexuell, ohne spezifisch genital zu sein, verlegt er seine ganze anthropologische Forschung sehr treffend in diese unentschiedene Region, wo die Begattung auch Paarung ist, wo die Begierde nach dem andern Geschlecht auch Begierde nach seinesgleichen ist; was Freud ‚Lustprinzip‘ nennt, ist bereits Mischung des Vitalen und des Menschlichen, jedoch mit einer vitalen Dominante; (. . .)[54].

Die Beschreibungssprache, die Freud *operativ*[55] verwendet, um den Wunsch und seine symptomatische Wiederkehr in Traumsymbolen darzustellen, indiziert, daß dieser bis in seine innerste Verfassung hinein coexistentiell bestimmt bleibt und mithin keine bloße Lebensregung bedeutet. In der Libido als dem Wunsch nach eigenem erfüllten Sein ist je schon der Wunsch nach Vereinigung mit anderem Sein gegenwärtig. Die Libido partizipiert am Ganzen der Liebe (Eros, Philia, Agape), zu deren Vollsinn die Gerichtetheit auf den Anderen gehört:

> Der Wunsch befindet sich von Anbeginn in der intersubjektiven Situation; er ist Wunsch angesichts der Mutter wie des Vaters, er ist Wunsch angesichts des Wunsches und in dieser Hinsicht schon immer im Prozeß der Negativität, im Prozeß des Selbstbewußtseins[56].

Die den von Freud gewählten topisch-ökonomischen Rahmen übersteigende Einbezogenheit von Freiheitsmomenten in das Schicksal der Libido, zeigt sich nach Ricoeur besonders deutlich im Begriff der *Identifizierung,* der seitens der Psychoanalyse zwar thematisiert, aber nicht hinreichend geklärt wird. Dieses Erhellungsdefizit ist nach Ricoeur keineswegs zufällig. Vielmehr *muß* das fragliche Phänomen solange im Denkschatten der psychoanalytischen Theorie verbleiben, wie sie es versäumt, die innere Polarität der Libido als Liebe und Wunsch nach eigener Lust zu beachten, die sie ständig voraussetzt, ohne ihr methodisch Rechnung zu tragen[57].

Auf die Verschränkung des archäologisch faßbaren Triebschicksals mit dem teleologisch zu deutenden Übergang von Bewußtsein zu Bewußtsein stößt die Psychoanalyse erneut im Zusammenhang der *Sublimierungsproblematik.* Auch hier gelingt es Ricoeur von seinem philosophischen Ansatz her, auf die Konsequenzen aufmerksam zu machen, denen Freud selbst zugunsten der Beibehaltung seines systematischen Rahmens ausweicht, obwohl sie sich von der Sache selbst her ergeben. Die Sublimierung gilt Freud als ein Triebschicksal, bei dem sexuelle Energien zur Verwirklichung nichtsexueller Ziele herangezogen werden. Der Begriff nennt einen Weg zu Schöpfung und kultureller Leistung, der durch Richtungs- und Zieländerung des Sexualtriebs gewonnen wird. Die Schwierigkeit, die der Psychoanalyse die Frage der Sublimierung bereitet, liegt in dem Erfordernis, von ihr eine Schöpfungskraft abzuleiten, die die Sexualität nicht aus-, sondern einschließt. Zwischen Sublimierung und bloßer Verdrängung muß differenziert werden, weil letztere die kulturelle Instanz bereits voraussetzt, deren Entstehung jene begründen soll. Einer angemessenen Erfüllung dieser Distinktionsforderung steht nach Ricoeur wiederum Freuds eingeschränkter Libido-Begriff im Wege, der den Wunsch an das Korrelat der Lust bindet, so zwar, daß alles Schöpferische immer nur *gegen* ihn errungen werden kann. Ohne Bezugnahme auf den Gedanken einer selbst schöpferischen Libido, welche als solche regressive und progressive Momente in sich vereint, bleibt aber das Konzept der Sublimierung notwendig dunkel, ein leerer Titel, unter dem sich letztlich alle jene Schwierigkeiten der Psychoanalyse versammeln, die „innerhalb einer dialektischen Perspektive"[58] überhaupt erst formulierbar sind.

Die *zweite* der oben genannten Möglichkeiten, die der Aufhebung des Wunsches, gehört in den durch Hegels *Phänomenologie des Geistes* erschlossenen Problembereich des Übergangs vom Selbstbewußtsein zum Geist, wobei dem, was Hegel als Widerstand gegen diese Entfaltung namhaft macht, dem „unglücklichen Bewußtsein", in Ricoeurs Überlegungen die Thematik des „leidenschaftlichen Bewußtseins" korrespondiert. Die thymischen Strebungen offenbaren das Wesen des Selbst als *Mitte* und *Übergang.* Als diese Mitte weist es stets zugleich in zwei Richtungen: in die seiner *Herkunft* aus dem Begehren und in die seiner *Zukunft,* die ihm Vernunft und Geist verbürgen. Der Geist ist das, was dem Selbstbewußtsein bzw. Selbstgefühl als seine Wahrheit wesensmäßig zugehört, ohne ihm jedoch verfügbar zu sein. Begierde und Geist stellen keine für sich bestehenden Extreme dar, sondern was sie sind, sind sie nur in ihrer Mitte, die sie auseinanderhaltend verbindet und die selbst wiederum als Gefühl nur vom Eigencharakter der Sinnbereiche her, die sie erschließt, also im Ausgang von den Sphären des Habens, der Macht und der Geltung erhellt werden kann. Erst im progressiven Durchlaufen sämtlicher Sinnsphären, durch deren Verinnerlichung sich „ein menschliches, erwachsenes, bewußtes Selbst"[59] konstituiert, kommt das Wesen des Mittebereichs der interpersonalen Gefühle ans Licht. Jene vor-schreitende Synthesis vollzieht sich im Modus einer durch das Prinzip der *Aufhebung* geregelten Bewegung, die jede frühere Stufe negiert, um sie in der nächstfolgenden verwandelt zu bewahren. So gewinnt der Entwurf einer Teleologie der Selbstübersteigung Kontur, worin der Geist als das erscheint, „was seinen Sinn in späteren Gestalten hat, die Bewegung, die stets ihren Ausgangspunkt vernichtet und erst am Ende gesichert ist"[60]. Ihr steht polar die psychoanalytische Archäologie des Subjekts gegenüber, die jede neue Gestalt als verschleierte Wiederkehr einer früheren aufzufassen lehrt und die die ökonomischen, politischen, kulturellen Bindungen den Triebschicksalen unterworfen sieht, während die teleologische Interpretation hier Bereiche der Selbstwerdung entdeckt, in denen sich in eins damit Möglichkeiten erwachsener Schuld bzw. Entfremdung eröffnen.

> Und hier konstituiert sich eine exemplarische Geschichte des ‚Gewissens'. Der Mensch gelangt zur erwachsenen, normalen, ethischen Schuld, wenn er sich selbst nach den Gestalten dieser exemplarischen Geschichte begreift[61].

Das Gewissen enthüllt den zum „Ich bin" gehörigen Verantwortungssinn gegenüber anderen Personen. Es impliziert daher zugleich die Schemata der Erfahrung solcher Handlungen in der menschlichen Geschichte, bei denen „die Beschädigung der zwischenpersönlichen Bindung, das einer anderen Person zugefügte Unrecht, die als Mittel behandelt wird und nicht als Zweck, mehr ins Gewicht fallen, denn das Gefühl einer Kastrationsdrohung"[62]. Die Symbolik, in der sich die Gewissensbezeugung der Schuld artikuliert, ist zweideutig, sie weist zurück in die Sphäre der Ursprünge und zugleich vor in Möglichkeitsbereiche, die als Möglichkeiten das Faktische übersteigen, indem sie den, der sie denkt in das Streben nach einer dem Sollen entsprechenden erfüllten Existenz versetzen. „Die Symbolik ist der Ort der Identität von Progression und Regression. Das begreifen, würde bedeuten, zur konkreten Reflexion selbst Zugang zu gewinnen"[63]. Diese Reflexion aber bestimmt sich im Gesichtskreis der Hermeneutik als „die Aneignung unseres Strebens nach Existenz und unseres Wunsches nach Sein, durch die Werke hindurch, die von diesem Streben und diesem Wunsch zeugen"[64].

Die Geschichte des Gewissens, die sich in der Dynamik der Symbole des Bösen manifestiert, bleibt der bloßen Beobachtung unzugänglich, ihre Darstellung ist an die Bedingung geknüpft, daß „die Position oder besser gesagt das Exil des fernen und gleichgültigen Zuschauers verlassen wird"[65]. Die symbolisch-mythischen Artiku-

lationszusammenhänge der Gewissenserfahrung fordern eine Ent-
schiedenheit, die, statt die Strenge methodischen Vollzugs aufzu-
weichen, allererst in die kritische Reflexion hineinzwingt, die der
beobachtenden Vernunft äußerlich bleibt. Bei Ricoeur konkretisiert
sich diese über die okulare Bestimmungsart hinausweisende Wahl
in der Statuierung des hermeneutischen Vorranges der jüdisch-
christlichen Mythen vor den griechischen. „Von dieser Übernahme
eines Mythos aus war die Aneignung aller möglich, wenigstens bis
zu einem gewissen Punkt"[66]. Die Perspektive aber, unter der sich
das mythische Material für Ricoeur auf einen Grundmythos hin-
ordnet, wird durch das Rätsel des polaren Wechselbezuges zwischen verantwortbarer Schuld und Tragik im Übergang von der
essentiellen Fehlbarkeit zur existentiellen Verfehlung vorgezeichnet. Es ist der alttestamentarische Adamsmythos, der das Zer-
brechen der Verbindung der Endlichkeit des Menschen mit der
Unendlichkeit, in der er geschaffen wurde, dergestalt zur Darstellung bringt, daß darin sowohl der Freiheitssinn als auch das tra-
gische Moment der Essenz-Existenz-Spaltung erscheint[67]. So induziert diese Symbolik den Doppelgedanken von der Notwendigkeit und der Kontingenz des Bösen, dem weder eine Seinslogik
noch eine reine Ethik der Pflicht gerecht werden kann. Im Widerstand aber der Symbole des Bösen gegen jede Reduktion auf rationale Erkenntnis bekundet sich das Glaubensproblem als eine hermeneutische Frage[68]. Das Existenzverständnis, das sie ausdrücken,
impliziert den Glauben an eine unverfügbare Versöhnung, ein
Glaube, der seinerseits das Verständnis einer anderen Reihe von
Symbolen einschließt, der Symbole des Heiligen, die weder ein
Sollen ausdrücken noch reine Erkenntnis dessen, was ist, sondern
einer Logik der Verwandlung folgen, die sich im Medium der
Phantasie entfaltet und deren Grundformen die Kategorien des
„trotzdem", des „dank" und des „um so vielmehr" bilden[69].
Der vertraute Umkreis des alltäglich verfügbaren Seienden verliert
in der Gewissenserfahrung seine Maßstabfunktion für das, was
wirklich heißen darf, so daß nun als höhere, überlegene Seinsweise
sich bekunden kann, was sonst als unwirklich gilt. Dieses Unwirk-
lichwerden des vertrauten Seienden im Gewissensvollzug bildet
den Grund der Möglichkeit für die symbolische Auffassung, die in
den ihrer gewöhnlichen Bedeutung beraubten Dingen Bilder zur
Darstellung der in expliziter Auslegung nicht anders faßbaren
Nihilität des Unvorhandenen und Unzuhandenen findet. Die Un-
wirklichkeit kann so zur Einbruchsstelle des Überwirklichen wer-

den, das nun die Dignität des „Heiligen" gewinnt. Die Idee der
Heiligkeit und der ihr korrespondierende symbolische Modus arti-
kulierender Rede besitzen also ihren Sinnursprung ebenso im Phänomen des Gewissens wie der Begriff der Schuld und die Idee der
Geschichtlichkeit. Von hier aus wird die fundamentale Tragweite
greifbar, die die Auslegung der Gewissensbezeugung für die hermeneutische Selbstaufklärung geschichtlichen Verstehens besitzt. In
diesem Sinne lesen wir im *Versuch über Freud,* daß die Symbolik
des Bösen „kein Beispiel unter anderen ist, sondern ein bevorzugtes
Beispiel, vielleicht gar der Ursprungsort jeder Symbolik, der Ge-
burtsort des hermeneutischen Problems in seiner ganzen Ausdeh-
nung"[70].

Anmerkungen

[1] Ricoeur, Paul: *Schleiermacher's Hermeneutics.* In: The Monist, vol.
60 (1977), no. 2, S. 184.
[2] Vgl. Bollnow, Otto Friedrich: *Paul Ricoeur und die Probleme der
Hermeneutik.* In: Zeitschrift für philosophische Forschung 30 (1976),
S. 168 f. Der Aufsatz gibt einen guten Überblick über die wichtigsten
Problembereiche der Hermeneutik Ricoeurs.
[3] Vgl. Kant, Immanuel: *Kritik der praktischen Vernunft.* WW V, Aka-
demie-Ausgabe, S. 175 f. Kant unterscheidet drei fundamentale Existenz-
modi des Ich: 1. Sinnenleben; 2. Vorstellen (Denken); 3. Handeln. In
der ersten Hinsicht ist das Ich bestimmbares, in der zweiten bestimmendes, in der dritten bestimmendes *und* bestimmbares. Vgl. ferner: Ricoeur,
Paul: *Die Fehlbarkeit des Menschen. Phänomenologie der Schuld* I. Freiburg, München 1971, S. 13 ff. Ricoeur gibt hier im Anschluß an Jean
Nabert eine Darstellung der Grundzüge des Schuldbewußtseins, die sich
über weite Strecken wie eine Paraphrase des Kantischen Gewissensbegriffs
liest.
[4] Scheler, Max: *Idole der Selbsterkenntnis.* In: *Abhandlungen und Aufsätze.* Leipzig 1915.
[5] Heidegger, Martin: *Sein und Zeit.* Tübingen [13]1976, S. 115.
[6] Ricoeur, Paul: *Hermeneutik und Strukturalismus. Der Konflikt der
Interpretationen* I. München 1973, S. 131.
[7] A. a. O., S. 132.
[8] Ricoeur, Paul: *Symbolik des Bösen. Phänomenologie der Schuld* II.
Freiburg, München 1971, S. 402.
[9] Ricoeur, Paul: *Hermeneutik und Strukturalismus* . . ., a. a. O., S. 172.
[10] A. a. O., S. 15.
[11] Ebd.

[12] A. a. O., S. 20.

[13] Kant, Immanuel: *Kritik der Urteilskraft*. Werke Bd. V, Darmstadt 1966, S. 414. Man kann sagen, daß Kants *Kritik der Urteilskraft* weitgehend im Denkschatten Ricoeurs verbleibt, obwohl er an entscheidenden Stellen auf sie zurückgreift. Zu den Möglichkeiten einer hermeneutischen Konzeption im Anschluß an Kants Lehre vom Schönen und der Kunst vgl. Kimpel, Dieter: *Die Hermeneutik des „als-ob".* *Zur transzendentalistischen Begründung der sprachästhetischen Erfahrung*. In: Bohn, Volker (Hrsg.): *Literaturwissenschaft. Probleme ihrer theoretischen Grundlegung*. Stuttgart, Berlin, Köln, Mainz 1980, S. 66—104.

[14] Schelling, Friedrich Wilhelm Joseph: *System des transzendentalen Idealismus. Werke*, hrsg. v. M. Schröter, 2. Hauptband, S. 509.

[15] Ricoeur, Paul: *Die Fehlbarkeit des Menschen . . .*, a. a. O., S. 35.

[16] Ricoeur, Paul: *Interpretation Theory*. Unveröffentlichtes Manuskript (1971). Zitiert bei Gerhart, Mary: *The Question of Belief in Literary Criticism. An Introduction to the Hermeneutical Theory of Paul Ricoeur*. Stuttgart 1979, S. 125.

[17] Vgl. Ricoeur, Paul: *La métaphore vive*. Paris 1975, S. 262 ff. Ferner: Ders.: *Die Fehlbarkeit des Menschen . . .*, a. a. O., S. 58 ff.

[18] Hamann, Johann Georg: *Sokratische Denkwürdigkeiten*. Sämtl. Werke, hrsg. v. J. Nadler, II. Band, Wien 1950, S. 74.

[19] Vgl. hierzu: Schelling, Friedrich Wilhelm Joseph: *Philosophie der Mythologie*. 1. Band: *Einleitung in die Philosophie der Mythologie*. Darmstadt 1976, S. 261.

[20] Ricoeur, Paul: *Hermeneutik und Strukturalismus . . .*, a. a. O., S. 76.

[21] Ricoeur, Paul: *Metaphor and the Main Problem of Hermeneutics*. In: New Literary History, vol. VI (1974), no. 2, S. 103—104.

[22] Ricoeur, Paul: *Philosophische und theologische Hermeneutik*. In: Ricoeur, Paul, Jüngel, Eberhard: *Metapher. Zur Hermeneutik religiöser Sprache*. Evangelische Theologie (Sonderheft), München 1974, S. 31. Vgl. hierzu: Frank, Manfred: *Was heißt „einen Text verstehen?"* In: Nassen, Ulrich (Hrsg.): *Texthermeneutik: Aktualität, Geschichte, Kritik*. Paderborn, München, Wien, Zürich 1979, S. 69.

[23] Vgl. Ricoeur, Paul: *Metaphor . . .*, a. a. O., S. 110.

[24] Ricoeur, Paul: *Stellung und Funktion der Metapher in der biblischen Sprache*. In: Ricoeur, Jüngel: *Metapher. Zur Hermeneutik religiöser Sprache*, a. a. O., S. 53.

[25] Ricoeur, Paul: *Philosophische und theologische Hermeneutik*, a. a. O., S. 33.

[26] Ricoeur, Paul: *Hermeneutik und Psychoanalyse. Der Konflikt der Interpretationen* II. München 1974, S. 299.

[27] Ricoeur, Paul: *Stellung und Funktion der Metapher . . .*, a. a. O., S. 67.

[28] A. a. O., S. 70.

[29] Jaspers, Karl: *Psychologie der Weltanschauungen.* Berlin, Göttingen, Heidelberg [4]1954. Hierzu: Heidegger, Martin: *Anmerkungen zu Karl Jaspers „Psychologie der Weltanschauungen".* In: *Wegmarken.* Frankfurt/M. [2]1978, S. 1—44.

[30] Jaspers, Karl: *Psychologie* . . ., a. a. O., S. 217.

[31] A. a. O., S. 202.

[32] Ricoeur, Paul: *Symbolik des Bösen* . . ., a. a. O., S. 15.

[33] Ebd.

[34] A. a. O., S. 14.

[35] A. a. O., S. 12.

[36] Ebd. Der Leitspruch, den Ricoeur ins Zentrum der Entfaltung seines Entwurfs stellt, „das Symbol gibt zu denken", verweist gegenüber einer im Zeichen der Formel „Vom Mythos zum Logos" (Nestle) erfolgenden Deutung des Entwicklungsganges abendländischer Geistesgeschichte auf ein anderes Paradigma für das Verhältnis beider Bewußtseinsfaktoren, indem er die Einsicht induziert, daß das Denken, um ins eigene Wesen zu finden, der Aneignung des Mythos bedürfe oder, mit anderen Worten, daß die symbolische Interpretation des Mythos als Funktion und zugleich notwendiges Moment der Rückkehr des Denkens zu ihm selbst zu begreifen sei. Ricoeurs Grundthese über das Verhältnis von Symbol und Mythos lautet: Das Symbol ist ein Organisationsfaktor reflexiv gebrochener Aneignung des Mythos sowie ein wesentliches Moment seiner Bildung. Fungiert ungebrochen der Mythos im archaischen Dasein, das durch ihn alles Denken und Handeln reguliert, so bedeutet „Brechung" demgegenüber die Bewußtmachung des Mythos als Mythos, eine Leistung, die nach Ricoeur den rechtverstandenen Sinn von *Entmythologisierung* erfüllt, der darin liegt, den ungebrochen gelebten und buchstäblich genommenen Mythos in einen gebrochenen und symbolisch gedeuteten dergestalt zu transformieren, daß der Verlust an positiv-gegenständlicher Erklärungskraft durch Freisetzung seiner *existentialen Erschließungstragweite* kompensiert wird. Solche Entmythologisierung bahnt den Mittelweg zwischen den falschen Extremen anachronistisch-naiven Wörtlichnehmens einerseits, der radikalen Abwehr des mythischen Potentials andererseits. Ihre Motivbasis, die Annahme, der *gebrochene* Mythos könne noch ein Interesse der *Vernunft* befriedigen, findet einen ausgezeichneten Anhalt in den biblischen Mythen, die im Horizont des ersten Gebots von sich aus verlangen als Mythen erkannt zu werden. Die jüdisch-christliche Tradition zeichnet so, indem sie den Mythos gerade in seiner Gebrochenheit sanktioniert, gewissermaßen die Zugangsart zum Mythischen überhaupt vor.

[37] Ricoeur, Paul: *Die Interpretation. Ein Versuch über Freud.* Frankfurt/M. 1969, S. 58. Vgl. ders.: *Geschichte und Wahrheit.* München 1974, S. 345 ff. Vgl. hierzu: Frank, Manfred: *Das individuelle Allgemeine. Textstrukturierung und -interpretation nach Schleiermacher.* Frankfurt/M. 1977, S. 137—144. Um die Motive von Ricoeurs Reformulierung des Reflexionsbegriffs als „Wiederaneignung unseres Strebens nach Exi-

stenz" verständlich zu machen, geht Frank dessen Verweis auf den französischen Fichte-Interpreten Jean Nabert nach. Dieser Deutungsansatz
erscheint legitim, Franks Durchführung jedoch unbefriedigend, weil nicht
entschieden genug dem Ziel verpflichtet, das Ricoeur im Kontext des
angeführten Zitats verfolgt: die nähere Bestimmung der *ethischen Seite*
der Reflexion. Von dieser Grundorientierung her müssen die Bezugnah-
men auf Kant, Fichte, Spinoza und Platon, die am gleichen Orte zu finden sind, in ihrem *Zusammenhang* wahrgenommen werden. Frank gleitet
über den Unterschied zwischen der Interpretation und der *Rezeption*
eines Autors hinweg, wenn er eine Studie Ricoeurs *über* Nabert heranzieht, anstatt einen Blick in *L'homme faillible* zu werfen, wo Ricoeur
ausdrücklich sagt, welches Motiv er *von* Nabert aufgenommen habe, nämlich „das Modell einer Reflexion", die die *Gewissenserfahrung* für die
Ausformung des Freiheitsverständnisses heranzieht und die, indem sie sich
rechtfertigt, an die Grenze stößt, an der sie „einer Hermeneutik grund-
und nicht zusätzlich" bedarf. (*Die Fehlbarkeit des Menschen . . .*, a. a. O.,
S. 8) Für den von mir gewählten Interpretationsansatz ist nun entscheidend, daß Ricoeur den von Nabert empfangenen Anstoß im folgenden
nicht im Rückgriff auf Fichte, sondern im Rekurs auf *Kant* entfaltet.

³⁸ Kant, Immanuel: *Kritik der praktischen Vernunft*, a. a. O., S. 177.
Vgl. hierzu: Ricoeur, Paul: *Die Fehlbarkeit des Menschen . . .*, a. a. O.,
S. 14.
³⁹ Zum systematischen Ort der Willenspoetik vgl. Esbroeck, Michel van:
Hermeneutik, Strukturalismus und Exegese. München 1968, S. 27—47.
⁴⁰ Ricoeur, Paul: *Hermeneutik und Strukturalismus . . .*, a. a. O., S. 172.
⁴¹ Ebd.
⁴² A. a. O., S. 22.
⁴³ Ricoeur, Paul: *Die Interpretation . . .*, a. a. O., S. 485.
⁴⁴ A. a. O., S. 478.
⁴⁵ A. a. O., S. 482.
⁴⁶ Zur Problematik der „passiven Genesis" bei Husserl und Ricoeur
vgl. Holenstein, Elmar: *Passive Genesis. Eine begriffsanalytische Studie.*
In: Tijdschrift voor Filosofie, vol. 33, March 1971, S. 112—153.
⁴⁷ Vgl. Ricoeur, Paul: *Die Fehlbarkeit des Menschen . . .*, a. a. O., S. 14.
⁴⁸ Vgl. Heidegger, Martin: *Sein und Zeit*, a. a. O., S. 270 ff. u. 392 ff.
⁴⁹ Vgl. Ricoeur, Paul: *Die Fehlbarkeit des Menschen . . .*, a. a. O.,
S. 18 ff.
⁵⁰ Vgl. a. a. O., S. 34 ff.
⁵¹ A. a. O., S. 141, 142.
⁵² A. a. O., S. 167.
⁵³ A. a. O., S. 170.
⁵⁴ A. a. O., S. 168.
⁵⁵ Zur Unterscheidung zwischen thematischen und operativen Begriffen
vgl. Fink, Eugen: *Operative Begriffe in Husserls Phänomenologie.* In:

Nähe und Distanz. Phänomenologische Vorträge und Aufsätze. Hrsg. v.
Franz-Anton Schwarz. Freiburg, München 1976, S. 180—204.
[56] Ricoeur, Paul: *Die Interpretation* . . ., a. a. O., S. 488.
[57] Vgl. a. a. O., S. 491.
[58] A. a. O., S. 484.
[59] A. a. O., S. 474.
[60] A. a. O., S. 479.
[61] A. a. O., S. 558.
[62] A. a. O., S. 559.
[63] A. a. O., S. 471.
[64] A. a. O., S. 59.
[65] Ricoeur, Paul: *Symbolik des Bösen* . . ., a. a. O., S. 403.
[66] Ebd.
[67] Vgl. a. a. O., S. 349 ff.
[68] Als „Errungenschaft der ‚Modernität' ", wird die Hermeneutik „eine
der Weisen, durch welche diese ‚Modernität' sich übersteigt" (a. a. O.,
S. 400), indem sie den Anspruch der vordem entweder undialektisch ne-
gierten oder im absoluten Begriff Hegels „aufgehobenen" christlichen
Glaubensüberlieferung dergestalt restituiert, daß der Eigenklärung des
Freiheitsverständnisses und des Sinnes philosophischer Reflexion entscheidende Förderung erwächst. Hier wäre u. a. an Ricoeurs Studie über die
Freiheit im Lichte der Hoffnung (In: *Hermeneutik und Strukturalismus*
. . ., a. a. O., S. 199—226) zu erinnern, in der er den Versuch unternimmt,
auf dem Wege einer Hermeneutik des Kerygmas der Auferstehung sowohl eine über die Vorstellung der Unabhängigkeit hinausgehende Interpretation des Freiheitsbegriffs als auch eine Reformulierung der Selbst-
auffassung des Philosophierens qua Ethik zu gewinnen. Im Unterschied
zu Hegel, der die Religion philosophisch begreift, geht es Ricoeur letztlich also um eine Neubegründung des inzwischen fragwürdig gewordenen
Verständnisses der Philosophie durch Auslegung überlieferter Glaubensin-
halte, deren symbolisch-mythische Manifestationen uns „zu denken geben", d. h. dem Denken nicht nur die Aufgabe stellen, sondern es zugleich
auch in die ihm eigene Freiheitsmöglichkeit kritischen Urteilens versetzen.
[69]. Vgl. Ricoeur, Paul: *Hermeneutik und Strukturalismus* . . ., a. a. O.,
S. 207 f.
[70] Ricoeur, Paul: *Die Interpretation* . . ., a. a. O., S. 53.

Ulrich Nassen

Hans-Georg Gadamer und Jürgen Habermas: Hermeneutik, Ideologiekritik und Diskurs

Die Kontroverse zwischen Hans-Georg Gadamer und Jürgen Habermas um den Geltungsanspruch von Hermeneutik und Ideologiekritik übte nicht nur zu Beginn der siebziger Jahre erheblichen Einfluß auf die philosophische und geisteswissenschaftliche Theoriebildung in den Gebieten der Methodologie und Wissenschaftstheorie aus, sondern setzte allererst die gesamte neuere Hermeneutikdiskussion in Gang. Obwohl Gadamers chef d'oeuvre *Wahrheit und Methode* bereits 1960 in der ersten Auflage erschien, war ihm eine breite Rezeption in den Sozial- und Geisteswissenschaften — mit Ausnahme der Theologie — bis zum Zeitpunkt der Habermasschen Besprechung in der von Gadamer mitherausgegebenen „Philosophischen Rundschau" im Jahre 1967, versagt geblieben. Das durch die Studentenbewegung neu erwachte Interesse an der Frankfurter Schule verschaffte alsbald auch solchen Positionen beträchtliche Publizität, an denen sich die Kritik der neuen Kritischen Theorie entzündete. In dem Maße, wie in den Jahren nach 1968 die Kritische Theorie den sogenannten „linguistic turn" vollzog, mußte ihr mehr oder weniger zwangsläufig eine solche Konzeption in das Blickfeld geraten, die wie die Gadamersche offen einer Ontologisierung der Sprache das Wort redete. An ihr konnte sich die kommunikationstheoretisch gewendete Ideologiekritik der Habermasschen Variante der Kritischen Theorie abarbeiten. Der „Zustand wechselseitiger Ignoranz", der „das Verhältnis der Kritischen Theorie der Frankfurter Schule um Horkheimer und Adorno zu der an Heidegger anschließenden philosophischen Hermeneutik Gadamers bis tief in die 60er Jahre" gekennzeichnet hatte[1], wurde erst durch Habermas beendet.
Hatte sich Adorno im Positivismusstreit wissenschaftstheoretisch als so wenig flexibel erwiesen, daß er schließlich ein argumentativ nicht zu rechtfertigendes Privileg für seine subjektive Erfahrung reklamieren mußte, so versuchte Habermas im Durchgang durch die analytische Sprachphilosophie und die philosophische Hermeneutik, der fragwürdigen Forschungslogik des positivistisch hal-

bierten Rationalismus eine andere, leistungsfähigere gegenüberzu-
stellen und auf diese Weise zugleich die Kritische Theorie methodologisch und wissenschaftstheoretisch zu aktualisieren[2]. Die Kritik
der philosophischen Hermeneutik Gadamers muß unter diesem
Gesichtspunkt betrachtet werden.

Gadamers *Wahrheit und Methode* ist — wie Bubner treffend angemerkt hat — „mitunter aufgefaßt worden als ‚Wahrheit und
nicht Methode‘ “[3]. Anlaß zu einer solchen Würdigung der Intentionen des gesamten Buches haben sicherlich *auch* nicht ganz ein-
deutige Formulierungen Gadamers gegeben. Bereits auf der ersten
Seite der Einleitung von *Wahrheit und Methode* heißt es:

> Das hermeneutische Phänomen ist ursprünglich überhaupt kein
> Methodenproblem. Es geht in ihm nicht um eine Methode des
> Verstehens, durch die Texte einer wissenschaftlichen Erkenntnis so
> unterworfen werden, wie alle sonstigen Erfahrungsgegenstände. Es
> geht in ihm überhaupt nicht in erster Linie um den Aufbau einer
> gesicherten Erkenntnis, die dem Methodenideal der Wissenschaft
> genügt — und doch geht es um Erkenntnis und um Wahrheit auch
> hier. Im Verstehen der Überlieferung werden nicht nur Texte
> verstanden, sondern Einsichten erworben und Wahrheiten erkannt.
> Was ist das für eine Erkenntnis und was für eine Wahrheit?
> Angesichts der Vorherrschaft, die die neuzeitliche Wissenschaft
> innerhalb der philosophischen Klärung und Rechtfertigung des
> Begriffs der Wahrheit besitzt, scheint diese Frage ohne rechte
> Legitimation. Und doch läßt sich derselben auch innerhalb der
> Wissenschaften gar nicht ausweichen. Das Phänomen des Verste-
> hens durchzieht nicht nur alle menschlichen Weltbezüge. Es hat
> auch innerhalb der Wissenschaft selbständige Geltung und wider-
> setzt sich dem Versuch, sich in eine Methode der Wissenschaft
> umdeuten zu lassen. Die folgenden Untersuchungen knüpfen an
> diesen Widerstand an, der sich innerhalb der modernen Wissen-
> schaft gegen den universalen Anspruch wissenschaftlicher Methodik
> behauptet. Ihr Anliegen ist, Erfahrung von Wahrheit, die den
> Kontrollbereich wissenschaftlicher Methodik übersteigt, überall
> aufzusuchen, wo sie begegnet und auf die ihr eigene Legitimation
> zu befragen. So rücken die Geisteswissenschaften mit Erfahrungs-
> weisen zusammen, die außerhalb der Wissenschaft liegen: mit der
> Erfahrung der Philosophie, mit der Erfahrung der Kunst und mit
> der Erfahrung der Geschichte selbst. Das alles sind Erfahrungswei-
> sen, in denen sich Wahrheit kundtut, die nicht mit den methodi-
> schen Mitteln der Wissenschaft verifiziert werden kann.

Einige Seiten weiter wird der Anspruch, den Gadamer mit seiner
philosophischen Hermeneutik erhebt, nochmals präzisiert:

Die Hermeneutik, die hier entwickelt wird, ist (...) nicht etwa eine Methodenlehre der Geisteswissenschaften, sondern der Versuch einer Verständigung über das, was die Geisteswissenschaften über ihr methodisches Selbstbewußtsein hinaus in Wahrheit sind und was sie mit dem Ganzen unserer Welterfahrung verbindet. Wenn wir das Verstehen zum Gegenstand unserer Besinnung machen, so ist das Ziel nicht eine Kunstlehre des Verstehens, wie sie die herkömmliche philologische und theologische Hermeneutik sein wollte. Eine solche Kunstlehre würde verkennen, daß angesichts der Wahrheit dessen, was uns aus der Überlieferung anspricht, der Formalismus kunstvollen Könnens eine falsche Überlegenheit in Anspruch nähme[5].

Und noch im Vorwort zur *zweiten* Auflage von *Wahrheit und Methode* (1965) wird von Gadamer erneut betont:

Eine ‚Kunstlehre‘ des Verstehens, wie es die ältere Hermeneutik sein wollte, lag nicht in meiner Absicht. Ich wollte nicht ein System von Kunstregeln entwickeln, die das methodische Vorgehen der Geisteswissenschaften zu beschreiben oder gar zu leiten vermöchten. (...) Insofern ist von den Methoden der Geisteswissenschaften hier überhaupt nicht die Rede[6].

Habermas, der der Hermeneutik innerhalb der Forschungslogik der Sozialwissenschaften einen wichtigen Stellenwert zuweisen möchte und dem deshalb an einer methodischen Verfremdung der hermeneutischen Reflexion gelegen sein muß, lehnt den Dualismus von hermeneutischer Erfahrung und methodischer Erkenntnis ab, den Gadamer konstruiert:

Die Konfrontation von ‚Wahrheit‘ und ‚Methode‘ hätte Gadamer nicht verleiten dürfen, die hermeneutische Erfahrung abstrakt der methodischen Erkenntnis im ganzen entgegenzusetzen. Sie ist nun einmal der Boden der hermeneutischen Wissenschaften; (...) Der Anspruch, den Hermeneutik gegen den auch praktisch folgenreichen Absolutismus einer allgemeinen Methodologie der Erfahrungswissenschaften legitim zur Geltung bringt, dispensiert nicht vom Geschäft der Methodologie überhaupt — er wird, so müssen wir fürchten, entweder *in* den Wissenschaften wirksam, oder gar nicht. Das im Sinne Heideggers ontologisierte Selbstverständnis der Hermeneutik, das Gadamer (...) zur Sprache bringt, scheint mir der Intention der Sache nicht angemessen zu sein[7].

Habermas kritisiert, daß Gadamer mit seiner Auffassung „der positivistischen Abwertung der Hermeneutik unfreiwillig (entgegenkomme)“[8].

In der Tat könnte eine abstrakte Konfrontation von hermeneutischer Erfahrung und methodischer Erkenntnis als Legitimation mißbraucht werden, die Hermeneutik ausschließlich im Bereich der vorwissenschaftlichen Heuristik anzusiedeln. Einer in dieser Weise restringierten Hermeneutik käme forschungslogisch exakt die Funktion zu, die ihr der Kritische Rationalismus damals (1967) noch zugestand.

Aber Gadamer thematisiert in *Wahrheit und Methode* nicht in erster Linie die Rolle der Hermeneutik *in* einzelnen Wissenschaften, sondern vielmehr ihr Verhältnis *zu* den Natur- und Geisteswissenschaften insgesamt. Aus diesem Grund lehnt er auch die Habermassche Forderung nach einer methodologischen Verfremdung der hermeneutischen Reflexion ab. Statt dessen soll die philosophische Hermeneutik — wenn auch im Rückgriff auf die philologischen, historischen und ästhetischen Disziplinen — „deren methodisches Selbstverständnis (. . .) überwinden"[9].

> Die Intention hermeneutischer Theorie geht (. . .) darauf, die mit wissenschaftlichen Erkenntnisprozessen regelmäßig gegebene und im Begriff der Methode bewußt fixierte Ausblendung jener vorwissenschaftlichen Voraussetzungen der Erkenntnis rückgängig zu machen[10].

Die transzendentalphilosophische Rückbesinnung will „auf die Grenze aller Methodik aufmerksam (. . .) machen"[11]. Die hermeneutische Erfahrung, der Gadamer teilhaftig werden möchte, ist „nicht selbst Gegenstand methodischer Verfremdung, sondern liegt dieser voraus, indem sie der Wissenschaft ihre Fragen aufgibt, und dadurch erst den Einsatz ihrer Methoden ermöglicht"[12]. In welchem Maße Gadamer die Forderung nach einer methodischen Verfremdung der hermeneutischen Reflexion geradezu als ein Rückfall in traditionelle hermeneutische Positionen des 19. Jahrhunderts erscheint, läßt sich an der Parallelisierung von Hermeneutik und Interpretation verdeutlichen, die er vornimmt:

> (. . .) in diesen Worten (‚Hermeneutik‘ und ‚Interpretation‘; U. N.) steckt eine scharfe Unterscheidung zwischen dem Anspruch, eine gegebene Tatsache durch ihre Ableitung von all ihren Bedingungen her vollständig zu erklären, sie aus der Gegebenheit aller ihrer Bedingungen zu errechnen und durch künstliche Veranstaltung herbeiführen zu lernen — das ist das wohlbekannte Ideal naturwissenschaftlicher Erkenntnis —, und auf der anderen Seite dem Begriff der Interpretation, bei der wir immer voraussetzen, daß sie nur eine Annäherung, nur ein Versuch ist, plausibel und fruchtbar, aber klarerweise nie endgültig.
> Eine endgültige Interpretation scheint ein Widerspruch in sich selbst zu sein. Interpretation ist immer unterwegs. Wenn somit das

Wort Interpretation auf die Endlichkeit des menschlichen Seins und die Endlichkeit des menschlichen Wissens hinweist, dann enthält die Erfahrung der Interpretation etwas, was im frühen Selbstverständnis nicht lag, als Hermeneutik speziellen Bereichen zugeordnet wurde und als eine Technik zur Überwindung von Schwierigkeiten in schwierigen Texten zur Anwendung kam. Damals war Hermeneutik als Kunstlehre verstehbar — und ist es nicht länger.

Wenn wir nämlich voraussetzen, daß es so etwas wie einen voll durchsichtigen Text oder ein voll ausschöpfbares Interesse im Erklären und Verstehen von Texten nicht gibt, dann verschieben sich alle Perspektiven in bezug auf die Kunst und Theorie der Interpretation. Dann wird es wichtiger, bei einer Sache die uns leitenden Interessen aufzuspüren, als nur den klaren Inhalt einer Aussage auszulegen. (...) Als eine erste Bestimmung, die gegenüber der traditionellen Hermeneutik zu treffen ist, hat daher zu gelten, daß eine philosophische Hermeneutik mehr an den Fragen als an den Antworten interessiert ist. Oder besser, daß sie Aussagen als Antworten auf Fragen, die es zu verstehen gilt, auslegt[13].

Insofern ist Verstehen auch „eben mehr als die kunstvolle Anwendung eines Könnens. Es ist immer auch Gewinn eines erweiterten und vertieften Selbstverständnisses"[14]. Im Mittelpunkt der philosophischen Hermeneutik steht keineswegs die „methodische Ausbildung der Klugheit"[15], für die Habermas sie in Dienst nehmen möchte. „Nicht was wir tun, nicht, was wir tun sollten, sondern was über unser Wollen und Tun hinaus mit uns geschieht, steht in Frage"[16]. Um dieses hermeneutische Problem recht bedenken zu können, ist es nach Gadamers Auffassung erforderlich, jenseits der „Naivität des Methodenglaubens" die „Macht der Wirkungsgeschichte" anzuerkennen:

Es wird (...) nicht gefordert, daß man die Wirkungsgeschichte als eine neue selbständige Hilfsdisziplin der Geisteswissenschaften entwickeln solle, sondern daß man sich selber richtiger verstehen lerne und anerkenne, daß in allem Verstehen, ob man sich dessen ausdrücklich bewußt ist oder nicht, die Wirkung dieser Wirkungsgeschichte am Werk ist. Wo sie in der Naivität des Methodenglaubens verleugnet wird, kann übrigens auch eine tatsächliche Deformation der Erkenntnis die Folge sein. Wir kennen sie aus der Wissenschaftsgeschichte als die unwiderlegliche Beweisführung für etwas evident Falsches. Aber aufs Ganze gesehen hängt die Macht der Wirkungsgeschichte nicht von ihrer Anerkennung ab. (...) Daß Wirkungsgeschichte je vollendet gewußt werde, ist eine (...) hybride Behauptung (...)[17].

Deshalb ist für Gadamer „Verstehen"

> nicht so sehr eine Methode (...), durch die sich das erkennende
> Bewußtsein einem von ihm gewählten Gegenstande zuwendet und
> ihn zur objektiven Erkenntnis bringt, (...) vielmehr (etwas, das;
> U. N.) das Darinstehen in einem Überlieferungsgeschehen zur
> Voraussetzung hat. (...) Die Aufgabe der Hermeneutik besteht,
> philosophisch darin, zu fragen, was das für ein Verstehen was für
> einer Wissenschaft ist, das in sich selbst vom geschichtlichen Wan-
> del fortbewegt wird[18].

Philosophisch soll die Hermeneutik zur Geltung gebracht werden,
nicht ausschließlich methodologisch. Zwar mag Habermas' Forderung, der Anspruch der Hermeneutik müsse *in* den Wissenschaften
zur Wirkung gelangen, nicht unberechtigt sein, aber eine nach
Maßgabe dieser Forderung transformierte Hermeneutik hätte nicht
mehr den Fragehorizont, den ihr Gadamer eröffnen möchte.
Gadamer vollzieht eine Ontologisierung der Hermeneutik am Leitfaden der Sprache. Sprache wird als Medium der hermeneutischen
Erfahrung bestimmt, das Wesen des Überlieferungsgeschehens soll
durch Sprachlichkeit charakterisiert sein. Sprache ist *„das univerale
Medium, in dem sich das Verstehen selber vollzieht"*[19], „die
Sprachlichkeit des Verstehens ist *die Konkretion des wirkungsgeschichtlichen Bewußtseins"*[20].

> Alle Phänomene der Verständigung, des Verstehens und Mißver-
> stehens, die den Gegenstand der sogenannten Hermeneutik bilden,
> stellen eine Spracherscheinung dar. Indessen ist die These, die ich
> (...) diskutieren möchte, noch einen Schritt radikaler. Sie besagt
> nämlich, daß nicht nur der zwischenmenschliche Vorgang der Ver-
> ständigung, sondern der Prozeß des Verstehens selbst auch dann
> ein Sprachgeschehen darstellt, wenn er sich auf Außersprachliches
> richtet oder auf die erloschene Stimme des geschriebenen Buchsta-
> bens horcht[21].

Indem Gadamer die Sprachlichkeit allen Verstehens und allen
Überlieferungsgeschehens behauptet, vollzieht er radikal die Ab-
wendung der Hermeneutik vom Medium der Schrift, wie sie in der
romantischen Hermeneutik grundgelegt ist. „Schriftlichkeit ist
Selbstentfremdung"[22].

> Alles Schriftliche ist (...) eine Art entfremdete Rede und bedarf
> der Rückverwandlung der Zeichen in Rede und Sinn. Weil durch
> die Schriftlichkeit dem Sinn eine Art Selbstentfremdung widerfah-
> ren ist, stellt sich diese Rückverwandlung als die eigentliche herme-
> neutische Aufgabe[23].

Bereits Schleiermacher träumte davon, den toten Buchstaben der Schrift in den lebendigen Geist der Rede zurückzuverwandeln. Was sich indessen für die romantische Hermeneutik in aller Rekonstruktion als Skandalon erwies, nämlich die Begrenzung des Sinnhorizontes des Verstehens, wird von Gadamer endgültig hinweggefegt:

> Was schriftlich fixiert ist, hat sich von der Kontingenz seines Ursprungs und seines Urhebers abgelöst und für neuen Bezug freigegeben. Normbegriffe wie die Meinung des Verfassers oder das Verständnis des ursprünglichen Lesers repräsentieren in Wahrheit nur eine leere Stelle, die sich von Gelegenheit zu Gelegenheit des Verstehens auffüllt[24].

Der Geschehenscharakter des Verstehens und der Fortbildung der Überlieferung bedingen, daß

> das Verstehen (...) selber nicht so sehr als eine Handlung der Subjektivität zu denken (ist), sondern als ein Einrücken in ein Überlieferungsgeschehen, in dem sich Vergangenheit und Gegenwart beständig vermitteln. Das ist es, was in der hermeneutischen Theorie zur Geltung kommen muß, die viel zu sehr von der Idee eines Verfahrens, einer Methode beherrscht ist[25].

Gegen den behaupteten Vorrang der Tradition und der Wirkungsgeschichte sucht Habermas die Kraft der kritischen Reflexion des Bewußtseins auszuspielen:

> (...) gewiß behält (...) die hermeneutische Einsicht recht, daß ein noch so kontrolliertes Verstehen die Traditionszusammenhänge des Interpreten nicht schlicht überspringen kann; aber aus der strukturellen Zugehörigkeit des Verstehens zu Traditionen, die es durch Aneignung auch fortbildet folgt nicht, daß sich das Medium der Überlieferung durch wissenschaftliche Reflexion nicht tiefgreifend verwandelte. Auch in der ungebrochen wirksamen Tradition ist nicht bloß eine von Einsicht losgelöste Autorität am Werke, die blind sich durchsetzen könnte; jede Tradition muß weitmaschig genug gewebt sein, um Applikation, d. h. eine kluge Umsetzung mit Rücksicht auf veränderte Situationen, zu gestatten. Allein, die methodische Ausbildung der Klugheit in den hermeneutischen Wissenschaften verschiebt die Gewichte zwischen Autorität und Vernunft. Gadamer verkennt die Kraft der Reflexion, die sich im Verstehen entfaltet. Sie ist hier nicht länger vom Schein einer Absolutheit, die durch Selbstbegründung eingelöst werden müßte, geblendet und macht sich vom Boden des Kontingenten, auf dem sie sich vorfindet, nicht los. Aber indem sie die Genesis der Überlieferung, aus der die Reflexion hervorgeht und auf die sie sich

zurückbeugt, durchschaut, wird die Dogmatik der Lebenspraxis
erschüttert[26].

Zugleich weist Habermas die Wendung zurück, die seiner Auffassung zufolge Gadamer von der richtigen Einsicht in die Vorurteilsstruktur allen Verstehens hin „zu einer Rehabilitierung des Vorurteils als solchem" vollzieht.

> Gadamer wendet die Einsicht in die Vorurteilsstruktur des Verstehens zu einer Rehabilitierung des Vorurteils als solchem um. Aber folgt aus der Unvermeidlichkeit des hermeneutischen Vorgriffs eo ipso, daß es legitime Vorurteile gibt? Gadamer ist von dem Konservativismus jener ersten Generation, von dem noch nicht gegen den Rationalismus des 18. Jahrhunderts gekehrten Impuls eines Burke angetrieben, in der Überzeugung, daß wahre Autorität nicht autoritär aufzutreten brauche. Von der falschen unterscheide sie sich durch Anerkennung, ‚ja, unmittelbar hat Autorität überhaupt nichts mit Gehorsam, sondern mit Erkenntnis zu tun'. Dieser härteste Satz spricht eine philosophische Grundüberzeugung aus, die nicht durch Hermeneutik gedeckt ist, sondern allenfalls durch deren Verabsolutierung[27].

Für Habermas hingegen

> bleibt das Substantielle des geschichtlich Vorgegebenen davon, daß es in die Reflexion aufgenommen wird, nicht unberührt. (...) Gadamers Vorurteil für das Recht der durch Tradition ausgewiesenen Vorurteile bestreitet die Kraft der Reflexion, die sich doch darin bewährt, daß sie den Anspruch von Traditionen auch abweisen kann. Substantialität zergeht in der Reflexion, weil diese nicht nur bestätigt, sondern dogmatische Gewalten auch bricht. Autorität und Erkenntnis konvergieren nicht. (...) Indem die Reflexion jenen Weg der Autorität erinnert, auf dem die Sprachspielgrammatiken als Regeln der Weltauffassung und des Handelns dogmatisch eingeübt wurden, kann der Autorität das, was an ihr bloße Herrschaft war, abgestreift und in den gewaltloseren Zwang von Einsicht und rationaler Entscheidung aufgelöst werden[28].

Damit ist von Habermas der theoriesystematische Ort markiert, an dem hermeneutische Erfahrung in Ideologiekritik übergehen muß:

> Die Objektivität eines Überlieferungsgeschehens, das aus symbolischem Sinn gemacht ist, ist nicht objektiv genug. Die Hermeneutik stößt gleichsam von innen an Wände des Traditionszusammenhangs; sie kann, sobald diese Grenzen erfahren und erkannt sind, kulturelle Überlieferung nicht länger absolut setzen. Es hat einen guten Sinn, Sprache als eine Art Metainstitution aufzufassen, von der alle gesellschaftlichen Institutionen abhängen; denn soziales Handeln konstituiert sich allein in umgangssprachlicher Kommuni-

kation. Aber diese Metainstitution der Sprache als Tradition ist offenbar ihrerseits abhängig von gesellschaftlichen Prozessen, die nicht in normativen Zusammenhängen aufgehen. Sprache ist *auch* ein Medium von Herrschaft und sozialer Macht. Sie dient der Legitimation von Beziehungen organisierter Gewalt. Soweit die Legitimationen das Gewaltverhältnis, dessen Institutionalisierung sie ermöglichen, nicht aussprechen, soweit dieses in den Legitimationen sich nur ausdrückt, ist Sprache *auch* ideologisch. Dabei handelt es sich nicht um Täuschungen in einer Sprache, sondern um Täuschung mit Sprache als solcher. Die hermeneutische Erfahrung, die auf eine solche Abhängigkeit des symbolischen Zusammenhangs von faktischen Verhältnissen stößt, geht in Ideologiekritik über[29].

Gadamer weist den Vorwurf des Konservativismus' zurück und macht geltend, daß es nicht nur Ziel der Ideologiekritik sei, falsches Bewußtsein zu entlarven, sondern auch, neues Einverständnis zu begründen.

Es ist (...) ein schwerer Irrtum, wenn jemand meint, daß die Universalität des Verstehens, von der ich (...) ausgehe und die ich glaubhaft zu machen suche, etwa eine besondere harmonisierende oder konservative Grundhaltung zu unserer gesellschaftlichen Welt einschließe. Die Fügungen und Ordnungen unserer Welt ,verstehen‘, uns miteinander in dieser Welt verstehen, setzt ganz gewiß ebensoviel Kritik und Bekämpfung von Erstarrtem oder einem fremd Gewordenen voraus, wie Anerkennung oder Verteidigung bestehender Ordnungen[30].

Wie es im Falle einer neurotisch bedingten pathologischen Form der zwischenmenschlichen Kommunikation Aufgabe einer Psychotherapie sei,

den Erkrankten an die Verständigungsgemeinschaft der Gesellschaft wieder anzuschließen, (sei) es doch auch gerade der Sinn der Ideologiekritik selbst, das falsche Bewußtsein zu berichtigen und damit ein neues Einverständnis zu begründen[31].

Daß das „Einrücken in das Überlieferungsgeschehen" von Gadamer keineswegs im Sinne einer puren Affirmation der Ansprüche der Tradition gemeint war, hätte Habermas bereits dem Vorwort zur ersten Auflage von *Wahrheit und Methode* entnehmen können. Dort ist nachzulesen:

Mag es immerhin zum Wesen der Tradition gehören, nur durch Aneignung zu sein, so gehört es doch gewiß auch zum Wesen des Menschen, Traditionen brechen, kritisieren und auflösen zu können (...)[32].

Es ist deshalb verständlich, wenn Gadamer anläßlich des inszenierten Habermasschen Mißverständnisses in seiner direkten Replik die Frage stellt, was zwischen ihnen beiden hinsichtlich dieses Problems eigentlich strittig sei[33]. Im übrigen sucht Gadamer den Geltungsanspruch der Ideologiekritik hermeneutisch zu relativieren, indem er die Vorurteilslosigkeit der Ideologiekritik bestreitet.

> Je ne crois pas, que les représentants de la ,critique des idéologies' sont moins préoccupés que chacun d'entre nous. Se rendre compte de cela, c'est la morale de l'herméneutique philosophique. Une critique dès idéologies est toujours elle-même idéologique. Elle doît se rendre compte de ses propres préoccupations, et elle ne peut le faire qu'en s'exposant au dialogue, au procès herméneutique, qui lui montrera qu'elle aussi a des préoccupations[34].

Eine ideologiekritische Aneignung der Überlieferung erfährt ihre Begrenzung zudem durch die Tatsache, daß sie selbst von dem Traditionszusammenhang abhängig ist, den sie kritisieren will und aus dem sie sich nicht „hinausreflektieren" kann. Diesen Sachverhalt muß auch Habermas — bei aller Kritik des Universalitätsanspruchs der Hermeneutik — konzedieren: „Freilich bleibt auch Kritik an den Überlieferungszusammenhang, den sie reflektiert, gebunden"[35].

Indessen ist der Gegensatz zwischen hermeneutischer und ideologiekritischer Aneignung der Tradition, der Gegensatz zwischen Hermeneutik und Ideologiekritik insgesamt, nicht so unaufhebbar, wie die Kontroverse zwischen Gadamer und Habermas auf einen ersten Blick glauben machen könnte. Bubner hat in einem Aufsatz in der Festschrift für Gadamer gezeigt, wie beide Formen der Traditionsaneignung in engem Wechselverhältnis zueinander stehen:

> Die verschiedenen Einstellungen der Reflexion, die kritische wie die hermeneutische, sind (...) durchaus im Recht, wenn sie jeweils für sich auch das von der anderen Seite betonte Moment mit in Anspruch nehmen: Kritik enträt nie gänzlich der Leistung der Vermittlung und hermeneutisches Verstehen unterschlägt nicht jede kritische Instanz. (...) Die Kontroverse zwischen J. Habermas und H.-G. Gadamer zeigt unverkennbar diese Argumentationsstruktur. Während Habermas mit Nachdruck die Dimension hermeneutischer Anverwandlung inhaltlicher Traditionskomplexe bestätigt, sie jedoch durch emanzipatorische Reflexion ergänzt und ideologiekritisch abgesichert sehen möchte, fällt es Gadamer keineswegs schwer, eine solche Reflexion bereits als dem hermeneutischen Vorgehen innerlich zugehörig nachzuweisen, so daß der weiterge-

henden Insistenz auf einer Kritik, die sich einer quasi ‚naturwüchsigen‘ Überlieferungssubstanz entgegenstellt, der Verdacht des Dogmatismus gilt (. . .)³⁶.

Habermas hat sich diese Position Bubners offenbar inzwischen zueigen gemacht. In seinem Buch *Legitimationsprobleme im Spätkapitalismus* räumt er ein:

> Kulturelle Überlieferungen haben ihre eigenen und verletzbaren Reproduktionsbedingungen. Sie bleiben ‚lebendig‘, solange sie naturwüchsig oder mit hermeneutischem Bewußtsein fortgebildet werden (wobei Hermeneutik als die gelehrte Traditionsauslegung und -anwendung die Eigentümlichkeit hat, die Naturwüchsigkeit weitergegebener Tradition zu brechen und dennoch auf reflexivem Niveau zu halten). Die kritische Aneignung der Reflexion zerstört die Naturwüchsigkeit im Medium des Diskurses (wobei die Eigentümlichkeit der Kritik in ihrer Doppelfunktion besteht, Geltungsansprüche, die diskursiv nicht eingelöst werden können, ideologiekritisch oder analytisch aufzulösen, aber gleichzeitig die Überlieferung von ihren semantischen Potentialen zu entbinden). Insofern ist auch Kritik nicht weniger als Hermeneutik eine Form der Aneignung der Tradition³⁷.

Die kritische Reflexion stört in den substantiellen Gehalten der Überlieferung auf, was bloßes Dogma ist. Wenn auch die Hermeneutik einer in ihrem Anspruch überschwenglichen Kritik des Traditionszusammenhangs mit dem Argument begegnen kann, eine solche Kritik setze ein Bezugssystem außerhalb dieses kritisierten Traditionszusammenhangs voraus, so hofft Habermas im Medium des Diskurses doch ein Konstrukt geschaffen zu haben, das gegen solche hermeneutische Skepsis immun ist und verhindert, daß die kritische Reflexion gegenüber der Wirkungsmächtigkeit der Überlieferung allemal zur Bedeutungslosigkeit verdammt ist. Im Diskurs, dem institutionalisierten, idealisierten Gespräch, wird das Gespräch, wie es sein sollte, dem Gespräch, das wir nach Gadamer sind, an die Seite gestellt.
Habermas hat die Diskurstheorie, die zugleich eine Konsensustheorie der Wahrheit ist, über einen längeren Zeitraum vor allem in Auseinandersetzung mit der Wissenschaftstheorie des Kritizismus entwickelt, der die Wahrheitsfähigkeit praktischer Fragen, die die Diskurstheorie erweisen soll, schlicht bestreitet. Bereits in seinem Aufsatz *Dogmatismus, Vernunft und Entscheidung — Zu Theorie und Praxis in der verwissenschaftlichen Zivilisation* aus dem Jahre 1963 hatte Habermas die Auffassung vertreten, daß

nach Maßstäben technologischer Rationalität Einigung über ein
kollektives Wertsystem niemals auf dem Wege einer aufgeklärten
Diskussion in der politischen Öffentlichkeit, also über einen vernünftig hergestellten Konsensus erreicht werden (kann), sondern
nur durch Summierung oder Kompromiß — Werte sind grundsätzlich indiskutabel[38].

Deshalb führe die positivistische Isolierung von Vernunft und Entscheidung letztlich zu einer vollständigen Separierung der Sphäre
technischen Verfügungswissens von der Lebenswelt. Der Zusammenhang von Theorie und Praxis gehe endgültig verloren.

Die in der arglosen Parteinahme für die formale unterschlagene
substantielle Rationalität enthüllt in dem antizipierten Begriff
einer kybernetisch geregelten Selbstorganisation der Gesellschaft
eine verschwiegene Geschichtsphilosophie. Diese beruht auf der
fragwürdigen These, daß die Menschen im Maße der Verwendung
von Sozialtechniken ihre Geschichte rational lenken, ja diese, im
Maße der kybernetischen Steuerung noch des Einsatzes dieser
Techniken, rational lenken lassen können. Eine solche rationale
Verwaltung der Welt aber ist mit der Lösung historisch gestellter
praktischer Fragen nicht ohne weiteres identisch. Es besteht kein
Grund zu der Annahme eines Kontinuums der Rationalität zwischen der Fähigkeit technischer Verfügung über vergegenständlichte
Prozesse und einer praktischen Beherrschung geschichtlicher Prozesse. Die Irrationalität der Geschichte ist darin begründet, daß
wir sie ‚machen‘, ohne sie bisher mit Bewußtsein machen zu
können. Eine Rationalisierung der Geschichte kann darum nicht
durch eine erweiterte Kontrollgewalt hantierender Menschen, sondern nur durch eine höhere Reflexionsstufe, ein in der Emanzipation fortschreitendes Bewußtsein handelnder Menschen befördert
werden[39].

Folglich müsse

die Konvergenz von Vernunft und Entscheidung, die die große
Philosophie noch unmittelbar dachte, auf der Stufe der positiven
Wissenschaften und das heißt: durch die auf der Ebene technologischer Rationalität notwendig und zurecht gezogene Trennung,
durch die Diremption von Vernunft und Entscheidung hindurch
wiedergewonnen und reflektiert behauptet werden[40].

Erst eine solche Konvergenz von Vernunft und Entscheidung, die
die instrumentelle Vernunft überwunden hätte, könnte „an den
Zwangszusammenhang der Geschichte ernsthaft rühren"[41]. Indem
„Geschichte zum Dialog mündiger Menschen"[42] befreit werden
soll, situiert Habermas seinen theoretischen Ansatz bereits relativ
früh zwischen der geschichtsphilosophischen Position der philoso-

phischen Hermeneutik, der das Überlieferungsgeschehen unvermeidlich mehr Sein als Bewußtsein ist, und der geschichtsphilosophischen Position des Kritizismus, der die geschichtlichen Prozesse — soweit sie sich nicht sozialtechnologisch instrumentalisieren lassen — der Irrationalität und der Dezision überantwortet.

> Es geht (...) darum, ob ein folgenreicher Wissensstand nur in die Verfügung technisch hantierender Menschen geleitet oder zugleich in den Sprachbesitz kommunizierender Menschen eingeholt wird. Als mündig könnte sich eine verwissenschaftlichte Gesellschaft nur in dem Maße konstituieren, in dem Wissenschaft und Technik durch die Köpfe der Menschen hindurch mit der Lebenspraxis vermittelt würden[43].

Unter diesem Blickwinkel betrachtet ist die Habermassche Diskurstheorie weit mehr als eine Wahrheitstheorie unter anderen: Sie ist der Versuch einer Theorie institutionalisierbarer Kommunikation, die beansprucht, unter den Bedingungen einer verwissenschaftlichen und technifizierten Zivilisation, den Menschen vernünftige Orientierungsmöglichkeiten für praktisches Handeln zu bieten. Sie ist zugleich der vorläufig letzte Versuch, dem seit dem 19. Jahrhundert sich beschleunigenden Verfall der öffentlichen Konversationskultur durch Institutionalisierung von Regeln der Kommunikation zu begegnen. Ob sich indessen in institutionalisierten Diskursen tatsächlich — wie behauptet — verallgemeinerungsfähige von nicht-verallgemeinerungsfähigen Interessen scheiden lassen und sich auf diese Weise neuerlich gesamtgesellschaftlich und individuell Identität ausbilden kann[44], steht sehr in Zweifel.

> Unter dem Stichwort ‚Diskurs‘ führe ich die durch Argumentation gekennzeichnete Form der Kommunikation ein, in der problematisch gewordene Geltungsansprüche zum Thema gemacht und auf ihre Berechtigung hin untersucht werden. Um Diskurse zu führen, müssen wir in gewisser Weise aus Handlungs- und Erfahrungszusammenhängen heraustreten; hier tauschen wir keine Informationen aus, sondern Argumente, die der Begründung (oder Abweisung) problematisierter Geltungsansprüche dienen. Diskurse verlangen erstens eine Suspendierung von Handlungszwängen, welche dazu führen soll, daß alle Motive außer dem einzigen kooperativer Verständigungsbereitschaft außer Kraft gesetzt (und Fragen der Geltung von denen der Genesis getrennt) werden können. Zweitens erfordern sie eine Virtualisierung von Geltungsansprüchen, welche dazu führen soll, daß wir gegenüber Gegenständen der Erfahrung (Dingen, Ereignissen, Personen, Äußerungen) einen Existenzvorbehalt anmelden und Tatsachen wie Normen unter

dem Gesichtspunkt *möglicher* Existenz bzw. Legitimität betrachten
(d. h. hypothetisch behandeln) können[45].

In diskursiven Argumentationen muß unvermeidlich und zumeist
kontrafaktisch ein Vorgriff auf die „ideale Sprechsituation" vorgenommen werden, für die vor allem „die symmetrische Verteilung
der Chancen, Dialogrollen wahrzunehmen und Sprechakte auszu-
führen"[46] konstitutiv ist. Insofern ist die „idealisierte Sprechsituation" — als „Vorschein einer Lebensform"[47] — auch Vorwegnahme des idealisierten Gesprächs, des Gesprächs, wie es sein sollte,
das keinen Zwang kennt, außer den, der vom sogenannten „besseren Argument" ausgeht. Ziel eines Diskurses ist der „wahre Konsensus":

> Die Konsensustheorie der Wahrheit beansprucht den eigentümlich
> zwanglosen Zwang des besseren Argumentes durch formale Eigen-
> schaften des Diskurses zu erklären und nicht durch etwas, das
> entweder, wie die logische Konsistenz von Sätzen, dem Argumen-
> tationszusammenhang zugrunde liegt, oder, wie die Evidenz von
> Erfahrungen, von außen gleichsam in die Argumentation ein-
> dringt. Der Ausgang eines Diskurses kann weder durch logischen
> noch durch empirischen Zwang allein entschieden werden, sondern
> durch die ‚Kraft des besseren Argumentes'. Diese Kraft nennen
> wir *rationale Motivation*. Sie muß im Rahmen einer Logik des
> Diskurses geklärt werden[48].

Weil die Geltungsansprüche „Wahrheit" (im Falle der Behandlung
theoretischer Fragen) und „Richtigkeit" (im Falle der Behandlung
praktischer Fragen) „nur *mittelbar* in Erfahrung fundiert sind"[49]
können sie ausschließlich argumentativ eingelöst werden.

> Wahrheit als die Berechtigung des in einer Behauptung implizier-
> ten Geltungsanspruchs, zeigt sich nicht, wie die Objektivität der
> Erfahrung, im erfolgskontrollierten Handeln, sondern allein in der
> erfolgreichen Argumentation, durch die der problematisierte Gel-
> tungsanspruch eingelöst wird[50].

Analoges gilt für den Geltungsanspruch der „Richtigkeit", der mit
Bewertungen und Normen erhoben wird. Die Verallgemeinerungsfähigkeit von Normen ist nicht an deren faktische Geltung gebunden, sonst wären die faktisch geltenden Normen auch immer schon
die verallgemeinerungsfähigen, sondern sie muß ebenfalls argumentativ nachgewiesen werden. Auf diese Weise glaubt Habermas
sowohl eine relativistische als auch eine dogmatische Behandlung
praktischer Fragen umgehen zu können.

> Freilich muß eine faktisch geltende Norm nicht auch zu Recht
> bestehen, und richtige Normen müssen nicht faktisch Geltung er-

langen. Deshalb können sich die Ergebnisse praktischer Diskurse, in denen nachgewiesen wird, daß der Geltungsanspruch faktisch anerkannter Normen nicht eingelöst werden kann oder daß Normen mit argumentativ einlösbarem Geltungsanspruch tatsächlich nicht existieren, gegenüber der Wirklichkeit ... kritisch verhalten (...)[51].

Im „Modell der Unterdrückung verallgemeinerungsfähiger Interessen"[52], das die Folie für solche Argumentationen bildet, scheint die ideologiekritische Dimension der Diskurstheorie auf. Zugleich ist die Logik des Diskurses die allgemeinste Form einer Logik der allgemeinen Interpretation, die Habermas erstmals in *Erkenntnis und Interesse* anhand der Struktur der psychoanalytischen Therapeutik entfaltete. Für beide Logiken sind die sogenannten „substantiellen Argumente" von großer Bedeutung. *Sie* sind es, die die Kraft besitzen, zur Anerkennung von Geltungsansprüchen rational motivieren zu können[53] .Sowohl im Falle allgemeiner Interpretationen als auch im Falle von praktischen Diskursen bleibt die Anerkennung der Wahrheit von Interpretationen/Behauptungen wie die Anerkennung der Richtigkeit von Normen und Empfehlungen, an die Zustimmung der Betroffenen/der Teilnehmer des Diskurses gebunden.

Allgemeine Interpretationen gelten, wenn sie gelten, für das forschende Subjekt und alle, die seine Stellung einnehmen können nur in dem Maße, in dem diejenigen, die zum Gegenstand einzelner Interpretationen gemacht werden, darin *sich selber erkennen*. Das Subjekt kann eine Erkenntnis vom Objekt nicht gewinnen, ohne daß sie für das Objekt Erkenntnis geworden wäre und dieses durch sie zum Subjekt sich befreit hätte[54].

Der Konsensustheorie zufolge

darf ich dann und nur dann einem Gegenstand ein Prädikat zusprechen, wenn auch jeder andere, der in ein Gespräch mit mir eintreten *könnte*, demselben Gegenstand das gleiche Prädikat zusprechen *würde*. Ich nehme, um wahre von falschen Aussagen zu unterscheiden auf die Beurteilung anderer Bezug — und zwar auf das Urteil aller anderen, mit denen ich je ein Gespräch aufnehmen könnte. (...) Die Bedingung für die Wahrheit von Aussagen ist die potentielle Zustimmung aller anderen. Jeder andere müßte sich überzeugen können, daß ich dem Gegenstand x das Prädikat p berechtigterweise zuspreche und müßte mir dann zustimmen können[55].

Die Verwandtschaft von Diskurs und psychotherapeutischem Gespräch ist nicht zufällig. Der Diskurs ist gewissermaßen die ideal-

typische Form der Kommunikation, in der das gelungene psychoanalytische Therapiegespräch terminiert:

> Ein gelingender therapeutischer ,Diskurs' hat erst zum Ergebnis,
> was für den gewöhnlichen Diskurs von Anbeginn an gefordert
> werden muß. Die effektive Gleichheit der Chancen bei der Wahr-
> nehmung von Dialogrollen, überhaupt der Wahl und Ausübung
> von Sprechakten, muß zwischen den ungleich ausgestatteten Ge-
> sprächspartnern erst hergestellt werden. (...) Indem der Patient
> die vorgeschlagenen und ,durchgearbeiteten' Interpretationen des
> Arztes annimmt und als zutreffend bestätigt, durchschaut er zu-
> gleich eine Selbsttäuschung. Die wahre Interpretation ermöglicht
> gleichzeitig die Wahrhaftigkeit des Subjektes in den Äußerungen,
> mit denen es bis dahin (möglicherweise andere, mindestens aber)
> sich selbst getäuscht hatte. Wahrhaftigkeitsansprüche lassen sich in
> der Regel nur in Handlungszusammenhängen überprüfen. Jene
> ausgezeichnete Kommunikation, in der Verzerrungen der Kommu-
> nikationsstruktur selbst überwunden werden können, ist die ein-
> zige, in der zusammen mit einem Wahrheitsanspruch zugleich ein
> Wahrhaftigkeitsanspruch ,diskursiv' geprüft (und als unberechtigt
> abgewiesen) werden kann[56].

Daß sich die Konvergenz von Vernunft und Entscheidung, die
Organisierung der Aufklärung im Medium des Diskurses gleichsam
als universelle Psychotherapie vollziehen soll, ist das Bedenklichste
der gesamten Konzeption. Der therapeutische Diskurs, immerhin
ein Sonderfall zwischenmenschlicher Kommunikation, wird als
Beispiel gelingender Selbstreflexion ausgegeben und erhält wissenschaftstheoretische und gesellschaftstheoretische Relevanz zugesprochen. Bereits in der Auseinandersetzung mit Gadamer treibt
die Mobilisierung der Tiefenhermeneutik gegen die hermeneutische
Erfahrung zu einer Universalisierung des psychotherapeutischen
Anspruchs. Angeblich lehrt die tiefenhermeneutische Erfahrung,

> daß sich in der Dogmatik des Überlieferungszusammenhangs nicht
> nur die Objektivität der Sprache überhaupt, sondern die Regressi-
> vität eines Gewaltverhältnisses durchsetzt, das die Intersubjektivi-
> tät der Verständigung als solche deformiert und die umgangs-
> sprachliche Kommunikation systematisch verzerrt. Deshalb steht
> jeder Konsensus, in dem Sinnverstehen terminiert, grundsätzlich
> unter dem Verdacht, pseudokommunikativ erzwungen zu sein: die
> Alten nannten es Verblendung, wenn sich im Schein des faktischen
> Verständigtseins Mißverständnis und Selbstmißverständnis unge-
> rührt perpetuierten. Die Einsicht in die Vorurteilsstruktur des
> Sinnverstehens deckt nicht die Identifizierung des tatsächlichen
> herbeigeführten Konsensus mit dem wahren. Diese vielmehr führt

zur Ontologisierung der Sprache und zur Hypostasierung des Überlieferungszusammenhangs. Eine kritisch über sich aufgeklärte Hermeneutik, die zwischen Einsicht und Verblendung differenziert, nimmt das metahermeneutische Wissen über die Bedingungen der Möglichkeit systematisch verzerrter Kommunikation in sich auf. Sie bindet Verstehen an das Prinzip vernünftiger Rede, demzufolge Wahrheit nur durch *den* Konsensus verbürgt sein würde, der unter den idealisierten Bedingungen unbeschränkter und herrschaftsfreier Kommunikation erzielt worden wäre und auf Dauer behauptet werden könnte[57].

Die kritische, psychoanalytisch versierte Hermeneutik schafft sich ihr Betätigungsfeld, indem sie die Schleiermachersche These, das Mißverständnis sei das Normale und deshalb müsse Verstehen in jedem Punkte gewollt und gesucht werden, so radikalisiert, daß sie jeden erzielten Konsensus grundsätzlich und vorab verdächtigen kann, pseudokommunikativ erzwungen zu sein. Aus dem Watzlawickschen „man kann nicht nicht kommunizieren" ist ein „es darf nicht nicht interpretiert werden" geworden.

Daß Habermas die Wörtlichkeit eines Sprechens (...) nicht den täglichen Glücksfall, sondern systematisch verzerrte Kommunikation nennt, ist (...) eine durchsichtige List. Sie setzt Interpretations- und Reflexionsmaschinen in Gang, die unter der Vorgabe, ein märchenhaftes Tabu über Sexualitäten, Sozialisationen, Gewaltakten, abzubauen, ein ganz anderes Tabu aufrichten: Es darf nicht nicht interpretiert werden. Diskurse, die der Deutungen spotten, scheiden aus[58].

Die in Diskursen organisierte Aufklärung verhält sich keineswegs so kritisch gegenüber der Wirklichkeit, wie sie gerne fingiert. Man braucht nur die Konstitutionsregeln des Diskurses als Exklusionsregeln zu lesen, um zu zeigen, in welcher Hinsicht „die Regeln des Diskurses (...) ihre Komplizität mit denen der Kultur (haben)"[59]. Es mag sein, daß — wie Habermas behauptet — „die Institutionalisierung von Diskursen (...) offensichtlich zu den schwierigsten und gefährdetsten Innovationen der Menschheitsgeschichte (gehört)"[60] — aber vielleicht ist sie auch eine der gefährlichsten, weil sie die Schleiermachersche Idee der Gesprächsgeselligkeit des unendlichen Gesprächs endgültig institutionell vereinnahmt hätte.

Schleiermacher entdeckt (...) als Grundsituation der pluralisierend-literarischen Hermeneutik die Gesprächsgeselligkeit des *unendlichen Gesprächs*, das jeden zu Wort kommen läßt, ohne zeitliches Limit und ohne Einigungszwang: also anders als der sogenannte herrschaftsfreie Diskurs, der (...) alle zu Knechten des Konsensdrucks macht, d. h. faktisch zu Knechten dessen, der den Konsensdruck verwaltet[61].

Es mag sein, daß einer technischen Zivilisation, „die des Zusammenhangs der Theorie mit Praxis enträt (...) die Spaltung des Bewußtseins und die Aufspaltung der Menschen in zwei Klassen — in Sozialingenieure und Insassen geschlossener Anstalten (droht)"[62] — aber vielleicht ist die in Diskursen organisierte Aufklärung als die Herrschaft der Verwalter der Vernunft doch nicht die richtige Alternative.

Verzeichnis der verwendeten Siglen

E u I   : Habermas, J.: *Erkenntnis und Interesse. Mit einem neuen Nachwort.* Ffm. 1973

H u I   : *Hermeneutik und Ideologiekritik.* Mit Beiträgen v. K.-O. Apel u. a. 15.—17. Tsd. Ffm. 1975.

K u K   : Habermas, J.: *Kultur und Kritik. Verstreute Aufätze.* Ffm. 1973.

L d S   : Habermas, J.: *Zur Logik der Sozialwissenschaften. Materialien.* 2. Aufl. Ffm. 1971.

Leg P   : Habermas, J.: *Legitimationsprobleme im Spätkapitalismus.* Ffm. 1973.

Th u P   : Habermas, J.: *Theorie und Praxis. Sozialphilosophische Studien.* 21.—32. Tsd. Ffm. 1972.

Wth   : Habermas, J.: *Wahrheitstheorien.* In: Fahrenbach, H. (Hrsg.): *Wirklichkeit und Reflexion. Walter Schulz zum 60. Geburtstag.* Pfullingen 1973, 211—265.

W u M   : Gadamer, H.-G.: *Wahrheit und Methode. Grundzüge einer philosophischen Hermeneutik.* 3. erw. Aufl. Tübingen 1972.

Anmerkungen

[1] Lang, P. Ch.: *Hermeneutik — Ideologiekritik — Ästhetik. Über Gadamer und Adorno sowie Fragen einer aktuellen Ästhetik.* Königstein/Ts. 1981 (= Monographien zur philosophischen Forschung 200), 1. Vgl. dazu auch Mendelson, J.: *The Habermas-Gadamer Debate.* In: new german critique, no. 18/1979, 46.

[2] Vgl. dazu Wellmer, A.: *Kritische und analytische Theorie.* In: Marxismusstudien, 6. Folge 1969, 225 sowie die Bemerkung von Habermas, die Grossner bringt: „Methodologisch stehen wir nackt da, nachdem der theoretische Schleier, den Adornos Genie vor unsere methodologische Blöße

hielt, gefallen ist." (Grossner, C.: *Verfall der Philosophie. Politik deutscher Philosophen*. Reinbek 1971, S. 15).

[3] Bubner, R.: *Über die wissenschaftstheoretische Rolle der Hermeneutik. Ein Diskussionsbeitrag*. In: Ders.: *Dialektik und Wissenschaft*. Ffm. 1973, 90 (Hervorh. im Original).

[4] W u M, XXVIIf.

[5] W u M, XXIX.

[6] W u M, XVI.

[7] L d S, 281. (Hervorh. im Original).

[8] L d S, 281.

[9] Bubner, R.: *Über die wissenschaftstheoretische Rolle der Hermeneutik. Ein Diskussionsbeitrag*. In: Ders.: *Dialektik und Wissenschaft*. Ffm. 1973, 91.

[10] Bubner, R.: *Über die wissenschaftstheoretische Rolle* ..., a. a. O., 93.

[11] Bubner, R.: *Über die wissenschaftstheoretische Rolle* ..., a. a. O., 95.

[12] Gadamer, H.-G.: *Rhetorik, Hermeneutik und Ideologiekritik. Metakritische Erörterungen zu ,Wahrheit und Methode'*. In: H u I, 66.

[13] Gadamer, H.-G.: *Hermeneutik als praktische Philosophie*. In: Ders.: *Vernunft im Zeitalter der Wissenschaft*. Ffm. 1976, 100 f.

[14] Gadamer, H.-G.: *Hermeneutik als praktische Philosophie*, a. a. O., 108.

[15] L d S, 283.

[16] W u M, XVI.

[17] W u M, 285.

[18] W u M, 293.

[19] W u M, 366 (Hervorh. im Original).

[20] W u M, 367 (Hervorh. im Original).

[21] Gadamer, H.-G.: *Sprache und Verstehen*. In: Hörmann, H., Gadamer, H.-G., Eggers, H.: *Sprechenlernen und Verstehen. Gesellschaft und Sprache im Umbruch*. Stuttgart 1971 (= Radius Projekte 47), 19.

[22] W u M, 368.

[23] W u M, 371.

[24] W u M, 373.

[25] W u M, 274 f. (Hervorh. im Original).

[26] L d S, 282 f.

[27] L d S, 283.

[28] L d S, 284 f.

[29] L d S, 287.

[30] Gadamer, H.-G.: *Sprache und Verstehen*, a. a. O., 24.

[31] Gadamer, H.-G.: *Sprache und Verstehen*, a. a. O., 25.

[32] W u M, XXV.

[33] Gadamer, H.-G.: *Rhetorik, Hermeneutik und Ideologiekritik* ..., a. a. O., 74.

[34] Gadamer, H.-G.: *L'herméneutique philosophique*. In: Studies in Religion 5 (1975), 12.

320 Ulrich Nassen

[35] Habermas, J.: *Der Universalitätsanspruch der Hermeneutik*. In: K u K, 301.

[36] Bubner, R.: *„Philosophie ist ihre Zeit, in Gedanken erfaßt."* In: H u I, 222 und 222, Anm. 12.

[37] Leg P, 99 f.

[38] Th u P, 324.

[39] Th u P, 327 f.

[40] Th u P, 333.

[41] Th u P, 333.

[42] Th u P, 333.

[43] Habermas, J.: *Verwissenschaftlichte Politik und öffentliche Meinung*. In: Ders.: *Technik und Wissenschaft als „Ideologie"*. Ffm. 1968, 144.

[44] Vgl. Habermas, J.: *Können komplexe Gesellschaften eine vernünftige Identität ausbilden?* In: Habermas, J., Henrich, D.: *Zwei Reden. Aus Anlaß des Hegel-Preises.* Ffm. 1974, 23 ff.

[45] Wth, 214 (Hervorh. im Original); vgl. auch E u I, 386 sowie Th u P, 25.

[46] Habermas, J.: *Vorbereitende Bemerkungen zu einer Theorie der kommunikativen Kompetenz*. In: Habermas, J., Luhmann, N.: *Theorie der Gesellschaft oder Sozialtechnologie — Was leistet die Systemforschung?* Ffm. 1971, 139.

[47] Habermas, J.: *Vorbereitende Bemerkungen* ..., a. a. O., 141.

[48] Wth, 240 (Hervorh. im Original).

[49] Wth, 224 (Hervorh. im Original).

[50] E u I, 388.

[51] Wth, 229.

[52] Vgl. Leg P, 153 ff. Zur Übertragung des Modells in die Sphäre des Ästhetischen vgl. jetzt Habermas, J.: *Theorie des kommunikativen Handelns*, Bd. 1, Ffm. 1981, 42: „Wie Gründe im praktischen Diskurs dazu dienen sollen, nachzuweisen, daß die zur Annahme empfohlenen Norm ein verallgemeinerbares Interesse zum Ausdruck bringt, so dienen Gründe in der ästhetischen Kritik dazu, die Wahrnehmung anzuleiten und die Authentizität eines Werkes so evident zu machen, daß diese Erfahrung selbst zum rationalen Motiv für die Annahme entsprechender Wertstandards werden kann."

[53] Zur Bestimmung der Struktur substantieller Argumente im Anschluß an Toulmin vgl. Leg P, 147.

[54] E u I, 319 (Hervorh. im Original).

[55] Wth, 219 (Hervorh. im Original).

[56] Wth, 259 f.

[57] Habermas, J.: *Der Universalitätsanspruch der Hermeneutik*. In: K u K, 296 f. (Hervorh. im Original).

[58] Kittler, F.: *Vergessen*. In: Nassen, U. (Hrsg.) *Texthermeneutik. Aktualität, Geschichte, Kritik*. Paderborn, München, Wien, Zürich 1979, 215.

[59] Vgl. Zons, R. S.: *Notizen zur Genealogie des praktischen Diskurses.* In: Oelmüller, W. (Hrsg.): *Normen und Geschichte.* Paderborn, München, Wien 1979 (= Materialien zur Normendiskussion, Bd. 3), 222 f.

[60] Wth, 265 Anm. 45.

[61] Marquard, O.: *Frage nach der Frage, auf die die Hermeneutik die Antwort ist.* In: Ders.: *Abschied vom Prinzipiellen. Philosophische Studien.* Stuttgart 1981, 131 (Hervorh. im Original).

[62] Th u P, 333 f.

Personenregister

(Es wurden nur die jeweils im Textteil der Aufsätze genannten Namen in das Register aufgenommen.)

Adorno 301
Jehuda Alfacher 32
Thomas v. Aquin 290
Ariost 16
Aristoteles 15, 261, 262, 281
Artemidoros v. Daldis 215
Ast 7, 76, 81, 87—98, 137
Augustinus 284

Bacon 29
Baumgarten 20
Beardsley 278
Bernhardy 77, 83
Betti 133, 135
Bodmer 20
Böckh (Boeckh) 7, 77, 83, 86, 91,
    96, 98, 131, 135—142, 144—146,
    148, 150—152, 154—156, 158 bis
    160
Bratuscheck 137
Breitinger 20
Bresch 260
Breuer 216
Brunner 126
Bubner 302, 310

Calvin 108
Chladenius 7, 43—67, 77
Jesus Christus 23
Clauberg 44
Coseriu 258
Uriel da Costa 10
Creuzer 89, 90

Descartes 9, 10, 270, 272
Dilthey 7, 43, 78, 90, 135, 173
    bis 202, 225, 226

Dissen 77
Droysen 54

Eichstädt 89
Einstein 259
Ernesti 77, 82

Feuerbach, L. 179
Fichte 89, 91, 111
Frank 115, 155
Freud 7, 207, 208, 210—218, 220,
    222—237, 286—288, 291—293
Fries 89
Fülleborn 77

Gadamer 7, 43, 47, 131, 132, 135,
    136, 301—311, 316
Galilei 18
Garcián 110
Geldsetzer 53
Goethe 77, 84, 115, 250
Grotius 139
Gürtler 77, 79

Haase 77
Habermas 7, 301, 303, 305—315,
    317
Hamann 20, 276
Hebel 245
Hegel 89, 117, 183, 286—289, 293
Heidegger 7, 96, 125, 131, 132,
    173, 198, 241—264, 272, 273,
    302
Heraklit 257, 261
Herder 278
Hermann 77, 83, 91

Hirsch 133—135, 148, 154, 159, 160
Homer 97
Humboldt, W. v. 77, 84, 92, 135, 258
Husserl 176, 200, 273

Ickelsamer 249, 250

Jacobi 117
Jacobs 88
Jaspers 173, 282
Johnson 121

Kaiser, G. 118
Kant 174—176, 178—180, 271, 274, 275, 281, 282
Kassner 124
Kaulbach 114
Kierkegaard 119
Koch 77, 78
Krause 89

Leibniz 20, 115
Christine v. Lothringen 18
Lücke 77
Luther 30

Maimonides 10
Mani 284, 285
Marcel 285
Marquard 7, 126
Marx 124, 214
Meier, G. F. 20, 77
Merleau-Ponty 285
Morus, Sam. F. N. 77

Novalis 113

Oetinger 20
Ovid 16

Parmenides 261
Paulus 108, 109

Pelagius 284, 285
Pindar 97
Platon 88, 97, 137, 242—244, 254, 257, 262, 290, 291

Rambach 77
Ricoeur 7, 270—273, 275—278, 281—293, 295

Sartre 284
Scheler 271
Schelling 84, 89, 90, 274
Schlegel, A. W. 89
Schlegel, Fr. 77, 87—92, 111, 112, 114, 118, 121
Schleiermacher 7, 43, 48, 80, 83, 85—88, 92, 96, 98, 108—126, 135—139, 146, 151, 152, 155, 156, 193, 220—222, 226, 307, 317
Schlichtegroll 88
Schütz 88
Semler 77, 82
Shakespeare 211—214
Sokrates 276
Sophokles 210, 211, 214
Spinoza 7, 9—38, 139, 283
Steinthal 98
Stockmann 77, 79
Szondi 90, 125, 136, 137

Thomasius 44, 45
Troeltsch 111

Vico 20, 61

Wach 87, 98
Watzlawick 317
Weber, M. 272
Windelband 183
Wittgenstein 14, 272
Wolf 7, 76—88, 92, 137, 145
Wolff 44, 45